Kafka à beira-mar

Haruki Murakami

Kafka à beira-mar

TRADUÇÃO DO JAPONÊS
Leiko Gotoda

19ª reimpressão

Copyright © 2005 by Haruki Murakami

Grafia atualizada segundo o Acordo Ortográfico da Língua Portuguesa de 1990, que entrou em vigor no Brasil em 2009.

Título original
Umibe no Kafuka

Capa
Christiano Menezes

Revisão
Ana Kronemberger
Lilia Zanetti
Raquel Corrêa

Atualização ortográfica
Luciana Baraldi

Esta é uma obra de ficção. Nomes, personagens, organizações empresariais, lugares, eventos e acontecimentos são produto da imaginação do autor ou são utilizados de forma ficcional, sem a intenção de criticar qualquer empresa, ou seus produtos e serviços.

CIP-Brasil. Catalogação na fonte
Sindicato Nacional dos Editores de Livros, RJ

M944k

    Murakami, Haruki
      Kafka à beira-mar / Haruki Murakami ; tradução do japonês
    Leiko Gotoda. – 1ª ed. – Rio de Janeiro : Objetiva, 2008.

      Tradução de: *Umibe no Kafuka.*
      ISBN 978-85-60281-42-8

      1. Romance japonês. I. Gotoda, Leiko. II. Título.

                         CDD: 895.63
08-0361   CDU: 821.521-3

Todos os direitos desta edição reservados à
EDITORA SCHWARCZ S.A.
Praça Floriano, 19, sala 3001 — Cinelândia
20031-050 — Rio de Janeiro — RJ
Telefone: (21) 3993-7510
www.companhiadasletras.com.br
www.blogdacompanhia.com.br
facebook.com/editora.alfaguara
instagram.com/editora_alfaguara
twitter.com/alfaguara_br

Prólogo

Um Menino Chamado Corvo

— Dinheiro, então, deixou de ser um problema? — diz o menino chamado Corvo. Seu jeito de falar, um tanto arrastado, é o de sempre. Como o de alguém que acaba de acordar de um sono pesado e ainda sente os músculos da boca rijos, renitentes. Mas tudo isso é pose, ele está bem desperto e alerta. Como sempre.

Aceno a cabeça de maneira afirmativa.

— Quanto?

Refaço as contas mentalmente antes de responder:

— Quatrocentos mil ienes em dinheiro. Além disso, tenho no banco umas economias que posso sacar com o meu cartão. Não é muito, claro, mas *por ora* deve bastar.

— Nada mau — diz o menino chamado Corvo. — *Por ora*.

Concordo com outro aceno.

— Mas não me parece que esse seja o tipo de dinheiro que se ganha do Papai Noel no Natal — diz ele.

— Não mesmo — respondo.

O menino chamado Corvo curva os lábios de maneira irônica e passeia o olhar em torno.

— É mais provável que tenha saído de uma certa gaveta nestas redondezas, acertei?

Não lhe dou resposta. Ele sabe muito bem de onde veio o dinheiro. Para que tanto rodeio? Só está zombando de mim.

— Pois que seja — diz o menino chamado Corvo. — Você precisa desse dinheiro. E muito. De modo que se apossa dele. Toma emprestado, pega sem avisar, rouba... tanto faz. De um jeito ou de outro, o dinheiro é de seu pai. *Por ora*, deve bastar para suprir suas necessidades. Mas o que vai fazer quando esses 400 mil ienes, ou sei lá quanto, se acabarem? Dinheiro não costuma se reproduzir espontaneamente dentro de carteiras do mesmo jeito que cogumelos em florestas. Você precisa se alimentar e de um lugar para dormir. Um dia, o dinheiro vai acabar.

— Quando esse dia chegar, veremos — respondo.

— *Quando esse dia chegar, veremos* — repete o menino cada uma de minhas palavras como se as tivesse na palma da mão e as sopesasse.

Movo a cabeça em sinal de concordância.

— Vai procurar emprego, por acaso?

— Provavelmente — replico.

O menino chamado Corvo sacode a cabeça em dúvida:

— Acho que você tem muito a aprender sobre os fatos da vida. Afinal, que tipo de emprego um garoto de 15 anos é capaz de encontrar longe de casa, em terra estranha? Para começo de conversa, você nem terminou o ensino fundamental. Quem se disporia a contratar um indivíduo nessas condições?

Sinto as faces se avermelhando de leve. Costumo enrubescer por qualquer motivo.

— Bem, deixe isso para lá — diz o menino chamado Corvo. — Afinal, você ainda não fez coisa alguma e acho inútil enumerar as dificuldades antes da hora. O importante é que você já tomou uma resolução. Falta apenas executá-la. Aconteça o que acontecer, a vida é *sua*. Basicamente, você faz dela o que quiser.

Isso mesmo: aconteça o que acontecer, a vida *é minha*.

— Mas, se realmente pretende levar avante o seu projeto, saiba que terá de se transformar num rapaz muito valente.

— Estou me esforçando — digo.

— Está mesmo — replica o menino Corvo. — Você se fortaleceu um bocado nestes últimos anos, reconheço.

Concordo com um aceno de cabeça.

O menino Corvo torna a dizer:

— Seja como for, você só tem 15 anos. Sem exagero algum, sua vida mal começou. O mundo está cheio de coisas que nunca viu. Coisas que não consegue sequer imaginar neste momento.

Como sempre, estamos no escritório de meu pai, sentados lado a lado num velho sofá de couro. O menino Corvo gosta deste lugar. Adora as miudezas existentes ao redor. Neste momento, brinca com um peso de vidro em forma de abelha que tem nas mãos. Mas ele nem se aproxima desta área quando meu pai está em casa, claro.

Eu digo:

— Tenho de sair daqui de qualquer jeito. Isso é indiscutível.

— Talvez seja, realmente — concorda o menino chamado Corvo. Deposita o peso sobre o tampo da escrivaninha e cruza as mãos na nuca. — Mas todos os seus problemas não estarão resolvidos só porque saiu daqui. Você é até capaz de achar que estou agourando de novo, mas mesmo assim deixe-me dizer: você pode ir para longe, muito longe, sem que isso signifique que conseguiu fugir daqui de maneira definitiva. Acho que não deve depositar muita esperança nessa questão da distância, entendeu?

Repenso a questão da distância. O menino chamado Corvo suspira e, em seguida, pressiona as pálpebras com a ponta dos dedos. Depois, fecha os olhos e me fala do fundo das trevas:

— Vamos ao nosso jogo de sempre.

— Está bem — eu digo. Também fecho os olhos e respiro, calma e profundamente.

— Muito bem, imagine uma tempestade de areia *muito, muito violenta* — diz ele. — E esqueça por completo todo o resto.

Sigo as instruções e imagino uma tempestade de areia *muito, muito violenta*. Esqueço por completo todo o resto. Esqueço até que eu sou eu. Esvazio-me por completo. Logo, as *coisas* começam a emergir. Como sempre, o menino e eu partilhamos essas coisas sentados lado a lado no velho sofá de couro do escritório de meu pai.

— Em certas ocasiões, o destino se assemelha a uma pequena tempestade de areia, cujo curso sempre se altera — começa a dizer o menino Corvo.

Em certas ocasiões, o destino se assemelha a uma pequena tempestade de areia, cujo curso sempre se altera. Você procura fugir dela e orienta seus passos noutra direção. Mas então, a tempestade também muda de direção e o segue. Você muda mais uma vez o seu rumo. A tempestade faz o mesmo e o acompanha. As mudanças se repetem muitas e muitas vezes, como num balé macabro que se dança com a deusa da morte antes do alvorecer. Isso acontece porque a tempestade não é algo independente, vindo de um local distante. A tempestade é você mesmo. Algo que existe em seu íntimo. Portanto, o único recurso que lhe resta é se conformar e corajosamente pôr um pé dentro dela, tapar olhos e ouvidos com firmeza a fim de evitar que se encham de areia e atravessá-la passo a passo até emergir do outro lado.

É muito provável que lá dentro não haja sol, nem lua, nem norte e, em determinados momentos, nem hora certa. O que há são apenas grãos de areia finos e brancos como osso moído dançando vertiginosamente no espaço. Imagine uma tempestade de areia desse jeito.

Imagino uma tempestade de areia semelhante. Um redemoinho branco, que lembra uma corda grossa, se ergue no espaço buscando o céu. Fecho bem os olhos. Com as duas mãos, tampo firmemente os ouvidos. Dessa maneira, impeço que as minúsculas partículas de areia penetrem meu corpo. A tempestade caminha rapidamente em minha direção. Mesmo a distância, sou capaz de sentir a pressão do vento em minha pele. E, neste exato momento, ela está prestes a me tragar.

Suavemente, o menino chamado Corvo põe a mão em meu ombro. E então a tempestade de areia se esvai. Eu porém continuo de olhos fechados.

— De agora em diante, você terá de ser o garoto de 15 anos mais valente do mundo. Custe o que custar. Esse é o único meio de sobrevivência que lhe resta. E para que isso aconteça, terá de compreender por si só o verdadeiro sentido de ser valente. Entendeu?

Continuo em silêncio. Penso que seria bom adormecer aqui mesmo, sentindo a mão do menino em meu ombro. Um leve ruflar de asas me chega aos ouvidos.

— A partir de agora, você será o garoto de 15 anos mais valente do mundo — repete suavemente o menino Corvo ao pé do meu ouvido enquanto eu procuro adormecer. Parece até que ele tenta tatuar essas palavras em índigo no meu coração.

E você vai atravessá-la, claro. Falo da tempestade. Dessa tempestade violenta, metafísica e simbólica. Metafísica e simbólica, mas ao mesmo tempo cortante como mil navalhas, ela rasga a carne sem piedade. Muita gente verteu sangue dentro dela, e *você* mesmo verterá o seu. Sangue rubro e morno. E você vai apará-lo com suas próprias mãos em concha. O seu sangue e também o de outras pessoas.

E, quando a tempestade passar, na certa lhe será difícil entender como conseguiu atravessá-la e ainda sobreviver. Aliás, nem saberá com certeza se ela realmente passou. Uma coisa porém é certa: ao emergir do outro lado da tempestade, você já não será o mesmo de quando nela entrou. Exatamente, esse é o sentido da tempestade de areia.

Quando meu décimo quinto aniversário chegar, sairei de minha casa e irei para uma cidade distante e desconhecida, onde vou viver numa pequena biblioteca.

Claro que se eu for contar em ordem todos os detalhes desta história, sou capaz de falar durante uma semana inteira sem parar. Expondo porém apenas os pontos principais, é isso que vai acontecer. **Quando meu décimo quinto aniversário chegar, sairei de minha casa e irei para uma cidade distante e desconhecida, onde vou viver numa pequena biblioteca.**

Talvez soe como um conto de fadas. Mas isto não é um conto de fadas. Em nenhum sentido.

Capítulo 1

Não é só dinheiro o que pego às escondidas do gabinete do meu pai no momento em que saio de casa. Pego também um pequeno isqueiro de ouro (gosto do seu design e do seu peso) e um canivete de ponta aguçada. Feito para esfolar cervos, tem 12 centímetros de lâmina e pesa consideravelmente na palma da minha mão. Meu pai deve tê-lo comprado numa de suas viagens ao exterior. Resolvo também levar a lanterna de bolso que achei numa gaveta da escrivaninha dele. E preciso dos óculos de sol para disfarçar a idade. Óculos Revo, lente azul-celeste escuro.

Penso também em levar o relógio Rolex que meu pai guarda com muito zelo, mas, depois de curta hesitação, desisto. O belo mecanismo me fascina, mas não quero carregar coisas caras desnecessárias e chamar a atenção para a minha pessoa. Ademais, em termos de praticidade, o relógio de pulso Casio com cronômetro e alarme que uso todos os dias satisfaz plenamente. Acho também mais fácil de usar. Abro mão do Rolex e o devolvo à gaveta.

Além destes itens, levo comigo uma foto que tirei na infância lado a lado com minha irmã. O instantâneo estava guardado no fundo de uma gaveta. Foi batido numa praia qualquer, e nos mostra sorrindo alegremente. Minha irmã se volta para o lado, de modo que tem a metade do rosto na sombra. Em decorrência, seu sorriso ficou partido. Semelhante à máscara de teatro grego que ilustra meu livro escolar, seu rosto parece encerrar dois sentidos. Luz e sombra. Esperança e desespero. Riso e tristeza. Confiança e solidão. A seu lado, eu encaro a câmara sem reserva alguma no olhar. Não há mais ninguém na praia além de nós dois. Estamos ambos de roupa de banho. O maiô de minha irmã é inteiriço com motivo floral vermelho; minha sunga é feia, grande demais para mim. Tenho alguma coisa na mão. Parece um bastão de plástico. Uma onda que se transformou em espuma branca lava os nossos pés.

Não tenho ideia de quem tirou esta foto, nem onde ou quando. Qual o motivo desta minha expressão feliz? Aliás, como pode alguém parecer tão feliz? E por que meu pai conservou apenas esta foto? Há em tudo um quê de mistério. Devo ter cerca de 3 anos, e minha irmã, uns 9. Nossa relação terá sido realmente tão carinhosa? Eu mesmo não me lembro de ter feito excursão alguma à praia com a família. Aliás, *a lugar algum*. Seja como for, não quero que meu pai conserve este tipo de lembrança. Guardo a foto envelhecida na minha carteira. Não tenho nenhuma de minha mãe. Tudo indica que meu pai se desfez de todas em que ela aparecia.

Depois de ponderar alguns instantes, resolvo levar o telefone celular. Pode ser que meu pai contate a companhia telefônica e cancele a assinatura quando se der conta de que o aparelho desapareceu. Nesse caso, não vai adiantar nada tê-lo comigo. Sei disso, mas ainda assim ponho-o na mochila. Guardo também o carregador de bateria. Afinal, são coisas leves. Posso muito bem me desfazer delas mais adiante, caso perceba que a linha está muda.

Decido carregar só o estritamente necessário na mochila. O mais difícil é escolher as roupas. De quantas cuecas e meias vou precisar? De quantos suéteres? E camisas, calças, luvas, cachecóis, shorts e casacos, quantos? Uma vez começada, a lista parece infindável. Mas uma coisa sei com certeza. Não vou vagar por terras estranhas arrastando uma bagagem volumosa, típica de garoto que fugiu de casa. Desse jeito, chamarei a atenção num instante. E logo a polícia me trará de volta para casa sob custódia. Será isso ou lidar com os marginais da localidade.

Basta não ir para regiões frias. Essa é a conclusão a que chego. Muito simples, ora. Vou para uma terra *quente*. Assim, não preciso levar meu casaco. Nem luvas. Eliminada a eventualidade de dias frios, a quantidade de roupas se reduz pela metade. Escolho só as de tecido fino, que fazem pouco volume e são fáceis de lavar e secar. Dobro-as de maneira compacta antes de metê-las na mochila. Além das roupas, levo um saco de dormir inflável — do tipo que, esvaziado, se transforma num rolo minúsculo —, um conjunto de artigos de higiene, capa de chuva, caderno e esferográfica, um walkman MD Sony, dez discos (não abro mão das minhas músicas), bateria recarregável sobressalente... e isso deve ser tudo. Não vou levar utensílios para cozinhar. São volumosos e pesados. Vou comprar comida pronta em lojas de conveniência. Reduzir a lista me toma um longo tempo. Acrescento diversos itens e em seguida elimino os que considero supérfluos. Acrescento outros tantos e torno a eliminar.

* * *

Achei que o dia do meu décimo quinto aniversário seria ideal para fugir de casa. Antes disso é cedo e, se deixar para depois, será tarde demais.

Nestes dois últimos anos, ou seja, desde que comecei o curso ginasial, concentrei-me em fortalecer o físico e me preparei para este dia. Tive aulas de judô desde os primeiros anos do primário e continuei a tê-las durante certo período do curso ginasial. Evitei porém participar de grêmios esportivos. Nas horas livres, eu corria sozinho no pátio da escola, nadava e, para fortalecer a musculatura, me exercitava nos aparelhos do ginásio esportivo municipal. Uma equipe de jovens instrutores me ensinou a maneira correta de usar esses aparelhos, de fazer alongamentos e de fortalecer os músculos com a maior eficiência possível. Os instrutores me ensinaram também quais músculos são solicitados em atividades cotidianas e quais só podem ser fortalecidos em aparelhos, assim como a maneira correta de executar a série de exercícios *bench press*. Para minha sorte, sou alto por natureza e, graças aos exercícios diários, meus ombros se alargaram e meus peitorais se avolumaram. Quem não me conhece acha que eu tenho 17 anos. Se aparentasse os 15 que realmente tenho, na certa me envolveria em dificuldades onde quer que eu vá de agora em diante.

Excetuando as poucas palavras que troco com os instrutores da academia e com a empregada — ela aparece em casa dia sim, dia não —, assim como a conversa estritamente necessária que mantenho com os colegas de classe, quase não falo com ninguém. Quanto ao meu pai, já faz algum tempo que não o vejo. Vivemos sob o mesmo teto, mas nossos horários são bem diferentes, sem contar que ele costuma se encerrar quase o dia inteiro num ateliê longe de casa. Ademais, e isso nem preciso dizer, faço tudo para não vê-lo.

Minha escola, particular, é frequentada principalmente por crianças ricas e de classe alta. Uma vez matriculado, você progredirá automaticamente do primário até o colegial, desde que não se meta em nenhuma encrenca pesada. Todos os alunos têm dentes bonitos e bem nivelados, usam roupas limpas e são maçantes. E, é claro, nenhum deles gosta de mim. Eu tinha erguido uma cerca alta em torno de mim e, da mesma maneira que me empenhava em não deixar ninguém passar para dentro dela, eu próprio fazia de tudo para não me expor fora dela. Obviamente, ninguém gosta desse tipo de gente. Meus colegas me mantinham a respeitosa distância e me observavam com precaução.

Não sei se me julgavam desagradável, ou se tinham medo de mim, mas a verdade é que eu gostava de ser solitário. Eu tinha tanta coisa para fazer... Nos intervalos, eu sempre ia à biblioteca e lia muitos livros com avidez.

Ainda assim, eu prestava total atenção às aulas. Nisso eu seguia o conselho do menino chamado Corvo.

Também acho que conhecimentos e técnicas ministrados durante o curso ginasial não têm grande utilidade na vida prática. Os professores também são quase sempre um bando de idiotas. Sei disso. Mas preste atenção: *você vai fugir de casa.* **Depois disso, é quase certo que não terá oportunidade de frequentar escolas; trate portanto de memorizar tudo que lhe ensinarem durante as aulas, independentemente de gostar ou não das matérias. Você simplesmente terá de absorver todas as informações que lhe forem apresentadas. Mais tarde poderá decidir quais descartar e quais conservar.**

Segui o conselho dele. (Aliás, eu havia decidido que seguiria os conselhos do menino chamado Corvo sempre que possível.) Concentrei-me, transformei meu cérebro em esponja, apurei os ouvidos a cada palavra pronunciada durante as aulas e permiti que penetrassem meu cérebro. E dentro do limitado espaço de tempo de uma aula esforcei-me por compreender e memorizar tudo. Graças a isso, e apesar de não estudar quase nada fora da classe, sempre obtive notas altas e me conservei no grupo dos melhores alunos.

Com o tempo, meus músculos se enrijeceram como se contivessem aço, e fui ficando cada vez mais lacônico. Evitava da melhor maneira possível que meu rosto revelasse qualquer emoção e que colegas e professores percebessem o que me ia na mente. Muito em breve, eu me veria sozinho no selvagem mundo adulto e nele teria de sobreviver. Eu tinha de ser mais valente que qualquer um.

Ao me olhar no espelho, percebia que meus olhos brilhavam frios como os de um lagarto e que minha fisionomia adquiria dia a dia uma expressão dura, impenetrável. Pensando bem, já não me lembrava de quando fora a última vez que eu havia rido. Ou sorrido. Para alguém ou para mim mesmo.

Contudo, nem sempre eu conseguia defender essa tranquila independência. Às vezes, a cerca, que eu pensava haver erguido bem alto em torno de mim, ruía por completo. Não foram muitas as vezes em que isso aconteceu, mas houve algumas. Sem que eu me desse conta disso, a parede desaparecia e, de repente, eu me via completamente nu e exposto perante o mundo. Nessas ocasiões, eu me perturbava por completo. E havia também a profecia. Ela era uma água escura sempre presente.

A profecia é água escura e misteriosa, sempre presente.

Normalmente, ela fica submersa em lugar desconhecido. Mas, quando o momento chegar, a água transbordará e, silenciosa, banhará em gelo cada uma de suas células, irá afogá-lo num turbilhão cruel que o fará ofegar. Você se agarra ao respiradouro existente no alto, próximo ao teto, e busca desesperado o puro ar externo. Mas o ar que lhe vem dali é seco e quente, queima a sua garganta. Água e sede, frio e calor: elementos que deviam se opor juntam-se então para atacá-lo simultaneamente.

Tanto espaço neste vasto mundo, mas você não encontra — e bastava apenas um, bem pequeno — nenhum capaz de acomodá-lo. E, quando ansiar por uma voz, ali encontrará apenas o silêncio. Não obstante, quando buscar o silêncio, ali encontrará a voz da profecia sussurrando sem parar. E pode ser que um dia essa voz aperte algo semelhante a um interruptor misterioso, oculto nalgum lugar dentro de sua cabeça.

Sua alma se assemelha a um rio cujas águas a chuva incessante transformou em caudal. A correnteza submergiu e ocultou todas as placas de sinalização terrestre e provavelmente já as carregou para um lugar escuro. Mas a chuva, copiosa, continua a cair sobre o rio. E toda vez que você vir em noticiários tais cenas de inundação, você pensará: Realmente, assim é a minha alma.

Antes de sair, vou ao banheiro e lavo as mãos e o rosto com sabonete. Corto as unhas, limpo as orelhas, escovo os dentes. Gasto tempo me limpando da melhor maneira possível. O asseio é a coisa mais importante do mundo em certas situações. Depois, volto-me para o espelho sobre a pia e examino com atenção minhas próprias feições. Aí está o rosto que herdei de meu pai e de minha mãe, embora desta não me reste nenhuma lembrança. Por mais que me empenhe em suprimir a expressão, por mais que embace o brilho do olhar, por mais que fortaleça a musculatura, jamais serei capaz de alterar a conformação do meu rosto. Por mais que eu queira, não há como extirpar as sobrancelhas espessas e de traçado longo, nem o vinco profundo entre elas, os quais só posso ter herdado de meu pai. Posso até matar meu pai, caso queira (com a força física que possuo agora não será difícil). Posso também eliminar a imagem materna da memória. Não posso contudo expulsar o gene que os dois me legaram. Pois fazê-lo significaria banir a mim mesmo do meu corpo.

E depois, há a profecia. Esse mecanismo embutido em mim. **Esse mecanismo embutido em mim.**

Apago a luz e saio do banheiro.

Dentro de casa, reina um silêncio baço e pesado. É o sussurro de seres inexistentes, o alento dos que não vivem. Olho ao redor, paro um instante e inspiro profundamente. Os ponteiros do relógio mostram que já passa das três da tarde. As agulhas parecem estranhamente formais. Fingem neutralidade, mas sei que se opõem a mim. Está chegando o momento de abandonar esta casa. Apanho a mochila pequena e a carrego ao ombro. Pratiquei o mesmo gesto diversas vezes anteriormente, mas agora a mochila me parece muito mais pesada.

Vou para Shikoku, está resolvido. Nada me obriga a ir para lá. Mas enquanto examino o mapa, sinto que devo ir para a ilha de Shikoku, não sei bem por quê. Quanto mais vezes examino o mapa, mais e mais a ilha me atrai. Situada ao sul de Tóquio, é apartada da ilha principal por um braço do mar e tem clima ameno. Nunca fui a essa região. Não tenho conhecidos ou parentes por lá. Sendo assim, se alguém se dispuser a me procurar (coisa em que não acredito), jamais voltará a atenção para essa área.

No guichê, recebo a passagem que havia reservado e embarco no ônibus noturno. Este é o jeito mais barato de ir a Takamatsu. Pouco mais de dez mil ienes. Ninguém presta atenção em mim. Nem indaga a minha idade. Não observam com desconfiança o meu rosto. O motorista checa a passagem por uma questão burocrática.

Apenas um terço dos assentos se encontra ocupado. Assim como eu, a maioria dos passageiros viaja desacompanhada, e o silêncio que reina no interior do veículo é quase anormal. O percurso até Takamatsu é longo. De acordo com o roteiro impresso, serão quase dez horas de viagem com chegada prevista para as primeiras horas de amanhã. Mas isso não me incomoda. Tempo é o que não me falta neste momento. O ônibus parte do terminal pouco depois das oito da noite. Eu reclino o encosto e adormeço assim que me acomodo. A consciência se apaga como pilha que se descarrega.

Pouco antes da meia-noite, uma chuva forte começa a cair. Acordo diversas vezes de maneira intermitente e espio entre as folhas da cortina barata o cenário noturno da rodovia. Gotas de chuva batem com estrondo na vidraça e turvam o reflexo das lâmpadas dos postes. Alinhados à beira da estrada, os postes mantêm um espaçamento regular entre si como se fossem graduações de uma fita métrica esticada sobre o mundo. Uma nova luz se aproxima e, um segundo depois, já se transformou em luz velha a se afastar às minhas costas. Olho o relógio e me dou conta de que já passa da meia-noite. E automaticamente, como que empurrado para a frente, chega o dia do meu décimo quinto aniversário.

— Feliz aniversário! — diz o menino chamado Corvo.

— Obrigado — respondo.

Contudo, a profecia ainda me persegue como uma sombra. Verifico se a cerca que ergui ao meu redor continua em pé. Cerro a cortina e caio no sono outra vez.

Capítulo 2

Este documento, de classificação "ultrassecreta", esteve arquivado no Departamento de Defesa dos Estados Unidos e foi tornado público por força da Lei da Liberdade de Informação, de 1986. Atualmente, encontra-se nos Arquivos Nacionais de Washington, D.C., e ali pode ser acessado.

As investigações descritas abaixo ocorreram entre março e abril de 1946 sob o comando do major James P. Warren. O inquérito no distrito de **, província de Yamanashi, palco dos acontecimentos, foi realizado pelo segundo-tenente Robert O'Connor e pelo suboficial Harold Katayama. Em todas as entrevistas, o inquisidor foi o segundo-tenente Robert O'Connor. O suboficial Katayama foi designado intérprete da língua japonesa, e o soldado raso William Cohen preparou a documentação.

As entrevistas foram realizadas ao longo de 12 dias, e o local escolhido para essa finalidade foi uma sala da prefeitura de **, na dita província de Yamanashi. Responderam individualmente às perguntas do segundo-tenente O'Connor os seguintes indivíduos: uma professora da Escola Municipal ** da cidade de **, um médico, à época residente na referida localidade, dois policiais lotados na delegacia regional e seis crianças.

Os mapas anexos, em escala 1:10.000 e 1:2.000, foram fornecidos pelo Instituto Topográfico do Ministério do Interior.

RELATÓRIO DO SERVIÇO DE INTELIGÊNCIA MILITAR (MIS)
DO EXÉRCITO AMERICANO
Data: 12 de maio de 1946
Título: Rice Bowl Hill Incident, 1944: Report*
Documento número PTYX-722-8936745-42213-WWN

---

* Incidente Morro da Tigela, 1944: Relatório (N. T.)

Abaixo, transcrição da entrevista com a professora Setsuko Okamochi, de 26 anos de idade, responsável pelos alunos da quarta série B da Escola Municipal ** à época do incidente. Depoimento registrado em gravador. Documentos relacionados a esta entrevista são de número PTYX-722-SQ-118 a 122.

Impressões do entrevistador, segundo-tenente Robert O'Connor:
Setsuko Okamochi é uma mulher miúda de feições agradáveis. É inteligente, tem forte senso de responsabilidade, e suas respostas às perguntas são acuradas e honestas. O incidente parece ter-lhe causado forte abalo, cujos efeitos são visíveis até hoje. Sua tensão se intensifica ao sabor das lembranças que evoca. E sempre que isso acontece, sua fala se torna mais lenta.

Creio que passava um pouco das dez da manhã quando avistei uma luz prateada bem alto no céu. Um vívido lampejo prateado. Sim, tenho certeza, era o reflexo de alguma coisa metálica. Esse lampejo, que se movia lentamente no firmamento, levou algum tempo para se deslocar do leste para o oeste. Pensamos que era um aparelho B-29. E estava exatamente sobre nossas cabeças. Tanto assim que, para vê-lo, tivemos de voltar o rosto diretamente para cima. O céu estava azul e sem nuvem alguma, e o tal brilho era tão intenso que nos permitiu apenas perceber que se tratava do reflexo de um objeto prateado, feito de matéria semelhante a duralumínio.

Seja como for, a coisa voava tão alto que não poderíamos ter distinguido seus contornos. Isto significa que lá de cima também não nos viam. De modo que não temíamos ser atacados, ou que bombas chovessem sobre nós repentinamente. Afinal, não faria sentido algum bombardear uma montanha. Pensei que a aeronave estivesse a caminho de uma cidade populosa em missão de bombardeio, ou que, cumprida a missão, estivesse retornando à base. Continuamos portanto a caminhar despreocupados mesmo depois de avistar a aeronave. Devo até dizer que, ao contrário do que seria de se esperar, a estranha beleza daquela luz me emocionou.

— De acordo com os registros do nosso exército, não havia naquele horário, isto é, aproximadamente às dez horas do dia 7 de novembro de 1944, nenhum avião de bombardeio, ou mesmo qualquer outro tipo de aeronave sobrevoando essa região.

Mesmo assim, tanto eu como todos os 16 alunos que estavam comigo naquele local vimos o brilho nitidamente, e todos nós achamos que se tratava de um B-29. Nenhum outro tipo de aeronave seria capaz de voar tão alto. Havia um pequeno campo de pouso em nossa província e, vez ou outra, acontecia de avistarmos alguns aviões japoneses no céu, mas eles eram todos de porte pequeno, nenhum seria capaz de voar tão alto. Ademais, o brilho do duralumínio difere do de outros metais. A única coisa que me pareceu um tanto estranha foi o fato de o aparelho estar em voo solitário, e não em formação.

— Você é nascida nesta localidade?

Não. Nasci na província de Hiroshima. Vim para cá depois que me casei, em 1941. Meu marido, também professor, lecionava música nesta província, mas foi convocado para a guerra em 1943 e, em junho de 1945, participou da batalha da ilha de Luzon e ali morreu em combate. Ouvi dizer que ele guardava um depósito de munição nas proximidades da capital, Manila, e que morreu quando o depósito explodiu sob ataque aéreo norte-americano. Não tenho filhos.

— Quantos alunos estavam sob seus cuidados nessa ocasião?

Ao todo, 16 crianças, entre meninos e meninas. Ou seja, a classe inteira menos duas crianças, as quais tinham faltado porque estavam doentes. Mais exatamente, oito meninos e oito meninas. Dessas crianças, cinco tinham sido evacuadas de Tóquio e vindo para esta província.

Saímos da escola às nove da manhã levando lanche e cantil, porque eu tencionava dar uma aula prática ao ar livre. Aula prática ao ar livre é um modo de dizer, pois não havia nenhum estudo específico programado. O principal objetivo dessas excursões às montanhas era o de procurar cogumelos e ervas comestíveis. Morávamos em área agrícola e a escassez de víveres não era tão premente como nos grandes centros urbanos, mas isso não significava que tínhamos comida em abundância. Havia uma pesada quota de contribuição compulsória imposta pelo governo e, exceto para uma pequena parcela privilegiada da população, a fome era crônica entre nós.

Por isso, as crianças eram incentivadas a procurar fontes alternativas de alimentação. Em tempos de crise, estudos têm de ser postos de lado. Quase todas as escolas adotavam rotineiramente esse tipo de "aula prática ao ar livre" naquela época. A natureza era pródiga e havia diversos locais apropriados para tais atividades nas cercanias. Nesse sentido, tivemos sorte. Os moradores de grandes centros urbanos viviam famintos. Para eles, a escassez de víveres e de combustível tinha se tornado angustiante porque, àquela altura, as rotas de suprimento provenientes de Taiwan e do continente já se achavam totalmente interrompidas.

— Com relação às cinco crianças que tinham sido evacuadas de Tóquio, elas se davam bem com os alunos desta localidade?

Acredito que houve um entrosamento razoável entre as crianças da minha classe. Mas é claro que o centro de Tóquio e uma cidade do interior são ambientes totalmente diferentes para a formação de uma criança. Elas falavam e se vestiam de modo diferente. Grande parte das crianças desta localidade provinha de famílias de lavradores humildes, enquanto as provenientes de Tóquio eram em sua grande maioria filhos de funcionários públicos ou de empregados de empresas privadas. Em vista disso, não posso afirmar que os dois grupos tinham se compreendido de maneira perfeita.

No começo, principalmente, houve certo desconforto no relacionamento. Embora um grupo não chegasse a brigar com o outro e nem tivesse havido casos de perseguição ou de intimidação, a verdade é que as crianças não conseguiam se entender. Em consequência, tendiam a se fechar em grupos separados, as desta localidade de um lado, e as provenientes de Tóquio, do outro. Mas cerca de dois meses depois, já estavam bem familiarizadas umas com as outras. Crianças costumam superar com relativa facilidade os obstáculos estabelecidos por diferenças culturais ou ambientais a partir do momento em que começam a brincar juntas.

— Descreva com o maior número de detalhes possível o local para onde levou os alunos naquele dia.

O local se situa numa montanha onde costumávamos excursionar rotineiramente. A montanha tem forma arredondada que lembra uma tigela emborcada, e por esse motivo era conhecida como "Owan--yama".* Suas encostas não são escarpadas e qualquer um a escala com

---

* Morro da Tigela. (N. T.)

facilidade. Partindo da escola, fica à distância de uma curta caminhada na direção ocidental. Uma criança consegue chegar ao topo em cerca de duas horas. E a meio caminho do cume, existia um bosque onde tínhamos programado procurar os referidos cogumelos e lanchar em seguida. As crianças gostavam mais dessas atividades ao ar livre do que das aulas dadas em classe.

De um modo geral estávamos todos alegres e felizes, e embora o brilho ofuscante que surgiu bem alto no firmamento e que lembrava o de uma aeronave nos fizesse pensar na guerra por algum tempo, o acontecimento foi tão rápido que logo o esquecemos. O tempo estava maravilhoso, não havia nem vento, nem nuvens no céu, e a única coisa que vez ou outra quebrava o silêncio reinante era o gorjeio dos pássaros. Andando nesse meio, tínhamos a impressão de que a guerra era um acontecimento distante, algo que não tinha relação conosco. Caminhávamos cantando pelas trilhas. Às vezes, imitávamos o trinado de algum pássaro. Posso até afirmar que era uma manhã maravilhosa, quase perfeita, exceto pelo fato de que havia uma guerra em curso.

— E vocês entraram no bosque pouco depois de avistar esse objeto que lembrava uma aeronave?

Sim. Entramos no bosque cerca de cinco minutos depois de avistar a aeronave. A meio caminho do topo, tínhamos nos afastado da trilha e enveredado por uma picada aberta na encosta, no meio do bosque. Só este trecho é relativamente íngreme. Depois de escalar cerca de dez minutos, saímos numa clareira. Grande parte dessa clareira é plana como o tampo de uma mesa. Dentro do bosque o silêncio é pesado e o ar se torna gélido por causa das árvores que bloqueiam os raios solares, mas nesse local o céu se abre e o que se tem é um espaço semelhante a uma pequena praça. Eu costumava visitar esse local toda vez que trazia minha classe para o morro da Tigela. Por algum motivo que não consigo explicar, o local nos proporcionava uma sensação de aconchego e calma.

Quando alcançamos esta "praça", depusemos as mochilas no chão, descansamos por alguns instantes e, depois, nos separamos em grupos de três ou quatro para procurar os cogumelos. Eu havia estabelecido uma regra simples: as crianças tinham de se manter dentro do campo visual umas das outras, jamais se afastando a ponto de se perderem de vista. Naquele momento, reuni as crianças e expliquei a regra mais uma vez, claramente. Afinal, estávamos dentro de um bosque e, embora o local nos fosse bem conhecido, se alguma fosse muito para o fundo e se perdesse, a situação podia se complicar bastante. E aquelas eram crianças muito novas que, quando absortas na busca dos cogumelos, podiam esquecer involuntariamente qualquer regra. Assim, enquanto eu mesma procurava os cogumelos, contava repetidamente o número de cabeças e me assegurava de que nenhuma tinha se desgarrado.

As crianças começaram a tombar cerca de dez minutos depois que tínhamos começado a procurar os cogumelos em torno dessa clareira.

No momento em que notei o primeiro grupo de três crianças caídas no chão, imaginei a princípio que elas tivessem comido um espécime venenoso. Naquela área existiam muitos extremamente venenosos, capazes de pôr a vida em risco. De uma maneira geral, as crianças da localidade conseguem diferenciá-los, mas alguns espécimes têm aspecto bastante enganoso. De modo que eu havia imposto com clareza que elas não podiam comer nenhum, e que todos os espécimes deviam ser levados de volta à escola, onde passariam pela cuidadosa avaliação de um especialista. Mas eu não tinha certeza de que todas as crianças me obedeceriam.

Corri, portanto, para perto das crianças caídas e as soergui uma a uma em meus braços. Elas estavam moles, como borracha exposta ao sol. Seus corpos não apresentavam nenhuma resistência, pareciam vazios em meus braços. Mas todas respiravam normalmente. Tomei o pulso delas e me pareceu que o coração batia com regularidade. Não estavam febris. Tinham a fisionomia tranquila, sem nenhum indício de sofrimento. Não me pareceu também que tivessem sido picadas por abelhas ou cobras. Só estavam inconscientes.

O mais intrigante eram os olhos. Embora a inércia delas fosse próxima à de indivíduos em coma, elas mantinham os olhos abertos de maneira natural e, segundo julguei, contemplavam alguma coisa. E piscavam algumas vezes. Assim, não podia dizer que dormiam. Além de tudo, seus olhos se moviam lentamente. Iam de um lado para o outro, como se examinassem de ponta a ponta uma paisagem distante. E havia consciência neles. Mas, na realidade, esses olhos não viam nada. Ao menos não viam o que tinham à frente. Não reagiram quando eu movi a mão diante deles.

Soergui em meus braços as três crianças, uma de cada vez, e vi que as condições de todas elas eram idênticas. Estavam inconscientes e tinham olhos abertos que se moviam lentamente de um lado para o outro. Não era uma cena normal.

— **Como era composto o grupo que tombou primeiro?**

Era composto por três meninas. Um trio bem unido. Chamei em voz alta o nome de cada menina e bati em suas faces. Não houve reação. Elas não sentiam nada. Eu mesma senti contra a palma da minha mão algo semelhante a um vácuo duro. Sensação estranha, realmente.

Pensei em mandar imediatamente uma das crianças correndo de volta para a escola. Sozinha, eu não conseguiria retornar carregando três crianças inconscientes. Procurei então o corredor mais rápido da turma, mas quando me ergui e olhei em torno, percebi que as demais crianças estavam *todas*, sem exceção, caídas no solo. Todas as 16 crianças inconscientes. A única que continuava consciente e em pé era eu. Aquilo parecia um... *cenário de guerra*.

— **Notou algo diferente no local naquele momento? Cheiro, som ou brilho?**

(Pensa alguns instantes.) Não. Conforme disse no começo, estava tudo calmo em torno de nós, o ambiente era de paz total. Não havia nada diferente em matéria de som, luz ou brilho. Apenas o fato de que as crianças da minha classe, todas sem nenhuma exceção, tinham desmaiado. Naquele instante senti como se eu fosse a única a restar no mundo. A solidão era total, intensa como jamais senti. Eu tinha vontade de desaparecer, de não pensar em nada.

Mas é claro que, na qualidade de professora, eu era responsável pelos meus alunos. Instantes depois, eu me recompus e comecei a correr aos trancos encosta abaixo rumo à escola, em busca de auxílio.

Capítulo 3

Quando despertei, o céu estava prestes a clarear. Abro a cortina e contemplo a paisagem. A chuva havia cessado por completo, mas deve fazer pouco tempo que isso aconteceu, pois tudo que meu olhar abrange tem aparência escura, úmida e gotejante. A leste, flutuam algumas nuvens bem definidas, bordejadas de luz. A luz tanto me parece sinistra como benévola. A impressão se modifica minuto a minuto dependendo apenas do ângulo de observação.

O ônibus continua a correr pela estrada em velocidade estável. O ruído dos pneus me chega aos ouvidos em altura sempre uniforme, não se intensifica nem diminui. A rotação do motor também permanece inalterada. Os ruídos, monótonos, são pilões de pedra a desbastar as arestas do tempo e da consciência. Mergulhados em suas respectivas poltronas, os passageiros ao meu redor mantêm as cortinas cerradas e dormem. Pelo jeito, os únicos acordados somos eu e o motorista. De maneira eficiente e sem que disso nos déssemos conta, estávamos sendo transportados rumo ao nosso destino.

Sinto sede, de modo que tiro de um bolso da mochila uma garrafa de água mineral e bebo o líquido morno. Tiro também um pacote de bolachas salgadas do mesmo compartimento e como algumas. O sabor seco e familiar das bolachas vai se expandindo dentro da boca. O mostrador do relógio me diz que são 4h32. Só para ter certeza, confirmo data e dia da semana. Os números me informam que se passaram aproximadamente 13 horas desde o momento em que saí de casa. O tempo não andou rápido demais nem voltou atrás. Ainda estou no dia do meu aniversário. No primeiro dia da minha nova existência. Fecho os olhos, abro-os, confirmo mais uma vez hora e dia. Depois, acendo a luz de leitura e começo a ler um livro em edição de bolso.

Pouco depois das cinco da manhã, o ônibus se afasta sem alarde da rodovia e para no canto de um extenso estacionamento em posto de serviço. A porta dianteira se abre com um ruído de ar comprimido. A luz interna se acende e o motorista faz um breve comunicado.

— Bom dia, senhoras e senhores. Conforme programado, o ônibus deverá chegar à estação de Takamatsu dentro de uma hora, mas, antes, faremos uma breve parada para descanso de cerca de vinte minutos. Partiremos às 5h30. Por favor, estejam todos de volta antes desse horário.

Quase todos os passageiros acordam com o anúncio e se levantam em silêncio. Bocejam e descem do veículo mal-humorados. Muitos aproveitam a parada para fazer a toalete e estar apresentáveis quando desembarcarmos em Takamatsu. Desço também, inspiro profundamente algumas vezes, e no fresco ar matinal faço alguns exercícios simples de alongamento para a coluna e o resto do corpo. Vou ao banheiro, lavo o rosto na pia e penso: onde estamos? Saio e examino a paisagem. O cenário é comum, de estacionamento em posto de serviço à beira de estrada. Parece-me contudo que existe algo diferente no formato das montanhas e na cor das árvores, mas pode ser apenas imaginação.

Entro na lanchonete e, enquanto tomo o escaldante chá verde — cortesia da casa —, uma jovem se aproxima e se senta na banqueta de plástico a meu lado. Tem na mão direita um copo plástico de café fumegante e, na esquerda, uma pequena caixa que contém sanduíches, aparentemente comprados em máquina automática.

Falando com franqueza, suas feições me parecem um tanto estranhas. Não são regulares, por mais favoravelmente que se queira julgá-las. A testa é larga; o nariz, pequeno e redondo; as faces, repletas de sardas. Além de tudo, as orelhas são pontiagudas. É um rosto espalhafatoso, de traçado quase rude. Apesar de tudo, o conjunto é bem interessante. A própria moça talvez não esteja cem por cento satisfeita com sua aparência, mas me parece bem familiarizada e confortável com ela. E isso, creio, é importante. Ela tem um certo ar infantil que faz as pessoas se sentirem à vontade em sua presença. *Eu* ao menos me sinto. Esbelta sem ser muito alta, tem, apesar disso, seios grandes e pernas bem torneadas.

Dos lóbulos da orelha pendem brincos metálicos delicados que às vezes faíscam como duralumínio. Tem o cabelo tingido de marrom intenso (quase ruivo) cortado à altura dos ombros, e veste uma camiseta de grossas listras horizontais, gola careca e mangas compridas. Leva ao ombro uma pequena mochila de couro e está com um suéter fino de verão jogado sobre os ombros. Usa minissaia de algodão creme e não tem meias nos pés. Tudo indica que lavou o rosto no banheiro, pois em sua testa larga há alguns fios de cabelo úmido aderidos que lembram raízes de uma plantinha raquítica, e isso me faz sentir vaga afeição por ela.

— Você veio nesse ônibus, não veio? — pergunta a moça. A voz é levemente rouca.

— Vim.

Ela franze o cenho e toma um gole de café.

— Quantos anos você tem?

— Dezessete — minto.

— Ah, está no colegial...

Aceno a cabeça afirmativamente.

— Até onde você vai?

— Até Takamatsu.

— Eu também — diz ela. — Você está indo para Takamatsu ou voltando para lá?

— Indo — respondo.

— Eu também. Tenho uma amiga que mora lá. Uma amiga muito querida, por sinal. E você?

— Tenho parentes.

Ela acena como se dissesse "ah, entendi!", e não pergunta mais nada.

— Sabe, tenho um irmão mais ou menos da sua idade — diz ela de repente, como se a lembrança lhe ocorresse naquele instante. — Mas por uma série de motivos que agora não vêm ao caso, não o vejo há muito tempo... E depois, hum... Sabe que você se parece um bocado com *aquele rapaz*? Ninguém nunca lhe disse isso?

— *Aquele rapaz*?

— O vocalista daquela banda famosa. Vim pensando nisso desde o momento em que pus os olhos em você, no ônibus. Mas não consigo me lembrar do nome dele... Pensei tanto que quase abri um buraco no cérebro, mas não adiantou. Isso acontece algumas vezes, não acontece? Está na ponta da língua da gente, mas não vem. Nunca lhe disseram que você se parece com uma certa pessoa?

Sacudo a cabeça, negando. Ninguém nunca me disse isso. Ela aperta os olhos e continua me observando.

— Quem seria essa pessoa? — pergunto.

— Um cara da televisão...

— Um cara que costuma aparecer na televisão?

— Isso mesmo, ele costuma aparecer na televisão. — Ela pega o sanduíche de presunto, mastiga um pedaço com indiferença e toma outro gole de café. — É o vocalista da banda. Ah, que coisa! Não consigo me lembrar nem do nome da banda. Um menino magro e alto, que fala com sotaque da região de Kansai. Não lhe ocorre nada?

— Não. Eu não vejo tv.

Ela franze o cenho. Em seguida, me observa com curiosidade.

— Não vê? Nunca?

Sacudo a cabeça, negando. Ou devia concordar? Aceno, concordando.

— Já vi que você não é de falar muito. E quando resolve falar, tudo o que diz cabe numa única linha. Você é sempre assim?

Sinto meu rosto avermelhar. Não sou de falar muito porque sempre fui assim, claro. Mas a instabilidade da minha voz, que ainda não se firmou de maneira definitiva, é outra razão que me leva a ser lacônico. Normalmente, minha voz tem um timbre grosso, mas às vezes desafina de forma espetacular. De modo que faço o possível para não falar muito.

— Ah, deixe isso para lá, não tem importância — continua ela. — Estou apenas dizendo que você se parece muito com esse vocalista que fala com sotaque da região de Kansai. Mas você não tem sotaque de Kansai, claro. Só que, sei lá… você tem um jeitão muito parecido com o do vocalista. Que por sinal é um rapaz simpático. Só isso.

Seu sorriso desaparece por um breve instante. Sai para dar uma volta, mas retorna em seguida. Meu rosto continua afogueado.

— Acho que você ficaria ainda mais parecido com ele se mudasse o corte do seu cabelo. Deixe crescer um pouco mais e espete as pontas com gel. Se você deixasse, eu faria isso agora mesmo. Acho que ficaria muito bem em você. Para falar a verdade, sou cabeleireira, sabe?

Digo que entendi com um aceno de cabeça. E bebo o chá. O interior da cafeteria está silencioso. Nenhuma música tocando e ninguém falando.

— Você não gosta de conversar? — pergunta ela seriamente, apoiando o cotovelo na mesa e o rosto na mão.

Sacudo a cabeça, negando

— Não, não é isso.

— Minha conversa o incomoda?

Sacudo outra vez a cabeça.

Ela pega outro sanduíche. É de geleia de morango. Ela o examina com expressão incrédula e franze o cenho.

— Você não quer comer este? Acho sanduíche de geleia de morango uma das coisas mais horríveis do mundo! Desde pequena.

Aceito. Também não sou dos que gostam de geleia de morango. Mesmo assim, como em silêncio. Do outro lado da mesa, ela me vigia até ter certeza de que comi tudo, até a última migalha.

— Escute, eu queria lhe pedir uma coisa — diz ela.

— Que tipo de coisa?

— No ônibus, você me deixa sentar ao seu lado até chegarmos a Takamatsu? Vim sozinha até aqui e me senti muito insegura. Nem consegui dormir direito porque tinha a impressão de que um tipo estranho podia se sentar ao meu lado a qualquer momento. Quando comprei as passagens, me disseram que os assentos seriam individuais, mas quando entrei no ônibus, percebi que eram todos duplos. Quero ver se consigo dormir um pouco antes de chegarmos a Takamatsu. E por tudo que sei, você não é nada esquisito... Que acha? Se importa?

— Não, não me importo — respondo.

— Obrigada — diz ela. — *Em viagens, boa companhia*, não é isso o que diz o velho ditado?

Aceno a cabeça, concordando. Tenho a impressão de que vivo acenando. Mas o que eu poderia dizer?

— Como era a continuação disso?

— Disso o quê?

— Desse ditado. Não tinha alguma coisa depois de *Em viagens, boa companhia*? Não consigo me lembrar. Na escola, fui medíocre em língua pátria.

— *E na vida, muita ternura.*

— *Em viagens, boa companhia, e na vida, muita ternura* — repete ela, como se tentasse confirmar a exatidão da máxima. — Me explique o sentido disso. Em poucas palavras.

Penso no assunto. Pensar me toma tempo. Mas ela espera, em silêncio.

— Quer dizer que encontros fortuitos são importantes no sentido de que enriquecem a vida afetiva das pessoas. Deve ser isso, em poucas palavras — digo.

Ela considera alguns instantes o que eu acabo de dizer, mas logo cruza as mãos sobre a mesa num gesto calmo.

— Acho que você está certo. Eu também acredito que encontros fortuitos são importantes e que eles enriquecem a vida afetiva das pessoas.

Lanço um olhar para o relógio de pulso. Já são cinco e meia.

— Não será melhor voltarmos para o ônibus?

— É mesmo. Vamos — diz ela. Contudo, não parece nada disposta a se levantar.

— Mudando de assunto, onde é que estamos agora? — pergunto.

— Onde, realmente...? — diz ela. Estica o pescoço e olha em torno. O brinco de um dos lóbulos oscila perigosamente, como fruto maduro pendendo de um galho. — Também não sei. Calculo, pelo horário de chegada, que estamos nos arredores de Kurashiki. Mas isso não tem importância, tem? Afinal, postos de serviço à beira de estradas são apenas locais de passagem, não é mesmo? Ficam no meio do caminho de quem vai deste lado para este outro — diz ela erguendo o indicador da mão direita e o da esquerda no ar. Entre um e outro, há uma distância de cerca de 30 centímetros.

— O nome da localidade não tem importância. Refeições e toalete. Luz fluorescente e cadeiras de plástico. Café intragável. Sanduíche de geleia de morango. Essas coisas não fazem sentido. Se você quer saber, a única coisa que faz sentido é: de onde viemos e para onde vamos. Concorda?

Concordo com um aceno de cabeça. Concordo com um aceno. **Concordo com um aceno.**

Quando retornamos ao ônibus, todos os passageiros já estão sentados nos respectivos lugares. O ônibus tem pressa em partir e aguarda ansioso. O motorista é um rapaz de olhar agressivo. Parece muito mais fiscal de eclusa do que motorista de ônibus. Lança um olhar reprovador para mim e para ela, os dois atrasados. Contudo, nada diz. Ela sorri para ele sem maldade alguma, como a lhe dizer: "Desculpe!" O motorista estende a mão para a alavanca, empurra-a e fecha a porta com outro ruído de ar comprimido. Ela vem para a poltrona ao meu lado carregando uma maleta de cor feia, dessas vendidas em lojas de desconto. É pequena, mas pesada. Ergo-a e a guardo no bagageiro acima de nossas cabeças. Ela diz: Obrigada. Depois, reclina o encosto e adormece. O ônibus parte em seguida, como se mal contivesse a impaciência. Tiro o livro do bolso e continuo minha leitura.

Ela adormece profundamente e, quando o ônibus sacoleja numa curva, sua cabeça vem repousar de maneira muito natural em meu ombro. E ali fica. Não a acho pesada. Ela está com a boca fechada e respira de maneira serena. A respiração atinge o meu pescoço a intervalos regulares. Olho mais abaixo e vejo a alça do seu sutiã pela abertura da gola careca. A alça é fina, de cor creme. Imagino o tecido de textura suave na continuação da alça. Os seios macios, mais abaixo. Os mamilos se enrijecendo ao toque dos meus dedos. Não que eu queira imaginá-los. Deixar de imaginá-los, porém, é impossível. Em consequência, tenho uma ereção, claro. Fico tão rijo que me pergunto: Como pode uma parte do meu organismo endurecer tanto?

No mesmo instante, uma inesperada dúvida surge em minha mente: Esta moça não seria minha irmã? A idade parece corresponder. Suas feições exóticas são muito diferentes daquelas do retrato. Mas fotos não são confiáveis. Dependendo do ângulo em que são tiradas, mudam por completo o rosto das pessoas. Ela, por seu lado, tem um irmão da minha idade, com o qual não se encontra há muito. Posso muito bem ser o irmão dela.

Torno a olhar o seu busto. A área, arredondada e saliente, se projeta e se retrai lentamente, como ondas em movimento. Imagino uma vasta extensão de mar varrida por uma garoa fina. Sou um navegante solitário em pé no convés, e ela é o mar. O céu se reveste de uniforme tonalidade cinza e lá, bem adiante, se junta com o mar, que também está cinzento. É muito difícil distinguir céu de mar. Ou o próprio navegante do mar. As coisas reais das coisas emocionais.

Ela tem dois anéis num dos dedos. Não me parece que sejam de noivado ou de casamento. São anéis baratos para gente jovem, iguais aos que se veem em lojas de bijuterias. Os dedos são finos, mas retos e longos, e há até uma sugestão de força neles. As unhas estão curtas e bem cuidadas. Esmalte rosa claro. As mãos repousam sobre os joelhos que espiam pela barra da minissaia. Tenho vontade de tocar esses dedos. Mas não faço nada, naturalmente. Adormecida, ela lembra uma criancinha. Por entre a massa dos cabelos, espia a ponta de uma orelha que lembra um cogumelo. Uma orelha estranhamente vulnerável.

Fecho o livro e espio por instantes a paisagem externa. E sem que me dê conta disso, adormeço.

Capítulo 4

RELATÓRIO DO SERVIÇO DE INTELIGÊNCIA MILITAR
(MIS) DO EXÉRCITO AMERICANO
Data: 12 de maio de 1946
Título: Rice Bowl Hill Incident, 1944: Report
Documento número: PTYX-722-8936745-42216-WWN

Abaixo, transcrição da entrevista com o Dr. Juichi Nakazawa, de 53 anos de idade, que exercia a profissão de médico clínico na cidade de ** à época do incidente. Depoimento registrado em gravador. Documentos relacionados a esta entrevista são de número PTYX-722-SQ-162 a 183.

Impressões do entrevistador, segundo-tenente Robert O'Connor:
Por causa do físico robusto e do rosto queimado de sol, o doutor Nakazawa mais parece capataz de fazenda do que médico. É de trato agradável, e fala com vivacidade e concisão. Externa com franqueza o que pensa. Os olhos por trás das lentes dos óculos têm brilho agudo. Tudo indica que sua memória é boa.

É verdade. Pouco depois das onze da manhã do dia 7 de novembro de 1944, recebi do vice-diretor da escola municipal um telefonema solicitando minha presença. Fui o primeiro a ser contatado porque eu já exercia a função de médico da escola. O vice-diretor estava extremamente perturbado.

Segundo me contou, todos os alunos de uma classe tinham ido colher cogumelos numa montanha e lá se encontravam ainda, desacordados. Estavam em situação de total inconsciência. A única que permanecera consciente tinha sido a professora responsável pela turma: ela descera a montanha sozinha para buscar auxílio e acabara de chegar à escola. Estava porém tão perturbada que não conseguia explicar direito as circunstâncias do incidente. A única coisa que o vice-diretor sabia com certeza era que as 16 crianças ainda se encontravam na montanha, inconscientes.

Uma vez que as crianças tinham ido colher cogumelos, imaginei de imediato que haviam ingerido um espécime venenoso qualquer que lhes afetara o sistema nervoso. E se isso realmente acontecera, o caso era sério. Cada cogumelo tem um tipo de veneno diferente e as intoxicações decorrentes precisam ser tratadas de modo específico. De imediato, o melhor que eu podia fazer era uma lavagem estomacal. Mas, se o veneno fosse muito forte e a digestão estivesse em fase adiantada, não haveria mais nada a fazer. Nesta região, todos os anos morrem algumas pessoas por ingestão de cogumelos venenosos.

Enchi minha maleta de emergência com prováveis medicações, peguei minha bicicleta e rumei imediatamente para a escola. Lá chegando, encontrei dois policiais que também tinham acorrido em resposta ao chamado do vice-diretor. Se as crianças estavam inconscientes, seria preciso carregá-las até a cidade, e essa operação demandaria a ajuda de um considerável número de pessoas. Mas eram tempos de guerra, e a maioria dos jovens tinha sido convocada pelo exército. Assim, o grupo que rumou para a montanha foi constituído apenas por mim mesmo, os dois policiais, um professor idoso, o vice-diretor, o diretor, um funcionário da secretaria e a professora responsável pela classe. Juntamos todas as bicicletas disponíveis na redondeza, mas, como não eram suficientes, alguns foram na garupa de outros.

— A que horas alcançaram o bosque?

Eram 11h55. Lembro-me bem porque, na ocasião, confirmei o horário no relógio. Depois de alcançar a base do morro, seguimos de bicicleta até onde nos foi possível e, depois, escalamos apressados um atalho usado por alpinistas.

Quando cheguei ao local, algumas crianças já haviam recobrado parcialmente a consciência e tinham se erguido. Quantas? Acho que três ou quatro. Eu disse que tinham se erguido, mas talvez seja mais preciso dizer que estavam com os joelhos e as mãos apoiados no chão e tentavam se erguer, já que não tinham se recuperado inteiramente. As demais ainda estavam no chão, mas algumas já começavam a se contorcer vagarosamente à maneira de gigantescos vermes, dando mostras de que voltavam a si. Era uma cena muito estranha. O local onde jaziam era uma clareira inexplicavelmente plana existente no meio de um bosque e iluminada pelos raios do sol de outono. As 16 crianças estavam caídas em diferentes posições, algumas no meio dessa clareira, outras à beira dela. Algumas se moviam, outras continuavam imóveis. Parecia cena de teatro avant-garde.

Eu também me imobilizei por instantes, atônito e esquecido dos meus deveres de médico. Mas não foi só comigo que isso aconteceu. Todos os que iam chegando ao local se atordoavam diante do cenário inusitado, alguns mais, outros menos. O que vou dizer em seguida pode soar extravagante, mas tive até a impressão de estarmos presenciando por engano uma cena que não era destinada a olhos humanos. Eram tempos de guerra e nós, médicos, vivíamos em permanente estado de prontidão mesmo nestas remotas regiões interioranas. Tínhamos consciência de que, como todo bom cidadão japonês, precisávamos cumprir nossos deveres profissionais de maneira calma e segura em qualquer circunstância. Mesmo assim, a cena com que me deparei me congelou, literalmente.

Mas logo me recobrei e ergui uma das crianças caídas. Era uma menina. Totalmente sem forças, ficou largada em meus braços como uma boneca de pano. Estava inconsciente e respirava regularmente. Seus olhos, porém, continuavam normalmente abertos e se moviam de um lado para o outro como se estivessem vendo alguma coisa. Extraí uma lanterna de bolso da minha maleta e iluminei suas pupilas. Não houve reação. Embora os olhos funcionassem e estivessem vendo alguma coisa, as pupilas não reagiam à luminosidade. Era muito estranho. Soergui outras crianças em meus braços, apliquei-lhes o mesmo teste e obtive idêntica reação.

Em seguida, conferi os batimentos cardíacos e a temperatura. O pulso de todas as crianças girava em torno de 50 a 55 batidas por minuto, e a temperatura corpórea não chegava a 36 graus. Algo em torno de 35,5 graus, se bem me lembro. Sim, o pulso estava bem lento e, a temperatura, cerca de um grau abaixo do normal para esta faixa etária. Cheirei suas bocas, mas não senti nenhum odor estranho. Não havia também alterações visíveis nem na língua nem na garganta.

Bastou-me um olhar para saber que não havia sintomas de envenenamento. Nenhuma parecia estar sentindo dores. Nenhuma vomitara. Nenhuma tivera diarreia. Caso houvessem ingerido alguma substância venenosa, e com todo aquele tempo decorrido desde o acidente, seria de se esperar que ao menos um desses três sintomas estivesse presente. Respirei momentaneamente aliviado por saber que não se tratava de intoxicação alimentar. Mas então despontava outra pergunta: que teria realmente acontecido, nesse caso? Eu não fazia ideia.

Os sintomas se assemelhavam aos da insolação. No verão, muitas crianças têm insolação e caem inconscientes. E, quando uma cai, parece que se estabelece uma reação em cadeia e diversas outras próximas à primeira começam também a desmaiar. Mas estávamos em novembro, em pleno outono. Além de tudo, dentro de um bosque fresco. Uma ou duas podiam até ter tido insolação e desmaiado, mas era inimaginável que a mesma coisa acontecesse simultaneamente com todas as 16 crianças.

O que me ocorreu em seguida foi a possibilidade de ter havido um vazamento de gás. Gás venenoso, possivelmente do tipo que afeta o sistema nervoso. Tanto podia ser natural como artificial... Mas se me perguntassem como era possível que gases irrompessem do nada naquela região deserta, eu também não saberia responder. Contudo, se o agente causador dos desmaios fosse realmente um gás, haveria uma explicação lógica para todo o fenômeno. As crianças teriam aspirado o gás, perdido a consciência e tombado. Por outro lado, a professora não desmaiara porque a concentração desse gás venenoso na atmosfera talvez fosse fraca e, por sorte, o seu organismo adulto conseguira reagir.

Nesse caso, que tipo de tratamento devia ser dispensado àquelas crianças? Eu não fazia a menor ideia. Como sabem, sou um médico do interior e não tenho conhecimento especializado sobre envenenamento por gases. Fiquei ali parado, me sentindo impotente. De dentro daquela floresta, eu não tinha meios de telefonar para um especialista em busca de conselhos. Mas como, aos poucos, as crianças começavam a mostrar sinais de recuperação, podia ser que, com o passar das horas, todas elas voltassem a si de maneira natural. Eu estava pura e simplesmente raciocinando de maneira otimista, sei disso, mas, para ser franco, não me ocorria nenhuma ideia útil naquela situação. De modo que resolvi deixá-las deitadas ali mesmo, tranquilamente, e apenas observar os acontecimentos.

— Notou se havia alguma coisa incomum na atmosfera?

Como esse aspecto da questão também me incomodava, inspirei profundamente diversas vezes buscando odores estranhos. Mas o ar era o que se encontra costumeiramente em florestas de regiões montanhosas. Cheirava a árvore. Um cheiro puro, revigorante. Não notei nenhuma anormalidade em plantas ou relva das proximidades, nem encontrei espécimes deformados ou de coloração estranha.

Examinei com cuidado todos os cogumelos que as crianças haviam colhido antes de desmaiar. Aliás, não eram muitos. Na certa elas tinham perdido a consciência logo depois de começar a colhê-los. Todos os cogumelos eram do tipo comum, comestível. Clinico há muito nesta localidade e conheço bem as espécies existentes por aqui. Porém, como eu queria ter certeza absoluta de que nenhum era venenoso, juntei todos os exemplares colhidos e os levei para que fossem examinados posteriormente por um especialista. E, conforme eu previra, eram todos do tipo comum, não venenoso.

— Voltando às crianças desacordadas: além de moverem os olhos de um lado para o outro, pode me dizer se elas apresentavam algum outro sintoma ou reação anormal? Por exemplo, no tamanho das pupilas, no branco dos olhos, ou no número de vezes que pestanejavam?

Não. Excetuando o fato de que os olhos se moviam de um lado para o outro como faroletes, nada havia de estranho. Todos os demais órgãos funcionavam normalmente. Mas elas estavam vendo alguma coisa. Acho que me explico melhor se disser que elas não viam o que nós víamos: elas viam, isto sim, alguma coisa invisível para nós. Aliás, talvez seja mais correto dizer que elas não davam a impressão de estar vendo, e sim de estar *testemunhando* alguma coisa. Mas, no geral, elas pareciam serenas: apesar de suas feições estarem inexpressivas, não havia ali nenhum sinal de sofrimento ou de medo. Essa foi uma das razões por que eu optei por deixá-las deitadas ali mesmo e observar a evolução dos sintomas. Ou seja, se elas não estavam em sofrimento, podiam ser deixadas do jeito que estavam por mais algum tempo.

— Chegou a falar da sua teoria de envenenamento por gás para alguém?

Sim, falei. Mas do mesmo jeito que eu, ninguém conseguiu explicar como isso poderia ter acontecido. Nenhum de nós ouvira falar de pessoas que tivessem escalado uma montanha e aspirado qualquer tipo de gás venenoso. Foi então que alguém, tenho a impressão de que foi o vice-diretor, aventou a hipótese de o gás ter sido espalhado pelas tropas americanas. Será que elas não teriam lançado bombas de gás tóxico nas proximidades? Nesse momento, a professora interveio e disse que, por falar nisso, pouco antes de entrarem no bosque, ela e as crianças tinham avistado alguma coisa no céu que podia ter sido uma aeronave B-29. Ela explicou que o aparelho voava exatamente sobre a montanha. Ah, ali estava uma possível explicação, concordamos todos. Podia ter sido uma bomba de gás recém-desenvolvida pelo exército americano. Pois a notícia de que o exército americano estava desenvolvendo uma nova espécie de bomba também tinha se espalhado na região onde morávamos. Contudo, ninguém soube explicar por que esse tipo de artefato fora lançado no meio de uma montanha deserta. Mas erros costumam acontecer. E a nós, humanos, não foi dada a capacidade de prevê-los.

— Quer dizer então que, depois disso, as crianças foram aos poucos se recuperando?

Exatamente. Imaginem o alívio que isso representou para mim. A princípio, elas se contorceram; depois, se soergueram cambaleantes e, por fim, foram aos poucos recuperando a consciência. Nessa altura, não houve queixas de sofrimento. Uma a uma, serenamente, elas foram voltando a si como se despertassem de um sono profundo. E, conforme se refaziam, o movimento dos olhos também se normalizava. As pupilas passaram a reagir normalmente à luz da lanterna. Contudo, algum tempo se passou até que recuperassem totalmente a capacidade de falar. Pareciam grogues, como pessoas mal despertas.

E conforme as crianças se refaziam, perguntamos a elas, uma a uma, o que lhes tinha acontecido. E todas pareciam estupidificadas. Reagiam como se estivéssemos perguntando coisas sobre as quais não faziam a menor ideia. Com algum esforço, todas elas se lembraram até o momento em que entraram na clareira para apanhar cogumelos. Desse ponto em diante, porém, nada lhes restara na memória. Não tinham sequer a noção de que muito tempo se passara desde então. Elas haviam começado a procurar os cogumelos e, nesse ponto, era como se uma espessa cortina caísse sobre suas lembranças; no momento seguinte, tinham se dado conta de que estavam deitadas no chão rodeadas por nós. Não conseguiam entender a razão da balbúrdia que fazíamos, e pareciam muito mais assustadas com a nossa presença do que com qualquer outra coisa.

Infelizmente, porém, houve apenas um menino que não conseguiu recobrar a consciência. Ele fazia parte do grupo de refugiados proveniente de Tóquio, e se chamava Satoru Nakata. Acho que esse era o nome dele. Miúdo, muito branco. Só ele não voltou a si. Por mais tempo que se passasse, ele continuava deitado no chão movendo os olhos. Nós o carregamos montanha abaixo. As outras crianças desceram por conta própria, como se nada houvesse acontecido.

— Excetuando esse menino chamado Nakata, nenhuma criança apresentou sequelas?

Não, aparentemente em nenhuma delas restou qualquer anomalia. Não se queixaram de dores ou mal-estar. Quando regressamos à escola, convoquei todas as crianças à enfermaria e medi a temperatura, auscultei o coração e verifiquei a acuidade visual de cada uma delas. Ou seja, examinei tudo que me foi possível naquele momento. Eu lhes dei alguns cálculos matemáticos simples para fazer, mandei-as ficar em pé, de olhos fechados e apoiadas num pé só. Todas as funções estavam normais. Não me pareceu também que estivessem sentindo cansaço físico. O apetite era normal. Todas se queixavam de fome porque não tinham comido na hora do almoço. Eu então lhes ofereci bolinhos de arroz, e todas, sem nenhuma exceção, limparam o prato, não deixaram um único grão de arroz sobrando.

O episódio me preocupou um bocado, de modo que, durante algum tempo, fui todos os dias à escola e examinei as referidas crianças. Chamava algumas à enfermaria e realizava entrevistas simples com elas. Mas nada notei de estranho. Apesar de terem passado pela experiência anormal de permanecer inconscientes no meio de uma montanha durante mais de duas horas, nenhuma apresentou sequelas físicas ou psicológicas. Não tinham sequer lembrança de que tal fato tinha acontecido. Elas voltaram à rotina diária sem sentir nenhum tipo de desconforto. Compareciam às aulas, cantavam e corriam alegremente pelo pátio na hora do recreio. O mesmo não posso dizer da professora, que, segundo me pareceu, continuou bastante abalada depois do incidente.

Só o menino chamado Nakata permaneceu a noite inteira desacordado, e foi levado no dia seguinte ao hospital universitário de Kofu. Disseram-me que foi transferido para o hospital do exército em seguida, mas o fato é que nunca mais retornou a esta cidade. Não tivemos nenhuma notícia dele desde então.

Nenhum jornal noticiou o incidente do desmaio coletivo de algumas crianças no interior de uma montanha. Acredito que sua divulgação tenha sido proibida sob o pretexto de que poderia provocar inquietação. Eram tempos de guerra, e os militares andavam particularmente sensíveis com rumores infundados capazes de provocar agitação social. A situação nas linhas de frente era sombria, o exército estava em retirada no sul, ataques suicidas se sucediam, e as forças norte-americanas já haviam iniciado o bombardeio das áreas urbanas. Os militares temiam que movimentos pacifistas ou sentimentos de desânimo pela perpetuação da guerra se propagassem no seio do povo. Tanto assim que, alguns dias depois, recebemos a visita de alguns policiais que enfatizaram fortemente a inconveniência de comentarmos o acontecido.

Seja como for, a verdade é que esse incidente foi bastante estranho e desagradável. Francamente, eu o tenho até hoje atravessado na garganta.

Capítulo 5

Eu dormi e deixei de assistir ao espetáculo do ônibus cruzando a nova e monstruosa ponte sobre o mar Interno, o que foi uma pena. Conheço a ponte apenas de mapas e tinha muito interesse em vê-la. Acordo com alguém tocando de leve o meu ombro.

— Olhe, chegamos.

Eu me estico na poltrona, esfrego os olhos com as costas das mãos e contemplo a paisagem externa pela janela. O ônibus estava realmente em vias de estacionar numa praça em frente a uma estação de trem. A luz da manhã, clara e limpa, inunda o local. Ofusca, mas proporciona uma vaga serenidade. É um tanto diferente da claridade de Tóquio. Espio o relógio de pulso. Seis horas e trinta e dois minutos.

Ela me diz com voz extremamente cansada:

— Céus, que viagem longa! A coluna está me matando! Estou dolorida desde a ponta dos pés até o pescoço. Nunca mais viajo à noite. De hoje em diante só vou de avião, mesmo que precise pagar um pouco mais. Pode até ser que eu tenha de enfrentar turbulências e sequestros, mas só vou de avião.

Retiro a minha mochila e a maleta dela do bagageiro sobre nossas cabeças.

— Como é que você se chama? — pergunto.

— Eu?

— Isso.

— Sakura — responde ela. — E você?

— Kafka Tamura — respondo.

— Kafka Tamura — repete ela. — Que nome estranho. Mas fácil de guardar.

Aceno a cabeça, concordando. Não é nada fácil mudar de identidade. Mas de nome, é.

Ao descer do ônibus, Sakura depõe a maleta no chão, senta-se nela, apanha uma caderneta num bolsinho da mochila que tem ao ombro e

43

rabisca alguma coisa com uma caneta esferográfica. Arranca a página escrita e me entrega em seguida. Nela estão anotados alguns algarismos, aparentemente um número de telefone.

— Esse é o do meu celular — diz ela franzindo o cenho. — Por ora, vou morar com uma amiga, mas se você sentir vontade de falar com alguém, ligue para esse número, ouviu? Vamos almoçar juntos qualquer dia. E não é para fazer cerimônia. Já não diz um velho ditado que "encontros fortuitos..."

— "... o destino estabelece" — completo.

— Isso, isso mesmo — diz ela. — Que significa?

— Que todos os acontecimentos, mesmo os mais fortuitos, são cármicos, foram preparados em vidas anteriores. Que coincidências não existem.

Sentada na maleta amarela e com a caderneta na mão, ela pensa no que acabo de lhe dizer.

— Entendi. Isso é filosofia, não é? Acho que é um modo de pensar bem interessante. Essa coisa de reencarnação, sabe, embora tenha assim um jeitão meio New Age... Seja como for, Kafka, lembre-se sempre disto: não sou do tipo que dá o número do celular para o primeiro que aparece. Você entende o que estou querendo dizer?

Obrigado, respondo. Dobro o pedaço de papel com o número do celular e o guardo no bolso da mochila. Repenso e o guardo na minha carteira.

— Quanto tempo pretende ficar em Takamatsu? — pergunta Sakura.

Respondo que ainda não sei. Que planos podem mudar, dependendo do curso dos acontecimentos.

Ela observa fixamente o meu rosto. Pende a cabeça para o lado num gesto ligeiro. Como se dissesse: "Ah, deixe para lá." Depois, embarca num táxi, acena a mão de leve e desaparece. Estou novamente sozinho. O nome dela, Sakura, não é o da minha irmã. Mas nomes podem ser mudados com facilidade. Principalmente quando você quer se esconder.

Eu já havia feito reserva num hotel comercial de Takamatsu. Ainda em Tóquio, eu tinha contatado a ACM, que, por sua vez, me apresentou esse hotel. Reservas feitas por intermédio da ACM sempre obtêm desconto. Contudo, a tarifa especial só é válida por três dias. Depois disso, eu terei de pagar a diária normal.

44

Se a intenção fosse apenas economizar, eu até podia dormir num banco da estação. Não estávamos em época de frio, e eu podia estender o saco de dormir que trouxe na mochila e passar a noite num parque qualquer. Mas se um guarda me visse nessa situação, na certa exigiria a minha identidade. E eu queria a todo custo evitar essa experiência. Decidi, portanto, reservar três noites no hotel por enquanto. Mais tarde, eu pensaria no que fazer.

Entro num restaurante perto da estação e forro o estômago com uma fumegante sopa de macarrão grosso servida em tigela bojuda. A escolha da lanchonete foi feita de maneira aleatória: eu apenas passeei os olhos ao redor e entrei na primeira que encontrei. Nascido e criado em Tóquio, eu não tinha o hábito de tomar esse tipo de sopa. Mas o macarrão aqui é especial: fresco e de consistência firme, eu nunca comera nada parecido até este dia. E o caldo também é diferente do de Tóquio, muito mais perfumado. Além de tudo, a porção é espantosamente barata, e tão saborosa que a repito. Como resultado, sinto-me empanturrado como há muito não sentia, e feliz. Depois, sento-me num banco diante da estação e ergo a vista para o céu azul, sem nuvens. *Sou livre*, penso. Estou sozinho nesta cidade e sou livre como uma nuvem que vaga no céu.

Resolvo matar o tempo até o fim do dia numa biblioteca. Eu já havia investigado quais tipos de biblioteca existiam nos arredores de Takamatsu. Desde pequeno, sempre matei o tempo em bibliotecas. Quando uma criança não tem vontade de voltar para casa, encontra poucos lugares para ir. Lanchonetes e cinemas são locais proibidos para um moleque desacompanhado. Resta-lhe apenas a biblioteca. Você não paga para entrar, e ninguém reclama pelo fato de estar sozinho. Pode se sentar numa cadeira e ler todos os livros que quiser. Depois de voltar da escola, eu costumava ir de bicicleta a uma biblioteca municipal existente perto de casa. Era lá que eu passava sozinho muitas horas por dia, mesmo nos feriados. Lendas, romances, biografias ou história, eu devorava tudo que me caía nas mãos. Depois de ler quase todas as histórias infantis, transferi a atenção para as demais seções e passei a ler as obras destinadas a adultos. Lia todos os livros até a última página, mesmo quando não os entendia direito. Quando me cansava, ia para a cabine de som e ali me sentava com o fone nos ouvidos. Como não entendia nada de música, fui ouvindo uma a uma todas as fitas existentes nas prateleiras começando pelo lado direito. Foi assim que conheci Duke Ellington, Beatles e Led Zeppelin.

A biblioteca era uma espécie de segunda casa para mim. Pode até ser que tenha sido a minha verdadeira casa. Como ia lá todos os dias, fiz amizade com as bibliotecárias. Elas sabiam o meu nome e, ao me ver, me cumprimentavam e me dirigiam palavras carinhosas. (Mas eu era muito tímido e quase nunca respondia.)

Na periferia da cidade de Takamatsu, um milionário da localidade mandara reformar o depósito onde guardava seus livros e o transformara em biblioteca aberta ao público. Segundo soube, havia uma coleção de livros raros ali, e tanto a construção como o jardim eram dignos de visitação. Eu já havia visto fotos dessa biblioteca numa reportagem da revista *Taiyo*. Mostrava uma casa espaçosa em estilo japonês antigo, um espaço para leitura semelhante a uma luxuosa sala de visitas, e pessoas dedicando-se à leitura em amplos sofás. No instante em que vi essa foto senti uma atração tão forte pelo local que cheguei a estranhar. Pensei então que, se um dia surgisse a oportunidade, eu haveria de conhecer essa biblioteca. Biblioteca Memorial Komura — esse era o nome do estabelecimento.

Fui ao balcão de informações da estação e perguntei onde ficava a Biblioteca Komura. Do outro lado do balcão, a amável mulher de meia-idade me forneceu um mapa turístico, marcou com um X o local da biblioteca e me explicou qual trem eu deveria tomar e em que estação descer. Seriam vinte minutos de viagem até lá. Agradeci e verifiquei a tabela da estação. Havia um trem partindo nessa direção a cada vinte minutos, aproximadamente. Como me restava algum tempo até o próximo, entrei numa lojinha e comprei um lanche para o almoço.

O trem era uma composição modesta de apenas dois vagões. Seus trilhos me levaram por um movimentado centro comercial cercado de prédios, seguiram por uma área onde lojas pequenas e residências se misturavam, passaram diante de fábricas e depósitos. Depois, veio um parque e um terreno onde construíam um prédio de apartamentos. Rosto colado na janela, observo com muito interesse as cenas da cidade desconhecida. Descubro em tudo o vigor da novidade. Além da paisagem de Tóquio, não conheço quase nada. O trem em que viajo está vazio porque vai em direção contrária à do rush matinal, mas, na plataforma oposta, há uma multidão de estudantes do curso secundário e do colegial com seus uniformes de verão: mochilas ao ombro, eles esperam o trem. Estão a caminho da escola. Mas eu, não. Estou indo sozinho em direção diametralmente oposta à deles. Estamos sobre trilhos diferentes. E então, alguma coisa se aproxima e me aperta o peito com força. De repente, o ar em torno parece rarefeito. Será que estou realmente fazendo o que é certo? Penso nisso por instantes e sinto repentina insegurança. Doravante, vou fazer o possível para não ver os estudantes.

Os trilhos correm por algum tempo à beira-mar e, depois, desviam para o interior. Há plantações de milho, altas e densas, um vinhedo, e plantações de tangerinas dispostas em terraços para melhor aproveitar o espaço das encostas. Aqui e ali, a água parada em tanques de irrigação reflete a luz matinal. Um sinuoso rio empresta frescor à paisagem. Um cão à beira da ferrovia observa o trem passar. Enquanto contemplo a paisagem, ressurge em mim a sensação de cálida serenidade que havia perdido. *Está tudo certo*, digo para mim mesmo, e respiro profundamente. Agora, só preciso ir em frente.

Saio da estação e caminho, conforme me explicaram, em direção norte por uma área residencial antiga. Dos dois lados da rua, muros se sucedem a perder de vista. Eu nunca havia visto muros em tão grande profusão e, além do mais, construídos com materiais tão diferentes. Muros de tábua preta, muros caiados, muros feitos com blocos de granito sobrepostos e muros de pedra, arrematados com cerca viva. Tudo é silêncio, não há ninguém andando na rua. Nem carros. Quando inspiro, o ar me chega com um leve cheiro de maresia. Deve haver uma praia nas proximidades. Apuro os ouvidos, mas não ouço o barulho das ondas. E deve haver também uma construção em algum lugar, pois ouço fracamente, a distância, uma serra elétrica zumbindo como abelha. Pequenas placas com setas indicam o caminho até a biblioteca e impedem que eu me perca.

Duas ameixeiras de aspecto elegante se erguem diante da imponente entrada da Biblioteca Memorial Komura. Passando pelo portão, uma sinuosa aleia forrada de pedriscos me conduz por entre as árvores bem tratadas de um jardim, onde não vejo uma única folha caída. Pinheiros, magnólias e roseiras japonesas. Azaleias. Por entre os arbustos, espiam lanternas de pedra antigas, e até um pequeno lago. Afinal, chego à entrada da casa. O vestíbulo é elegante. Em pé diante da porta, hesito um instante: entro ou não? Esta é uma biblioteca diferente de todas que eu conheci. Não havia por que não entrar, uma vez que eu viera de tão longe especificamente para visitá-la. Depois do vestíbulo, há um balcão, e o rapaz sentado atrás dele se oferece para guardar a minha mochila. Removo-a do ombro, tiro os óculos e o chapéu.

— É a primeira vez que nos visita? — pergunta. A voz é calma e descontraída. O registro, mais para o agudo que para o grave, é no entanto suave, não apresenta nenhum traço irritante.

Aceno a cabeça confirmando. Sinto dificuldade em soltar a voz. Estou tenso. Eu não havia previsto que esse tipo de pergunta me seria feita.

Com um lápis longo e recém-apontado preso entre os dedos, ele observa por instantes o meu rosto com profundo interesse. O lápis, amarelo, é daqueles que têm borracha numa ponta. O rapaz tem rosto miúdo e feições regulares. Um tipo que eu descreveria mais apropriadamente como gracioso e não como bonitão. Usa camisa de algodão branca abotoada de cima a baixo, mangas compridas, e calça de sarja verde-oliva. Impecáveis. Toda vez que abaixa a cabeça, uma mecha do cabelo um tanto longo lhe cai sobre o rosto, mas, como que compelido por súbito impulso, ele a leva para trás com um rápido movimento da mão. As mangas da camisa, dobradas até a altura do cotovelo, deixam à mostra pulsos brancos e delgados. Os óculos, de armação delicada, combinam com o rosto. Tem ao peito um crachá com o nome Oshima. Ele é diferente de todos os bibliotecários que conheci.

— Visite a biblioteca à vontade. Pode levar qualquer livro que lhe interessar para a sala de leitura e examiná-lo. Mas se quiser retirar os raros, marcados com tarja vermelha, terá de preencher a cada vez a autorização correspondente. Os livros estão catalogados nessa saleta à sua direita em fichas e no computador. Você pode consultá-los à vontade, toda vez que precisar. Não permitimos que os livros sejam retirados da biblioteca. Não temos revistas ou jornais. O uso de câmeras fotográficas está proibido. É também proibido xerocar qualquer material. Bebida e comida apenas nos bancos do jardim ou nas varandas. Fechamos às cinco horas.

Ele deposita o lápis sobre a escrivaninha e acrescenta:

— Você frequenta o nível colegial?

— Sim — respondo, depois de respirar fundo uma vez.

— Esta biblioteca é um tanto diferente das demais — diz ele.

— É de livros especializados. O acervo é composto em sua maior parte de obras de antigos poetas dos gêneros *haikai* e *tanka*. Temos também livros para todos os tipos de gosto, naturalmente, mas a maioria dos leitores que se dão o trabalho de vir nos visitar nestas lonjuras é de pesquisadores da literatura japonesa, gente interessada em *haikai* e *tanka*.

Quase ninguém nos procura para ler Stephen King. E também são raros os visitantes da sua faixa etária. No entanto, temos vez ou outra universitários em cursos de especialização. E então, você está pesquisando *tanka* ou *haikai*?

— Não, não estou — respondo.

— Foi o que pensei.

— Mas posso frequentar esta biblioteca mesmo assim, não posso? — pergunto timidamente, tomando cuidado para não soltar um falsete.

— Com certeza! — responde ele com um sorriso. Em seguida, cruza os dedos sobre a mesa. — Isto aqui é uma biblioteca, e qualquer pessoa que quiser ler um livro será sempre bem-vinda. Na verdade — e que ninguém me ouça falando isso —, eu também não tenho muito interesse nem por *tanka* nem por *haikai*.

— Estou admirado com a imponência desta construção — comento.

Ele assente com um aceno de cabeça.

— A casa Komura é tradicional fabricante de saquê desde o período Edo, e o chefe do clã da penúltima geração ganhou fama nacional como colecionador de livros. Ou seja, foi um grande bibliófilo. E o pai dele, isto é, o chefe do clã da antepenúltima geração, era ele próprio um poeta. Por esse motivo, muita gente famosa do mundo literário começou a visitar esta casa quando de passagem por Shikoku. Gente como Bokusui Wakayama, Takuboku Ishikawa, ou ainda Naoya Shiga. E alguns aqui se hospedaram longamente, na certa porque se sentiram confortáveis entre estas paredes. Ou seja, o clã foi tradicionalmente pródigo em gastos com arte literária. Famílias desse tipo costumam perder toda a sua fortuna no decorrer das gerações, mas, por sorte, os Komura não rezaram pela mesma cartilha. Eles mantiveram seus passatempos sem nunca descuidar dos negócios.

— Ou seja, eram ricos — digo.

— Muito — completa ele. Em seguida, curva levemente os lábios. — Aliás, ainda são, embora não tanto quanto nos anos que antecederam a guerra. Eis por que conseguem sustentar esta cara biblioteca. E, é claro, ao transformá-la em fundação visaram também diminuir o imposto que incide sobre heranças, mas esta é uma outra história. Se você tem interesse pelas instalações, há uma visitação com guia programada para as duas da tarde. É realizada apenas uma vez por semana, às terças-feiras, e, por coincidência, hoje é terça. No andar superior, temos também uma coleção de estudos caligráficos e pinturas raras, e como o prédio em si tem certo valor arquitetônico, acredito que não será perda de tempo participar desse tour.

— Obrigado — eu digo.

Ele sorri em resposta:

— De nada! — Toma em seguida outra vez o lápis na mão e bate de leve a superfície da escrivaninha com a ponta de borracha. Como a me encorajar, com calma e gentileza.

— O guia é você?

Oshima sorri.

— Sou um simples auxiliar. Quem guia o tour é sempre a Sra. Saeki. Ela é aparentada com os Komura e responsável pela biblioteca. Em outras palavras, minha chefe. Uma mulher maravilhosa. Acho que você também vai gostar dela.

Entro na espaçosa construção de pé-direito alto e passeio entre as prateleiras de livros à procura de obras que me interessem. Vigas grossas e magníficas cruzam o teto. O sol do começo de verão penetra pelas janelas. As vidraças, abertas para fora, permitem que se ouça o trinado dos pássaros que visitam o jardim. A maioria dos livros enfileirados nas prateleiras da frente tem *tanka* e *haikai* por tema, conforme me disse Oshima. *Tanka*, *haikai*, ensaios e biografias. E diversos livros de história local.

Nas prateleiras mais ao fundo estão os livros de interesse para o leitor comum. Coleções de clássicos da literatura japonesa, obras completas de diversos autores, clássicos em geral, filosofia, peças teatrais, biografias, livros de arte, sociologia, história, geografia... Quando os tomo nas mãos e os folheio, uma vaga fragrância de épocas passadas escapa por entre as suas páginas. É uma fragrância singular, exalada pela sabedoria e por sentimentos intensos longamente adormecidos entre duas capas. Aspiro seu perfume, folheio algumas páginas e devolvo os livros à prateleira.

Afinal, escolho um de capa finamente ilustrada e que faz parte da coletânea *Mil e uma noites* traduzida por Burton, e o levo para a sala de leitura. Fazia já algum tempo que queria ler esta obra. Eu era o único na sala de leitura da biblioteca naquele início de expediente. Tinha o luxuoso aposento só para mim. O ambiente era idêntico ao da foto estampada na revista. Sala de pé-direito alto, espaçosa e aconchegante. De vez em quando, uma brisa fresca entra pela janela escancarada.

A cortina branca se agita silenciosamente. Esta brisa também cheira a maresia. A poltrona é confortável, para além de qualquer crítica. O pequeno piano vertical a um canto da sala me faz sentir como se estivesse na casa de amigos muito queridos.

Acomodado no sofá, examino o aposento e me dou conta de que este é o espaço que eu procurara durante tanto tempo. Eu *realmente* andara procurando um local assim, um recanto semelhante a uma pequena concavidade oculta do mundo. Mas até agora, o lugar nada mais fora que um espaço imaginário. Ainda não consigo acreditar que ele sempre existiu. Fecho os olhos, inspiro e sinto que ele se aninha dentro de mim, suave como uma nuvem. A sensação é maravilhosa. Com a palma da mão, aliso lentamente o sofá protegido por uma capa creme. Ergo-me e vou até o piano vertical, abro a tampa e deposito os dez dedos das minhas mãos sobre as teclas amareladas. Fecho a tampa e caminho sobre o tapete com padrão de uvas. Giro a manivela que abre e fecha a janela. Acendo a luz do abajur e apago. Contemplo um a um os quadros que pendem da parede. Em seguida, sento outra vez no sofá e recomeço a ler. Concentro a atenção na leitura do livro.

Na hora do almoço, tiro da mochila a garrafinha de água mineral e o lanche, sento-me na varanda que dá para o jardim e me alimento. Pássaros de diversas espécies aparecem, saltitam de árvore em árvore, descem à beira do lago, matam a sede e se banham. E então, quando um gato grande aparece, os pássaros levantam voo às pressas, mas o próprio gato não lhes presta atenção. Ele quer apenas se deitar sobre uma lajota e tomar banho de sol.

— Você não teve aula hoje? — pergunta Oshima no momento em que, pretendendo retornar à sala de leitura, levo a mochila para ser guardada outra vez.

— Não é isso. Eu apenas resolvi tirar uma folga — respondo, escolhendo com cuidado as palavras.

— Ah, um rebelde.

— Mais ou menos.

Oshima me contempla com grande interesse.

— Mais ou menos?

— Eu não me rebelei. Apenas decidi não ir à escola por algum tempo — retruco.

— Você simplesmente decidiu que não ia mais à escola?

Concordo com um aceno de cabeça. Não me ocorre nada para responder.

— De acordo com Aristófanes, em *Simpósio*, de Platão, no mundo mítico da Antiguidade existiam três tipos de seres humanos — diz Oshima. — Sabe disso?

— Não, não sei — respondo.

— Na Antiguidade, a humanidade não era composta apenas por homens e mulheres, mas por três tipos de seres: homem-homem, homem-mulher e mulher-mulher. Em outras palavras, um único indivíduo era formado pelas duas matérias humanas da atualidade. E todos estavam satisfeitos com essa situação, e viviam em perfeita harmonia. Mas então, Deus usou uma lâmina e cortou todos eles. Separou-os em duas metades. Em consequência, o mundo se povoou apenas de homens e mulheres, os quais passam agora suas vidas inteiras vagando de um lado para o outro em busca das metades perdidas.

— E por que Deus fez uma coisa tão cruel?

— Isso de partir as pessoas ao meio? Também não sei. Para começo de conversa, não entendo a maioria das coisas que Deus faz. Ele é irascível e, como direi... tende a ser excessivamente idealista. Segundo imagino, foi uma espécie de castigo. Faz lembrar a história da expulsão do paraíso, que está na Bíblia.

— A história do pecado original — digo eu.

— Isso mesmo. Do pecado original — repete Oshima. Prende o longo lápis entre o dedo médio e o indicador e o balança suavemente. — O que eu quero dizer, na verdade, é que é muito difícil para qualquer pessoa viver sozinha.

Retorno à sala de leitura e continuo a ler a "História do galhofeiro Abu al Hassan". Mas não consigo me concentrar na leitura. *Homem-homem, homem-mulher e mulher-mulher?*

Quando o relógio marca duas horas, interrompo a leitura, ergo-me do sofá e participo do tour. A guia, Sra. Saeki, tem cerca de 45 anos e é magra. É também alta em comparação às demais mulheres da sua geração. Usa vestido verde com um cardigã creme claro jogado sobre os ombros. Seu porte é elegante. Seus cabelos, longos, estão arrebanhados frouxamente na nuca. O rosto é delicado e inteligente. Tem olhos bonitos. E também um sorriso suave como uma sombra brincando sempre em seus lábios. Um sorriso que não sei descrever direito, mas que me parece conclusivo. Lembra uma pequena e ensolarada poça de luz, de formato único e que só se encontra em lugares secretos. No jardim de minha casa em Nogata, havia um cantinho e uma poça semelhantes, e desde muito pequeno sempre os amei.

A Sra. Saeki desperta em mim uma sensação forte, mas, ao mesmo tempo, de comovente nostalgia. Como seria bom se ela fosse minha mãe, penso eu. O mesmo pensamento me ocorre toda vez que vejo uma mulher bonita (ou apenas simpática) de meia-idade. Como seria bom se ela fosse minha mãe... Mas nem é preciso dizer, a chance de a Sra. Saeki ser minha mãe é praticamente nula. Mas do ponto de vista teórico a possibilidade existe, embora mínima. Afinal, não conheço nem o rosto nem o nome da minha mãe. Em outras palavras, não existe nenhuma razão para ela *não ser* minha mãe.

Da visita guiada participamos apenas eu e um casal de meia-idade proveniente de Osaka. A mulher é rechonchuda e usa óculos de grau forte. O marido é magro e seu cabelo, duro, parece ter sido deitado à força com cerdas de ferro. Os olhos finos e as maçãs de rosto largas trazem à mente certas figuras esculpidas de ilhas meridionais, sempre a fitar o horizonte com intensa ferocidade. A mulher assume a maior parte do diálogo; o marido apenas murmura respostas automáticas. Além disso, acena a cabeça em concordância, emite exclamações admiradas e vez ou outra resmunga palavras soltas, ininteligíveis. O vestuário de ambos é mais apropriado para escalar montanhas do que para visitar bibliotecas: colete impermeável cheio de bolsos, sapatos de meio-cano fechados com cadarços resistentes e chapéu de alpinista. Talvez seja o tipo de roupa que usam sempre que viajam, qualquer que seja o destino. Parecem pessoas de boa índole. Embora não ache que seria bom se eles fossem meus pais, fico contente por não ser o único participante da visita.

A Sra. Saeki explica preliminarmente as circunstâncias em que a Biblioteca Memorial Komura foi fundada. É quase a repetição do que Oshima me explicou. A criação da biblioteca tornara possível a divulgação dos livros, literatura, quadros e estudos caligráficos reunidos por algumas gerações de chefes do clã Komura e contribuíra para a expansão da cultura regional. A fortuna da casa Komura tinha sido transformada em fundação, a qual, por sua vez, administrava a biblioteca. Por vezes, ali se realizavam eventos como palestras e concertos de câmara. O prédio, que tinha sido originalmente construído no início do período Meiji (1868-1912) para abrigar visitantes interessados em consultar a vasta biblioteca particular dos Komura, sofrera gigantesca reforma no período Taisho (1912-1926) e se transformara numa edificação de dois andares, quando então os aposentos destinados a hospedar escritores e artistas tinham ficado ainda mais luxuosos. Do período Taisho até o início do período Showa (1926-1989), muita gente famosa visitara os Komura e ali deixara algum memento. Compositores de *tanka* e de *haikai*, escritores e pintores tinham deixado para o clã um vasto legado de poemas, obras e quadros em sinal de agradecimento pela acolhida hospitaleira.

— Na sala de exposições do andar superior, temos inúmeras obras escolhidas a dedo e que se constituem em verdadeiras heranças culturais — diz a Sra. Saeki. — Como poderão verificar pessoalmente, no período anterior à Segunda Guerra Mundial, uma rica cultura regional vinha sendo fomentada não pelo governo local, mas por milionários com apurado gosto artístico, como os Komura. Em outras palavras, tais homens cumpriram o papel de patronos da atividade cultural. A província de Kagawa foi de fato o berço de um grande número de notáveis compositores de *tanka* e *haikai*, mas verdade seja dita: por trás desse fato, existe o de que, desde os tempos do período Meiji, gerações do clã Komura se empenharam de corpo e alma na formação e no apoio de círculos de artistas de alto nível. As circunstâncias da formação de tais círculos culturais, aliás muito interessantes, bem como as vicissitudes por elas enfrentadas, foram reportadas em inúmeros relatórios, anotações e reminiscências já publicados, os quais podem ser encontrados na sala de leitura. Estejam por favor à vontade para consultá-los, caso tenham interesse.

"Através dos tempos, todas as pessoas que assumiram o posto de chefia do clã Komura mostraram-se versadas em artes e dotadas de visão especialmente crítica para reconhecer as melhores obras. Esta é uma característica que talvez possa ser definida como genética. Capazes de distinguir o falso do verdadeiro, estes chefes lidaram apenas com as obras mais valiosas e se empenharam somente na formação dos talentos mais genuínos. Contudo, visão crítica perfeita é coisa que não existe no mundo, todos nós sabemos disso. É portanto com pesar que reconhecemos: alguns artistas da mais pura gema não obtiveram ajuda porque não contentaram o referido olhar crítico de antigos chefes do clã Komura. Um desses casos é o do compositor de *haikai* Taneda Santoka, cujas obras foram aparentemente desprezadas em sua quase totalidade. De acordo com o nosso livro de visitas, Santoka hospedou-se nesta casa em diversas oportunidades, e a cada vez aqui deixou poemas e estudos caligráficos. Mas o cabeça do clã Komura da época achou que ele era 'um monge mendigo e bravateiro' e não só não lhe deu atenção como também se desfez da maioria de seus trabalhos."

— Mas isso foi realmente uma pena — disse a mulher de Osaka com genuíno pesar. — Hoje em dia, essas obras valeriam uma pequena fortuna!

— Exatamente. Mas... que se há de fazer, Santoka era totalmente desconhecido na época. Algumas coisas, só o tempo revela — disse a Sra. Saeki brandamente.

— É verdade, é verdade! — concordou o marido.

Em seguida, a Sra. Saeki nos guiou pelo andar térreo. Mostrou-nos o acervo, a sala de leitura e a de obras raras.

— Quanto à arquitetura desta biblioteca, o chefe do clã da época evitou de propósito o estilo elegante e ostensivamente intelectual da região de Kyoto conhecido como *sukiyazukuri* e preferiu o estilo rústico de uma casa interiorana. Contudo, observando bem, logo se percebe que, em contraste com a retidão despretensiosa da estrutura, os móveis e os utensílios, assim como estas molduras, mereceram um cuidado especial, há luxo nesses detalhes. Por exemplo, este painel entalhado é de uma elegância ímpar. Diz-se que todos os mais hábeis artesãos da ilha de Shikoku foram chamados quando da construção deste prédio.

Em seguida, subimos ao segundo andar pela escada. O vão da escada é vazado até o teto. O corrimão em ébano está tão polido que receio tocá-lo com um dedo ou com a mão e manchá-lo. Um cervo estende o pescoço e come uvas num vitral que fecha o espaço da janela sobre o patamar da escada. No andar superior há duas salas de visita e um grande salão vazio. Este último era certamente forrado de tatames em tempos idos e se destinava a banquetes e reuniões. Atualmente, o piso está assoalhado e, das paredes, pendem estudos caligráficos, pinturas em rolos e quadros em estilo japonês. No centro, há um grande mostruário envidraçado, onde estão expostos mementos e objetos históricos. As salas de visitas são, uma, em estilo japonês, e a outra, ocidental. Na sala em estilo ocidental estão dispostas uma escrivaninha grande e uma cadeira giratória que parecem bem usadas. Pela janela atrás da escrivaninha se vê uma fileira de pinheiros, e por entre eles, vagamente, a linha do horizonte.

O casal proveniente de Osaka lê uma a uma as explicações dos mementos e objetos históricos dispostos no mostruário e visita em ordem os objetos expostos no salão. Toda vez que a mulher dá sua opinião em voz alta, o marido concorda de maneira encorajadora. Entre os dois não parece haver nenhum tipo de divergência. Eu mesmo não tinha interesse pelos objetos expostos, de modo que examinei os pequenos detalhes arquitetônicos da construção. Enquanto observava a sala de visitas em estilo ocidental, a Sra. Saeki se aproxima de mim.

— Se quiser, pode se sentar nessa cadeira — diz ela. — Naoya Shiga e Junichiro Tanizaki sentaram-se nesse local. Mas a cadeira não é a mesma da época, naturalmente.

Sento-me na cadeira giratória. E descanso as duas mãos suavemente sobre a escrivaninha.

— Que tal? Sente-se inspirado a escrever alguma coisa?

Enrubesço de leve e sacudo a cabeça negativamente. A Sra. Saeki sorri e retorna para perto do casal na sala contígua. Eu continuo na cadeira por algum tempo e contemplo as costas da Sra. Saeki. Os movimentos do seu corpo, o jeito como anda. Todos os seus gestos me parecem extremamente naturais e elegantes. Não consigo me expressar direito, mas sinto neles algo *especial*. Sinto que suas costas tentam me dizer alguma coisa. Algo que não pode ser transformado em palavras. Mas não sei *o que* é esse algo. Aliás, existem muitas coisas que não sei.

Ainda na cadeira, passeio o olhar pelo aposento. Na parede, há uma pintura a óleo que retrata uma praia, provavelmente desta região. É em estilo antigo, mas há vivacidade e frescor nas cores. Sobre a escrivaninha, há um cinzeiro grande e um abajur com cúpula verde. Aperto o comutador e a luz se acende. Na parede dianteira pende um relógio preto velho. Apesar de parecer uma antiguidade, seus ponteiros indicam a hora certa. As tábuas do assoalho apresentam aqui e ali pequenas áreas arredondadas e gastas e gemem quando são pisadas.

Quando a visita termina, o casal proveniente de Osaka agradece à Sra. Saeki e se vai. Segundo disseram, ambos pertencem a um círculo de *tanka* da região de Kansai. A criatividade da mulher é perfeitamente previsível, mas me pergunto: que tipo de *tanka* produziria o marido? Acenos e murmúrios de concordância não resultam em poemas. Talvez ele invoque em seu auxílio algo especial guardado a sete chaves num lugar que a maioria dos mortais desconhece...

Retorno à sala de leitura e volto a ler o livro. Alguns visitantes tinham surgido no período da tarde. A maioria usa óculos de leitura, detalhe que os torna todos parecidos. E o tempo vai passando com lentidão exagerada. As pessoas apenas se dedicam tranquilamente à leitura. Ninguém diz nada. Algumas se sentam à mesa e fazem anotações, mas a maioria permanece imóvel e silenciosa em seus lugares e lê seus livros com intensa concentração. Como eu.

Às cinco, interrompo a leitura, devolvo o livro à prateleira e saio da sala.

— A que horas abre a biblioteca? — pergunto.

— Às onze. Fecha às segundas — responde ele. — Pretende vir amanhã também?

— Se não for incomodar...

Oshima aperta levemente os olhos e me observa.

— Claro que não. Bibliotecas são para quem gosta de ler. Eu adoraria vê-lo aqui de novo. Mudando de assunto, você sempre carrega essa mochila? Ela é um bocado pesada. O que tem aí dentro? Moedas de ouro Krugerrand?

Sinto o rosto afoguear.

— Ei, estou brincando. Não quero saber o que você leva na mochila, não — diz Oshima. Em seguida, aperta a têmpora direita com a borracha da ponta do lápis. — Bem, a gente se vê amanhã.

— Até amanhã — replico.

Em vez de erguer a mão em resposta, ele ergue o lápis.

Tomo o trem e retorno a Takamatsu. Num restaurante de aspecto barato perto da estação, peço uma refeição comercial de frango à milanesa e salada. Repito a porção de arroz e tomo um copo de leite morno depois da refeição. Compro dois bolinhos de arroz numa loja de conveniência, para a eventualidade de acordar com fome no meio da noite, e também uma nova garrafa de água mineral. Depois, sigo a pé até o hotel em que programei me hospedar. Vou num ritmo que não considero nem lento nem excessivamente acelerado. Ando como uma pessoa comum, esforçando-me para não atrair atenção desnecessária.

O hotel, grande, é tipicamente um estabelecimento de segunda classe. Na recepção, registro no livro de hóspedes nome, endereço e idade falsos e pago adiantado o valor correspondente a um pernoite. Estou um pouco tenso. Contudo, ninguém me olha com desconfiança, nem esbraveja: "Não tente impingir esses dados falsos, malandro! Sei que você tem 15 anos e fugiu de casa!" Providências são tomadas de maneira burocrática e eficiente.

Subo ao sexto andar num elevador que range sinistramente. Quarto estreito, cama pouco convidativa, travesseiro duro, escrivaninha minúscula, televisão pequena, cortinas queimadas de sol. O banheiro tem o tamanho de um armário embutido. Não vejo xampu nem creme. Da janela se enxerga apenas a parede do prédio vizinho. Mas eu devo dar graças pela água quente que jorra da torneira e pelo teto sobre a cabeça. Ponho a mochila no chão, sento-me na cadeira e procuro adaptar o corpo ao quarto.

Sou livre, penso. Fecho os olhos e considero por instantes a ideia de liberdade. Não consigo entender direito o que significa ser livre. Entendo apenas que, neste momento, estou sozinho. Estou sozinho em terra estranha. Como um explorador que perdeu bússola e mapa. Ser livre é isso? Não sei. Desisto de pensar.

Encho a banheira, tomo um longo banho de imersão e escovo os dentes com cuidado. Deito-me na cama e leio mais um pouco. Quando me canso de ler, ligo a televisão e assisto ao noticiário. As notícias são aborrecidas, desprovidas de importância quando comparadas ao que me aconteceu no decorrer do dia. Apago a luz e mergulho debaixo das cobertas. O relógio indica que já passa das dez. Mas não consigo dormir. Um novo lugar e um novo dia. Que é também o do meu décimo quinto aniversário. E eu passara mais da metade dele numa biblioteca maravilhosa, atraente sob todos os pontos de vista. Travara conhecimento com algumas pessoas diferentes. Sakura. Oshima e a Sra. Saeki. Nenhuma com perfil ameaçador, felizmente. Talvez fosse um bom augúrio.

Em seguida, penso na minha casa em Nogata e no meu pai, que a esta altura já deve ter voltado para lá. Que estaria ele pensando do meu súbito desaparecimento? Terá sentido alívio por não me ver por perto? Ou perturbação? Talvez não tenha sentido nada. Aliás, é mais provável que nem tenha notado minha ausência.

De repente, me lembro que o celular do meu pai está na mochila. Eu o ativo e experimento ligar para minha casa em Tóquio. No outro extremo, o telefone começa a tocar imediatamente. Apesar dos setecentos quilômetros que nos separam, o toque é nítido como se o outro aparelho estivesse no quarto ao lado. E essa nitidez, inesperada, me assusta. Deixo-o tocar apenas duas vezes e desligo. O coração bate forte, demora a retomar o ritmo normal. A linha continua operante. Meu pai não a cancelara. Talvez ainda não tenha percebido que o celular desapareceu da gaveta de sua escrivaninha. Eu o reponho no bolso da mochila, apago a luz de cabeceira e fecho os olhos. Nem sonho. Aliás, há muito não sei o que é sonhar.

Capítulo 6

— Bom dia — disse o homem idoso.

O gato ergueu um pouco a cabeça e devolveu o cumprimento em voz baixa e cansada. Era um macho preto, grande e velho.

— Que dia maravilhoso, não?

— Hum... — disse o gato.

— Céu limpo, sem nuvens.

— ... por enquanto.

— Acha então que o tempo vai mudar?

— Muda no começo da tarde. Essa é a impressão que eu tenho — disse o gato preto esticando lentamente uma das patas. Depois, apertou de leve os olhos e estudou o rosto do homem.

Com um sorriso amável, o homem continuava a olhar para o gato, que parecia agora em dúvida quanto ao que fazer em seguida. Logo, disse em tom de quem se rende ao óbvio:

— Hum... Quer dizer que você... fala.

— Sim — respondeu o velho com aparente timidez. Depois, removeu da cabeça em sinal de respeito o amarfanhado chapéu de algodão, do tipo usado por alpinistas. — Isso não acontece sempre e nem com qualquer tipo de gato, mas quando diversas coisas dão certo, como agora, dá realmente para conversar.

— Ah! — fez o gato, expressando brevemente sua impressão.

— O senhor se importa se Nakata sentar um instante neste lugar? De tanto andar, ele está um pouco cansado.

O gato preto ergueu o corpo com movimentos vagarosos, fez tremelicar os bigodes longos e abriu tanto a boca para bocejar que quase deslocou a mandíbula.

— Não me importo, não. Ou melhor, por que haveria de me importar? Sente-se onde gostar e pelo tempo que quiser. Ninguém tem nada a ver com isso.

— Muito obrigado — disse o homem, sentando-se ao lado do gato. — Ai-ai, andar desde as seis da manhã cansa um bocado.

— Vejamos agora… Você se chama Nakata, certo?

— Exatamente. Meu nome é Nakata. E o seu, senhor gato?

— Esqueci — disse o gato. — Isto é, não faço parte dessa turma que nunca teve nome... Eu tinha o meu. Mas como a uma certa altura não precisei mais dele, acabei esquecendo.

— Isso mesmo. A gente logo se esquece das coisas que não são necessárias. Isso também acontece com Nakata — disse o homem coçando a cabeça. — Mas então, o senhor gato não tem casa para morar?

— Tive, tive sim, nos velhos tempos. Mas hoje em dia, já não tenho mais. Ganho um prato de comida vez ou outra nalguma casa da vizinhança, mas… dono mesmo não tenho mais.

Nakata acenou a cabeça para mostrar que compreendera e se manteve em silêncio por instantes. Depois, disse:

— Nesse caso, posso chamá-lo Otsuka?

— Otsuka? — repetiu o gato olhando levemente surpreso para o velho homem. — Que é isso? Por que é que eu tenho de ser Otsuka?

— Não, não, não existe nenhum motivo especial. É que o nome veio de repente à cabeça de Nakata, que assim acha mais fácil se lembrar do senhor. Um nome é útil em diversas circunstâncias. Quando ele existe, mesmo quem tem a cabeça fraca como Nakata é capaz de organizar as lembranças de forma correta e compreensível. Neste caso, por exemplo, Nakata pode pensar da seguinte maneira: na tarde do dia tanto de tal mês, encontrou e conversou com o gato preto Otsuka no terreno baldio do bairro tal. Fica mais fácil para memorizar.

— Hum… — disse o gato preto. — Não entendi muito bem. Um gato não precisa de nada disso. Só de cheiros e de formas. Um gato assimila as coisas do jeito como elas se apresentam. Sou assim e não tenho tido nenhum tipo de problema.

— Nakata sabe disso muito bem. Mas seres humanos não são feitos dessa maneira, Otsuka. Para guardar na cabeça um monte de coisas, eles precisam de nomes e datas.

O gato fungou.

— Não é muito prático.

— É verdade. Guardar um monte de coisas na cabeça não é nada prático, realmente. Veja o Nakata: ele tem de guardar o nome do senhor governador, e também o número do ônibus. Mas deixando esse assunto de lado, Nakata pode chamá-lo de Otsuka, senhor gato? Isso o aborrece?

— Aborrecer não aborrece, mas... também não agrada muito. Ah, tanto faz, que seja Otsuka, então. Se quer, pode me chamar disso. Embora sinta que esse nome não tem nada a ver comigo.

— Ah, se o senhor gato concorda, Nakata fica muito contente. Muitíssimo obrigado, Otsuka.

— E você tem um jeito de falar bem estranho, mesmo para um ser humano — observou Otsuka.

— É verdade, muita gente diz isso. Mas Nakata só consegue falar desse jeito. Até com humanos. É porque a cabeça de Nakata não funciona direito, entende? Mas não foi sempre assim. Nakata sofreu um acidente na infância e desde então não regula muito bem. Não consegue escrever. Não consegue ler livros nem jornais.

— Longe de mim a intenção de me gabar, mas também não sei escrever — disse o gato, lambendo repetidas vezes a almofada da pata direita. — Contudo, tenho uma cabeça que funciona normalmente e nunca passei apuros por não saber escrever.

— Sim senhor, no mundo dos gatos é exatamente assim — disse Nakata. — Mas, no mundo dos humanos, não saber escrever é sinal de burrice. Não saber ler livros ou jornais também é sinal de burrice. É assim e pronto. E veja que o pai de Nakata, que morreu há muito tempo, era professor de faculdade muito famoso e ensinava uma coisa chamada *te-o-ri-a fi-nan-cei-ra*. E Nakata tem também dois irmãos muito inteligentes. Um deles é diretor num lugar chamado *I-to-chu*, e o outro trabalha num lugar chamado *Mi-nis-té-ri-o do Tra-ba-lho e da In-dús-tri-a*. Os dois moram em casas muito grandes e comem enguia. Só Nakata é burro.

— Como assim? Você é capaz de conversar com gatos, não é?

— Nakata é, é sim — disse Nakata.

— Mas não é qualquer um que conversa com gatos, concorda?

— Sim.

— Nesse caso, não podem dizer que você é burro.

— Não, sim... Isto é, Nakata não entende direito essas coisas. Mas como Nakata desde pequeno sempre ouviu todo o mundo dizer que Nakata é burro, ele só pode pensar que é. Nakata não sabe comprar uma passagem e andar de trem porque não é capaz de ler o nome das estações. Mas em ônibus urbanos até consegue andar porque possui o bilhete para deficientes.

— Entendi... — disse Otsuka, que não parecia nada impressionado.

61

— Quem não sabe ler, não consegue nem trabalhar.

— E do que você vive?

— Da *pen-são*.

— *Pen-são*?

— O senhor governador dá dinheiro para Nakata se sustentar. Nakata mora num pequeno apartamento num prédio chamado Casa da Luz, em Nogata. E come três vezes por dia.

— Nada mau, nada mau… Assim parece, ao menos para mim — disse o gato.

— Realmente, nada mau. Nakata não sofre nem com vento nem com chuva, e não passa privações. E às vezes acontece, como hoje, de alguém pedir para Nakata procurar um gato perdido. E então, ele ganha alguma coisa como recompensa. Mas isto é segredo, o senhor governador não pode ficar sabendo disso. Não conte para ninguém, ouviu? Porque se o senhor governador descobre que Nakata ganha um dinheiro extra, é capaz de cortar sua *pen-são*. E depois, o valor da recompensa nem é tão grande assim, só ajuda a comprar um prato de enguia de vez em quando. Nakata gosta de comer enguia defumada.

— Eu também gosto de enguia. Comi uma única vez, mas já faz tanto tempo! Nem me lembro que gosto tinha…

— Pois enguia é uma coisa realmente gostosa. É um pouco diferente das outras comidas. No mundo, existem comidas que podem ser substituídas por outras, mas, que Nakata saiba, não existe nada capaz de substituir um filé de enguia defumada.

Na rua do terreno baldio, passou um homem levando um cão da raça labrador. O cão usava uma bandana vermelha amarrada em torno do pescoço. Lançou um rápido olhar para Otsuka, mas seguiu adiante. Nakata e Otsuka continuaram sentados em silêncio à espera de que homem e cão desaparecessem.

— Você disse que costuma procurar gatos? — perguntou Otsuka.

— Sim. Nakata procura gatos perdidos. Como Nakata consegue conversar um pouco com eles, anda de um lado para o outro juntando informações e, no fim, consegue descobrir o paradeiro daquele que se perdeu. A notícia de que Nakata é bom para achar gatinhos desaparecidos logo se espalhou e, hoje em dia, muita gente vem contratar seus serviços. Nos últimos tempos, Nakata passa mais dias procurando gatos do que sem fazer nada. Mas ele decidiu procurar só nos arredores do bairro de Nakano porque não gosta de ir muito longe. Se for, é Nakata que se perde.

— Quer dizer que, neste momento, você está também procurando um gato?

— Exatamente. Hoje, está procurando uma gatinha malhada nas cores preta, branca e castanha. Tem um ano de idade e se chama Goma. Tem uma foto dela aqui — disse o homem tirando uma cópia colorida da sacola de lona que levava ao ombro e mostrando-a para Otsuka.

— Veja, esta é a gatinha. Anda com uma coleira antipulga marrom no pescoço.

Otsuka espichou o pescoço e observou a fotografia. Depois, sacudiu a cabeça:

— Hum, nunca a vi. Conheço a maioria dos gatos que vive nesta área, mas esta, não. Nunca a vi... nem ouvi falar dela.

— Sei...

— Faz muito tempo que você a procura?

— Hoje faz... deixe-me ver: um, dois, três... Faz três dias.

Otsuka considerou a questão por momentos. Depois, disse:

— Tenho a impressão de que você já sabe disso, mas gatos são animais de hábitos. Em geral levam uma vida ordeira porque não lhes agrada alterar a rotina, coisa que fazem apenas por extrema necessidade. Por *extrema necessidade* quero dizer sexo ou acidente. Quase sempre um dos dois.

— Isso mesmo. Nakata também pensa dessa maneira.

— Se o problema é sexo, espere alguns dias: quando o fogo se apagar, ela voltará. Você sabe o que é sexo, não sabe?

— Sabe. Não por experiência própria, mas Nakata tem ideia dos seus aspectos mais importantes. Tem a ver com o *pintinho*.

— Isso mesmo. Tem a ver com o *pintinho* — respondeu Otsuka com expressão séria. — Mas se a causa do desaparecimento foi um acidente, ela dificilmente voltará.

— É verdade. Exatamente.

— Outra situação possível é aquela em que o gato fica tão perturbado por essa questão sexual que sai por aí sem destino e, quando dá pela coisa, se encontra num lugar tão distante que já não sabe mais voltar para casa.

— Realmente, se sair do bairro de Nakano, até mesmo Nakata pode não encontrar o caminho de volta.

— Comigo também já aconteceu a mesma coisa algumas vezes. Mas então, eu era bem mais novo, claro — disse Otsuka cerrando de leve os olhos momentaneamente absorto no mundo das próprias lembranças. — E uma vez perdido o caminho de volta, gatos tendem a entrar em pânico. Fica tudo escuro diante dos nossos olhos. Perdemos a noção das coisas. *Muuuito* desagradável. Sexo é realmente um problema sério. Na hora, é só nisso que a gente consegue pensar. Não conseguimos pensar nem no "antes" nem no "depois". Sexo é... isso. De modo que a tal gata... como era mesmo o nome dela?

— Fala da Goma?

— Dela mesmo. Com relação a essa tal Goma, eu mesmo gostaria de achá-la e salvá-la. Uma gatinha de um ano criada em casa com muito carinho não conhece nada do mundo. Não sabe brigar, nem achar comida por conta própria. Pobre coitada. É realmente uma pena que eu nunca a tenha visto por estas bandas. Mas procure-a em outros lugares.

— Nakata entendeu. Vai seguir seu conselho e tentar achá-la em outro canto. Nakata lhe pede mil desculpas por ter interrompido sua sesta. E, se lhe acontecer de avistar Goma, por favor avise. Nakata vai passar por aqui de vez em quando. Não se ofenda, mas ele vai recompensá-lo da melhor maneira possível.

— Pois gostei muito de conversar com você. Apareça de novo... qualquer dia desses. Neste horário e quando o tempo está firme, costumo ficar quase sempre neste terreno baldio. Se estiver chovendo, você me encontrará no santuário xintoísta que existe na base da escadaria.

— Nakata entendeu. Muito obrigado. Nakata também se sentiu muito feliz em poder conversar com Otsuka. Nakata costuma falar com gatos, realmente, mas não é com todos que se comunica tão bem quanto com Otsuka. Alguns a quem dirige a palavra se fecham como ostras e vão embora sem dizer nada. E só porque Nakata os cumprimentou!

— Ah, isso acontece. Do mesmo jeito que existem diferentes tipos de seres humanos... existe também uma grande variedade de gatos.

— Exatamente. Nakata também acha a mesma coisa. No mundo, existem diversos tipos de humanos e diversos tipos de gato.

Otsuka alongou a coluna e olhou para o alto. Raios solares banhavam em ouro o terreno baldio. Mas havia também leve prenúncio de chuva no ar. Otsuka era capaz de senti-lo.

— Escute. Você disse que sofreu um acidente na infância e que, depois disso, ficou com a cabeça fraca. Foi isso o que você disse, não foi?

— Isso. Foi exatamente isso que Nakata disse. Ele sofreu o acidente quando tinha 9 anos de idade.

— Que tipo de acidente?

— Pois… Nakata não consegue se lembrar do acidente de jeito nenhum. Segundo contam, Nakata teve uma doença de causa ignorada que o deixou febril e inconsciente durante três semanas. Ficou na cama de um hospital tomando uma coisa chamada *so-ro in-tra-ve-no-so*. E quando finalmente recuperou a consciência, Nakata tinha esquecido completamente tudo que aconteceu antes. Não reconheceu nem o pai, nem a mãe, não sabia mais ler, fazer contas, não sabia como era a casa dele, tinha se esquecido de tudo, tudo, até do próprio nome. A cabeça ficou totalmente vazia, como uma banheira depois que tiram a tampinha do ralo. Mas antes do acidente, contam que Nakata era um menino brilhante, um geniozinho. Ele caiu desmaiado certo dia e, quando acordou, tinha a cabeça fraca. A mãe dele, que já morreu há muito tempo, vivia chorando por causa disso. A cabeça fraca de Nakata fez a mãe dele chorar. O pai não chorava, só vivia nervoso.

— Mas, em troca, Nakata se tornou capaz de falar com gatos.

— Exatamente.

— Ahn!

— Além de tudo, Nakata é muito saudável, nunca fica doente. Não tem cáries, nem usa óculos.

— Por tudo que ouvi, você não é burro.

— Acha mesmo? — disse Nakata inclinando a cabeça pensativo. — Mas, Otsuka, Nakata já passou há muito dos sessenta. Nesta idade, a gente se acostuma com a cabeça fraca e com o fato de ninguém ligar para a gente. É capaz de continuar vivendo, mesmo que não consiga andar de trem. Ninguém mais bate em Nakata porque o pai dele já morreu. Ninguém mais chora por ele porque a mãe também já morreu. De modo que, se dizem a esta altura que Nakata não é burro, ele não vai saber o que fazer. Se Nakata não é burro, o senhor governador é capaz de suspender a *pen-são* e, nesse caso, pode ser que ele nem consiga mais andar nos ônibus urbanos com o bilhete especial para deficientes. E já pensou se o governador diz: "Que é isso, Nakata? Você não tem cabeça fraca coisa nenhuma!" E então, que é que Nakata vai responder? De modo que é até bom continuar burro.

— O que eu quis dizer, Nakata, é que seu maior problema não é a burrice, entendeu? — disse Otsuka com cara séria.

— Não mesmo?

— O seu problema, segundo penso, é... a *sombra*, que é mais *clara* que a dos outros. Foi o que achei desde o instante que o vi. Comparada com a das outras pessoas, sua sombra só tem a metade do pretume.

— Correto...

— Tempos atrás, vi alguém parecido.

Nakata entreabriu a boca e fixou o olhar em Otsuka.

— Quando diz que viu alguém parecido está querendo dizer parecido com Nakata?

— Exato. Por isso não estranhei muito quando... você falou comigo.

— E quando, mais ou menos, viu essa pessoa?

— Há muito, muito tempo, quando eu ainda era um gatinho novo. Mas não consigo me lembrar do rosto dele, nem de quando ou de onde me encontrei com ele. Como já disse antes, gatos não têm esse tipo de memória.

— Certo.

— Essa pessoa também parecia ter perdido metade da própria sombra, que me pareceu clara como a sua.

— Certo.

— E por isso, eu mesmo acharia melhor você dedicar seu tempo a uma séria busca pela metade perdida da sua sombra em vez de andar por aí à procura de gatos perdidos.

Nakata puxou diversas vezes a aba do chapéu de alpinista que tinha na mão.

— Para dizer a verdade, Nakata também já tinha percebido vagamente tudo isso. Ou seja, que a sombra dele parecia clara. Outras pessoas não notam, mas Nakata, sim.

— Ah, se você já percebeu, fico mais tranquilo — disse o gato.

— Mas conforme já disse, Nakata está velho e vai morrer dentro em breve. A mãe já morreu e o pai também. Quando a hora chega, todas as pessoas morrem, sejam elas burras ou inteligentes, saibam elas ler ou não, tenham elas sombras escuras ou claras. Morrem e são cremadas. São transformadas em cinzas e depois são depositadas em túmulos num lugar chamado *Ka-ra-su-ya-ma*. Esse lugar fica no bairro de Setagaya. Mas depois de ir para o túmulo em *Ka-ra-su-ya-ma*, as pessoas provavelmente não pensam em mais nada. Se não pensam, não ficam confusas. E então, Nakata ficará bem mesmo que continue sendo o que é agora, não é verdade? Além de tudo, e caso seja possível, Nakata não quer sair do bairro de Nakano enquanto viver. Depois que ele morrer, paciência, irá para *Ka-ra-su-ya-ma* ou para qualquer outro lugar.

— Você é livre para pensar do jeito que quiser — disse Otsuka. Depois, tornou a lamber por alguns instantes a almofada da pata. — Apesar de tudo, acho melhor você pensar um pouco a respeito da própria sombra. Afinal, ela pode se sentir *diminuída*. Se eu fosse uma sombra, não gostaria de... ficar pela metade.

— Correto... — murmurou Nakata. — Nakata acha que o senhor tem razão. Ele não teve oportunidade de pensar a respeito dessas coisas até agora. Mas vai fazer isso com calma quando chegar em casa.

— Acho bom mesmo.

Os dois se calaram por instantes. Depois, Nakata se ergueu com calma e removeu uma a uma as folhas secas aderidas à sua roupa. Repôs o chapéu de alpinista amarfanhado na cabeça. Ajeitou-o inúmeras vezes até conseguir que a pala ficasse em ângulo certo. Pôs ao ombro a sacola de lona.

— Nakata agradece do fundo do coração. A opinião de Otsuka foi realmente importante. Nakata lhe deseja muita saúde e que viva em segurança por muito, muito tempo.

— O mesmo para você.

Depois que o homem se foi, Otsuka deitou-se no meio da relva e fechou os olhos. Ainda restava algum tempo até que nuvens surgissem no céu e a chuva começasse a cair. E então, sem pensar em mais nada, caiu num curto sono.

Capítulo 7

Às 7h15, tomo o café da manhã no refeitório contíguo ao saguão: torradas, leite, ovos e presunto. Incluído na diária, o desjejum do hotel comercial é, para dizer o mínimo, insuficiente. Desce para um canto do estômago num piscar de olhos sem me proporcionar a sensação de ter comido coisa alguma. Ergo a vista e procuro ao redor involuntariamente. Mas outro prato de torradas com presunto e ovos não está a caminho. Suspiro.

— Conforme-se — diz o menino chamado Corvo.

Só então dou-me conta de que ele se encontra sentado do outro lado da mesa.

— Você não está mais em condição de comer tudo que gosta e na quantidade que lhe agrada. Afinal, você fugiu de casa. Tem de gravar esse fato na cabeça. Você tinha o hábito de acordar cedo e de se alimentar muito bem no café da manhã. Mas, a partir de hoje, isso não será mais possível. Terá de se contentar com o que lhe servirem. Já ouviu dizer que estômagos adaptam o próprio tamanho à quantidade de comida que as pessoas ingerem, não ouviu? Talvez tenha chegado o momento de comprovar a veracidade dessa história. Com o tempo, seu estômago encolhe, você vai ver. Mas leva algum tempo. Consegue suportar esse tipo de provação?

— Claro! — respondo.

— Era isso que eu queria ouvir — diz o menino chamado Corvo. — Afinal, você é o garoto de 15 anos mais valente do mundo, não é mesmo?

Concordo com um aceno de cabeça.

— De modo que vai parar com essa história de ficar olhando o prato vazio. Passe para a próxima ação.

Sigo suas instruções e me levanto para a próxima ação.

Vou à recepção do hotel e procuro negociar as condições de estadia. Explico que estudo num colégio particular de Tóquio, que estou em Takamatsu para preparar meu trabalho de graduação (na minha escola, o procedimento realmente existe para os estudantes do curso colegial) e que, para tanto, frequento a Biblioteca Memorial Komura, onde há material especializado. Que os dados a serem pesquisados se revelaram, porém, mais abrangentes do que eu imaginara e que eu teria de ficar por aqui no mínimo uma semana. Que eu dispunha de verba limitada. E que gostaria de obter a taxa especial de hospedagem concedida aos indicados pela ACM não apenas pelo período de três dias, mas por todo o tempo de minha permanência. Que pagarei adiantado todos os dias e que não criarei nenhum tipo de problema.

Explico tudo isso em pé diante da recepcionista do período da manhã, tentando produzir a expressão levemente aturdida de um rapaz de boa família em apuros. Não tenho cabelo tingido nem *piercings*. Estou com uma camiseta polo Ralph Lauren branca e limpa, calça de sarja creme também Ralph Lauren, e topsiders novos nos pés. Meus dentes são brancos e eu cheiro a xampu e a sabonete. Minha linguagem é suficientemente polida. Quando quero, consigo impressionar os adultos de maneira favorável.

A moça me ouve em silêncio, curva de leve os cantos dos lábios e acena em sinal de compreensão. Ela é miúda, usa uniforme — tailleur verde e blusa branca — e, embora pareça um tanto sonolenta, dá conta sozinha do trabalho matinal com eficiência. Deve ter mais ou menos a idade da minha irmã.

— Compreendi em linhas gerais o seu problema e embora não possa resolvê-lo sozinha, comunicarei a questão da diária ao gerente e lhe darei uma resposta até a hora do almoço — diz ela em tom eficiente. (Mas me transmite nítida impressão de que simpatiza comigo.) Em seguida, anota o número do meu apartamento e o meu nome num memorando. Não tenho a menor ideia se esse tipo de negociação costuma dar frutos. Pode até ser que resulte negativo — ela pode, por exemplo, pedir que lhe mostre minha carteira de estudante. Ou talvez tente contatar minha casa (o telefone que inscrevi no registro é fictício, naturalmente). Sei que corro todos esses riscos, mas vale a pena tentar. Tenho muito pouco dinheiro, realmente.

Examino as Páginas Amarelas do saguão do hotel, verifico o telefone da academia pública, ligo e pergunto de que tipo de aparelho dispõem. Eles têm a maioria dos aparelhos de que preciso. A taxa é de seiscentos ienes. Pergunto a localização e o modo de chegar até lá a partir da estação férrea, agradeço e desligo.

Retorno ao meu quarto, ponho a mochila às costas e saio. Eu podia deixar minhas coisas no quarto. E o dinheiro, no cofre do hotel. Talvez fosse até mais seguro. Mas, sempre que possível, pretendo manter todos os meus pertences ao alcance da minha mão. Já se tornaram parte do meu corpo.

Do terminal diante da estação, tomo um ônibus e vou para a academia. Estou tenso, claro. Sinto o rosto crispado. Alguém pode estranhar a presença de um garoto da minha idade numa academia de ginástica em pleno dia útil. Esta é uma cidade desconhecida para mim. Não sei o que as pessoas pensam quando veem este tipo de cena. Mas, ao contrário do que eu esperava, ninguém presta atenção em mim. Sou assaltado pela sensação de que me tornei invisível. Pago a taxa na entrada e recebo em silêncio a chave do armário. No vestiário, troco a roupa por shorts e camiseta, e, enquanto me preparo fazendo exercícios de alongamento, vou aos poucos recuperando a calma. Estou outra vez contido em mim mesmo. Com um pequeno ruído metálico, os contornos dessa existência chamada "eu" se unificam e se ajustam perfeitamente. Pronto. Estou de volta no lugar de sempre.

Inicio a sequência dos exercícios. Com Prince tocando alto em meu walkman, levo uma hora inteira para passar por todos os sete aparelhos. Por se tratar de uma academia de cidade interiorana, esperava encontrar aparelhos antiquados, mas para meu espanto eles são de última geração. Ainda exalam um leve cheiro de aço novo. Termino a rodada inicial com pouco peso e, depois, aumento a carga e inicio a segunda. Não me dou o trabalho de registrar os valores. Pesos e número de repetições adequados ao meu físico estão gravados em meu cérebro. Logo, sinto o suor porejar por todo o corpo e tenho de me hidratar diversas vezes no decorrer dos exercícios. Bebo água gelada do bebedouro e chupo o limão que comprei a caminho para cá.

Terminada a bateria de exercícios habitual, tomo uma chuveirada quente: lavo o corpo com sabonete e o cabelo com o xampu que trouxe de casa. Mantenho na melhor condição higiênica possível o pênis, que há pouco se livrou do prepúcio. Lavo com especial cuidado axilas, testículos e ânus. Nu diante do espelho, confiro o peso e a rigidez muscular. Na pia, passo uma água no calção e na camiseta úmida de suor, torço-os com força e os guardo num saco plástico.

Saio da academia, tomo o ônibus, retorno à estação, entro na mesma casa de massas do dia anterior e peço a sopa de macarrão fumegante em tigela grande. Como com calma enquanto contemplo o movimento externo pela janela. Um grande número de pessoas vai e vem no interior da estação. Usam roupas de variados estilos, levam embrulhos, andam às pressas e provavelmente têm seus objetivos, rumo aos quais se dirigem. Contemplo-as fixamente. E, de repente, penso no futuro delas, cem anos à frente.

Dentro de cem anos, provavelmente todas as pessoas aqui presentes (assim como eu) terão desaparecido da face da terra e se transformado em lixo ou em cinzas. Penso nisso e me sinto estranho. Tudo ao meu redor adquire as características de uma frágil ilusão. Como se à menor aragem tudo pudesse se espalhar e sair voando pelos ares. Abro minhas duas mãos e as contemplo fixamente. Afinal, por que me esforço tanto em fazer o que faço? Por que continuo a viver tão desesperadamente?

Sacudo a cabeça e paro de olhar o cenário externo. Paro de imaginar coisas que acontecerão daqui a cem anos. Empenho-me em pensar apenas no presente. Na biblioteca existem livros que devem ser lidos e, na academia, aparelhos que precisam ser dominados. De que me adianta pensar num futuro tão distante?

— É isso aí! — aplaude o menino chamado Corvo. — Pois você é o garoto de 15 anos mais valente do mundo, não é?

Do mesmo jeito que ontem, compro um lanche numa loja da estação e tomo o trem. Chego à Biblioteca Memorial Komura às onze e meia. Oshima está de novo do outro lado do balcão. Usa uma camisa de raiom azul abotoada até o pescoço, jeans e tênis brancos e lê um livro grosso sentado à escrivaninha. A seu lado, tem o mesmo (provavelmente) lápis amarelo de ontem. O cabelo lhe cai sobre o rosto. Quando entro, ele ergue o rosto, sorri e guarda minhas coisas.

— Ainda não voltou para a escola?

— Não pretendo fazer isso — digo honestamente.

— Nesse caso, bibliotecas são boa alternativa — diz Oshima. Ele se volta e confirma a hora no relógio atrás dele. Em seguida, dirige outra vez a atenção para uma página do livro.

Vou para a sala de leitura e continuo a ler *As mil e uma noites*, editado por Burton. Como sempre me acontece, mal me acomodo e começo a folhear as páginas, não consigo mais parar. A edição Burton contém as mesmas histórias que li em outras bibliotecas na minha infância, mas elas são bem mais longas e repletas de episódios tão intrincados que chegam a parecer totalmente diferentes. São muito mais atraentes. Há histórias obscenas, violentas e eróticas, e algumas até desprovidas de nexo. Mas existe nelas um vigor pujante que não pode ser contido (exatamente como o gênio da lâmpada) por rédeas de sensatez, elas me aprisionam com tanta firmeza que não consigo parar de lê-las. Essas histórias disparatadas, inventadas e escritas há mais de mil anos, vêm ao meu encontro com muito mais vitalidade do que as dezenas de pessoas sem rosto que vi perambulando no interior da estação. Como é possível? A questão me parece um mistério.

À uma, saio para o jardim, sento-me outra vez na varanda e como o lanche que trouxe comigo. Eu ainda comia quando Oshima surge para me dizer que me chamam ao telefone.

— Uma ligação? — pergunto, quase perdendo a fala. — Para mim?

— Se você se chama Kafka Tamura, então é.

Enrubesço, me levanto e aceito o telefone sem fio que ele me entrega.

O telefonema é da moça da recepção do hotel. Na certa queria se certificar de que eu realmente passava o dia fazendo pesquisas na Biblioteca Memorial Komura. Pelo tom de voz, deduzo que está aliviada por saber que eu não mentira. "Há pouco, falei do seu caso com o gerente. Ele me disse que o pedido é inédito, mas como você ainda é muito novo, e sua situação envolve estudos, concorda em lhe conceder por mais algum tempo a diária com desconto da ACM. A concessão especial só se tornou possível porque o movimento é relativamente baixo nesta época do ano", explica a moça. Acrescenta também que o gerente me aconselhara a despender o tempo de maneira proveitosa e a realizar a pesquisa com muito cuidado, pois a biblioteca gozava de boa fama.

É com grande alívio que agradeço. "Muito obrigado", eu digo. A consciência me pesa um pouco por ter mentido, mas, que remédio? Sou obrigado a fazer muita coisa para poder sobreviver. Desligo o telefone e devolvo o aparelho para Oshima.

— Poucos colegiais frequentam esta biblioteca, de modo que logo imaginei que se tratava de você — explica. — Eu disse à moça que você passa os dias lendo com afinco, de manhã à noite. O que aliás é a pura verdade.

— Obrigado — eu digo.

— Kafka Tamura?

— É o meu nome.

— Que estranho...

73

— Mas é o meu nome — insisto.

— Presumo que você já tenha lido algumas obras do escritor Franz Kafka.

Confirmo com um aceno de cabeça:

— *O castelo*, *O processo*, *A metamorfose* e mais aquela história em que aparece uma máquina de execuções estranha.

— *Na colônia penal* — diz Oshima. — Gosto desta história. Existem milhares de escritores no mundo, mas só mesmo Kafka seria capaz de escrever esta.

— Das novelas de Kafka, essa é a de que eu mais gostei.

— Verdade?

Confirmo com um aceno.

— Quais aspectos você aprecia?

Penso um pouco a respeito. Pensar me toma tempo.

— Em vez de tentar explicar nossa condição, Kafka prefere explicar, em termos mecânicos simples, esse complexo aparelho. Ou seja... — paro para pensar novamente. — Ou seja, assim ele conseguiu explicar de maneira mais eloquente que qualquer outro escritor a condição em que vivemos. Isto é, se expressou melhor não falando da nossa condição, mas das particularidades da máquina.

— Resposta bem formulada — diz Oshima. Depois, põe a mão no meu ombro. Percebo no seu gesto uma espécie de simpatia natural por mim.

— Realmente, acho que Franz Kafka concordaria com você.

Ele retorna para o interior do edifício levando o telefone sem fio consigo. Eu permaneço na varanda e como o restante do lanche, bebo a água mineral e observo os pássaros que procuram o jardim. Os mesmos, talvez, que avistei na tarde anterior. Uma fina camada de nuvem recobre o céu de maneira uniforme. Não vejo nem uma nesga de céu azul.

Bem ou mal, minha resposta a respeito da obra de Kafka deve ter satisfeito Oshima. Acho, porém, que não consegui transmitir o que eu realmente tinha em mente. Eu não havia feito uma generalização das obras de Kafka. Eu apenas dera minha opinião objetiva a respeito de um assunto bastante específico. Essa máquina de execução complexa e de objetivo incerto *existia realmente* perto de mim. Estava longe de ser metáfora ou alegoria. Mas isso nem Oshima nem ninguém haveria de compreender, por mais que eu explicasse.

Volto à sala de leitura, me acomodo no sofá e retorno ao mundo de *As mil e uma noites*, editado por Burton. E a realidade que me envolve vai aos poucos desaparecendo, como num recurso *fade out* cinematográfico. Estou sozinho outra vez e me embrenho no mundo que as páginas revelam. Gosto mais dessa sensação do que de qualquer outra coisa.

Às cinco horas, vou saindo da biblioteca e vejo Oshima ainda com o mesmo livro atrás do balcão. Sua camisa continua sem nenhuma ruga. Como sempre, algumas mechas de cabelo escondem parcialmente seu rosto. Na parede às costas, os ponteiros do relógio elétrico avançam com silenciosa segurança. Tudo em torno de Oshima é conduzido com calma e ordem. Não consigo imaginá-lo suado ou tendo acessos de soluço. Ele ergue a cabeça e me entrega a mochila. Ao pegá-la, careteia brevemente como se a achasse muito pesada.

— Você vem de trem do centro até aqui?

Aceno concordando.

— Se pretende realmente frequentar esta biblioteca todos os dias, isto lhe poderá ser útil — diz ele, e me entrega um pedaço de papel do tamanho de uma folha A4 cortada ao meio. É uma cópia do horário dos trens que trafegam entre a estação de Takamatsu e a da Biblioteca Memorial Komura. — Os trens quase sempre passam nas horas aqui estabelecidas.

— Obrigado — eu digo aceitando o papel.

— Escute aqui, Kafka Tamura. Não sei de onde você vem nem o que está fazendo nesta região, mas acredito que não poderá continuar morando para sempre num hotel — diz ele escolhendo as palavras com cuidado. Depois, confere o estado da ponta do lápis com os dedos da mão esquerda. Não precisava, está perfeito.

Continuo calado.

— Não pense que quero me meter na sua vida. Fiz apenas um comentário em vista das circunstâncias. Sei que não é fácil para um garoto da sua idade sobreviver sozinho em terra estranha.

Concordo com um aceno.

— Pretende ir daqui para qualquer outro lugar? Ou vai ficar por aqui mesmo?

— Ainda não sei ao certo, mas acho que vou ficar algum tempo por aqui. Aliás, não tenho nenhum outro lugar para ir — digo com franqueza.

Tenho a impressão de que posso me abrir até certo ponto com Oshima. Acho que ele respeitará a minha situação. Não tentará fazer sermões nem impor opiniões ditadas pelo bom senso. Mas neste momento não me sinto propenso a falar de mim com franqueza. Para começar, não tenho o hábito de fazer confidências ou de explicar o que sinto.

— Mas, por ora, se sente capaz de se virar sozinho. Acertei? — pergunta Oshima.

Em resposta, aceno a cabeça levemente.

— Pois desejo tudo de bom para você — diz ele.

Pequenos detalhes à parte, minha vida segue inalterada por sete dias. O rádio me desperta sempre às seis e meia e tomo o café da manhã quase simbólico no refeitório do hotel. Se a moça dos cabelos castanhos está na recepção, ergo a mão e a cumprimento. Ela também inclina de leve a cabeça e sorri em resposta ao meu aceno. Aos poucos, vai se mostrando afetuosa comigo. Começo a gostar dela também. Imagino se não será minha irmã.

Faço rápidos exercícios de alongamento no quarto e, quando chega a hora, vou à academia e realizo minha bateria de exercícios. Sempre com os mesmos pesos e o mesmo número de repetições. Não aumento nem diminuo a carga. Tomo uma chuveirada e me empenho em manter limpas todas as partes do corpo. Subo na balança e certifico-me de que não houve alterações. Antes do almoço, vou à Biblioteca Komura. Troco algumas palavras com Oshima no momento em que lhe entrego a mochila e quando a recebo de volta. Como meu lanche na varanda e leio livros. (Terminei a leitura de *As mil e uma noites*, editado por Burton, e comecei a coleção completa das obras de Soseki Natsume. Eu havia deixado de ler algumas.) Saio da biblioteca às cinco horas. Passo a maior parte do dia cumprindo minha rotina tanto na academia como na biblioteca: enquanto estou nesses lugares, ninguém me olha com estranheza. Estudantes gazeteiros não costumam frequentar tais locais. Janto num restaurante diante da estação. Tento ingerir a maior quantidade possível de verduras e legumes. Vez ou outra, passo numa quitanda, compro frutas e as como depois de descascá-las com o canivete que peguei no escritório do meu pai. Compro pepino e salsão, lavo-os na pia do meu quarto, passo maionese e os como, e também os cereais, sobre os quais despejo o leite comprado em caixinhas numa loja de conveniência.

Quando retorno ao hotel, sento-me à escrivaninha e escrevo em meu diário, ouço *Radiohead* em meu walkman, leio mais um pouco e durmo antes das onze. Às vezes, me masturbo antes de dormir. Fantasio a respeito da moça da recepção, mas nessas horas expulso da mente a ideia de que ela pode ser minha irmã. Quase não assisto à televisão nem leio os jornais.

Mas esta vida regrada, centrada e simples foi destruída (cedo ou tarde isso aconteceria) na noite do oitavo dia.

Capítulo 8

RELATÓRIO DO SERVIÇO DE INTELIGÊNCIA MILITAR (MIS)
DO EXÉRCITO AMERICANO
Data: 12 de maio de 1946
Título: Rice Bowl Hill Incident, 1944: Report
Documento número: PTYX-722-8936745-42216-WWN

A entrevista de três horas de duração com o doutor Shigenori Tsukayama (52), que exerce o cargo de professor no Departamento de Psiquiatria da Faculdade de Medicina da Universidade Imperial de Tóquio, foi realizada no Quartel-General do Comando Superior das Forças Armadas. Depoimento registrado em gravador. Os documentos relacionados a esta entrevista são de número PTYX-722-SQ-267 a 291. (Obs.: Documentos 271 e 278 em falta)

Impressões do entrevistador, segundo-tenente Robert O'Connor:
O professor Tsukayama, um dos mais destacados psiquiatras do Japão e autor de diversas publicações de elevado teor científico, mantém uma atitude calma, condizente com sua posição. Diferente da maioria dos japoneses, não usa linguagem evasiva. Faz nítida distinção entre fatos e hipóteses. Esteve antes da guerra na Universidade de Stanford em intercâmbio de docentes e fala inglês com razoável fluência. É o tipo de pessoa que inspira confiança e afeto.

A mando dos militares, realizamos prontamente entrevistas e pesquisas com as crianças. Estávamos em meados do mês de novembro de 1944. Era extremamente raro recebermos solicitações ou ordens dos militares. Como deve ser do seu conhecimento, os militares possuem em sua estrutura um departamento médico respeitável, o qual resolve a maioria das questões que lhes dizem respeito, já que é de sua natureza priorizar a confidencialidade e a solução interna dos próprios problemas. Assim, não costumam solicitar nada de médicos ou pesquisadores civis, exceto em situações que demandam conhecimento ou técnica especializados.

De modo que, quando nos chegou a referida solicitação, deduzimos naturalmente que era uma dessas "situações especiais". Falando com franqueza, não gosto de trabalhar para militares. Na maioria dos casos, o que eles buscam não é a verdade científica, mas uma conclusão coerente com sua linha de raciocínio, ou, pura e simplesmente, eficiência. Não são suscetíveis à lógica. Contudo, eram tempos de guerra e não podíamos contrariá-los. Não tínhamos outro recurso senão cumprir as ordens em silêncio.

À época, estávamos sob forte bombardeio aéreo norte-americano, e mal conseguíamos continuar nossas pesquisas em laboratórios de universidades. Um após outro, estudantes e pesquisadores tinham sido recrutados para a luta, e as faculdades andavam desertas. Claro, estudantes de psiquiatria não faziam parte do seleto grupo de privilegiados exonerados do serviço militar. Assim, quando recebemos a ordem dos militares, suspendemos nossos trabalhos em caráter temporário e, sem tempo sequer de juntar direito nossas coisas, tomamos o trem e nos dirigimos para a cidade de **, na província de Yamanashi. Éramos três: meu colega do departamento de psiquiatria, um neurocirurgião que havia muito desenvolvia pesquisas conosco e eu.

Fomos então severamente advertidos de que o episódio que nos relatariam em seguida era assunto confidencial do exército e que, em vista disso, não devíamos mencioná-lo a terceiros. Explicaram-nos então as ocorrências do começo daquele mês. Dezesseis crianças haviam tombado desacordadas numa montanha e, dessas, 15 haviam recobrado a consciência em seguida de maneira espontânea. Nenhuma se lembrava de nada relativo ao episódio. No entanto, um menino continuava inconsciente e ainda jazia na cama de um hospital militar em Tóquio.

Um médico do exército que assumira o tratamento das crianças logo depois do acidente nos explicou em detalhes a evolução clínica do caso. O nome do médico era major Toyama. Dentre os médicos militares, não são poucos os do tipo burocrático, mais interessados em se preservar do que em exercer seus deveres, mas, por sorte, este major era um tipo realista, muito eficiente. Não se comportou de maneira superior ou exclusivista por sermos civis. Objetivamente, ele nos pôs a par dos fatos básicos necessários à compreensão do caso. Mostrou-nos também a ficha médica completa. Pareceu-me que buscava, acima de tudo, elucidar a verdade. Nós todos simpatizamos com ele.

Os relatórios que o médico militar nos mostrou possibilitaram-nos perceber de imediato um fato peculiar, qual seja, o de que não restara nas crianças nenhum tipo de sequela do ponto de vista clínico. Desde os dias imediatamente seguintes ao incidente até aquela data, as crianças tinham sido submetidas a exames médicos rigorosos mas nenhuma apresentara alterações físicas tanto externa quanto internamente. Passavam os dias em condições idênticas às que antecederam o incidente, isto é, continuavam a levar a vida de maneira saudável. Testes revelaram que algumas tinham parasitas intestinais, mas da espécie comum, nada digno de menção. Não apresentavam sintomas como dor de cabeça, náusea, inapetência, insônia, prostração, diarreia, nem eram atormentadas por pesadelos durante o sono.

As crianças haviam apenas perdido a lembrança das duas horas em que estiveram desacordadas no interior da floresta na montanha. Esta particularidade era comum a todas elas. Não se lembravam nem das circunstâncias em que desmaiaram. Aqueles momentos tinham sido eliminados por completo de suas memórias. O fato talvez devesse ser descrito não como simples "perda de memória", mas como "ausência de memória". Por ser conveniente para descrever a situação, empreguei esta expressão que não faz parte da terminologia médica, mas há realmente uma diferença muito grande entre "perda" e "ausência". Explico brevemente. Imaginem, por exemplo, um trem de carga composto por vários vagões correndo sobre trilhos. Imaginem que toda a carga desapareceu de um dos vagões. Esse vagão sem carga representa "perda". Mas quando não só a carga como também o vagão inteiro desapareceu, temos "ausência".

Trocamos então ideias a respeito da possibilidade de todas elas terem aspirado algum tipo de gás venenoso.

O Dr. Toyama explicou que essa possibilidade tinha sido aventada, claro, e foi em virtude disso que o exército resolveu averiguar o incidente; "mas, sejamos realistas, essa possibilidade é mínima. As informações que lhes darei agora são confidenciais, não podem ser divulgadas…", enfatizou o médico.

Depois, ele nos contou, em linhas gerais, o seguinte: "O exército está realmente desenvolvendo em segredo pesquisas em torno de armas químicas e biológicas. Mas a maioria está sendo realizada por uma unidade especial estacionada no continente chinês, e não no Japão. Levar a cabo esse tipo de teste num país pequeno e densamente povoado como o nosso envolve um risco muito grande. Não posso revelar aos senhores se temos ou não armazenado em nosso território tal tipo de armamento, mas lhes asseguro que, ao menos na província de Yamanashi, não temos nada semelhante neste momento."

— **Quer dizer então que o médico do exército lhes assegurou que, a começar por gás venenoso, não guardavam na província de Yamanashi nenhum tipo de arma especial?**

Exato. Assim ele nos disse textualmente. E nós não tivemos outro recurso senão acreditar nele, pois, além de tudo, o médico nos dava a impressão de ser plenamente confiável. Quanto à hipótese de um aparelho B-29 norte-americano ter derrubado uma carga de gás sobre as crianças, nós mesmos chegamos à conclusão de que a possibilidade de isso ter acontecido era remota. Se os americanos tivessem realmente desenvolvido esse tipo de arma e decidido usá-la, na certa o fariam sobre uma cidade grande, onde o impacto seria maior. E, mesmo que derrubassem experimentalmente duas a três bombas desse tipo do alto do firmamento no meio de uma montanha deserta, não teriam como averiguar o resultado. Supondo, por outro lado, que o gás se difundira na atmosfera e se atenuara, uma arma que servisse apenas para desacordar crianças por um curto período de duas horas sem deixar nenhuma sequela não teria nenhum valor como material bélico.

Ademais, até onde entendíamos, não era possível imaginar que existisse um gás venenoso, fosse ele de origem artificial ou natural, que não deixasse traços no organismo. Era de se esperar que algum tipo de sequela restasse ao menos na área dos olhos e nas mucosas, mormente porque crianças são mais sensíveis e têm menor resistência que adultos. Excluímos também a possibilidade de ter havido envenenamento alimentar pela mesma razão.

Agora, restava apenas considerar duas outras possibilidades: a primeira, de ordem psicológica, e a segunda, de ordem nervosa. Se a causa do incidente fosse qualquer uma destas duas, tornava-se naturalmente muito difícil detectar algum tipo de sequela tanto por intermédio de exames clínicos como cirúrgicos. Se sequelas houvesse, seriam invisíveis e dificilmente quantificáveis. Ao chegar a esse ponto do raciocínio, começamos a compreender por que tínhamos sido convocados pelo exército.

Entrevistamos todas as crianças envolvidas no acidente. Ouvimos também a professora e o médico que as atendeu. O major Toyama também participou da entrevista. Contudo, não conseguimos obter quase nenhum dado novo dessas entrevistas. Apenas reforçamos as conclusões a que chegáramos depois das explicações do médico militar. As crianças não tinham nenhuma lembrança do incidente. Elas tinham avistado bem alto no céu um brilho que julgaram ser de uma aeronave. Em seguida, escalaram o morro da Tigela e começaram a colher os cogumelos no interior da floresta. Nesse ponto, o tempo parava e, em seguida, lembravam-se apenas de estarem caídas no chão com os policiais, o médico e a professora rodeando-as, todos muito perturbados. Não experimentavam nenhum tipo de indisposição física, nada doía nem incomodava. Não tinham enjoo. Sentiam-se apenas um tanto entorpecidas mentalmente. Mais ou menos do jeito que ficavam de manhã, quando acabavam de acordar. Só isso. Todas elas repetiram a mesma coisa, como se tivessem gravado as palavras.

Na altura em que terminamos as entrevistas, o que nos veio à mente como uma das possibilidades foi que ocorrera hipnose coletiva. Essa hipótese seria perfeitamente consistente com os sintomas que as crianças desacordadas apresentavam por ocasião dos exames efetuados *in loco* por professores e pelo médico da escola. Movimentação regular dos olhos, assim como respiração, batimentos cardíacos e temperatura corpórea levemente deprimidos, além de perda de consciência. Todos os sintomas eram consistentes. E podia-se até conjecturar que a professora não perdera a consciência porque esse *fator desconhecido* que provocara a hipnose coletiva não funcionava em adultos.

Até o presente momento, não conseguimos identificar esse *fator desconhecido*. Contudo, genericamente falando, podemos afirmar que dois fatores são imprescindíveis para que haja hipnose coletiva. Um deles é a existência de um grupo homogêneo confinado em área limitada. O outro é a existência de um agente que funcione como gatilho. O referido *gatilho* tem de ser algo que alcance o grupo inteiro quase simultaneamente. Naquelas circunstâncias, o brilho no céu semelhante a uma aeronave avistado pelo grupo inteiro antes de escalar a montanha pode, por exemplo, ter servido a essa finalidade. Todas as crianças o viram simultaneamente. O estado de sono profundo teve início quase dez minutos depois disso. Mas todas essas considerações não passavam de conjecturas, já que ninguém podia afirmar com certeza que não houvera nenhum outro fator, inidentificável, que tivesse servido de gatilho. Eu disse portanto ao Dr. Toyama, sempre ressaltando tratar-se apenas de uma hipótese, que podia ter havido hipnose coletiva. Meus dois colegas também concordaram em linhas gerais com o que eu sugeri. Aliás, por coincidência, o assunto se relacionava indiretamente com o tema das pesquisas que desenvolvíamos na ocasião.

"A hipótese me soa plausível", comentou o major Toyama depois de pensar alguns instantes. "Embora não seja a minha especialidade, penso que a possibilidade de isso ter acontecido é grande. Contudo, há um ponto que não entendo: nesse caso, o que teria despertado as crianças dessa hipnose coletiva? Pois em situações semelhantes, tem de haver um gatilho capaz de reverter os efeitos da hipnose."

Respondi francamente que não sabia.

— No momento, só posso responder com outra hipótese — eu disse. — Pode ser que o próprio sistema hipnótico contivesse um mecanismo capaz de desfazer automaticamente seu efeito depois de algum tempo. Como é dotado de eficiente sistema de autopreservação, pode ser que, decorrido certo espaço de tempo, e mesmo quando posto momentaneamente sob o comando de um outro sistema, o nosso organismo faça soar uma espécie de alarme que ativaria um mecanismo qualquer, mecanismo esse que desprogramaria o sistema estranho — no caso atual, a hipnose — que esteja bloqueando o comando das funções naturais.

Lamentavelmente não tenho comigo números precisos, mas alguns casos semelhantes foram relatados no exterior, conforme expliquei então ao Dr. Toyama. Todos eles estão registrados como *casos misteriosos*, inexplicáveis do ponto de vista lógico. Em todos eles, diversas crianças perderam a consciência simultaneamente e, passadas algumas horas, voltaram a si. E não se lembravam de nada do que lhes tinha acontecido no ínterim.

Em outras palavras, o presente caso, embora raro, não é único. Em torno do ano de 1930, nas proximidades de uma pequena vila no condado inglês de Devonshire, aconteceu um fato bastante estranho. Trinta crianças de um curso ginasial, que andavam em fila indiana por uma estrada campestre, tombaram inconscientes no meio do caminho sem nenhum motivo aparente. Contudo, todas elas voltaram a si passadas algumas horas e retornaram a pé para a escola, como se nada tivesse acontecido. Um médico as examinou logo em seguida, mas não detectou nenhuma alteração clínica. E nenhuma criança se lembrava absolutamente de nada do que lhes acontecera.

No fim do século passado, há também outro relato de um caso parecido ocorrido na Austrália. Nas vizinhanças da cidade de Adelaide, 15 meninas entre 10 e 15 anos de idade perderam a consciência durante uma excursão escolar e, horas depois, todas a recobraram. Não houve ferimentos ou sequelas visíveis. Creditou-se o incidente à ação dos raios solares, mas todas perderam a consciência e voltaram a si quase ao mesmo tempo e, fato ainda mais curioso, nenhuma apresentava sintomas de insolação. Há também uma informação adicional: o dia nem estava especialmente quente. Creio que, à falta de explicação melhor, optaram por considerar o incidente como caso de insolação.

Os pontos comuns em todos estes relatos são: havia sempre um grupo de meninos e meninas em localidades próximas a escolas, todas haviam perdido a consciência e voltado a si quase ao mesmo tempo e nenhuma teve sequelas do incidente. Estas características estão presentes em todos os casos. Quanto aos adultos no local dos incidentes, há relatos de alguns que perderam a consciência com as crianças e de outros que não perderam. Ou seja, variou de caso para caso.

Existem ainda outros casos semelhantes, mas estes dois são os que melhor preenchem os requisitos do ponto de vista da documentação científica. Mas neste caso ocorrido na província de Yamanashi existe um detalhe que o torna especial: a existência de um menino que continuou inconsciente, isto é, não despertou da suposta hipnose coletiva. Imaginamos então naturalmente que o menino seria a chave para a elucidação do caso. Depois de terminar as pesquisas *in loco*, retornamos então para Tóquio e nos dirigimos ao hospital militar onde o menino estava sendo tratado.

— Nesse caso, o que despertou o interesse do exército foi apenas a possibilidade de o incidente ter estado relacionado com algum tipo de arma química cujo componente fosse um gás venenoso?

Assim entendemos. Mas acho que o major Toyama poderá informá-los melhor que eu.

— O major Toyama foi morto em serviço em março de 1945 durante um ataque aéreo ocorrido em Tóquio.

Realmente? Sinto muito. Muita gente de valor morreu nesta guerra.

— Contudo, o exército chegou à conclusão de que este incidente não decorreu do emprego de nenhuma das tais "armas químicas". Que, embora a causa ainda não estivesse definida, não influenciou a evolução da guerra. É isso?

Sim, foi o que entendi. Naquela altura, o exército tinha concluído as averiguações do incidente. O hospital do exército estava retendo esse menino chamado Nakata, que continuava inconsciente, apenas porque o caso havia despertado o interesse do major Toyama, que à época tinha certo poder decisório dentro do hospital. Em vista disso, íamos quase todos os dias ao referido hospital, nos revezávamos para passar a noite com o menino e o examinamos de diversos ângulos.

Os órgãos vitais funcionavam normalmente, apesar da inconsciência. Ele estava sendo alimentado por via intravenosa, e urinava a intervalos regulares. Quando apagávamos as luzes à noite, o menino fechava os olhos e dormia, e quando amanhecia, abria os olhos. Ele estava realmente inconsciente, mas afora isso, me pareceu que tinha saúde e vivia sem problemas. Apesar do coma, ele não parecia sonhar. Quando uma pessoa sonha, isto se torna aparente no movimento dos olhos e em alterações da expressão facial. Mas não havia nenhum desses indícios no menino Nakata. Batimentos cardíacos, respiração e temperatura corpórea estavam em média levemente deprimidos, mas eram espantosamente regulares.

Talvez eu esteja me expressando de maneira estranha, mas me pareceu que o recipiente, ou seja, o corpo, tinha ficado para trás tomando conta do ser físico, baixando um pouco todos os níveis vitais para o mínimo necessário à subsistência e à manutenção das funções essenciais, enquanto o próprio menino saía para algum lugar e se ocupava de outras coisas. À época, ocorreu-me a expressão "projeção espiritual". Conhece-a? Costuma surgir muito em lendas e histórias antigas do Japão, e refere-se a fenômenos em que o espírito se afasta momentaneamente do corpo, viaja a um local mil milhas distante, por exemplo, e ali realiza alguma tarefa importante, finda a qual retorna para o próprio corpo. Estes *ikiryou*, espíritos vingativos que surgem com frequência em *Genji Monogatari* (A história de Genji), talvez sejam fenômenos semelhantes. Significa que espíritos não se separam do corpo somente após a morte: seres vivos também são capazes disso, bastando para tanto que a vontade seja forte o bastante. Talvez esse tipo de concepção espiritual tenha existido desde tempos remotos em nossa terra e seja uma forma de pensar natural dos habitantes do meu país. Mas estabelecer tais fenômenos de forma científica é totalmente impossível. Hesito até em apresentá-los como hipótese.

O que de fato nos solicitaram foi que despertássemos o menino do coma. Que recuperássemos sua consciência. Empenhamo-nos então às cegas na busca de um "gatilho reverso" capaz de livrar o menino do efeito hipnótico. Tentamos tudo que nos veio à mente. Trouxemos os pais para perto dele e os fizemos chamar seu nome em voz alta. Tentamos isso dias seguidos. Não houve reação. Todos os truques empregados para reverter uma hipnose comum foram tentados. Fizemos todos os tipos de sugestão, batemos palmas diante do seu rosto de inúmeras formas diferentes. Tocamos músicas que ele conhecia, lemos livros escolares junto ao seu ouvido. Fizemos o menino sentir o cheiro de seus pratos prediletos. Trouxemos até o gato que ele criava em casa. Ele gostava muito desse animal. Tentamos de todas as maneiras trazê-lo de volta ao mundo real. O resultado porém foi literalmente nulo.

Mas duas semanas depois de iniciarmos todas essas experiências, quando todos os recursos tinham sido esgotados, e nos encontrávamos exaustos, o menino voltou a si de repente. Ele despertou de chofre, sem aviso prévio, como se um determinado tempo preestabelecido tivesse transcorrido, e não porque alguma coisa que fizéramos tivesse surtido efeito.

— Teria ocorrido qualquer acontecimento anormal nesse dia?

Nada que merecesse registro. Naquele dia, fizemos o que sempre costumávamos fazer. Às dez da manhã, uma enfermeira surgiu para colher uma amostra do seu sangue. Mas logo em seguida o menino sufocou e o sangue coletado se espalhou sobre o lençol. A quantidade nem foi tão grande, e o lençol foi trocado em seguida. Esse foi o único acontecimento diferente. O menino voltou a si quase trinta minutos depois desse incidente. Ele se sentou de repente na cama, alongou o corpo e olhou em torno. Sua consciência estava de volta e, do ponto de vista médico, estava saudável. Passados instantes, porém, tornou-se claro que ele tinha perdido inteiramente a memória. Não conseguia lembrar o próprio nome, nem onde morava, que escola frequentava, o rosto dos pais, nada. Não era capaz de compreender o que era o Japão ou o globo terrestre. Ele retornara ao mundo real com a cabeça literalmente esvaziada de qualquer informação.

Capítulo 9

Recupero a consciência no meio de densos arbustos. Estou deitado em cima da terra úmida, como um tronco decepado. Uma compacta escuridão envolve os arredores, não consigo ver coisa alguma.

Mantenho a cabeça sobre o galho espinhento e inspiro profundamente. O que me vem ao nariz é o cheiro exalado por algumas plantas durante a noite. E o cheiro da terra. E misturado a tudo isso, levemente, também o de fezes caninas. Por entre galhos de árvores, vejo uma nesga do céu. Não há lua nem estrelas, mas ainda assim o céu está claro. É a luz da terra refletindo na fina camada de nuvem que cobre o firmamento como uma tela. Ouço a sirene de uma ambulância. O som se aproxima gradativamente e depois se afasta. Se apuro os ouvidos, sou capaz de captar o chiado de pneus de carros que passam na rua. Tudo indica que estou num canto de uma cidade qualquer.

Tento me recompor e voltar a ser o que eu era. Mas para isso tenho de ir a diversos lugares e juntar meus pedaços. Apanhá-los cuidadosamente um a um, como se fossem peças dispersas de um quebra-cabeça. Não é a primeira vez que passo por esta experiência. Já tive esta mesma sensação antes. Quando foi mesmo? Esforço-me por reviver as lembranças. Mas a tênue linha condutora logo se rompe. Fecho os olhos e deixo o tempo escoar.

As horas estão passando. Lembro-me de repente da mochila. E sou assaltado por leve pânico. A mochila... A mochila, onde está ela? *Tudo* que possuo neste mundo se encontra dentro dela. Não posso perdê-la. Mas não vejo nada nesta escuridão. Procuro me erguer, mas não tenho força nem na ponta dos dedos.

Com muito custo ergo a mão esquerda (por que cargas d'água este braço pesa tanto?), aproximo o relógio do rosto. Apuro o olhar. O mostrador digital informa: 23h26, 28 de maio. Viro as páginas de uma folhinha mental. Maio, 28. Está tudo em ordem, estou ainda *dentro do dia*. Não estive desacordado e caído durante muitos dias neste lugar. Eu tinha ficado inconsciente por algumas horas apenas. Cerca de quatro, talvez.

Vinte e oito de maio. Tinha sido um dia em que coisas rotineiras foram realizadas de modo rotineiro. Nada especial ocorrera. Eu tinha ido como sempre à academia de ginástica e depois à Biblioteca Komura. Eu usara os aparelhos para fazer os exercícios costumeiros e lera um livro da coletânea de Soseki sentado no sofá costumeiro. E, no fim do dia, jantara no restaurante diante da estação. Eu tinha comido peixe. Uma refeição comercial cujo prato principal era peixe. Aliás, salmão. Repeti o arroz. Tomei *misoshiru*, comi salada. E depois... depois, não me lembro.

Sinto uma dor aguda no ombro esquerdo. As sensações retornam lentamente e, com elas, a percepção da dor. A do ombro é semelhante às que resultam de pancadas violentas. Apalpo a área com a mão direita. Não parece haver corte ou inchaço. Um acidente de trânsito, talvez? Mas as roupas não estão rasgadas, e a dor se concentra num único ponto do ombro esquerdo. Deve ser uma contusão simples.

Aos poucos, começo a me mover no meio dos arbustos, tateando em torno até onde as mãos alcançam. Mas elas tocam apenas galhos duros, retorcidos como alma de animais torturados. Não encontro a mochila. Meto as mãos nos bolsos da calça. Acho a carteira. Com o dinheiro, o cartão magnético da porta do quarto do hotel, e o cartão de telefone público. Acho também o porta-moedas, o lenço e a caneta esferográfica. Nesse exame superficial que faço às cegas não noto nada faltando. Estou com a calça de sarja creme, camiseta branca e, por cima dela, a camisa de brim de manga comprida. E topsiders azul-marinho. Não acho o boné de beisebol dos Yankees de Nova York. Eu o usava quando saí do hotel. Estou sem ele agora. Não sei se o perdi ou se o esqueci nalgum lugar. Não faz mal. Compro um novo em qualquer loja.

Logo encontro minha mochila. Ela estava apoiada no tronco de um pinheiro. Como é que larguei minhas coisas aí e, depois, me meti no meio dos arbustos e perdi os sentidos? *Para começo de conversa, onde estou?* Minha memória parece ter-se congelado. Mas o importante é que achei a mochila. Tiro de dentro dela a lanterna de bolso e verifico o conteúdo. Parece que está tudo aí. O envelope que contém o dinheiro também. Suspiro aliviado.

Ponho a mochila ao ombro, vou transpondo outros arbustos ou abrindo caminho por entre eles e saio numa clareira. E então, encontro uma aleia estreita. Sigo por ela à luz da lanterna e, logo, vejo luzes e me encontro num lugar que faz lembrar o jardim de um santuário xintoísta. Percebo então que eu realmente estivera caído num bosque situado atrás do altar-mor.

O santuário é bem amplo. No pátio há apenas um poste alto com uma única lâmpada de mercúrio no topo lançando uma claridade fria sobre o altar, uma caixa de contribuições e uma tabuleta com o desenho votivo de um cavalo. Minha sombra se projeta estranhamente longa sobre os pedriscos da aleia. No quadro de avisos encontro o nome do santuário e trato de memorizá-lo. Não vejo vivalma em torno. Sigo em frente, encontro o sanitário e entro. A instalação está razoavelmente limpa. Tiro a mochila do ombro e lavo o rosto na pia. Sobre ela, existe um espelho embaçado e, nele, vejo o meu reflexo. Minha aparência é péssima, mas eu já esperava por isso. As faces estão pálidas e encovadas, tenho barro no pescoço. E diversos tufos de cabelo eriçados.

Noto então que existe algo escuro na altura do peito da minha camiseta branca. Esse *algo* tem o formato de uma borboleta de asas abertas. Primeiro, tento limpá-lo espanando com a ponta dos dedos. Impossível. Toco a coisa escura com a mão e percebo uma estranha viscosidade. Dispo a camisa de brim com calculada lentidão para me forçar a acalmar e tiro a camiseta pela cabeça. E, sob a luz vacilante da lâmpada fluorescente, dou-me conta de que a coisa escura é uma mancha de sangue rubro-negra. O sangue é fresco, nem secou ainda. E em grande quantidade. Trago-o para perto do rosto e verifico se tem cheiro. Não tem cheiro de nada. Noto também que há respingos de sangue em quantidade mínima na camisa de brim, mas eles se escondem muito bem na trama azul-escura. A mancha na camiseta branca, porém, é nítida, gritante.

Lavo-a na pia. O sangue se mistura à água e tinge de vermelho a louça branca. Esfrego bem, mas por mais força que empregue, não consigo limpar a mancha. Quase jogo a camiseta no cesto de lixo mais próximo, mas penso melhor e desisto. Posso até descartá-la, mas em outro local. Torço-a com força e a guardo no saco plástico onde costumo transportar roupas lavadas e escondo tudo no fundo da mochila. Tiro o sabonete do meu estojo de toalete e lavo as mãos. Elas ainda tremem levemente. Eu as lavo muito bem, tomando especial cuidado com a área entre os dedos. Há sangue debaixo das unhas também. Limpo com uma toalha umedecida os vestígios do sangue que vazou da camiseta e sujou o meu peito. Depois, visto a camisa de brim, aboto-a até o pescoço e enfio a barra para dentro da calça. Tenho de estar apresentável para não chamar atenção desnecessária.

Estou apavorado. Os dentes batem sem cessar. Tento fazê-los parar, mas não consigo. Abro as mãos diante dos olhos e as observo. Também estão trêmulas. Nem parecem minhas. Dão a impressão de ser dois entes vivos, independentes. As palmas ardem. Como se tivessem segurado uma barra de ferro incandescente.

Descanso ambas as mãos na beira da pia, me apoio nelas e pressiono fortemente a cabeça contra o espelho. Estou prestes a chorar. Mas não adianta, ninguém viria me acudir. Ninguém...

Caramba, onde é que você se meteu para se sujar com tanto sangue? Que é que andou fazendo? Ah, você não se lembra de nada... Não tem cortes ou ferimentos em todo o corpo. Nem sente dores, exceto pelo latejamento no ombro esquerdo. Portanto, o sangue não é seu. É de outra pessoa.

Seja como for, não pode continuar muito tempo neste lugar. Se uma patrulha o encontra aqui e agora, ensanguentado desse jeito, será o fim de tudo. Por outro lado, não é também aconselhável seguir direto para o hotel. Pode ser que haja um policial ou um estranho qualquer à sua espera por lá. Antes prevenir que remediar. Afinal, você pode ter se envolvido num crime ou em algo semelhante. Aliás, você mesmo pode ter praticado o crime.

Felizmente, todos os seus pertences estão com você. Não foi à toa que andou carregando os seus bens nessa mochila pesada. No final das contas, essa medida surtiu efeito. De modo que não precisa ficar tão preocupado. Nem ter tanto medo. Verá que vai se sair bem. Esqueceu que é o menino de 15 anos mais valente do mundo? Vamos, tenha confiança. Respire fundo e ponha a mente a trabalhar de maneira eficiente. Vai dar tudo certo, você vai ver. Mas tem de estar sempre alerta. Há alguém sangrando nalgum lugar. O sangue é real. E em grande quantidade. E, nesta altura dos acontecimentos, pode ser também que haja alguém procurando por você insistentemente.

Entre em ação já, neste exato momento. Só existe uma coisa a fazer. Um único lugar aonde ir. Sabe que lugar é esse, não sabe?

Inspiro fundo e normalizo a respiração. Ponho a mochila às costas e saio do lavatório. Os pedriscos rangem enquanto ando à luz da lâmpada de mercúrio. Sempre caminhando, ponho a cabeça para funcionar a todo o vapor. Aperto o comutador, giro a manivela e ponho em ação os pensamentos. Mas não tenho êxito. A carga da bateria que movimenta o motor está baixa. Eu preciso de um esconderijo seguro e aconchegante. Eu tenho de me refugiar num lugar com essas características para normalizar minha condição física. Mas *onde*? O único lugar que me ocorre é a biblioteca. O Memorial Komura. Que só vai abrir amanhã, às onze horas. E eu tenho de passar as longas horas restantes nalgum lugar.

Além da Biblioteca Komura, só me ocorre um outro local para ir. Sento-me num canto discreto longe de olhares curiosos e tiro do bolso da mochila o telefone celular. Em seguida, verifico se ainda está funcionando. Da carteira, pego o papel com o número do celular que Sakura me deu e o teclo. Os dedos ainda não recuperaram a agilidade. Cometo erros atrás de erros, mas finalmente consigo digitar toda a longa sucessão de números até o fim. Por sorte, não cai em caixa postal. No décimo segundo toque, ela atende. Declaro o meu nome.

— Escute aqui, Kafka Tamura! — diz ela mal-humorada. — Que horas você acha que são? Eu tenho de acordar cedo, entendeu?

— Sei que estou abusando — digo. Percebo que minha voz está tensa. — Mas você é o único recurso que me restou. Estou em apuros e não tenho mais ninguém a quem recorrer.

Há um longo silêncio do outro lado da linha. Ela parecia atenta às vibrações da minha voz e calculava a seriedade do meu apelo.

— É... coisa muito séria?

— Nem eu sei direito, mas acho que sim. Me ajude, só desta vez. Prometo fazer o possível para não prejudicá-la.

Ela pensa por instantes. Não acho que esteja hesitando. Pensa, só isso.

— Onde você está agora?

Digo o nome do santuário. Ela não o conhece.

— Mas é aqui, na cidade de Takamatsu, não é?

— Não tenho certeza, mas acho que é.

— Que é isso! Não sabe nem onde está? — diz ela, entre admirada e irritada.

— É uma história comprida.

Ela suspira.

— Apanhe um táxi e venha até a loja de conveniência Lawson, na esquina da rua 2, no bairro **. Vai encontrar fácil porque tem uma placa grande diante da loja. Tem dinheiro para o táxi?

— Tenho.

— Ainda bem — diz ela. E desliga.

Passo pelo *tori* do santuário e saio numa avenida larga, onde procuro um táxi. Logo surge um e para ao meu lado. Pergunto ao motorista se sabe de uma loja de conveniência Lawson na esquina da rua 2, no bairro **. Ele conhece muito bem o local. É longe daqui?, pergunto. Nem tanto, responde o homem. A corrida não deve dar nem mil ienes.

O táxi para diante da Lawson e eu entrego o dinheiro com mãos ainda inseguras. Em seguida, carrego a mochila e entro na loja. Cheguei mais cedo do que esperava, e ela ainda não se encontra aqui. Compro leite em embalagem pequena, aqueço-o no aparelho de micro-ondas e o tomo devagar. O leite morno passa pela garganta e cai no estômago. A sensação me acalma um pouco. No momento em que entrei na loja, um funcionário desconfiou que eu pudesse furtar alguma coisa da loja e lançou um olhar de esguelha à mochila, mas logo em seguida ninguém mais presta atenção em mim. Finjo escolher uma das revistas expostas numa prateleira e procuro ver meu reflexo no espelho. Os cabelos continuam em desordem, mas as marcas de sangue em minha camisa de brim estão quase imperceptíveis. E mesmo que alguém as notasse, acharia que são pingos de sujeira comum. Falta apenas fazer meu corpo parar de tremer.

Passados cerca de dez minutos, Sakura aparece. Já é quase uma da madrugada. Ela veste uma camiseta verde e uma calça jeans azul desbotada. Tem os cabelos presos na nuca e um boné New Balance azul-marinho na cabeça. Ao vê-la, meus dentes param afinal de bater. Ela se aproxima e examina meu rosto minuciosamente, como um veterinário avaliando a dentição de um cãozinho. Um som entre gemido e algo ininteligível lhe escapa da boca. Depois, bate duas vezes de leve no meu braço e diz: "Venha."

O apartamento dela fica a quase duas quadras da loja Lawson. É um prédio barato, de dois andares. Ela sobe a escada, tira uma chave do bolso e abre a porta verde almofadada. São dois quartos, uma cozinha pequena e um banheiro. As paredes são finas, o piso range ruidosamente, e se é que o aposento recebe realmente algum sol, deve entrar pela janela apenas no fim da tarde. Ouço o som de uma descarga nalgum lugar e, num outro, prateleiras tremelicam. Mas aqui, ao menos, existe gente vivendo um cotidiano real. Pratos empilhados dentro da pia da cozinha, garrafas *pet* vazias, revistas meio lidas, um vaso com tulipas que há muito perderam o viço, lista de compras presa com ímã à porta da geladeira, meias pendendo do encosto de uma cadeira, jornal sobre a mesa aberto na programação de TV, um pacote de cigarros Virginia Slim e alguns tocos no cinzeiro. A visão de todas essas coisas me proporciona repentino alívio.

— Este apartamento pertence à minha amiga — explica Sakura. — Ela e eu trabalhamos juntas tempos atrás num salão de beleza de Tóquio, mas no ano passado, por motivos que não vêm ao caso, ela retornou para Takamatsu, terra natal dela. Aqui chegando, resolveu viajar pela Índia durante um mês e me perguntou se eu não poderia tomar conta deste apartamento enquanto isso. E também trabalhar no lugar dela. Como cabeleireira, entendeu? Achei que seria muito bom me afastar um pouco de Tóquio, mudar de ares, sabe? Mas ela é um tipo meio New Age, e não sei se volta mesmo no prazo de um mês, ainda mais de uma viagem à Índia.

Sakura me faz sentar à mesa da sala de jantar. Depois, tira da geladeira uma lata de Pepsi e me oferece. Sem copo. Normalmente, não sou de tomar refrigerantes. É doce demais e faz mal para os dentes. Mas estou sedento e esvazio a latinha.

— Está com fome? Só tenho *lamen* instantâneo, mas se não se importa...

Respondo que não quero nada.

— Você está com uma cara medonha! Sabe disso, ao menos?

Digo que sei com um aceno de cabeça.

— E então, que aconteceu?

— Não sei ao certo.

— Não sabe ao certo o que lhe aconteceu. Não sabia onde estava. É uma longa história — diz ela simplesmente confirmando os fatos. — Mas uma coisa é certa: você está em apuros. Certo?

— Apuro dos grandes — digo. Desejo sinceramente que ela compreenda essa verdade.

O silêncio se prolonga por instantes. Enquanto isso, ela me observa com o cenho franzido.

— Na verdade, você não tem nenhum parente em Takamatsu. Você fugiu de casa, não fugiu?

Aceno concordando.

— Eu também fugi de casa uma vez, quando tinha mais ou menos a sua idade. É por isso que percebo essas coisas de longe. E foi também por isso que lhe dei o número do meu celular. Imaginei que você iria precisar dele qualquer dia.

— Obrigado — agradeço.

— Minha casa ficava em Ichikawa, na província de Chiba; e eu não me dava muito bem com meus pais, nem gostava de frequentar a escola. De modo que roubei dinheiro deles e fugi para bem longe. Eu tinha 16 anos. Fui até as proximidades de Abashiri, em Hokaido. Lá, encontrei uma fazenda e pedi aos donos que me deixassem trabalhar para eles. Disse-lhes que fazia qualquer serviço e prometi que trabalharia duro. Que, se eles me dessem teto e comida, nem precisariam me pagar um salário. A dona me tratou com carinho, me ofereceu chá e me disse para esperar um pouquinho, e eu, muito ingênua, fiquei ali à espera. E então, de repente, apareceram uns policiais numa viatura, e eles me mandaram imediatamente de volta para casa. Parece que os donos da fazenda já tinham visto casos semelhantes. Foi então que decidi com toda a seriedade: tenho de aprender uma profissão, não importa qual, que me possibilite viver em qualquer lugar que eu queira. De modo que larguei o colegial, entrei num curso profissionalizante e me tornei cabeleireira.

Ela sorri e seus lábios se distendem à direita e à esquerda de maneira equilibrada.

— Resolução razoável, não acha?

Concordo.

— E agora, não quer me explicar tudo que lhe aconteceu desde o começo? — pergunta. Retira um cigarro do maço, risca um fósforo e o acende. — Já sei que não vou conseguir dormir direito esta noite, de modo que vou ouvir sua história, não me custa nada.

Explico tudo desde o começo. A partir do instante que fugi de casa. Mas não falo da profecia, claro. Esse tipo de história não se conta para qualquer um.

Capítulo 10

— Nesse caso, Nakata pode chamar você de Kawamura? — perguntou o homem outra vez para o gato marrom listrado. Falava lentamente escandindo as sílabas para facilitar a compreensão.

O gato tinha dito que achava ter visto Goma (um ano, malhada, nas cores preta, branca e marrom, fêmea) naquelas redondezas. Mas o gato marrom listrado falava — do ponto de vista de Nakata, claro — de um jeito muito estranho. O felino, por seu lado, também parecia não entender direito o que Nakata lhe dizia. O diálogo entre os dois se processava então de maneira desencontrada e desprovida de nexo às vezes.

— Não faz mal, mas cabeça no alto.

— Desculpe, Nakata não entendeu direito o que o senhor disse. Ele sente muito, realmente, mas Nakata não é muito bom da cabeça.

— Sempre, sempre da cavalinha.

— Está com vontade de comer uma cavalinha, está?

— Não, não. A mão na ponta, amarra.

Nakata jamais pretendera que sua comunicação com felinos fosse perfeita. Afinal, não podia esperar que pensamentos se transmitissem de maneira espontânea e harmoniosa numa conversa entre um ser humano e um gato. Além do mais, a capacidade de dialogar do próprio Nakata, seja com humanos, seja com gatos, deixava um pouco a desejar. A conversa na semana anterior com Otsuka, por exemplo, transcorrera de maneira fluente e fácil, mas isso era antes exceção que regra: normalmente, já era bastante complicado passar ou receber um simples recado. E havia até momentos realmente críticos em que certos diálogos pareciam ocorrer à beira de um canal em dia de ventania, com os participantes postados em margens opostas. Exatamente como naquele dia.

Nakata não sabia bem por quê, mas numa classificação por raças, gatos marrom listrados eram os que apresentavam maior grau de dificuldade de sintonização. Já o diálogo com gatos pretos quase sempre transcorria sem percalços. Os siameses eram os mais acessíveis, mas, em suas andanças pelo bairro, raras eram as ocasiões em que Nakata se deparava com gatos vadios dessa raça. Siameses são, em geral, criados com muito cuidado dentro de casa. E neste ponto, Nakata se deparava com outra questão que não entendia direito: a maioria dos gatos vadios era do tipo marrom listrado.

Especialmente no caso deste Kawamura, Nakata não conseguia compreender quase nada do que ele dizia. A pronúncia não era clara, e as palavras não tinham nexo nem relação entre si. Não formavam frases, e sim charadas. Mas Nakamura era estoico e, sobretudo, tinha muito tempo disponível. Ele repetia a mesma coisa diversas vezes e fazia o gato responder diversas vezes a mesma coisa. Os dois se sentavam numa pedra na borda de um parque infantil de uma área residencial e conversavam havia cerca de uma hora sem progresso visível.

— "Kawamura" é apenas um jeito de chamar. Não quer dizer nada. Nakata dá um nome a cada um dos gatos que encontra para poder se lembrar deles mais tarde. Nakata não tem nenhuma intenção de lhe trazer aborrecimentos. Só está lhe pedindo permissão para chamá-lo de Kawamura.

Em resposta, Kawamura estivera resmungando algumas coisas ininteligíveis, mas como a lengalenga parecia não ter fim, Nakata resolveu passar corajosamente para o próximo assunto e mostrou outra vez a foto de Goma.

— Esta é Goma, Kawamura. É a gatinha que Nakata procura. É malhada e tem um ano. Ela estava sendo criada na casa dos Koizumi, na rua 3 do bairro de Nogata, mas desapareceu há algum tempo. A dona dela diz que abriu a janela um instante e ela pulou para fora e fugiu. E então, deixe Nakata perguntar-lhe outra vez: Kawamura realmente viu esta gata? Viu?

Kawamura contempla outra vez a foto, balança a cabeça afirmativamente e diz:

— Se *Kuamura* cavalinha, amarra. Procura, se amarra.

— Desculpe, mas conforme já disse antes, Nakata não é nada bom da cabeça, não entende o que Kawamura está dizendo. Repita outra vez, por favor.

— Se *Kuamura* é cavalinha, *enveita*. Tateia, amarra.

— Essa cavalinha de que você tanto fala é peixe, certo?

— *Enveita* cavalinha, mas se amarra, *Kuamura*.

98

Nakata passa a palma da mão na cabeça de cabelos grisalhos cortados rentes e pensa por instantes. Como escapar desse dédalo em que se transformara a conversa sobre cavalinhas? Por mais tratos que desse à imaginação, nada lhe ocorria. Para começo de conversa, organizar o raciocínio não era o forte de Nakata. Enquanto isso, Kawamura levava a pata traseira ao queixo e o coçava furiosamente, alheio a tudo.

Nesse momento, Nakata ouviu às costas algo que soava como um riso abafado. Ao se voltar, viu uma linda e esbelta gata siamesa sentada sobre o muro de blocos da casa vizinha, observando a cena com os olhos levemente apertados.

— Perdoe-me a rudeza de interrompê-los, senhor Nakata. É esse o seu nome, não é? — disse a gata com voz suave.

— Isso mesmo, o nome é Nakata. Boa tarde.

— Boa tarde — cumprimentou de volta a gata.

— O céu hoje está nublado desde cedo, infelizmente, mas Nakata acha que não vai chover — comentou o homem.

— Tomara que não.

A siamesa, adulta, quase madura, mantinha o rabo erguido ereto no ar em pose orgulhosa e exibia na coleira ao pescoço uma placa com o nome gravado. O rosto era bonito e não havia traços de gordura excedente em nenhuma parte do corpo.

— Pode me chamar de Mimi, Nakata. Sou Mimi, da ária "Si, mi chiamano Mimi", da ópera *La Bohème*.

— Ahn... — disse Nakata.

— Refiro-me a Puccini. Meu dono gosta muito de ópera, sabe? — explicou Mimi com um sorriso cordial. — Gostaria muito de poder cantá-la para você, mas, infelizmente, meus dotes musicais deixam muito a desejar.

— O prazer de conhecê-la é maior que qualquer outro, Mimi.

— Ora, o prazer é todo meu, Nakata.

— Mora nestas redondezas?

— Sim, na casa de dois andares logo adiante. A família se chama Tanabe. Tem um BMW 530 creme estacionado diante do portão.

— Ahn... — fez Nakata, que não sabia direito o que significava BMW, mas ainda assim detectando um carro de cor creme logo adiante. Aquilo devia ser um BMW.

— Sabe, Nakata, sou uma gata que dá muito valor à privacidade, daquelas que acreditam no lema "viva e deixe viver". Não gosto de me meter onde não sou chamada. Mas este Kawamura... — é assim que você o chama, não é? — Este Kawamura, como eu ia dizendo, nunca foi um sujeito muito brilhante. Um menino da vizinhança o atropelou na época em que ele ainda era filhote. O coitado foi jogado longe e bateu a cabeça com força na quina da calçada. Desde então, nunca mais falou coisa com coisa. De modo que não acho que adiante muito você continuar falando com ele. Faz já algum tempo que eu os observo e, embora não seja da minha conta, senti que você precisa de uma ajuda e resolvi intervir. Desculpe a ousadia.

— Que é isso, não se desculpe! Pelo contrário, Nakata aceita sua ajuda com alegria. Em matéria de burrice, Nakata não fica nada a dever ao Kawamura, pois só consegue sobreviver com a ajuda dos outros. É por isso que recebe do senhor governador uma *pen-são* mensal. Nakata recebe a ajuda de Mimi e agradece do fundo do coração.

— Voltando ao assunto, você estava à procura de uma gata, segundo entendi — disse Mimi. — Juro que não tinha nenhuma intenção de bisbilhotar, mas como já fazia algum tempo que eu dormitava neste pedaço de muro, a conversa me chegou aos ouvidos. Goma é o nome dela, não é?

— Exatamente!

— E Kawamura disse que a viu?

— Foi o que ele disse há pouco. Mas Nakata não entendeu nada do que ele disse em seguida. Burro como é, Nakata não compreende e estava realmente em apuros.

— Pois então, posso servir de intérprete para você. Que tal? Acho que dois gatos se entendem melhor que um gato e um homem, e, além de tudo, estou habituada a esse papo sem pé nem cabeça deste pobre coitado. E então, que acha de eu extrair as informações e passá-las a você?

— Ótimo, se Mimi puder fazer isso, vai ajudar muito.

A siamesa assentiu com um leve aceno de cabeça, deu um salto de bailarina e foi do muro de blocos para o chão. Com o rabo preto em riste como pau de bandeira, aproximou-se então lentamente de Kawamura e se sentou ao lado dele. No mesmo instante Kawamura esticou o pescoço, avançou o nariz e tentou cheirar o traseiro de Mimi, mas levou de imediato um tapa na cara e se encolheu. Sem lhe dar tempo de se recompor, Mimi pespegou mais um tapa na ponta do nariz dele.

— Agora, preste atenção ao que vou lhe dizer, gato boboca, tarado! — silvou Mimi com voz autoritária para Kawamura.

— Este aqui precisa saber o lugar dele desde o primeiro instante, compreende? — explicou Mimi voltando-se para Nakata. — Se você não agir dessa maneira, ele relaxa e começa a falar coisas ainda mais incongruentes. O coitado não tem culpa de ser assim, sei disso, e tenho até pena dele, mas... que se há de fazer?

— Nakata entende — disse o homem, mesmo sem ter entendido coisa alguma.

O diálogo dos dois gatos teve início em seguida, mas Nakata não conseguiu acompanhar porque os dois falavam muito rápido e em voz baixa. Mimi fazia as perguntas em tom impositivo, e Kawamura respondia titubeante. Se a resposta demorava um instante a mais, ela o esbofeteava sem dó. A siamesa fazia tudo com eficiência. Era bastante culta, também. Nakata já conhecera diferentes tipos de felinos, mas esta era a primeira vez que encontrava uma gata entendida em marca de carros e em óperas. Nakata observou seu jeito objetivo e rápido de inquirir.

Depois de obter em linhas gerais as informações que queria, Mimi dispensou Kawamura com um gesto que parecia dizer: "Xô, vá, suma daqui!" Desalentado, Kawamura se foi. Muito lampeira, Mimi saltou então para o colo de Nakata.

— Consegui saber o que aconteceu em linhas gerais — disse Mimi.

— Ora, muito obrigado — agradeceu Nakata.

— Kawamura diz que avistou algumas vezes a gatinha malhada Goma num matagal que existe lá adiante. Diz que é um terreno baldio onde estão para construir um prédio. Uma companhia imobiliária comprou o depósito de peças de uma montadora de automóveis, demoliu-o e limpou o terreno com a intenção de construir um prédio luxuoso no local, mas os moradores das redondezas protestaram com inesperada violência e moveram um processo complicado contra a imobiliária, de modo que a construção ficou só no papel. Essas coisas acontecem com frequência, não acontecem? E então, o mato tomou conta do terreno, ninguém mais pôs os pés ali e o local se transformou no melhor ponto de encontro de todos os gatos vadios da redondeza. Eu mesma quase nunca vou para esses lados porque não sou do tipo que faz amizade facilmente e, além do mais, tenho medo de pulgas. Como deve ser do seu conhecimento, pulgas são uma amolação: basta pegar uma e você nunca mais se livra delas. No que, aliás, se parecem com vícios.

— É verdade — disse Nakata.

— Kawamura disse que era uma gata malhada nova e bonitinha, idêntica à da foto, com coleira antipulga no pescoço e tudo, e que ela parecia bastante assustada. Tanto que não conseguia nem falar direito. Qualquer um que a visse logo percebia que ela era do tipo ingênuo, criado dentro de casa desde o nascimento e que se estava ali era porque se perdera, não sabia como voltar para casa.

— E quando foi mais ou menos que ele a viu?

— A última vez parece ter sido há três ou quatro dias. Kawamura é burro, não consegue lembrar o dia exato. Mas como ele disse que foi no dia seguinte ao da chuva, deduzo que tenha sido na segunda-feira. Eu lembro muito bem que choveu um bocado no domingo passado.

— Nakata também não sabe com certeza em que dia da semana choveu, mas lembra que foi mais ou menos no domingo. E depois disso Kawamura não a viu mais?

— Essa foi a última vez. Os outros gatos também dizem que nunca mais a viram. Kawamura é imprestável, não diz coisa com coisa, mas no geral acho que dá para acreditar no que ele diz. Eu o prensei com bastante firmeza.

— Muitíssimo obrigado.

— Ora, não tem de quê. Se quer saber, eu já andava bastante irritada de só poder conversar com esses gatos desajustados da vizinhança, nossos interesses não coincidem, entende? De modo que sinto meus horizontes se expandirem quando consigo conversar logicamente com um ser humano.

— Ahn... — fez Nakata. — Mudando um pouco de assunto, Nakata não entendeu direito uma coisa: a cavalinha de que Kawamura tanto fala é realmente o peixe?

Mimi ergueu a pata dianteira num gesto elegante, inspecionou as almofadas rosadas e riu baixinho:

— É que o pobre coitado tem um vocabulário restrito, entende?

— *Vo-ca-bu-lá-rio res-tri-to?*

— Não conhece muitas palavras... — disse Mimi, reformulando o pensamento corretamente. — Para esse pobre coitado, tudo que come e acha gostoso vira "cavalinha". Ele pensa que cavalinha é o prato mais fino do mundo. Ele não sabe que existem outros peixes como pargo, linguado ou olhete.

Nakata pigarreou, constrangido:

— Para dizer a verdade, Nakata também gosta muito de cavalinha. E, claro, gosta muito de enguias também.

— Eu também adoro enguias! Mas não é um prato que se pode comer todos os dias...

— Exatamente! Não é um prato que se pode comer todos os dias...

Em seguida, calaram-se os dois, o pensamento perdido em fragrantes filés defumados de enguia sobre arroz branco fumegante. Um tempo longo o suficiente para tecer profundas considerações em torno de enguias se passou.

— Mas o que o pobre coitado quis realmente dizer — disse Mimi, como que voltando a si de súbito — foi o seguinte: quando os gatos da vizinhança começaram a se juntar no tal do terreno baldio, um homem malvado que pega gatos começou também a aparecer por lá. Outros gatos andam conjecturando que esse homem talvez tenha levado a gatinha Goma. Segundo dizem, o homem usa algo apetitoso como isca para atrair os gatos, pega-os e os mete num saco grande. O método dele é muito eficiente, e gatos ingênuos e esfaimados se tornam presa fácil. Dizem que mesmo no meio desse bando de gatos vadios desconfiados que pululam nas redondezas não foram poucos os que se viram apanhados pelas artimanhas desse homem. Que crueldade! Para um gato, não existe nada mais angustiante do que ser metido dentro de um saco.

— Hum... — disse Nakata. Passou outra vez a palma da mão sobre o topo da cabeça grisalha. — Esse homem apanha os gatos e faz o quê com eles?

— Isso não sei. Dizem que antigamente matavam gatos e usavam o couro para fabricar shamisen,* mas, hoje em dia, o próprio instrumento deixou de ser popular. Além disso, ouvi também dizer que nos últimos tempos a maioria das shamisens é feita de plástico. E, depois, me contaram que em determinadas partes do mundo ainda há gente que gosta de comer gato, mas, por sorte, esse hábito inexiste no Japão. Assim, podemos excluir estas duas possibilidades. Bem, resta ainda a considerar que muitos gatos são usados por seres humanos em experiências científicas. Eu mesma tenho uma amiga que foi usada

---

* Instrumento musical japonês de três cordas, em que a caixa de ressonância é coberta por pele de gato. (N. E.)

numa experiência psicológica na Universidade de Tóquio. Aliás, esta história é espetacular, mas deixaremos para uma próxima oportunidade porque se eu começar a falar disso vamos perder muito tempo. E, por último, temos a considerar que existem alguns homens — não muitos, por sorte — que pegam gatos apenas pelo gosto de maltratá-los. Só para lhes cortar o rabo, por exemplo.

— Ahn... — disse Nakata. — E depois de cortar o rabo, que fazem com ele?

— Que eu saiba, nada. Esse tipo de gente só quer machucar, acha divertido. Você pode até duvidar, mas no mundo existem pessoas realmente más.

Nakata pensou alguns instantes, mas não conseguiu de jeito algum compreender por que cortar rabo de gato era divertido.

— Você acha então que um desses homens maus é capaz de ter raptado a gatinha Goma? — perguntou Nakata.

Mimi contorceu a cara, e seus bigodes longos e alvos descreveram um amplo arco.

— Acho. Não quero pensar nem imaginar semelhante possibilidade, mas não posso afirmar que ela não exista. Eu mesma não tenho tantos anos de vida para poder me considerar uma gata experiente, mas ainda assim já vi algumas vezes coisas cruéis que ultrapassam a imaginação. A maioria das pessoas pensa que gatos são seres de vida mansa, e que eles passam o dia inteiro aquecendo-se ao sol sem fazer nada de útil, mas nossa vida não é tão calma assim. Gatos são seres indefesos, frágeis, eles se machucam com facilidade. Não têm carapaças grossas e protetoras como as tartarugas, nem asas que os levem longe como os passarinhos. Não são capazes de mergulhar terra adentro como toupeiras, nem de mudar de cor como camaleões. Os seres humanos não têm ideia de quão grande é o número de gatos feridos ou mortos de maneira insensata todos os dias. Eu mesma fui acolhida na casa dos Tanabe, uma família excepcionalmente bondosa cujos filhos me amam e, graças a isso, levo uma vida cheia de regalias. Ainda assim, veja bem, *ainda assim*, passo por algumas situações bem difíceis. Imagine então o que esses pobres gatos vadios sem lar enfrentam todos os dias apenas para subsistir!

— Mimi é muito inteligente! — exclamou Nakata, admirado com a eloquência da gata.

— Ora, que é isso! — disse Mimi, acanhada, apertando os olhos. — Eu fiquei desse jeito porque não tinha nada para fazer e só ficava vendo televisão em casa. Esse excesso de conhecimento até me incomoda. Nakata também costuma assistir à televisão?

— Não, Nakata não assiste. As pessoas falam muito depressa dentro da televisão, não dá para acompanhar o ritmo. Nakata sofre da cabeça e não consegue ler e, se não consegue ler, não consegue entender direito o que falam na televisão. Às vezes ouve o rádio, que também fala rápido demais e se torna cansativo. Para Nakata, é muito mais divertido ir para a rua e conversar com gatos ao ar livre.

— Verdade? — disse Mimi.

— Verdade — respondeu Nakata.

— Espero que a gatinha Goma esteja bem — disse Mimi.

— Sabe, Mimi, Nakata está pensando em ficar algum tempo de tocaia nesse terreno baldio.

— De acordo com o coitado do Kawamura, o homem é alto, usa um chapéu esquisito de copa alta e botas de couro. E anda a passos rápidos. Disse também que a aparência dele é tão estranha que, quando o vir, você logo saberá. Os gatos do terreno baldio desembestam para todos os lados quando o avistam. Já os novos no pedaço...

Nakata guardou a informação muito bem no cérebro. Armazenou-a na gaveta das coisas importantes, que não podem ser esquecidas de modo algum. *O homem é alto, usa um chapéu esquisito de copa alta e botas de couro.*

— Espero ter ajudado — disse Mimi.

— Muitíssimo obrigado. Se Mimi não tivesse dito nada, Nakata ainda estaria às voltas com a cavalinha, jamais teria saído daquele ponto. Muito obrigado, sinceramente.

— Sabe o que penso, Nakata? — disse Mimi franzindo o cenho em leve expressão sombria. — Esse homem é perigoso. *Realmente* perigoso. Muito mais do que Nakata imagina. Se eu fosse você, não me aproximaria nunca desse terreno baldio. Contudo, sei também que Nakata é um ser humano e que ele precisa ir lá porque essa é a sua profissão. Mas de qualquer modo, seja muito, muito cuidadoso.

— Obrigado mais uma vez. Nakata vai tomar muito cuidado.

— Vivemos num mundo muito violento, Nakata. Ninguém é capaz de escapar da violência. Nunca se esqueça disso, por favor. Todo o cuidado é pouco.

— Sim, Nakata nunca se esquecerá disso — replicou.

Contudo, não conseguia entender direito como podia o mundo ser tão violento. Havia muita coisa que não conseguia entender, e nessas coisas se incluíam quase todas as relacionadas com violência.

Depois de se despedir de Mimi, Nakata rumou para o terreno baldio que tinha o tamanho de uma quadra poliesportiva. Em torno dele, havia uma alta cerca de tábuas (uma placa da construtora alertava: "É proibido entrar. Área de futura construção."), mas Nakata não conseguiu ler, claro. Uma corrente grossa fechava a entrada, mas nos fundos havia uma fenda na cerca por onde se podia passar facilmente. Tudo indicava que alguém deslocara uma tábua à força.

O depósito que se erguia originalmente no local tinha sido demolido, mas o terreno ainda não tinha sido preparado para a nova construção, de modo que mato e varas-de-ouro cresciam tão alto que podiam até ocultar uma criança. Borboletas voavam, leves como brisa. Aqui e ali, a terra removida tinha formado montículos que a chuva endurecera. O local devia ser sem dúvida alguma atraente para os gatos. Ninguém aparecia por lá e pequenos seres de diversas espécies podiam viver em paz, já que contavam com inúmeros locais para se esconder.

Kawamura não se encontrava no terreno. Nakata avistou dois gatos magros de pelagem maltratada e lhes dirigiu um boa tarde amável. Eles porém apenas lhe lançaram um gelado olhar de soslaio e desapareceram em silêncio no meio do mato. Claro, nenhum deles queria ser pego por um homem estranho e ter o rabo cortado com uma tesoura. Até Nakata — que não tinha rabo, é óbvio — não gostaria de passar por essa experiência. Ele não podia censurar o comportamento prudente dos gatos.

Nakata subiu no montículo mais alto e olhou ao redor. Não havia ninguém. Só uma borboleta branca voejava em torno de uns arbustos como se estivesse à procura de alguma coisa. Nakata sentou-se no lugar que achou mais conveniente, tirou da sacola de lona que tinha ao ombro dois pães doces e os comeu como costumava sempre fazer à hora do almoço. Em seguida, tomou o chá verde de uma garrafa térmica portátil apertando os olhos e apreciando calmamente o sabor. Era uma tarde calma. Todas as coisas descansavam em plácida harmonia. Nakata não conseguia imaginar que um homem capaz de planejar malvadezas contra gatos fosse se esconder nesse cenário.

Nakata mastigava lentamente o pão doce e alisava a cabeça grisalha com a palma da mão. Se houvesse alguém perto dele, explicaria:

"É que a cabeça de Nakata não é boa." Mas infelizmente não havia ninguém. Assentiu portanto para si mesmo com lentos meneios de cabeça. E continuou a comer o pão doce em silêncio. Quando acabou, amassou a embalagem de papel celofane e a guardou na sacola. Fechou com firmeza a tampa da garrafa térmica e também a guardou. O céu estava totalmente coberto de nuvens, mas pela radiação das cores em torno, Nakata conseguia determinar que o sol se encontrava a pino.

O homem é alto, usa um chapéu esquisito de copa alta e botas de couro.

Nakata tentou compor a imagem do homem em sua mente. Mas não conseguiu imaginar o que era esse chapéu esquisito de copa alta, nem o que era uma bota de couro. Nunca vira nada parecido desde que nascera. De acordo com Mimi, Kawamura dissera que, se o visse, Nakata logo saberia. Nesse caso, pensou, o jeito era esperar até ver. Não conseguia imaginar nenhuma solução melhor. Ergueu-se e urinou no meio do mato. Micção longa, conscienciosa e satisfatória. Em seguida, sentou-se à sombra de uns arbustos no canto mais escondido do terreno e resolveu ali ficar a tarde inteira à espera desse estranho homem.

Esperar é um trabalho cansativo. Nakata não tinha ideia de quando o homem surgiria, talvez tivesse de esperar uma semana inteira. Era também perfeitamente possível que ele nunca mais aparecesse. Mas Nakata estava acostumado a esperar coisas que podiam nunca acontecer e a passar o tempo sozinho, sem fazer nada. Ele não se sentia mal por isso.

Tempo não era prioridade para ele. Nakata nem possuía um relógio. As horas tinham para ele um tempo certo para passar. Quando a manhã chegava, clareava, quando a noite vinha, escurecia. Ao escurecer, ele ia a uma casa de banho pública das proximidades, e quando chegava em casa depois do banho, ficava com sono. Às vezes, encontrava a casa de banho fechada, mas então era só se conformar e voltar para casa. Quando a hora da refeição chegava, sentia fome de maneira espontânea, e, quando chegava o dia de ir buscar a *pen-são* (nesse dia, uma alma caridosa sempre se lembrava de avisá-lo), ele percebia que mais um mês se passara. No dia seguinte ao do recebimento da pensão, ele ia a um barbeiro da vizinhança para cortar o cabelo. Quando chegava o verão, ele ganhava dos funcionários da prefeitura uma refeição com filé de enguia defumado, e quando chegava o ano-novo, ganhava *mochi*.

Nakata descontraiu os músculos, desligou o comutador da cabeça e transformou-se numa espécie de sensor vivo. Isso era natural para ele, Nakata o fazia cotidianamente desde criança. Logo, as bordas da consciência começaram a esvoaçar como borboletas. Do outro lado da borda estendia-se um vasto e escuro abismo. Por vezes, ele extrapolava a borda e sobrevoava esse abismo de estonteante profundidade. Mas Nakata não temia nem a escuridão nem a profundidade. Por que haveria de temê-las? Esse mundo escuro cujo fundo não avistava, assim como o pesado silêncio e o caos, há muito constituíam uma entidade amiga e repleta de nostalgia e eram agora parte dele mesmo. Nakata sabia disso muito bem. Nesse mundo não havia letras, dias de semana, temíveis governadores, óperas, nem BMWs. Nem tesouras, nem chapéus de copa alta. Mas ao mesmo tempo não havia também enguias nem pães doces. Ali havia *tudo*. Mas ali não havia *partes*. Como não havia partes, não precisava substituir certas coisas por outras. Nem tirar nem acrescentar. Não era preciso pensar em coisas difíceis, bastava apenas deixar-se impregnar por *tudo*. E Nakata achava que isso era mais gratificante do que qualquer outra coisa do mundo.

Às vezes, Nakata caía em leve modorra. Ele podia adormecer, mas seus cinco sentidos estavam alertas, vigiando o terreno baldio. Se algo acontecesse, se alguém ali surgisse, Nakata despertaria num átimo e entraria em ação em seguida. Densas nuvens cinzentas, espessas e baças como tiras de pano cobriam o céu. Mas não ia chover. Todos os gatos sabiam disso, assim como Nakata.

Capítulo 11

Quando termino de contar minha história, já é noite alta. Sakura ouve tudo atentamente, rosto apoiado nas mãos e cotovelos fincados sobre a mesa da cozinha. Eu lhe disse que só tenho 15 anos, sou estudante do nível ginasial, roubei dinheiro de meu pai e fugi de minha casa em Nakano. Que estou hospedado num hotel no centro de Takamatsu e que, durante o dia, estive lendo livros numa biblioteca. E que de repente me vi caído sujo de sangue nos fundos de um santuário xintoísta. Contei essas coisas. Mas não tudo, claro. Não consigo falar com facilidade de fatos realmente importantes da minha vida.

— Ou seja, sua mãe saiu de casa levando consigo apenas a sua irmã. Abandonou seu pai e você, que mal completara 4 anos — resume Sakura.

Extraio da minha carteira a foto tirada na praia e mostro a ela:

— Esta é a minha irmã.

Sakura a observa por instantes. Em seguida, me devolve a foto em silêncio.

— Depois disso, nunca mais vi minha irmã — explico. — Nem minha mãe. Ela não entrou em contato comigo e não sei por onde anda. Não consigo sequer me lembrar de seu rosto. Não tenho também nenhuma foto dela em casa. Sou capaz de evocar apenas um certo perfume que havia em torno dela. E também algo semelhante a uma sensação. Mas do seu rosto não me recordo, por mais que tente.

— Seei… — diz ela. Ainda com o rosto apoiado nas mãos, ela aperta de leve os olhos e me observa. — Situação penosa a sua, não?

— Acho que sim.

Ela continua a me observar em silêncio.

— Você não se dava bem com seu pai? — pergunta instantes depois.

Não me dava bem? E agora, como respondo? Não digo nada, só sacudo a cabeça negativamente.

— Claro, claro que não se dava! Do contrário não teria fugido de casa, certo? — diz Sakura. — E então você saiu de lá e, hoje, de repente, perdeu a consciência ou a memória, ou o que quer que seja.

— Isso.

— Já lhe aconteceu algo parecido antes?

— Algumas vezes... — respondo com honestidade. — Quando fico com raiva, o sangue me sobe à cabeça e sinto como se um fusível dentro de mim estourasse. Parece até que alguém aperta um botão que existe dentro da minha cabeça e muito antes de eu me dar conta, meu corpo já entrou em ação. Quem está ali sou e ao mesmo tempo não sou eu.

— Está me dizendo que não consegue se conter e parte para a violência?

— Isso já me aconteceu algumas vezes — reconheço.

— Feriu alguém?

Concordo com um aceno:

— Duas vezes. Mas não foi nada sério.

Ela pensa um momento a respeito do que acabo de lhe contar.

— Acha possível que algo semelhante tenha ocorrido desta vez?

Sacudo a cabeça negando.

— Nunca me aconteceu nada tão grave. Desta vez... não consigo me lembrar das circunstâncias em que perdi os sentidos, nem tenho a menor ideia do que andei fazendo nesse período de inconsciência. Há um rombo na minha memória. É a primeira vez que passo por experiência tão drástica.

Ela examina a camiseta que tirei da mochila. Inspeciona cuidadosamente a mancha que restou depois que lavei o sangue.

— De modo que a última coisa de que se lembra é de ter jantado. Você comeu no começo da noite, num restaurante perto da estação, certo?

Concordo com um aceno.

— E depois disso não sabe de mais nada. Quando voltou a si, estava caído no meio de uns arbustos nos fundos de um santuário. E tinham se passado cerca de quatro horas. A camiseta estava suja de sangue e sentia uma dor aguda no ombro esquerdo.

Aceno outra vez. De algum lugar ela trouxe o mapa da cidade e o abre sobre a mesa para se inteirar da distância entre a estação e o santuário.

— A distância não é muito grande, mas, por outro lado, não é fácil cobri-la a pé. E por que motivo você iria até lá? Se tomarmos a estação como ponto de partida, você andou em direção oposta à do hotel em que se hospeda. Já foi antes para esse lado da cidade?

— Nunca.

— Tire a camisa — diz ela.

Ao me ver nu da cintura para cima ela se posiciona às minhas costas e pressiona com força meu ombro esquerdo. As pontas dos seus dedos afundam na carne, e eu gemo sem querer. Mãos poderosas.

— Dói?

— Bastante — respondo.

— Você bateu este ombro com toda a força nalgum lugar. Ou então bateram em você com alguma coisa.

— Não me lembro de nada disso.

— Mas não percebo nenhum osso quebrado — diz ela. Em seguida, examina a área dolorida com diversos toques que diferem entre si de maneira sutil. São dolorosos às vezes, mas proporcionam uma sensação estranha e agradável. Eu lhe digo isso, e ela sorri.

— Tenho o dom da massagem. É graças a isso que ganho a vida. Onde quer que vá, uma cabeleireira que seja ao mesmo tempo boa massagista é sempre bem-vinda.

Ela continua a massagear meu ombro por um bom tempo. Depois, diz:

— Acho que a contusão não é das mais feias. Uma boa noite de sono vai aliviar a dor.

Apanha a camiseta, põe de volta no saco plástico e joga tudo no lixo. Examina por instantes a camisa de brim que despi e a mete na máquina de lavar roupa no banheiro. Abre em seguida uma gaveta da cômoda, remexe por instantes nas coisas existentes ali dentro, retira uma camiseta branca e me entrega. É nova. *Maui Whale Watching Cruise*, anuncia a estampa. Uma cauda de baleia emerge do mar.

— Parece que esta é a maior de todas. Não é minha, mas não se preocupe com isso. Minha amiga deve ter ganhado de alguém. Talvez não seja do seu gosto, mas veja se cabe em você.

Eu a visto pela cabeça. É do meu tamanho.

— Se quiser, fique com ela — diz ela.

Agradeço.

— Mas deixe-me saber: nunca lhe aconteceu de perder a memória por tanto tempo? — pergunta ela.

Confirmo com um aceno. Fecho os olhos, sinto o cheiro e a textura da camiseta nova.

— Estou com muito medo, Sakura — confesso com toda a honestidade. — A ponto de não saber o que fazer. Eu talvez tenha ido a algum lugar e ferido alguém no decorrer dessas quatro horas de que não tenho consciência. Não faço a menor ideia do que andei praticando. Mas estou sujo de sangue. E, se cometi qualquer tipo de crime, posso ser responsabilizado mesmo que não me lembre de nada. Não é assim que funciona a justiça?

— Mas esse sangue talvez seja de uma hemorragia nasal. Alguém muito distraído pode ter andado por uma rua qualquer, batido de frente num poste, ficado com o nariz sangrando, e você talvez o tenha socorrido. Pode ter sido assim, não pode? Entendo sua preocupação, mas vamos fazer força para não pensar em coisas desagradáveis até amanhecer. Quando o dia clarear, vão entregar o jornal na minha porta e vai começar o noticiário na TV, de modo que se alguma coisa ruim aconteceu nestas redondezas a gente vai ficar sabendo mesmo que não queira. Podemos pensar com calma depois disso, não podemos? Pessoas sangram por diversos motivos e, muitas vezes, a situação não é tão séria quanto parece. Esse tanto de sangue não me assusta nem um pouco porque sou mulher, vejo isso todos os meses. Você sabe do que estou falando, não sabe?

Aceno confirmando. Sinto meu rosto se afoguear de leve. Ela põe um pouco de Nescafé numa xícara grande e leva ao fogo uma panelinha com água. Enquanto espera ferver, fuma. Depois de tirar apenas algumas baforadas, molha o cigarro na água e o apaga. A fumaça tem um leve cheiro de hortelã.

— Escute, quero lhe fazer uma pergunta um tanto pessoal. Você se importa?

Digo que não.

— Sua irmã deve ser adotiva. Ou seja, foi adotada quando você nem era nascido ainda.

Isso mesmo, eu digo. Embora não saiba a razão que os levou a isso, meus pais adotaram uma menina. E, depois, eu nasci. *De modo inoportuno*, segundo imagino.

— Então você realmente é filho do seu pai e de sua mãe?

— Tanto quanto sei... — respondo.

— Apesar disso sua mãe não o levou consigo quando saiu de casa, e sim a sua irmã, com a qual não tinha consanguinidade — diz

Sakura. — Mas uma mulher não costuma agir dessa maneira em circunstâncias normais, entende?

Não digo nada.

— E por que teria ela feito isso?

Sacudo a cabeça. Digo que não sei. Eu me fizera milhares de vezes essa mesma pergunta.

— Você está magoado com a atitude dela, naturalmente.

Estou mesmo?

— Não sei ao certo. Mas não pretendo ter filhos se um dia me casar. Tenho certeza de que não vou saber me relacionar com eles.

Ela diz:

— Minha história não é tão complexa quanto a sua, mas, para dizer a verdade, eu também não me dava muito bem com meus pais e, por causa disso, aprontei um bocado quando era mais nova. De modo que sei muito bem como você se sente. Mas uma coisa eu digo, Kafka: é melhor não tomar decisões definitivas desde cedo. Nada é absoluto neste mundo, entendeu?

De pé diante do fogão, Sakura toma seu Nescafé fumegante numa xícara grande que tem o desenho de alguns personagens da família Moomin. Ela não diz mais nada. Nem eu.

— Não tem nenhum parente a quem recorrer? — pergunta instantes depois.

Digo que não. Segundo me informaram, meus avós paternos tinham morrido muito tempo atrás, e meu pai não tinha irmãos nem tios. Eu porém não tinha meios de confirmar a veracidade dessa informação. Contudo, ao menos de uma coisa eu sabia com certeza: nenhuma das pessoas com quem meu pai mantinha relações era da família dele. E eu e ele jamais conversamos sobre os parentes do lado materno. Eu nem sabia como a minha mãe se chamava. Sendo assim, como poderia eu conhecer possíveis familiares dela?

— Quanto mais ouço sua história, mais tenho impressão de que seu pai é um ser extraterrestre — diz Sakura. — Veio à Terra sozinho de uma estrela distante, assumiu a forma de um ser humano, seduziu uma terráquea e teve você. Só para poder perpetuar a espécie dele. Sua mãe descobriu a verdade, ficou com medo e fugiu. Está certo que parece enredo de filme de ficção científica sinistro, mas dá realmente essa impressão.

Não sei o que dizer. Fico em silêncio.

— Deixando de lado toda essa brincadeira — diz ela curvando para cima os cantos da boca num largo sorriso para me assegurar de que estivera realmente gracejando —, isto significa que você não tem mesmo ninguém a quem recorrer neste nosso vasto mundo.

— Foi a conclusão a que cheguei.

Ela toma o café em silêncio por algum tempo.

— Tenho de dormir um pouco — diz Sakura, lembrando-se de repente de suas necessidades. Os ponteiros do relógio indicam que já passa das três. — Preciso me levantar às sete e meia e só me restam poucas horas de sono. Ainda assim, é melhor dormir um pouco do que nada. Meu trabalho é cansativo, principalmente depois de uma noite em claro. E você, que pretende fazer?

Digo que tenho um saco de dormir e que, se ela não se opõe, estendo-o num canto qualquer longe do caminho dela e durmo. Tiro então o pequeno rolo da mochila, estendo-o no chão e o encho de ar. Ela observa, admirada.

— Coisa de escoteiro! — conclui.

Ela apaga a luz e mergulha debaixo das cobertas enquanto eu me meto no saco de dormir e fecho os olhos tentando pegar no sono. Mas não consigo. Por trás das pálpebras continuo a ver a mancha de sangue na minha camiseta. A sensação de ardor continua na palma das mãos. Abro os olhos e fixo o teto ferozmente. Uma tábua range em algum lugar. Tem água correndo num cano qualquer. Sirene de ambulância, outra vez. Vem de longe, mas ecoa com estranha pressa e veemência no silêncio noturno.

— Não consegue dormir, Kafka? — pergunta ela baixinho do outro lado da escuridão.

Respondo que não.

— Nem eu. Para que fui tomar tanto café? Que bobagem fui fazer!

Ela acende a luz da cabeceira, confirma as horas e apaga a luz outra vez.

— Não me interprete mal, Kafka — diz ela —, mas, se quiser, pode vir para cá e dormir comigo. Não consigo pegar no sono.

Saio do saco de dormir e vou para a cama dela. Estou de cueca e camiseta. Ela, de pijama rosa-claro.

— Sabe, estou de namoro firme com um rapaz de Tóquio. Ele não é nenhum príncipe encantado, mas estamos juntos. De modo que só faço sexo com ele. Posso não parecer, mas sou muito rígida nessas questões, entende? Antiquada. Já aprontei muita loucura quando

114

era mais nova, mas parei. Virei mulher honesta. Portanto, não meta ideias estranhas na sua cabeça, ouviu? Faça de conta que somos irmãos. Entendeu?

— Entendi — eu digo.

Ela passa os braços em torno dos meus ombros e me aconchega. Depois, encosta a face na minha.

— Coitadinho — diz ela.

Tenho uma ereção, é lógico. Verdadeiramente rígida. E, pela posição em que estamos, não posso impedir que minha rigidez lhe toque as coxas.

— Caramba! — diz ela.

— Não leve a mal — me desculpo —, mas não está em mim conter isso.

— Eu sei — diz ela. — Isso é bem inconveniente, sei muito bem. Você não pode impedir, não é?

Aceno no escuro.

Ela hesita um instante, mas logo abaixa minha cueca, expõe meu pênis petrificado e o aperta de leve na mão. Como se procurasse se certificar de alguma coisa. Como um médico buscando o pulso do paciente. Sinto a suave maciez da palma da sua mão como um vago pensamento em torno do meu pênis.

— Quantos anos teria hoje a sua irmã?

— Vinte e um — respondo. — Ela é cinco anos mais velha que eu.

Sakura pensa um pouco a respeito.

— Você gostaria de encontrá-la?

— Acho que sim — digo.

— *Acha que sim?* — A mão que segura meu pênis o aperta um pouco mais. — Que quer dizer com isso? Que não faz questão de conhecê-la?

— Eu não saberia o que dizer caso a visse e, além do mais, pode ser que ela não esteja querendo me conhecer. O mesmo pode estar acontecendo com a minha mãe. Talvez nenhuma delas queira me ver. Ninguém precisa de mim. Pois elas foram embora, não foram? — *E não me levaram...,* concluo em pensamento.

Ela não diz nada. A mão em torno do meu pênis ora aperta, ora relaxa. Em resposta, meu pênis ora se acalma, ora se aquece e endurece ainda mais.

— Quer se livrar disso? — pergunta Sakura.

— Acho que sim — respondo.

— Acha que sim?

— Quero, quero muito — corrijo.

Ela suspira de leve e começa a mover a mão lentamente. Sensação maravilhosa. Os movimentos não são apenas para cima e para baixo. São mais abrangentes. Seus dedos tocam e acariciam com gentileza o pênis e toda a superfície dos sacos escrotais.

Fecho os olhos e inspiro profundamente.

— Não me toque, ouviu? E quando sentir que vai ejacular, me avise imediatamente. Não quero sujar os lençóis e aumentar o meu trabalho.

— Entendi — respondo.

— E então? Tenho boa técnica, não tenho?

— Excelente.

— Como já disse antes, tenho mãos jeitosas. Mas isto nada tem a ver com sexo. Só o estou ajudando a... como direi... se aliviar. Hoje, seu dia foi longo e o deixou muito excitado. Se continuar assim, não conseguirá dormir. É por isso, entendeu?

— Sim — respondo. — Mas tenho um único pedido a lhe fazer.

— Hum?

— Posso imaginá-la nua?

Ela para de mover a mão e me encara.

— Está me perguntando se pode me imaginar nua enquanto estamos nisto?

— Exato. Já faz algum tempo que estou tentando me impedir de imaginar, mas não consigo.

— Não consegue?

— Tenho uma televisão na minha cabeça que não consigo desligar.

Ela ri como se achasse muita graça.

— Sabe que não o compreendo direito? Se você ficasse quieto, podia imaginar quanto quisesse! Para que pedir permissão? Afinal, de que jeito eu saberia o que lhe vai na cabeça?

— Mas isso me incomoda. Tenho a impressão de que imaginação é coisa séria e de que eu devia falar com você a respeito. Independente dessa história de você ficar sabendo ou não...

— Você é correto demais, garoto! — diz ela admirada. — Pensando bem, concordo com você: foi melhor perguntar, realmente. E pode me imaginar nua à vontade. Dou minha permissão.

— Obrigado — digo.

— E como é o meu corpo nu em sua imaginação? Bonito de se ver?

— Maravilhoso — respondo.

Logo, uma vaga sensação de languidez se espalha pelos quadris. Como se eu flutuasse em líquido denso. Digo isso, e ela apanha um lenço de papel que tem à cabeceira e me leva a ejacular. E eu ejaculo com força, muitas e muitas vezes. Pouco depois, ela vai para a cozinha, joga o lenço de papel no lixo e lava as mãos.

— Desculpe — digo.

— Ora, que é isso! — replica a caminho da cama. — Não se desculpe de maneira tão formal que me deixa constrangida. É apenas uma função física, não se preocupe com bobagens. Mas aposto que está se sentindo aliviado, não está?

— Bastante.

— Ótimo — diz ela. Depois de pensar alguns instantes, diz: — A ideia me ocorreu de repente, mas que bom seria se eu fosse sua irmã de verdade, não?

— Seria mesmo — respondo.

Ela toca de leve os meus cabelos.

— Volte para o seu lugar porque já estou ficando com sono. Não consigo dormir direito com gente ao meu lado. E Deus me livre de acordar amanhã sentindo essa rigidez contra o meu corpo.

Retorno para o meu saco de dormir e fecho os olhos. Desta vez, caio no sono com facilidade. Um sono profundo. O mais profundo de todos que eu tive desde que saí de casa. Tenho a sensação de estar descendo muito lentamente terra adentro num elevador grande e silencioso. Logo, todas as luzes se apagam, todos os sons cessam.

Quando acordo, Sakura já não está no quarto. Tinha ido trabalhar. O relógio indica que já passa das nove. A dor no ombro desapareceu quase por completo. Conforme Sakura previu. Sobre a mesa da cozinha, encontro jornais dobrados e um bilhete. E a chave do apartamento.

Assisti ao noticiário das sete do princípio ao fim, li o jornal de ponta a ponta. Não houve menção alguma a incidentes sangrentos. Acho que o sangue na camiseta não representou nada sério. Ótimo, não é mesmo? Não tem muita coisa na geladeira, mas coma o que quiser. E também pode usar qualquer coisa existente na casa. Se não tem lugar para ir, fique morando comigo por uns tempos. E, se quiser sair, deixe a chave debaixo do capacho.

Tiro uma garrafinha de leite da geladeira, verifico a validade, despejo sobre *corn flakes* e como. Fervo um tanto de água e tomo chá preto Darjeeling. Asso duas fatias de páo na torradeira, passo margarina *light* e os como também. Abro em seguida o jornal e leio o noticiário local. Realmente, não houve nenhum incidente violento na vizinhança. Suspiro, dobro o jornal e o ponho de volta no lugar em que estava. Pelo jeito, não preciso me preocupar em fugir da polícia. Seja como for, não volto mais para o hotel. Preciso agir com prudência. Afinal, não sei o que aconteceu durante as quatro horas cuja lembrança perdi.

Ligo para o hotel. Atende uma voz masculina e desconhecida. Digo que, em virtude de certas circunstâncias, vejo-me obrigado a desocupar o apartamento. Imito o jeito seguro de um adulto falando. Não devia haver nenhum problema porque eu vinha pagando adiantado. Digo também que restaram no quarto alguns objetos pessoais sem valor que podiam ser descartados. O atendente checa a situação da minha conta no computador e confirma que não há nada a acertar. "Tudo bem, Sr. Tamura. Nesse caso, considere os procedimentos de *check out* concluídos", diz ele. E também que a chave do tipo cartáo magnético não precisa ser devolvida. Agradeço e desligo.

Depois, tomo um bom banho de chuveiro. Lingerie e meias secam sobre a pia. Contenho-me para não olhar as peças e, como sempre, me ocupo em lavar cuidadosamente o corpo inteiro, gasto um bom tempo nisso. Faço o possível para não lembrar os acontecimentos da noite passada. Escovo os dentes e troco a roupa íntima. Enrolo outra vez o saco de dormir num bloco compacto, meto-o na mochila. Lavo toda a roupa suja acumulada na máquina. Sakura não tem secadora, de modo que dobro e acondiciono as roupas torcidas num saco plástico e guardo na mochila. Vou pô-las a secar numa lavanderia qualquer.

Lavo toda a louça empilhada na pia da cozinha, dou um tempo para que a água excedente escorra, enxugo tudo e guardo nas prateleiras. Arrumo o interior da geladeira, descarto os alimentos podres. Alguns cheiram muito mal. Os brócolis estão mofados. O pepino lembra um bastão de borracha. O tofu está vencido. Acondiciono a comida boa em vasilhas novas e limpas, removo restos de molho derramados na geladeira. Jogo fora os tocos de cigarro dos cinzeiros, junto todos os jornais velhos espalhados pelo apartamento. Passo o aspirador de pó no assoalho. Ela possui realmente o dom da massagem, mas é quase uma nulidade em prendas domésticas. Pego todas as camisetas que ela mantém empilhadas de qualquer jeito sobre a cômoda e passo-as a ferro uma a uma; em seguida, fico com vontade de fazer algumas compras e preparar o jantar. Esse tipo de serviço não me é penoso: em casa, me esforcei por fazer o trabalho doméstico sempre que possível preparando-me para o dia em que teria de viver sozinho. Mas achei que cozinhar para ela era demais.

Depois de terminar, sento-me à mesa da cozinha e olho em torno. Não posso ficar aqui para sempre. Isso está muito claro para mim. Enquanto viver neste apartamento vou continuar imaginando e tendo ereções interminavelmente. Não posso continuar desviando o olhar das pequenas peças pretas que secam no banheiro. Não posso continuar pedindo à Sakura permissão para dar asas à imaginação. E, acima de tudo, não poderei jamais esquecer o favor que ela me fez ontem à noite.

Resolvo deixar uma carta para ela. Uso o lápis de ponta rombuda e a caderneta de anotações que encontrei ao lado do telefone e escrevo.

Muito obrigado. Você me ajudou muito. E desculpe o telefonema no meio da noite que perturbou o seu sono. Mas eu realmente não tinha ninguém a quem recorrer nesta região a não ser você, Sakura.

Depois de chegar a este ponto, paro um instante para pensar. Passeio o olhar em torno do quarto.

Você não faz ideia do quanto lhe sou grato por me ter deixado dormir em seu apartamento e também por me ter convidado a morar uns tempos com você. Seria realmente bom se eu pudesse aceitar. Mas acredito que não é justo incomodá-la ainda mais. Não consigo explicar direito, mas tenho diversas razões para pensar assim. Vou me virar sozinho. Deixe guardado um pouco de sua simpatia para a próxima vez em que me vir em apuros e precisar de sua ajuda de novo.

Neste ponto, paro outra vez para pensar. Nalgum lugar próximo, alguém ligou a tv bem alto. Um programa matinal de entrevistas para donas de casa. Os participantes berram uns com os outros, e os comerciais que entram nos intervalos também são gritados. Sentado à mesa, giro o lápis rombudo entre os dedos e ponho em ordem os pensamentos.

Contudo, e para ser franco, acho que não mereço sua simpatia. Eu gostaria de me tornar uma pessoa mais digna de respeito, mas não estou conseguindo. Espero porém que da próxima vez que nos encontrarmos eu esteja transformado num sujeito um pouco mais decente. Quem sabe? E ontem à noite você foi realmente maravilhosa. Mais uma vez, obrigado.

Ponho o bilhete debaixo de uma xícara. Depois, apanho a mochila e saio do apartamento. Sigo as instruções de Sakura e deixo a chave debaixo do capacho. Um gato malhado preto e branco dormita no meio da escada. Pelo jeito, está habituado a ter gente por perto, pois não mostra intenção alguma de se erguer quando me aproximo. Sento-me ao lado dele e aliso o pelo do seu corpo volumoso, o que desperta em mim uma vaga sensação de nostalgia. O gato aperta os olhos e ronrona. Fico um bom tempo sentado ao lado do gato, ambos desfrutando o prazer do contato. Depois, eu me levanto, despeço-me dele e saio à rua. Uma chuva fina tinha começado a cair.

Agora que saí do hotel barato e do apartamento de Sakura, não tenho mais onde passar a noite. Antes que o dia acabe, preciso procurar um teto debaixo do qual possa me abrigar e dormir tranquilo. Não sei nem por onde começar a busca. Seja como for, vou tomar o trem e ir à Biblioteca Komura. Uma vez lá, meus problemas se resolverão. Nada garante, mas tenho a impressão de que é isso que vai acontecer.

O destino está agora prestes a me revelar alguns desdobramentos ainda mais estranhos.

Capítulo 12

19 de outubro de 1972

Prezado Senhor:

Peço-lhe antecipadamente que me perdoe caso esta súbita e impertinente carta venha a perturbar a tranquila rotina de seus dias. O senhor
na certa já se esqueceu de mim, de modo que torno a me apresentar:
sou a professora que dava aulas para crianças do curso primário numa
escolinha da cidade de **, na província de Yamanashi. Esta informação
talvez lhe desperte a memória. Eu era a pessoa responsável pela atividade ao ar livre do grupo de crianças que entrou em coma simultâneo
durante o incidente ocorrido pouco antes do fim da guerra. Algum
tempo depois do referido incidente o senhor esteve aqui na companhia
de alguns militares e de colegas seus da universidade de Tóquio para
realizar as necessárias averiguações, no decorrer das quais tive a oportunidade de me avistar e conversar consigo diversas vezes.

Desde então, e a cada vez que vejo seu ilustre nome em jornais
e revistas, venho evocando seu rosto e seu estilo lúcido de falar daqueles
dias e, ao mesmo tempo, sentindo crescer em mim o respeito por seu
importante trabalho. Tive também nos últimos tempos a honra e o
prazer de conhecer algumas obras de sua autoria, cuja leitura tem provocado em mim crescente admiração por seu brilhante intelecto e por
seu extenso conhecimento. Sua consistente visão do mundo, segundo a
qual o ser humano é solitário enquanto existência, mas se interliga com
seus semelhantes num único arquétipo no âmbito da memória, é para
mim perfeitamente convincente. Digo isso porque já passei por diversas
experiências nas quais senti o acerto de sua visão. Faço votos para que
o sucesso o acompanhe sempre em sua carreira.

Quanto a mim, continuei a lecionar na pequena escola da
cidade de **, mas, há alguns anos, adoeci inesperadamente e, em decorrência disso, fiquei muitos dias internada num hospital da cidade

de Kofu. Nesse período, refleti cuidadosamente e decidi me aposentar. Durante um ano, tratei minha doença ora internada, ora frequentando ambulatórios, mas posteriormente recuperei-me e tive alta. No momento, exerço na mesma cidade o cargo de diretora num curso que oferece complementação educacional para alunos do nível primário. Filhos dos alunos a quem dei aula antigamente são agora meus alunos. O tempo voa é um velho chavão, e verdadeiro.

Perdi meu marido e meu pai durante a guerra e também minha mãe no caos do pós-guerra, e, como não fui abençoada com filhos no curto espaço de tempo em que estive casada, vivo desde então sozinha no mundo. Não posso de maneira alguma afirmar que minha vida tenha sido repleta de felicidade, mas, no decorrer de minha longa carreira como professora, tive a oportunidade de educar um grande número de crianças, o que modestamente me faz sentir realizada. Por essa bênção, agradeço sempre aos céus. Não fosse pelo magistério, eu teria talvez sucumbido às intempéries da minha vida.

Embora saiba que estou sendo impertinente, ousei escrever-lhe porque não encontro meios de apagar da memória o incidente do coma coletivo ocorrido no meio de uma montanha naquele outono de 1944. Desde então, 28 anos já se passaram. A mim, contudo, me parece que o fato se deu ainda ontem, tão estranhamente vívido e próximo o sinto de mim. Não consigo afastar da mente a lembrança daquele dia. Ela está sempre a meu lado como uma sombra. Me faz passar noites de insônia ou, ainda, de sono inquieto, perturbado por sonhos.

Chego até a sentir que o incidente continua a afetar minha vida até hoje. Um dos motivos que me levam a sentir dessa maneira é o fato de me encontrar frequentemente com as pessoas envolvidas (metade ainda mora nesta cidade e tem hoje cerca de 35 anos de idade); nesses momentos, vejo-me compelida a perguntar: quais foram suas consequências tanto na vida deles quanto na minha? Grave como foi, o caso tem de ter deixado sequelas físicas ou emocionais. É impossível que não tenha. Contudo, no momento em que me pergunto que forma tomou tais sequelas na realidade ou, ainda, qual foi a sua verdadeira extensão, sinto-me totalmente perdida.

Como o senhor mesmo sabe, *sensei*, na época o exército não permitiu que o incidente se tornasse público. E uma vez terminada a guerra, as forças norte-americanas de ocupação também preferiram conduzir as pesquisas em caráter sigiloso. Com franqueza, penso que não existe grande diferença no modo de agir dos militares, sejam eles americanos ou japoneses. E mesmo depois do fim da ocupação americana e de restaurada a liberdade de opinião, o incidente não chegou às páginas de jornais e revistas. Afinal, o acontecimento era antigo e não acarretara perda de vidas.

Em vista disso, quase ninguém tomou conhecimento da ocorrência deste episódio. E não é para menos: afinal, coisas desagradáveis a ponto de nos fazer sentir vontade de tapar os ouvidos tinham ocorrido durante a guerra, e milhares de vidas preciosas se perderam. Nessas circunstâncias, não seria de se esperar que a notícia sobre um punhado de crianças do curso primário que haviam perdido os sentidos simultaneamente no meio de uma montanha chegasse a espantar alguém. Mesmo nesta cidade, o número de pessoas que se lembra do episódio não é grande. E os poucos que ainda se lembram não parecem dispostos a comentá-lo. Na verdade, até entendo essa atitude, já que esta é uma cidade pequena, e o incidente foi desagradável para os envolvidos.

A grande maioria dos acontecimentos é esquecida com o passar do tempo. Pouco a pouco, tanto a monstruosa guerra como a perda irreparável de preciosas vidas vão se tornando ocorrências de um passado distante. Nossas emoções são dominadas pelo cotidiano e muitos fatos de vital importância se distanciam do nosso consciente como estrelas velhas e geladas. Temos coisas demais para pensar em nossa vida diária, coisas demais para aprender. Novos sistemas, novos conhecimentos, novas técnicas, novo jargão... Por outro lado, existem lembranças que, por mais tempo que se passe e aconteça o que acontecer, não conseguimos de maneira alguma apagar de nossa memória. Lembranças que não se desgastam. Que restam em nosso íntimo, irremovíveis como pedras angulares. Para mim, o incidente ocorrido naquele bosque é uma delas.

Pode até ser que seja tarde demais. E pode também ser que o senhor, *sensei*, esteja se perguntando: que quer essa mulher a esta altura dos acontecimentos? Apesar disso, há um fato relativo àquele incidente que desejo desesperadamente lhe contar antes de morrer.

Naqueles tempos de guerra havia coisas que não podiam ser facilmente mencionadas porque vivíamos sob rígida censura. Especialmente na oportunidade em que me encontrei com o senhor, *sensei*, os militares presentes tornavam o ambiente pouco propício ao uso da franqueza. Além de tudo, eu mesma não conhecia nem ao senhor, nem ao seu maravilhoso trabalho. Eu era muito nova e não me senti nem um pouco inclinada a revelar assuntos da minha intimidade a estranhos do sexo oposto. E assim, ocultei alguns fatos. Em outras palavras: ao expor publicamente as circunstâncias em que ocorreu o incidente, alterei de maneira intencional parte delas por razões particulares. E quando, finda a guerra, os militares americanos conduziram investigações próprias, contei a eles a mesma história. Ou seja, tornei a mentir por medo e para manter as aparências. Em consequência, eu talvez tenha tornado ainda mais difícil o esclarecimento do estranho incidente e, em certa medida, distorcido o resultado final das pesquisas. Aliás, tenho certeza de que isso realmente ocorreu. Não encontro palavras para descrever a tristeza e o peso que venho carregando em minha consciência durante todos estes longos anos.

Eis a razão por que lhe escrevo esta longuíssima carta, *sensei*. Seus dias devem ser de constante atividade e em meio a ela pode ser que eu represente apenas uma contrariedade. Se assim for, considere esta missiva simples ladainha de mulher em começo de velhice e a descarte. Na verdade, o que eu quero é apenas deixar registrada, enquanto ainda sou capaz disso, a verdade existente por trás dos fatos, ou seja, entregar minha confissão a alguém competente. No momento, estou livre da doença que me deixou tanto tempo acamada, mas não sei quando o mal tornará a se manifestar. Ficarei muito grata se o senhor puder levar este detalhe em consideração.

Na véspera do dia em que levei meus alunos à montanha, sonhei com meu marido. Convocado pelo exército, ele estava na linha de frente mas surgiu em meu sonho pouco antes do amanhecer. O sonho teve realística conotação sexual. Por vezes, sonhos podem ser vívidos a ponto de tornar difícil delinear claramente os limites que os separam da realidade, e este foi um deles.

Sonhei, pois, que nós dois copulávamos diversas vezes sobre uma rocha plana como tábua de preparar alimentos. A rocha se situava em local próximo ao pico de uma montanha, era acinzentada e tinha o tamanho de dois tatames. Sua superfície era lisa e úmida. O céu, nublado, ameaçava uma chuva torrencial. Não havia vento. O dia parecia estar findando e pássaros se apressavam rumo a seus ninhos. E debaixo desse céu de tormenta, nós dois copulávamos em silêncio. Meu marido e eu tínhamos sido separados pela guerra pouco depois de nos casarmos, e meu corpo ansiava por ele de maneira violenta.

O prazer físico que senti em meu sonho foi tão intenso que não encontro palavras para descrevê-lo. Copulamos em diversas posições e de diversas maneiras, e atingi o clímax muitas vezes. Pensando bem, foi uma coisa muito estranha, já que meu marido e eu éramos tímidos por natureza: nunca antes tínhamos sido levados pela luxúria e experimentado tantas posições diferentes, e eu mesma nunca alcançara orgasmos tão intensos. Seja como for, no sonho, tínhamos lançado longe as restrições do cotidiano e copulávamos como animais.

Quando acordei, já começava a clarear e eu me sentia muito estranha. O corpo me pesava como chumbo e, além do mais, continuava a sentir meu marido bem fundo em mim. O coração batia acelerado e a respiração estava oprimida. Minha genitália estava úmida, como se eu realmente houvesse copulado. A sensação que restava em mim era também tão intensa e aguda que me deixou confusa, como se tudo fosse verdade e não um sonho, como se os diversos intercursos tivessem realmente acontecido. Embora envergonhada, confesso que me masturbei em seguida. Tive de recorrer a isso para acalmar o intenso desejo sexual que sentia naquele momento.

Depois, peguei a bicicleta e fui para a escola, onde reuni as crianças e, em seguida, as conduzi ao morro da Tigela. Enquanto andava pela trilha da montanha, eu ainda gozava os efeitos da cópula. Fechando os olhos, era capaz de sentir a ejaculação do meu marido atingindo o colo uterino. O líquido seminal batendo na parede do útero. Eu sentia tudo isso e me agarrava às costas de meu marido. Coxas apartadas em ângulo quase inimaginável, eu prendia os tornozelos nas coxas dele. Tudo indica que andei em estado de semiabstração enquanto escalava a montanha em companhia das crianças. Pode ser que eu ainda estivesse no mundo daquele vívido sonho.

Depois de escalar a montanha e chegar ao bosque visado, estávamos nos preparando para sair à procura dos cogumelos quando senti de repente que começava a menstruar. Aliás, fora de época. Meu período terminara havia pouco mais de dez dias e sempre fora regular. Podia ser que o sonho erótico tivesse excitado uma função qualquer e provocado a menstruação de maneira extemporânea. Seja como for, era inesperado e eu não tinha comigo o material apropriado para aquela emergência. Pior ainda, estávamos no meio de uma montanha, distantes da civilização.

Mandei as crianças descansarem um pouco e, embrenhando-me no bosque, adotei medidas emergenciais com a ajuda de algumas toalhas de mão que trouxera comigo. A hemorragia era considerável, e eu me apavorei momentaneamente, mas imaginei que as toalhas dariam conta do recado até o momento de retornarmos à escola. Minha mente estava anuviada e eu não conseguia raciocinar direito. Acredito também que experimentava uma leve sensação de culpa. Pelo sonho de teor escandaloso, por me ter masturbado e por me ter perdido em devaneios eróticos na presença das crianças. Eu era do tipo reprimido.

Decidida portanto a encerrar a atividade ao ar livre e a descer a montanha o mais breve possível, disse às crianças que saíssem em busca dos cogumelos nos arredores. Eu sabia que, retornando à escola, teria meios para solucionar o problema. Assim, sentei-me por instantes e fiquei vigiando as crianças. Cuidei o tempo todo de contar as crianças e de impedi-las de saírem do meu campo visual.

Passados instantes, porém, notei que um dos meninos vinha em minha direção trazendo alguma coisa na mão. O garoto se chamava Nakata. Exatamente: aquele que, depois do incidente, permaneceu internado longo tempo em coma. O que ele trazia era a minha toalha de mão ensanguentada. Perdi o fôlego. Não consegui acreditar no que via. Pois eu havia me descartado do pano num ponto distante onde, segundo calculei, as crianças jamais chegariam ou, caso chegassem, não o achariam, já que eu o ocultara muito bem. Claro! Qualquer mulher consideraria extremamente embaraçoso deixar à vista aquela toalha suja. E eu não conseguia entender de que jeito o menino conseguira encontrá-la.

Quando dei por mim, eu já tinha esbofeteado o menino Nakata. Eu o tinha agarrado por um dos ombros e batido em seu rosto diversas vezes. Acho que lhe disse qualquer coisa aos berros. Eu estava totalmente transtornada. Perdera por completo o controle. Analisando agora, acredito que sentia vergonha e profundo abalo emocional. Até então, eu jamais levantara a mão para qualquer criança. Mas quem estava ali não era eu.

E então, dei-me conta de que as crianças me olhavam fixamente. Todas sem exceção voltavam o rosto para mim, algumas em pé, outras acocoradas. Diante dos seus olhos, ali estava eu, pálida como cera, e, no chão, onde caíra depois de esbofeteado, jazia o menino Nakata, assim como a toalha manchada de sangue. Por momentos, todos nós nos imobilizamos, congelados. Ninguém se moveu, ninguém disse nada. Desprovidos de qualquer expressão, os rostos das crianças me pareciam máscaras de bronze. Um silêncio pesado descera sobre a floresta. Apenas se ouvia o chilrear dos pássaros. Ainda hoje me lembro daquela cena com muita nitidez.

Não sei quanto tempo se passou. Não muito, segundo creio. Mas a mim me pareceu uma eternidade. Eu me senti encurralada, banida para o extremo do universo. Mas aos poucos me recobrei. Ao meu redor, a paisagem recuperou o colorido normal. Ocultei a toalha suja de sangue às minhas costas e ergui em meus braços o menino Nakata, que jazia no chão. Abracei-o com força e pedi-lhe sinceras desculpas. Errei, me perdoe, eu lhe disse. Ele também estava em estado de choque. Seus olhos haviam perdido o foco e achei que ele não ouvia o que eu lhe dizia. Com ele ainda nos braços, mandei que as demais crianças voltassem a procurar cogumelos. E então, elas voltaram à tarefa interrompida como se nada houvesse acontecido. Creio que não conseguiram avaliar direito os acontecimentos que acabavam de presenciar. Na certa tudo lhes pareceu muito estranho e inesperado.

Por instantes permaneci imóvel, sempre com o menino Nakata nos braços. Como seria bom se eu pudesse morrer neste exato momento!, pensei. Queria desaparecer, ir para algum lugar desconhecido. Mas havia uma monstruosa guerra em curso num mundo bem próximo a mim, e um número excessivo de pessoas estava morrendo. Eu já não sabia mais discernir o falso do real. Não sabia se a paisagem que eu via era real, se suas cores eram reais, se o canto dos pássaros que me chegava aos ouvidos era real... Sentia raiva, medo, e submergi em intensa vergonha. No interior daquele bosque me senti sozinha e me perturbei por completo enquanto o sangue fluía do meu útero aos borbotões. Chorei e chorei, em silêncio, serenamente.

E foi depois disso que as crianças entraram em coma coletivo.

Creio que o senhor compreendeu agora a razão de eu não ter conseguido contar esta história repleta de pormenores embaraçosos diante dos militares. Eram tempos de guerra, tempos em que tínhamos de viver de *aparências*. De modo que, ao contar minha história, deixei de lado detalhes referentes ao início da menstruação, à toalha ensanguentada que o menino Nakata me trouxe e ao fato de eu havê-lo esbofeteado. Temo que, em vista disso, o inquérito e as pesquisas desenvolvidas pelo senhor e sua equipe tenham sido obstruídos. Contudo, sinto neste momento indescritível alívio por ter conseguido contar minha história sem nada omitir.

Por estranho que possa parecer, nenhuma das crianças se lembra desse incidente. Isto é, ninguém se recorda da toalha manchada de sangue, tampouco de mim esbofeteando Nakata. O fato desapareceu da memória de todas elas. Depois do incidente, tratei por iniciativa própria de questionar indiretamente as crianças uma a uma e me certifiquei disso. Esta particularidade talvez esteja indicando que o coma coletivo já tinha se iniciado àquela altura.

Na qualidade de professora, permita-me tecer em seguida algumas considerações a respeito do menino Nakata. Não sei o que foi feito dele após o incidente. De acordo com o oficial do exército americano que me entrevistou depois da guerra, o menino foi levado para um hospital militar em Tóquio, onde ainda permaneceu em coma por longo tempo, mas posteriormente recuperou a consciência e foi liberado. Nada mais sei além disso. Deduzo que o senhor, *sensei*, deve saber muito mais que eu.

Nakata era um dos cinco alunos evacuados de Tóquio e matriculados em minha classe. Aliás, o mais aplicado e inteligente dentre eles. Era bonito e vestia-se bem. Isso porém não o impedia de ser gentil e modesto. Nunca erguia a mão durante as aulas oferecendo informações. Contudo, respondia corretamente as perguntas feitas diretamente a ele e opinava de maneira clara e lógica quando solicitado. Apreendia de imediato o sentido de qualquer matéria que lhe fosse ensinada. Em toda classe temos sempre um aluno com estas características. Não precisam ser supervisionados porque estudam sozinhos, são aprovados em universidades de excelente nível e, uma vez inseridos na sociedade, obtêm convenientes postos de trabalho. Em suma, são crianças bem-dotadas.

Contudo, alguns aspectos da personalidade do menino Nakata me incomodaram. Vez ou outra, eu entrevia em suas atitudes algo semelhante à resignação. Por exemplo, ele não demonstrava alegria depois de resolver problemas particularmente difíceis. O esforço prolongado não o deixava ofegante, e descobrir-se errado depois de buscar arduamente soluções para um problema qualquer também não parecia lhe causar dor. Não suspirava, não ria. Faço porque tem de ser feito, parecia me dizer o tempo todo. Procurava apenas se livrar com destreza dos problemas que surgiam diante dele. Como o operário que, com uma chave de fenda na mão, aperta o parafuso da peça que lhe chega pela esteira na linha de produção.

Talvez a origem do problema estivesse no ambiente familiar. Como não conheci os pais dele, que moravam em Tóquio, nada posso afirmar com certeza. Posso apenas dizer que me deparei algumas vezes com tipos parecidos no decorrer de minha longa carreira de professora. Em virtude da própria condição, uma criança bem-dotada se vê incessantemente requisitada — por pais ou por professores, ou seja, pelos adultos em torno dele — a vencer um número cada vez maior de desafios rumo a determinados objetivos. Solicitada dia após dia a resolver incontáveis problemas de natureza variada, esta criança deixa de sentir ao longo dos anos a emoção normal e a pura alegria da realização. Com o passar do tempo ela cerrará com firmeza as portas do coração e passará a ocultar suas emoções. E, para descerrar tais portas, muito tempo e esforço terão de ser despendidos. O espírito infantil é maleável, suscetível a todo tipo de distorção. E uma vez distorcido e enrijecido, não será fácil revertê-lo à condição original. Aliás, é impossível na maioria das vezes. Nesta altura, acho conveniente encerrar minhas considerações puramente amadorísticas, pois o senhor, *sensei*, é o especialista no assunto.

Outra coisa que eu não podia ignorar nas atitudes do menino era a sombra da violência. Percebi repetidas vezes manifestações fugazes de medo em seu rosto e em seus gestos. Imagino que eram o reflexo da violência a ele imposta durante longo tempo, violência essa cujo grau eu não tinha meios de avaliar. Mantendo rígido autocontrole, o menino Nakata ocultava esse *medo* com muita habilidade. Claro, porém, que lhe seria impossível dissimular até as leves contrações musculares diante de determinados acontecimentos. Deduzi portanto que havia algum tipo de violência em seu lar. A convivência diária com crianças me tornou perceptiva quanto a esse tipo de situação.

A violência doméstica impera na zona rural. Os pais são agricultores em sua maioria. Vivem nos limites da pobreza. No fim do dia, estão sempre exaustos do pesado trabalho braçal que se inicia nas primeiras horas da manhã e, em decorrência, buscam alívio no saquê. Nestas circunstâncias, tendem a bater em vez de repreender verbalmente. Este fato é sobejamente conhecido, não se constitui em segredo. Por seu lado, as crianças se habituam aos bofetões e é raro ficarem com problemas emocionais por causa disso. Mas outro era o caso do menino Nakata, cujo pai era professor universitário. A mãe também tinha excelente formação, segundo depreendi das cartas que me escreveu. Em outras palavras, a família pertencia à elite urbana. Nestas condições, a violência doméstica teria componentes mais complexos e interiorizados, algo diferente daquela rotineiramente experimentada por crianças da zona rural. Em suma, violência do tipo que uma criança se vê obrigada a enterrar em seu íntimo e a carregar sozinha.

Foi portanto lamentável em todos os aspectos a violência que eu, embora de modo involuntário, perpetrei contra o menino Nakata e disso me arrependo amargamente até hoje. Não deveria nunca ter agido daquela maneira. Obrigado a integrar um programa de evacuação em massa que o afastou dos pais, o menino acabara introduzido num meio diferente e, tirando proveito desta nova situação, ele se preparava para confiar em mim naqueles dias.

Com minha atitude intempestiva, creio ter dado um golpe fatal na sua disposição de se abrir comigo. Desejei do fundo do coração empenhar todo o meu tempo para, se possível, corrigir o erro. Mas o desenrolar dos acontecimentos tornou tal correção impossível. Nakata foi mandado inconsciente para um hospital em Tóquio, e nunca mais o vi. Isto será para mim causa de eterno arrependimento. Ainda hoje me lembro claramente da expressão que surgiu em seu rosto no momento em que o esbofeteei. Vejo com nitidez a resignação e o profundo medo que se estamparam naquele pequeno rosto.

Peço desculpas pelo tamanho desta carta que eu não pretendia tão longa, mas quero ainda fazer uma última observação. Meu marido faleceu nas Filipinas pouco antes do fim da guerra, mas a notícia de sua morte não me abalou muito. O que experimentei foi apenas uma profunda sensação de impotência. Não foi nem de desespero, nem de ira. Não derramei uma única lágrima. Pois eu já sabia que isso — isto é, que meu marido perderia sua jovem vida num campo de batalha — aconteceria. De um modo vago, sua morte tinha sido estabelecida e aceita como fato inequívoco um ano antes da sua ocorrência real, ou seja, naquele mesmo dia em que sonhei que copulava sofregamente com ele, em que menstruei de modo extemporâneo, em que escalei a montanha e em que, descontrolada, esbofeteei o menino Nakata e vi meus alunos caírem em inexplicável coma coletivo. Quando a morte do meu marido me foi comunicada, eu apenas comprovei esse fato. Uma parte da minha alma ainda permanece presa àquela floresta. Pois a experiência daquele dia extrapolou qualquer outra de toda a minha vida.

Encerro esta canhestra missiva desejando-lhe sinceramente muita saúde e contínuo sucesso em suas pesquisas.

Atenciosamente,

Capítulo 13

Pouco depois do meio-dia, enquanto almoçava contemplando o jardim, Oshima se aproxima e se senta a meu lado. No momento, sou o único visitante da biblioteca. Eu comia o lanche barato que comprava habitualmente numa banca da estação ferroviária. Conversamos um pouco. Oshima me oferece metade do seu sanduíche. Explica que preparou uma quantidade maior que a costumeira porque pretendia me dar uma parte.

— Não se ofenda, mas quando acaba de comer o seu lanche você está sempre com jeito de alguém que quer mais — diz ele.

— Estou tentando diminuir o tamanho do meu estômago — explico.

— Deliberadamente? — pergunta ele.

Concordo com um aceno de cabeça.

— Por razões econômicas?

Aceno outra vez.

— Até compreendo, mas você está em processo de crescimento e, quando pode, precisa comer até se fartar. Seu corpo necessita de diversos tipos de nutrientes para cumprir inúmeras finalidades.

O sanduíche que ele me oferece tem aspecto apetitoso. Eu o aceito, agradeço e o como. É de salmão defumado com agrião e alface em pão branco e macio. A casca do pão é crocante. Percebo toques de raiz forte e manteiga.

— Você mesmo prepara o seu lanche?

— Não tenho ninguém que o faça por mim...

Oshima despeja o café preto da sua garrafa térmica num copo descartável e eu tomo o leite embalado em caixinha que trouxera comigo.

— O que é que você está lendo com tanto interesse?

— As obras completas de Soseki Natsume — respondo. — Não tinha lido algumas, de modo que vou aproveitar minha permanência nesta biblioteca para completar a leitura.

— Você admira tanto esse autor que se dispôs a ler todas as suas obras? — pergunta.

Aceno a cabeça concordando.

Espirais de vapor branco sobem do copo que Oshima tem na mão. O céu continua nublado, mas a chuva estiou.

— Que livros tem lido nos últimos tempos?

— Neste momento estou lendo *A papoula* (*Gubijinsou*) e, antes deste, *O mineiro* (*Kofu*).

— Ah, *O mineiro*... — diz Oshima, como se percorresse uma tênue trilha no campo de suas lembranças. — Se não me falha a memória, é a história de um estudante de Tóquio que por um motivo qualquer vai trabalhar numa mina, se envolve em experiências brutais com os mineiros e depois retorna ao mundo da superfície, não é? Um romance de tamanho médio. Eu o li há muito, muito tempo. O tema não é típico deste autor, o estilo, um tanto tosco e, do ponto de vista do leitor padrão, uma das obras menos apreciadas de Soseki... Que aspectos da obra você mais gostou?

Tento transformar em palavras as vagas impressões que me ocorrem. Mas para isso preciso da ajuda do menino chamado Corvo. Ele sempre vem de algum lugar, expande suas asas e procura as palavras para mim. Digo:

— O personagem central, um rapaz de família abastada, se envolve num escândalo amoroso, se desilude e foge de casa. E enquanto vaga sem destino, é abordado por um homem de aspecto suspeito que lhe pergunta se não quer se tornar mineiro. Sem pensar duas vezes, o rapaz aceita, acompanha o homem e vai trabalhar na mina de Ashio. Mergulha então terra abaixo a uma profundidade incalculável e passa por experiências inimagináveis. É então que esse filhinho de papai totalmente ignorante das coisas do mundo passa pela experiência de rastejar pelas camadas mais baixas da terra e da sociedade.

Bebo um gole de leite e procuro as palavras seguintes. Alguns momentos se passam até o retorno do menino chamado Corvo. Mas Oshima aguarda estoicamente.

— É uma experiência de vida ou morte. E o protagonista se safa de alguma maneira e retorna à superfície da terra e à vida anterior. Mas o interessante é que o autor não dá a entender que a experiência resultou em algum tipo de lição para o seu personagem, ou seja, que ele tenha mudado seu modo de viver passando a considerar a vida com maior seriedade ou, ainda, que tenha passado a questionar a sociedade. Nem dá nenhuma indicação de que ele evoluiu como ser humano. Quando acabei de ler, fiquei curioso. Qual seria a mensagem desta obra? Por mais estranho que possa parecer, esse aspecto "não-sei-o-que--o-autor-quis-dizer-com-esta-obra" me impressionou profundamente. Não consigo explicar melhor, infelizmente.

— Você está tentando dizer que *O mineiro* é bem diferente das obras mais modernas e construtivas de Soseki, como *Sanshiro*, não é?

Concordo com um aceno e continuo:

— A questão é complexa demais para o meu entendimento, mas acho que é isso mesmo. Sanshiro amadurece no decorrer da história. Ele se depara com obstáculos, considera-os seriamente e procura sobrepujá-los de alguma maneira. É assim, não é? Mas em *O mineiro* o personagem central é um tipo totalmente diferente. Expõe sua opinião a respeito dos acontecimentos, mas não os analisa em profundidade. Ele só fica pensando no passado, lamentando sem cessar o escândalo amoroso em que se envolveu. E tudo indica que emerge da mina sem sofrer nenhuma alteração importante. Ou seja, ele não fez nenhuma escolha, não decidiu nada por vontade própria. Não sei me explicar direito, mas me parece que ele assume uma atitude passiva o tempo todo. E acho que, no final das contas, o ser humano não tem mesmo o poder de fazer muitas escolhas na vida real.

— Quer dizer que você se vê até um certo ponto no papel do personagem principal de *O mineiro*?

Sacudo a cabeça negando.

— Não, a ideia nem me passou pela cabeça.

— Mas as pessoas têm de se apegar a alguma coisa para viver — diz Oshima. — É inevitável. Você mesmo deve estar fazendo isso sem perceber. Como já disse Goethe, "tudo é metáfora".

Penso nisso por instantes.

Oshima toma um gole de café e diz:

— Seja como for, você tem uma visão muito interessante da obra *O mineiro*. Especialmente se considerarmos que a referida visão é de um garoto fugido de casa na vida real. Fiquei com vontade de reler o livro.

Termino o sanduíche que Oshima fez para mim. Amasso a embalagem do leite que acabo de tomar e a jogo no lixo.

Em seguida, tomo coragem e digo:

— Oshima, tenho um problema e só posso contar com você para me aconselhar.

133

Ele abre as mãos com as palmas voltadas para cima como se dissesse: Vá em frente!

— A história é longa, mas, resumindo, não tenho onde dormir esta noite. Carrego na mochila um saco de dormir. Portanto não preciso nem de cama nem de cobertores. Um teto é tudo de que preciso. Acaso conhece um lugar com teto nestas proximidades onde eu possa me abrigar?

— Deduzo que hotéis e pousadas não constam na lista de suas possíveis escolhas.

Balanço a cabeça para dizer que não constam.

— É que não tenho muito dinheiro. E também estou tentando não me expor muito — explico.

— Principalmente aos olhos dos policiais do departamento juvenil, certo?

— Pode-se dizer que sim.

Oshima pensa um pouco:

— Nesse caso, durma aqui mesmo — diz.

— Na *biblioteca*?

— Isso. O prédio tem teto e um quarto que ninguém ocupa à noite.

— Posso mesmo?

— Precisamos fazer alguns ajustes iniciais, claro. Mas é possível, sim. Ou melhor, não é impossível. Acho que consigo dar um jeito.

— Como assim?

— Você costuma ler bons livros e é capaz de usar a cabeça. É saudável, aparentemente, e possui iniciativa. Leva vida regrada e está até tentando diminuir o tamanho do próprio estômago deliberadamente. Vou negociar com a Sra. Saeki para que ela o contrate como meu assistente e o deixe dormir no quarto vago da biblioteca.

— Vou ser seu assistente?

— Vai, mas não tem muita coisa para fazer. Basicamente me ajudará no trabalho de abrir e fechar a biblioteca. A limpeza é feita periodicamente por uma empresa especializada, e os trabalhos da área de informática estão a cargo de um especialista. Fora isso, não há muito mais o que fazer. Poderá ler os livros que quiser nas horas livres. Nada mau, não acha? — pergunta Oshima.

— Claro! — digo. Não sei o que mais eu poderia dizer. — Mas não acho possível que a Sra. Saeki concorde com este esquema. Afinal, tenho apenas 15 anos, fugi de casa e ela não conhece meus antecedentes.

— A Sra. Saeki é... — começa a dizer Oshima e depois, coisa rara, se cala momentaneamente em busca de palavras — uma pessoa incomum.

— Incomum?

— Resumindo, quero dizer que seu modo de pensar foge dos padrões normais.

Aceno em sinal de compreensão. Contudo, continuo não entendendo o que significa esse *modo de pensar que foge dos padrões normais.*

— Você quer dizer que ela é diferente?

Oshima nega, sacudindo a cabeça:

— Não, não é isso. No aspecto diferença, *sou muito mais diferente que ela.* Estou só querendo dizer que ela não se atém a convenções.

Continuo sem entender a diferença entre ser incomum e ser diferente. Mas sinto que é melhor não perguntar mais nada. Ao menos por enquanto.

Oshima se cala por alguns momentos e em seguida diz:

— Pensando bem, acho que realmente não dá para você dormir na biblioteca a partir desta noite. De modo que vou levá-lo a um outro lugar onde ficará provavelmente uns dois ou três dias, ou seja, até que eu ajeite algumas coisas por aqui. Se importa? O lugar a que me refiro fica um pouco longe daqui.

Digo que não me importo.

— Às cinco, fecho a biblioteca — diz Oshima. — Arrumo algumas coisas e acho que às cinco e meia poderemos partir. Eu o levo no meu carro. O lugar para onde vamos se acha desocupado e tem teto, conforme você pediu.

— Muito obrigado.

— Agradeça quando chegarmos lá. Você pode estar imaginando alguma coisa muito diferente.

Retorno à sala e à leitura de *A papoula.* Não sou do tipo que lê rápido. Sou daqueles que acompanham uma obra linha por linha, frase por frase. Dos que apreciam o estilo. Se não me agradar, paro de ler. Um pouco antes das cinco chego ao fim do romance, devolvo o livro à estante, sento-me no sofá, fecho os olhos e penso vagamente nos acontecimentos da noite passada. Penso em Sakura. No quarto dela. Em tudo que ela fez por mim. Penso nas coisas que se alteram, tomam novos cursos e seguem adiante.

Às cinco e meia, estou no vestíbulo da Biblioteca Komura à espera de Oshima. Ele me leva até o estacionamento atrás do prédio e me faz embarcar num carro esportivo verde. É um Mazda Miata, de capota erguida. O porta-malas do modelo esportivo, muito pequeno, não comporta minha mochila, de modo que a prendemos com cordas no *rack* traseiro.

— Teremos de parar para jantar em algum ponto do caminho porque a viagem vai ser um tanto longa — diz Oshima. Gira em seguida a chave na ignição e dá a partida.

— Aonde vamos?

— Kochi — diz ele. — Já esteve lá alguma vez?

Sacudo a cabeça e nego.

— A que distância fica daqui?

— Vejamos... Serão cerca de duas horas e meia de viagem. Vamos transpor a serra e descer rumo ao sul.

— Não se importa de guiar tanto tempo?

— Claro que não. A estrada é muito boa, o sol não vai se pôr tão cedo, e tenho gasolina de sobra no tanque.

Atravessamos a cidade ao crepúsculo e pegamos inicialmente uma estrada que vai para o oeste. Oshima ultrapassa os demais carros indo de uma pista para outra com destreza. A palma da mão esquerda sobre o câmbio muda as marchas com constância, ora reduzindo, ora acelerando com suavidade. A cada mudança o ruído do motor se altera minimamente. Nos momentos em que reduz e pisa fundo no acelerador, o veículo dá 140 quilômetros por hora num piscar de olhos.

— O motor está mexido. Dei mais potência ao carro. A diferença com os demais Miatas se tornou marcante. Você entende de carros?

Sacudo a cabeça negando. Não entendo absolutamente nada de carros.

— Você gosta de dirigir, Oshima? — pergunto.

— Guio carros porque meu médico me aconselhou a evitar os esportes perigosos. Uma espécie de compensação.

— Algo errado com sua saúde?

— Se eu for explicar cientificamente, a história vai se tornar comprida demais, mas, em palavras simples, o que eu tenho é um tipo de hemofilia — diz Oshima com naturalidade. — Você sabe o que é isso?

— Em linhas gerais — respondo. Aprendi no curso de biologia. — Se você tiver uma hemorragia, não conseguirá estancá-la. O sangue não coagula por uma questão genética.

— Exatamente. Existem diversos tipos de hemofilia, e o meu é um dos raros. Não é nada muito grave, mas tenho de me cuidar para não me ferir. Se eu começar a sangrar, tenho de ir para o hospital. Mas, você sabe, hoje em dia o sangue estocado em hospitais apresenta diversos problemas. E como não considero que morrer aos poucos de aids seja uma opção para mim, estabeleci uma conexão especial nesta cidade capaz de me suprir sangue saudável em caso de necessidade. Por tudo isso, evito viajar. Quase não saio desta cidade, excetuando as minhas idas periódicas a um hospital universitário de Hiroshima. Isso porém não é motivo de pesar para mim porque, felizmente, não sou daqueles que adoram viajar ou praticar esportes. A única coisa que me incomoda é não poder cozinhar. É triste não poder empunhar uma faca de verdade e cozinhar.

— Dirigir deve ser uma atividade perigosa também.

— Mas é um tipo de perigo diferente. Se me envolver num acidente de trânsito — e faço o possível para guiar sempre em alta velocidade — não corro o mesmo tipo de risco que o de cortar meu dedo. Em caso de hemorragia grave, as possibilidades de sobrevivência tanto para um hemofílico como para uma pessoa sadia são quase iguais. É mais justo. Não preciso pensar em detalhes complicados como tempo de coagulação e morro despreocupado.

— Entendi...

Oshima ri:

— Mas não se impressione. Não tenho nenhuma intenção de me meter em acidentes. Posso não parecer, mas sou cuidadoso, não gosto de correr riscos desnecessários. E sempre mantenho o carro primorosamente ajustado. E se for para morrer, quero fazer isso sozinho, serenamente.

— E você também não considera que seja uma opção levar alguém junto.

— Exatamente.

Entramos num restaurante à beira da estrada e jantamos. Peço frango e salada, e Oshima, curry de frutos do mar e salada. Uma refeição simples, só para matar a fome. Ele paga a conta. Depois, voltamos para o carro. Já escureceu por completo. Ele acelera o carro e provoca um salto entusiástico no ponteiro do taquímetro.

— Se importa se eu ouvir música? — pergunta Oshima.

Respondo que não.

Ele aperta o botão do tocador de CDs. Música clássica de piano. Ouço alguns instantes e me oriento: não é Beethoven, nem Schumann. É de uma época intermediária.

— Schubert? — pergunto.

— Isso mesmo — responde ele. Com as mãos sobre o aro da direção na posição dez e dez, lança um olhar de soslaio para mim. — Gosta de Schubert?

— Não especialmente — respondo.

Oshima acena para dizer que compreendeu.

— Enquanto dirijo costumo ouvir as sonatas para piano de Schubert em volume alto. Sabe por quê?

— Não — respondo.

— Porque executar com perfeição uma sonata ao piano de Franz Schubert é uma das tarefas mais difíceis do mundo. Especialmente esta, em ré maior. Ela é muito espinhosa. Alguns pianistas executam um ou dois dos seus movimentos quase sem falhas. Mas a história é outra quando se trata de tocar os quatro movimentos com uniformidade e perfeição. Pelo que sei, ninguém conseguiu até hoje. Muitos pianistas tentaram, mas todos apresentaram falhas notáveis, e não existe um único de quem se possa dizer: *este, sim, é perfeito*. Sabe por quê?

— Não, não sei — respondo.

— Porque a própria composição é imperfeita. Até Robert Schumann, grande apreciador das composições de Schubert, definiu esta sonata como "celestialmente difusa".

— E por que, sendo a própria composição imperfeita, tantos renomados pianistas aceitam o desafio de interpretá-la?

— Boa pergunta — diz Oshima. Depois de uma breve pausa que a sonata preenche, torna a dizer: — Eu também não sei a resposta certa. Contudo, uma coisa posso lhe afirmar. Certos tipos de imperfeição tornam uma obra potencialmente mais atraente por causa da imperfeição — ao menos para um *certo tipo* de artista. Você, por exemplo, sentiu-se atraído pela obra *O mineiro*, de Soseki. Isso porque percebeu nela um fascínio inexistente em obras buriladas desse mesmo autor, tais como *Kokoro*, ou *Sanshiro*. Você descobriu essa obra. Visto de um outro ângulo, *a obra* descobriu você. A *Sonata em ré maior* de Schubert exerce esse mesmo tipo de fascínio. Ela tem esse modo único de tanger as cordas da emoção.

— Mas então — intervenho — vamos voltar à questão inicial: por que *você* gosta de ouvir esta sonata de Schubert, Oshima? Especialmente quando dirige?

— Porque as sonatas de Schubert, em especial esta, em ré maior, quando executadas conforme a partitura não são arte. Conforme Schumann ressaltou, é bucólica e longa demais, simples demais para ser artística. Se você executá-la candidamente de acordo com a partitura, vai transformá-la numa peça sem sal nem pimenta, numa antiguidade apenas. De modo que todos os pianistas se empenham em lhe dar brilho. Fazem truques, articulam, fraseiam, como, por exemplo neste trecho, escute... Isto se chama *rubato*. Aceleram o ritmo de modo arbitrário. Modulam. Caso contrário, a peça se torna pesada, cansativa. E têm de fazer tudo isso com muito cuidado. Se exageram a dose, descaracterizam a obra. Pianistas que executam esta *Sonata em ré maior* se debatem, todos sem exceção, em meio à inconsistência dessas duas proposições.

Oshima apura os ouvidos. Cantarola. E continua:

— É por tudo isso que gosto de ouvir Schubert enquanto dirijo. Porque, conforme já disse, quase todas as execuções contêm algum tipo de imperfeição. E imperfeições de boa e densa qualidade artística estimulam a consciência, despertam a atenção. Se eu dirigisse ouvindo uma execução perfeita de uma obra também perfeita talvez me viesse a vontade de fechar os olhos e morrer. Mas ao ouvir a *Sonata em ré maior*, detecto em vez disso os limites da diligência humana. E então compreendo que certo tipo de perfeição só se atinge pelo infinito acúmulo de imperfeições. E isso me dá coragem. Está entendendo o que eu digo?

— Mais ou menos...

— Desculpe — diz Oshima. — Eu me deixo empolgar quando começo a discorrer sobre este assunto.

— Mas imperfeições também são de naturezas e graduações diversas, não são? — pergunto.

— Com certeza.

— E na sua opinião qual das execuções da *Sonata em ré maior* que você ouviu até hoje é a melhor, em termos comparativos?

— Esta é difícil — diz ele.

Oshima pensa a respeito por instantes. Reduz a marcha, muda de pista, acelera para ultrapassar o caminhão de congelados e retorna à pista anterior.

— Não tenho nenhuma intenção de assustá-lo, mas, à noite, Miatas verdes são um dos veículos mais difíceis de serem detectados em rodovias. Têm pouca altura e sua cor se dilui facilmente na escuridão. São particularmente difíceis de ser percebidos por motoristas de caminhões de grande porte. Preciso dirigir com muito cuidado, especialmente dentro de túneis. Na verdade, todos os carros esportivos deviam ser vermelhos. É a cor mais visível. Essa é a razão por que a maioria das Ferrari é vermelha — diz Oshima. — Mas eu gosto de verde. Mesmo correndo maior risco. Verde é a cor das matas. E vermelho, a do sangue.

Oshima lança um olhar para o relógio. Depois, cantarola acompanhando a gravação.

— De uma maneira geral, acho que as execuções de Brendel e Ashkernazy são mais bem-acabadas. Mas, para falar com franqueza, eu pessoalmente não aprecio muito a execução destes dois. Ou melhor, elas não me emocionam. Na minha opinião, as obras de Schubert foram feitas para desafiar regras preestabelecidas e para perder. Essa é a verdadeira natureza do romantismo, e a música de Schubert é, nesse aspecto, a quintessência do romantismo.

Presto atenção à sonata de Schubert.

— E então? Monótona, não é?

— Realmente — digo com honestidade.

— Você só consegue entender Schubert depois de ouvi-lo de maneira disciplinada repetidas vezes. Eu também o achei aborrecido quando o ouvi pela primeira vez. Todo mundo acha, principalmente na sua idade. Mas um dia você vai com certeza entendê-lo. Coisas que não são aborrecidas enjoam num instante, e coisas que nunca enjoam são geralmente aborrecidas. É a vida. A minha, por exemplo, pode me aborrecer às vezes, mas nunca me enjoa. Mas a maioria das pessoas não consegue estabelecer a diferença entre enjoar e aborrecer.

— Há pouco, quando se definiu como uma *pessoa diferente*, você estava se referindo à sua condição de hemofílico, Oshima?

— Também — responde. Em seguida, olha para mim e sorri. Seu sorriso tem um quê diabólico. — Mas não apenas. Tem mais.

Quando a melodia celestialmente longa de Schubert chega ao fim, Oshima desliga o som. Calamo-nos então de maneira natural e divagamos ao sabor de pensamentos tecidos em silêncio. Contemplo vagamente as placas de sinalização que se sucedem. Num entroncamento, seguimos rumo ao sul. A estrada penetra serra adentro por sucessivos túneis. Oshima se concentra nas manobras de ultrapassagem. A maioria dos veículos que deixamos para trás é de porte grande e corre em baixa velocidade, e toda ultrapassagem é acompanhada por um silvo agudo. Faz pensar em almas sugadas. Volto-me vez ou outra para confirmar a situação da mochila atada ao rack.

— A casa onde você vai ficar se situa no interior de uma montanha e não pode absolutamente ser classificada de confortável. Enquanto estiver ali, você provavelmente não terá a oportunidade de ver ninguém. Não tem rádio, nem televisão, nem eletricidade — informa Oshima. — Se importa?

Digo que não.

— Você está habituado à solidão — constata Oshima.

Concordo com um aceno de cabeça.

— Mas existem solidões de diversas espécies. A desse lugar talvez seja de um tipo que você nunca imaginou existir.

— Como assim?

Oshima aperta o cavalete dos óculos com a ponta de um dedo.

— Não dá para explicar. Esse tipo de solidão é alterável, tudo depende de você.

Saímos da rodovia e entramos por uma estrada vicinal. Uma pequena cidade surge à beira da estrada poucos quilômetros depois de sairmos da rodovia. Oshima para o carro numa loja de conveniências e compra uma quantidade tão grande de víveres que não consegue carregar tudo sozinho. Frutas, verduras, bolachas salgadas, leite, água mineral, enlatados, pão, refeições pré-cozidas que precisam ser apenas aquecidas. Ele paga a conta. Pego minha carteira, mas ele sacode a cabeça em silêncio e recusa.

Tornamos a embarcar e seguimos viagem. Carrego no colo um dos sacos de mantimentos que não coube no porta-malas. Total escuridão envolveu a estrada quando a cidade ficou para trás. Não há mais casas, raros se tornam os carros que cruzavam com o nosso, e o caminho se torna tão estreito que chega a dificultar a passagem simultânea de dois carros. Oshima aciona a luz alta e avança sem quase reduzir a velocidade. A frequência das pisadas no acelerador e no freio aumenta, e o câmbio se alterna entre a segunda e a terceira marcha. O rosto de Oshima se torna inexpressivo. Sua atenção se concentra na estrada. Os lábios estão cerrados, e o olhar fixa um ponto no meio da escuridão.

A mão direita repousa no aro da direção e a esquerda, na cabeça do câmbio curto.

Instantes depois, um despenhadeiro vertiginoso passa a acompanhar a borda esquerda da estrada. Parece que há uma torrente correndo no fundo dele. As curvas se tornam gradativamente mais fechadas e a pista, mais irregular. A traseira do carro derrapa ruidosamente. Mas eu desisto de pensar no perigo. Provocar um acidente em local tão ermo não deve se constituir em opção para Oshima, com toda certeza.

Meu relógio digital indica que são quase nove horas. Abro uma fresta da janela e um ar gelado penetra por ela. Os sons ecoam de maneira diferente. Estamos no meio de uma montanha e nos aprofundando cada vez mais. A estrada finalmente se distancia do despenhadeiro (sinto um certo alívio) e entramos numa floresta. Árvores altas e fantasmagóricas se perfilam em torno. O farol roça os troncos e os destaca um a um. O asfalto há muito desapareceu e, agora, os pneus fazem saltar pedregulhos que batem na lataria do carro provocando estalos. As suspensões se movem de maneira incessante acompanhando a irregularidade da estrada. Não há lua nem estrelas no céu. Uma chuva fina bate no para-brisa dianteiro.

— Você costuma vir sempre para estes lados?

— Eu costumava, antigamente. Hoje em dia não posso vir com tanta frequência por causa do meu emprego. Tenho um irmão mais velho que é surfista e mora à beira-mar nesta província. Ele tem uma loja para surfistas na cidade e fabrica pranchas. Vez ou outra, vem passar alguns dias na cabana. Você surfa?

Respondo que nunca tentei.

— Se tiver uma oportunidade, peça ao meu irmão para lhe ensinar. Ele é muito bom — explica Oshima. — É muito diferente de mim, mas se você o encontrar, vai reconhecê-lo de imediato. É grandão, calado, rude, queimado de sol, gosta de cerveja, e incapaz de distinguir Schubert de Wagner. Mesmo assim, nós nos damos muito bem.

Seguimos ainda um bom trecho pela estrada, varamos algumas florestas densas e finalmente chegamos. Oshima para, sai do carro sem desligar o motor, remove um cadeado, empurra e abre uma porteira revestida de tela de arame. Entra no carro e, em seguida, corre mais algum tempo por uma estradinha malconservada e cheia de curvas. Logo, a estrada termina e uma pequena clareira surge diante de nossos olhos. Oshima para o carro, suspira uma vez profundamente, afasta o cabelo para trás das orelhas com as duas mãos, gira a chave no contato e desliga o motor. Puxa o freio de mão.

O ruído do motor cessou e é substituído por um pesado silêncio. A ventoinha gira e o motor, superaquecido depois de todos os tormentos por que passou, entra em contato com o ar externo e exala sucessivos gemidos. Um tênue vapor se ergue da capota. Deve haver um riacho nas proximidades, pois ouço um leve burburinho. O vento varre as alturas e provoca um ruído simbólico. Abro a porta e saio. Correntes de ar gelado se misturam na atmosfera. Puxo o zíper da parca que estou usando sobre a camiseta e a fecho até o pescoço.

Diante de mim se ergue uma pequena construção. Parece um bangalô, mas a escuridão é densa e não me permite discernir os detalhes. Vejo apenas uma silhueta negra projetando-se sobre o pano de fundo da floresta. Com a luz do farol ainda ligada e uma pequena lanterna na mão, Oshima vai andando lentamente, sobe alguns degraus de uma varanda, tira a chave do bolso e abre a porta. Entra, risca um fósforo e acende um lampião. De volta à varanda, ergue alto o lampião e me diz:

— Seja bem-vindo à minha casa.

Ele me lembra uma gravura de um conto antigo.

Subo os degraus da varanda e entro. Oshima acende um lampião enorme que pende do teto.

Dentro, existe apenas um quarto grande que lembra um caixote. Há uma cama pequena num canto. Uma mesa para refeições, duas cadeiras de madeira. Um sofá antiquado. O tapete está fatalmente queimado de sol. Tenho a impressão de que móveis tornados inúteis em outros lares foram arrebanhados aleatoriamente e trazidos até aqui. Diversos livros se enfileiram em cima de prateleiras feitas de tábuas espessas e blocos empilhados. Um baú antiquado serve de guarda-roupa. A cozinha é básica: balcão, fogão pequeno e pia. Mas não existe água encanada. Em vez disso, um balde de alumínio. Panelas e chaleira sobre uma prateleira. Frigideiras pendendo da parede. E, no meio da sala, um fogareiro de ferro preto alimentado a lenha.

— Meu irmão construiu esta cabana praticamente sozinho. Ele reformou e ampliou a pequena cabana de lenhador que existia antes neste lugar. Meu irmão é muito jeitoso. Eu ainda era pequeno, mas o ajudei nas tarefas que não representavam perigo para mim. Não que eu queira me gabar nem nada, mas esta é uma construção primitiva muito rara hoje em dia. Conforme já lhe expliquei, não temos eletricidade,

143

nem água encanada, nem sequer um banheiro. A única concessão à civilização é este tambor de gás propano.

Oshima enxágua rapidamente uma chaleira, enche-a de água mineral e a leva ao fogo.

— Esta montanha pertencia originariamente ao meu avô. Ele nasceu em Kochi, era rico e possuía muitas propriedades. Faleceu há cerca de dez anos, e meu irmão e eu herdamos esta montanha inteira e mais a floresta. Os demais parentes não quiseram. O local é ermo e quase não tem valor como propriedade. Para explorar a madeira seria preciso contratar muita gente, o que exigiria por sua vez um investimento considerável.

Experimento abrir a cortina da janela, mas apenas vejo diante de mim uma espessa parede de negrume.

— Quando eu tinha aproximadamente a sua idade — diz Oshima introduzindo um saquinho de chá de camomila no bule — vim diversas vezes até aqui para viver sozinho nesta cabana. Nessas ocasiões, eu não via nem conversava com ninguém. Meu irmão me obrigou a isso. Normalmente, portadores de males como o meu não costumam passar por este tipo de experiência. Para nós, é perigoso ficarmos sozinhos em lugares ermos. Mas o meu irmão não ligou para isso.

Recostado no balcão da cozinha, ele espera a água entrar em ebulição.

— A intenção dele não era me fortalecer. Ele apenas acreditava sinceramente que eu precisava disso. Mas, no fim, isso me fez realmente bem. Minha vida nesta cabana foi uma experiência rica. Tive tempo para ler um número incontável de livros e para pensar com muita calma. Na verdade, eu tinha parado de frequentar a escola a partir de certa época. Eu e a escola não nos dávamos bem. Porque eu era... vamos dizer, diferente dos outros. Contei com a benevolência da escola para terminar o curso ginasial e, depois disso, vim estudando por conta própria. Como você está fazendo agora. Já lhe contei essa história, não contei?

Nego sacudindo a cabeça.

— É por isso que você é tão compreensivo com relação a mim, Oshima?

— Em parte — responde ele. E depois de uma breve pausa, diz: — Mas não só por isso.

Oshima me entrega o chá numa xícara e ele também toma o dele. A camomila quente acalma os nervos irritados pela longa viagem.

Oshima lança um olhar ao relógio.

— Tenho de ir andando, de modo que vou explicar tudo rapidamente. Aqui perto corre um riacho cristalino. Pegue essa água e use-a para tudo. Ela vem de uma fonte que fica a poucos metros daqui, você pode até tomá-la sem ferver. É muito mais pura que algumas águas minerais engarrafadas que estão à venda por aí. Você vai encontrar lenha empilhada lá nos fundos. Use-a para acender o fogareiro quando esfriar. Faz muito frio nesta área. Eu já cheguei a acender o fogareiro em agosto, no meio do verão. Esse fogareiro é também um forno, de modo que você poderá cozinhar refeições rápidas nele. As ferramentas estão guardadas no depósito que existe nos fundos da casa. Use-as conforme forem surgindo as necessidades. Pode vestir as roupas do meu irmão guardadas dentro do baú. Ele não se importa.

Com as duas mãos nos quadris, Oshima passeia o olhar pelo interior da cabana.

— Conforme você mesmo deve ter reparado, esta cabana não foi feita para finalidade romântica. Mas, se pretende apenas viver nela, acho que não vai encontrar dificuldades. Depois, tenho um conselho a lhe dar: não se aprofunde na floresta. Ela é densa e quase não existem sendas ou picadas. Se tiver de se embrenhar mata adentro, mantenha sempre a cabana dentro do seu campo visual. Se for além disso, corre o perigo de se perder e, se você se perder, encontrará muita dificuldade para retornar. Eu mesmo já passei por maus bocados. Andei em círculos durante quase a metade de um dia num local distante apenas algumas centenas de metros da cabana. O Japão é um país pequeno e talvez você ache quase impossível alguém se perder dentro de suas florestas. Mas tenha sempre na cabeça que matas tendem a se tornar cada vez mais densas quando se perde o rumo.

Guardo seu aviso na cabeça.

— E outra coisa: se o caso não for realmente de emergência, não tente também descer a montanha sozinho. O percurso até os locais habitados é longo demais. Espere aqui mesmo que eu venho buscá-lo em breve. Acredito que posso estar de volta dentro de dois ou três dias. O suprimento que estoquei deve dar e sobrar para esse período. E por falar nisso, você tem celular?

Digo que sim. Aponto a mochila.

Ele sorri.

— Nesse caso, mantenha-o aí dentro. Celulares não pegam por aqui. Estão totalmente fora de alcance. Aliás, nem rádio pega. Em

145

outras palavras, você está completamente livre do mundo. Acho que vai ler muitos livros.

Lembro-me de repente de esclarecer uma questão prática:

— Se não tem banheiro, onde faço as necessidades?

Oshima estende ambos os braços num gesto abrangente:

— Esta floresta ampla e densa é toda sua. Você é que decide onde fica o banheiro.

Capítulo 14

Nakata esteve muitos dias seguidos no terreno baldio fechado com tapume. No decorrer desse período, ficou apenas um dia em seu próprio apartamento fazendo pequenos trabalhos de marcenaria porque chovera forte desde cedo; nos demais dias, sentou-se no meio do mato que tomara conta do terreno à espera da gatinha malhada perdida ou do homem que usava o chapéu estranho. Sem êxito.

No fim do dia, Nakata ia até a casa dos seus contratantes e apresentava um relatório verbal dos acontecimentos — onde fora e o que fizera para obter mais informações sobre a gatinha desaparecida. A dona da casa lhe pagava cerca de 3 mil ienes todos os dias. Era, em média, o preço do trabalho de Nakata. Ninguém sabia direito quando ou quem o estipulara, mas o fato é que o pagamento de 3 mil ienes diários se tornara praxe na mesma época em que a fama de Nakata como *eficiente localizador de gatos perdidos* se espalhara de boca em boca pelo bairro. E, além do dinheiro, o contratante devia também oferecer algo mais a Nakata. Comida ou roupa, tanto fazia. E se ao fim e ao cabo Nakata conseguisse realmente descobrir o paradeiro do gato, ele faria jus a uma gratificação extra de 10 mil ienes.

A renda mensal que Nakata obtinha dessa maneira era irrisória, pois nem sempre lhe pediam para procurar gatos perdidos; por outro lado, suas despesas também não eram grandes porque o irmão logo abaixo dele — o qual também administrava as parcas finanças de Nakata — pagava do legado (insignificante) dos falecidos pais as taxas de serviço público (água, luz etc.) e também porque recebia do governo o subsídio referente à manutenção de idosos portadores de deficiência, ajuda essa por si só capaz de lhe proporcionar uma vida despreocupada. Assim, o homem poderia gastar à vontade o dinheiro — considerável na opinião dele — que ganhava para localizar gatos perdidos, mas, para dizer a verdade, Nakata só sabia usá-lo para comprar, vez ou outra, o prato de enguia que tanto apreciava. O restante do dinheiro ele escondia debaixo do tatame do próprio quarto, pois, sem saber ler nem escrever, era incapaz de preencher os formulários necessários para depositar o referido dinheiro em agências bancárias ou do correio.

Nakata não revelava a ninguém sua capacidade de conversar com gatos. Além dele próprio, os únicos que sabiam disso eram os felinos. Temia que o imaginassem louco caso revelasse o segredo. Sua burrice era fato público e notório, mas, no entender de Nakata, havia uma diferença entre ser burro e ser louco.

Vez ou outra, alguém podia passar ao lado dele enquanto se dedicava a um absorvente diálogo com um gato à beira de uma calçada qualquer, mas ninguém estranhava. Idosos conversando de igual para igual com animais de estimação são cenas corriqueiras. Assim, quando alguém lhe perguntava: "Como consegue saber tanto a respeito do caráter ou do modo de pensar dos gatos? Até parece que você troca ideias com eles!", Nakata apenas sorria em silêncio. As donas de casa da vizinhança gostavam dele porque era sério, educado e sorridente. Outra característica que angariava a boa vontade das matronas era seu asseio. Nakata era pobre, mas gostava de tomar banho e de lavar roupa; ademais, vestia-se bem porque, além do dinheiro, ganhava das mulheres que lhe pediam para procurar gatos perdidos muitas peças boas e novas refugadas pelos maridos. Não se podia afirmar que a camisa polo rosa--salmão com o emblema de Jack Nicklaus lhe caísse bem, mas Nakata pouco se importava com tais detalhes.

Em pé na entrada da casa, Nakata relatou de maneira hesitante para a senhora Koizumi, a empregadora do momento, a situação da busca.

— Com relação à gatinha Goma, Nakata conseguiu finalmente uma informação. Quem a deu foi um certo Kawamura, que disse ter visto há alguns dias uma gatinha malhada muito parecida com Goma no terreno baldio fechado com tapume da rua Dois, que fica duas avenidas além desta. A idade, as cores e até a coleira descritas por Kawamura correspondem às da gatinha Goma. Nakata pretende ficar de tocaia nesse terreno. Nakata leva um lanche de casa e se senta ali desde a manhã até a noite. Não, não se preocupe. Tempo é o que não falta, e Nakata só não vai estar lá no terreno se o dia for de chuva muito forte. Mas, se a senhora um dia achar que Nakata não precisa mais continuar vigiando o terreno, basta falar. Porque então Nakata para imediatamente.

Ele não revelou que Kawamura não era uma pessoa e sim um gato listrado. Trazer o assunto à baila só iria complicar a conversa.

A senhora Koizumi agradeceu a Nakata. As duas filhas pequenas estavam quase doentes de tristeza porque a gata malhada que tanto amavam tinha desaparecido. Nem comiam direito. Tudo indicava que a preocupação delas era genuína, elas não se consolavam com observações do tipo: "Ora, gatos costumam desaparecer de uma hora para outra, faz parte da sua natureza." A família considerou portanto sorte muito grande ter encontrado alguém como Nakata, disposto a se dedicar com afinco à busca em troca de míseros 3 mil ienes diários. Realmente, o velhinho era um tanto exótico, falava de modo estranho, mas sua fama como *localizador de gatos perdidos* era grande, e parecia ser gente boa. Era honesto, ou melhor, não parecia, com o perdão da palavra, esperto o bastante para enganar os outros. A senhora Koizumi pôs num envelope o pagamento do dia e o entregou a Nakata juntamente com um *tupperware* contendo porções de risoto recém-preparado e de inhame cozido.

Com uma reverência, Nakata aceitou o *tupperware*, aspirou de leve o aroma que vinha dele e agradeceu:

— Muito obrigado. Nakata adora inhame cozido.

— Espero que esteja do seu gosto — replicou a senhora Koizumi.

Uma semana se passou desde o dia em que Nakata começara a vigiar o terreno baldio. Nesse ínterim, viu diversos gatos no local. O marrom listrado Kawamura vinha várias vezes por dia ao terreno, aproximava-se de Nakata e o cumprimentava cordialmente. Nakata retribuía o cumprimento. Falava então do tempo, do subsídio que recebia do governo. Contudo, Nakata continuava não entendendo a maioria do que Kawamura lhe dizia.

— *Kawara* aflito, encolhido no caminho — disse Kawamura. Tudo indicava que o gato se esforçava por transmitir alguma coisa a Nakata. Este porém não entendeu coisa alguma. "Nakata não compreende", disse o homem honestamente.

Por instantes, Kawamura pareceu perturbar-se, mas logo repetiu a mesma coisa (provavelmente) de maneira diferente:

— *Kawara* amarrado no grito, sabe?

Mas o sentido desta frase era ainda mais obscuro.

Ah, como seria bom se Mimi estivesse aqui, pensou Nakata. Ela aplicaria um tapa na cara de Kawamura e o faria expressar-se direito. Em seguida, transmitiria a Nakata o que apurara. Mimi era sem dúvida uma gata muito inteligente. Mas não estava ali. Pois ela nunca visitava campos abertos. O medo que tinha de pegar pulgas devia ser muito grande.

Kawamura despejou uma torrente de frases sem nexo e se foi, sorrindo amavelmente.

Havia também outros gatos indo e vindo constantemente. A princípio, estes trataram Nakata com desconfiança e o observaram de longe com ostensiva contrariedade, mas quando enfim se deram conta de que ele permanecia o dia todo sentado num mesmo lugar sem lhes fazer mal algum resolveram não se importar mais com ele. Nakata porém sempre tentava estabelecer contato com eles. Cumprimentava-os e se apresentava. Mas quase todos os felinos o ignoravam, não se dignavam a lhe responder. Fingiam não vê-lo nem ouvi-lo. E nisso eram mestres. Na certa tinham sofrido muito nas mãos de seres humanos. Seja como for, Nakata não podia censurar-lhes a falta de sociabilidade. Afinal, ele era um estranho na sociedade felina. Não estava em posição de exigir nada deles.

Mas nesse meio surgiu um único gato bastante curioso que respondeu ao breve cumprimento de Nakata.

— Quer dizer que o velhinho aí sabe falar — disse após breve hesitação o gato malhado preto e branco de orelhas rasgadas, passeando o olhar em torno. Seu modo de se expressar era grosseiro, mas parecia ter gênio bom.

— Muito pouco, mas sei, sim senhor — respondeu Nakata.

— Pode ser pouco, mas é espantoso! — disse o gato.

— Meu nome é Nakata — apresentou-se o homem. — E o seu?

— E eu cá tenho essas coisas? — replicou o gato asperamente.

— Que acha do nome Okawa? Nakata pode chamá-lo assim?

— Que me importa? Me chame do que quiser.

— Nesse caso — disse Nakata —, Okawa gostaria de comer uns peixinhos secos para comemorar a nossa aproximação?

— Peixe seco? Maravilha! Esse é um dos meus pratos preferidos.

Nakata tirou de dentro da sacola alguns peixes secos embrulhados em filme plástico e os deu a Okawa. Nakata sempre tinha alguns consigo. Okawa os devorou ruidosamente e se regalou. Comeu-os inteiros, cabeça e rabo inclusive. Depois, lavou a cara.

— Fico lhe devendo essa — disse Okawa. — Quer que eu retribua de alguma forma? Posso lamber algum pedaço seu.

— Não, obrigado, Nakata fica contente de saber que você gostou, mas não está precisando de ser lambido no momento. Muito obrigado mais uma vez. Hum... Mas para falar a verdade, Nakata está procurando esta gatinha a pedido dos donos dela. É uma fêmea malhada, de nome Goma.

Tirou da sacola a foto de Goma e a mostrou a Okawa.

— Alguém disse que ela foi vista neste terreno. E, por isso, Nakata passa os dias sentado aqui à espera da gatinha. Okawa por acaso não viu Goma nestas redondezas?

Okawa lançou um rápido olhar à foto e depois suas feições se tornaram sombrias. Uma ruga surgiu entre as sobrancelhas e ele piscou diversas vezes.

— Escute, não pense que não gostei de ganhar os peixinhos secos porque gostei, é verdade. Mas desse assunto não posso falar. Não quero me meter em encrenca.

Nakata ficou atônito ao ouvir isso.

— Se você falar vai se meter em encrenca?

— E das grossas. Esse assunto é perigoso. Esqueça essa gatinha, deixe isso para lá. Quem avisa amigo é. E acho melhor você mesmo se afastar daqui. Preste atenção, estou lhe dando um conselho de amigo. Sinto muito não poder ajudá-lo mais, mas considere o aviso como pagamento pelo peixe seco.

Assim dizendo, Okawa se ergueu, olhou ao redor e desapareceu no meio do mato.

Nakata suspirou fundo, tirou da sacola a garrafa térmica e bebeu seu chá verde lentamente, com toda a calma. É perigoso, dissera Okawa. Mas Nakata não conseguia imaginar nada perigoso com relação àquele local. Ele estava apenas procurando uma gata malhada perdida. Que perigo haveria nisso? Ou seria perigoso o homem do chapéu estranho mencionado por Kawamura, o tal *homem que pegava gatos*? Mas Nakata era um ser humano. Não era gato. E por que um homem haveria de temer caçadores de gato?

Mas no mundo havia muitas coisas e razões incompreensíveis para Nakata. De modo que parou de pensar. Com seu cérebro deficiente, pensar só lhe trazia dor de cabeça. Acabou de beber o precioso chá, tampou a garrafa térmica e a guardou na sacola.

Depois que Okawa desapareceu no mato alto, nenhum outro gato surgiu. Só algumas borboletas voejavam calmamente sobre a relva. Um bando de pássaros desceu em pontos esparsos sobre o mato e logo partiu outra vez. Nakata caiu diversas vezes em leve modorra e a cada vez acordou sobressaltado. Pela posição do sol, soube a hora aproximada.

A tarde já caía quando o cão surgiu diante de Nakata.

O cão surgiu de repente do meio do mato. Silencioso, aproximou-se a passos lentos. Era enorme e preto. Do lugar em que se sentava, Nakata ergueu a vista e o achou mais parecido com um bezerro. Tinha patas longas, pelo curto e músculos nodosos, rijos como aço. Suas orelhas terminavam em ponta aguçada como punhal, e estava sem coleira. Nakata não entendia muito bem de raças caninas. Bastou-lhe porém um olhar para perceber que este cão era feroz — ou assim se tornaria caso precisasse. Lembrava aqueles, do exército.

O olhar era agudo, inexpressivo, e os músculos em torno da boca caíam pesadamente deixando à mostra caninos pontiagudos. Havia traços de sangue nos dentes. Observando melhor, Nakata notou também algo pegajoso semelhante a um naco de carne aderido ao canto da boca. A língua rubra que se mostrava vez ou outra por entre os dentes lembrava labaredas. O olhar do cão se voltou diretamente para o rosto de Nakata e se fixou nele. Por um longo tempo o cão nada disse, nem se moveu. Nakata também permaneceu em silêncio. Ele nunca fora capaz de falar com cães. Os únicos animais com quem conseguia conversar eram os gatos. Os olhos do cão lembravam esferas de vidro cheias de água de pântano, gelada e turva.

Nakata inspirou de leve, com calma. Dificilmente se apavorava. Compreendeu de maneira natural que estava em situação de perigo naquele momento. Soube também com razoável clareza que o animal diante de si tinha (não entendeu por quê) intenções hostis. Contudo, ele próprio não se sentiu ameaçado pelo perigo iminente. A morte, por exemplo, sempre estivera presente nalgum canto da sua imaginação. A dor, porém, se situava além da sua consciência: ele a conheceria somente no momento em que a sentisse. A dor conceitual lhe era incompreensível. Eis por que a visão do cão feroz não apavorou Nakata. Ele apenas sentiu leve constrangimento.

"**Levante-se!**", ordenou o cão.

Nakata engoliu em seco. O cão falava! Mas na verdade ele não estava falando. A boca não se mexera. Ele estava apenas transmitindo a mensagem por um processo diferente da fala.

"**Levante-se e siga-me!**", ordenou o cão.

Obediente, Nakata se ergueu. Pensou em dizer alguma coisa à guisa de cumprimento, mas considerou melhor a ideia e desistiu. Mesmo que conseguisse se comunicar com o animal, achou que isso não lhe traria nenhum proveito. Além de tudo, Nakata não se sentia nada disposto a conversar com o cão. Nem a lhe dar um nome. Tinha a impressão de que jamais viria a ser amigo dele, por mais que tentasse.

Ocorreu-lhe de chofre que o cão talvez tivesse vindo a mando do senhor governador. "Ele soube que Nakata ganha uns trocados localizando gatos perdidos e mandou o cão para cancelar a *pen-são*. Não seria de se estranhar que governadores possuíssem cães adestrados do exército. E, nesse caso, Nakata está em apuros", pensou.

Ao ver que Nakata se erguia, o cão começou a andar lentamente. Nakata pôs a sacola ao ombro e o seguiu. O cão tinha um rabo curto e, na área próxima à sua base, volumosos testículos.

O cão cruzou em linha reta o terreno baldio e saiu por uma fenda no tapume. Não se voltou nenhuma vez. Na certa não precisava porque ouvia passos que o acompanhavam logo atrás. Liderado pelo animal, Nakata andou por diversas ruas. Notou que se aproximava da área comercial e que o número de transeuntes crescia. Em sua maioria eram donas de casa da vizinhança que tinham saído para fazer compras. O cão mantinha a cabeça erguida e avançava de maneira imperiosa, sempre fixando o olhar à frente. Ao ver o vulto preto de ostensiva ferocidade, as pessoas que vinham em sentido contrário abriam caminho às pressas. Alguns ciclistas chegaram até a se apear e a cruzar a rua em direção à calçada oposta.

Nakata teve a impressão de que as pessoas o evitavam. Talvez o censurassem intimamente por andar com um cão tão grande sem coleira nem guia. Realmente, alguns transeuntes lhe dirigiram franco olhar reprovador. Isso o entristeceu. Tinha vontade de explicar às pessoas que não agia desse modo por querer. Ao contrário, Nakata está sendo levado por este cão. Nakata não é forte. Nakata é na verdade muito fraco.

Sempre na liderança, o cão percorreu uma grande distância. Transpôs o distrito comercial, atravessou diversos cruzamentos ignorando todos os semáforos. Isso não representou grande perigo porque as ruas não eram muito largas e os carros não vinham em alta velocidade. Ao verem o animal, todos os motoristas se apressavam a frear. O cão arreganhava os dentes, fixava o olhar feroz nos motoristas e cruzava a faixa para pedestres no sinal vermelho a passos lentos, desafiadores. Nakata não tinha outro recurso senão segui-lo. O cão sabia perfeitamente como funcionavam os sinaleiros. Ele apenas os ignorou. Nakata deu-se conta disso. O cão parecia habituado a agir de acordo com a própria vontade.

Nakata já não sabia por onde andavam. Continuara na área residencial do bairro de Nakano até determinada altura do percurso, mas, depois de dobrar certa esquina, viu-se de repente em zona totalmente desconhecida. Nakata se sentiu inquieto. E se ele se perdesse e não conseguisse mais achar o caminho de volta? Aquela área talvez nem fizesse parte do bairro de Nakano. Olhou em torno em busca de algum marco conhecido. Não viu nenhum. Ele nunca estivera por ali.

Alheio a tudo, o cão continuava a andar no mesmo ritmo e com a mesma postura impositiva. Cabeça erguida, orelhas em pé, testículos movendo-se de leve como pêndulos e passos de velocidade calculada a fim de possibilitar a Nakata segui-lo sem esforço.

— Por favor, importa-se de me informar se ainda estamos no bairro de Nakano? — indagou Nakata.

O cão não lhe respondeu. Nem se voltou.

— O senhor tem relações com o governador?

O cão não respondeu outra vez.

— Nakata está apenas procurando o paradeiro de uma gatinha. Uma gatinha malhada. Ela se chama Goma.

Silêncio.

Nakata desistiu. Não adiantava falar com o cão.

Estavam agora num canto silencioso de uma área residencial. Naquele trecho, mansões grandes se sucediam e não havia ninguém andando na rua. O cão entrou numa das mansões. O muro em estilo antigo era de pedras sobrepostas, e nele havia um imponente portão de folha dupla, raro nos dias atuais. Uma das folhas estava aberta. Na entrada de carros havia um veículo grande estacionado. Preto como o cão e impecavelmente lustrado. A porta da entrada também se achava escancarada. O cão se meteu mansão adentro sem hesitar. Nakata descalçou os tênis velhos, juntou-os de modo ordeiro no vestíbulo de terra batida, tirou o chapéu de alpinista, guardou-o na sacola, espanou muito bem as folhas secas e a grama aderidas à roupa e só depois disso pisou a área assoalhada da mansão. O cão parara à espera de que Nakata acabasse de se arrumar e, em seguida, o conduziu por um corredor de brilhantes tábuas polidas, em cujo extremo havia um aposento que lembrava um gabinete ou uma sala de visitas.

Estava escuro dentro do aposento. O dia findava, e a janela que dava para o jardim achava-se vedada por grossa cortina. Não havia nenhuma luz acesa. No fundo do aposento existia uma escrivaninha grande, a cujo lado parecia haver alguém sentado. Mas com os olhos ainda desajustados ao ambiente escuro Nakata não conseguia discernir direito. Viu flutuando na escuridão apenas uma silhueta humana negra semelhante a uma figura recortada. Quando Nakata entrou, a silhueta moveu-se lentamente. Aparentemente, o vulto se sentava numa cadeira giratória e se voltara. O cão parou, sentou-se no chão e fechou os olhos. Parecia declarar que cumprira sua missão.

— Boa tarde — disse Nakata na direção do contorno escuro. Não recebeu resposta.

— Nakata veio visitá-lo. Não é ladrão nem bandido.

Silêncio.

— Nakata seguiu o senhor cachorro porque ele disse: "Siga-me." Por isso acabou entrando em sua casa sem ser convidado. Desculpe. Se o senhor não se importa, Nakata prefere ir embora agora mesmo...

— Sente-se nessa poltrona — disse o homem. A voz era calma, mas vibrante.

— Sim senhor, Nakata vai se sentar — disse o velho. Acomodou-se em seguida na poltrona indicada. O cão preto se sentou rente a seu lado, imóvel como uma estátua.

— O senhor é o governador?

— Algo parecido — respondeu o outro no escuro. — Se lhe facilita a compreensão, pode pensar que sou. Não faz diferença alguma.

O homem voltou-se para trás, estendeu a mão, puxou uma corrente e acendeu um abajur. A luz era mortiça e amarelada, como a de lâmpadas antigas, mas foi suficiente para revelar todos os cantos da sala.

Ali estava um homem alto que usava um chapéu de seda preto de copa alta. Sentava-se numa cadeira giratória revestida de couro preto, e tinha os pés cruzados diante do corpo. Vestia paletó vermelho longo e justo sobre colete preto e calçava botas pretas. Suas calças eram brancas como neve e muito justas. Lembravam perneiras. Ergueu uma mão e a levou à aba do chapéu. Como num cumprimento a uma dama. Na mão esquerda, empunhava uma bengala, cuja cabeça, dourada, se assemelhava a uma bola. Pelo jeito do chapéu, Nakata imaginou que se tratava do *caçador de gatos* referido por Kawamura.

O rosto não era tão marcante quanto as roupas. O homem não era novo, nem muito velho. Nem bonito, nem feio. As sobrancelhas eram negras e grossas e as faces exibiam um vermelho sadio. Cara imberbe, estranhamente lisa e brilhante. O homem mantinha os olhos levemente apertados e um meio-sorriso frio nos lábios. O rosto seria difícil de ser relembrado, pois o que chamava a atenção eram suas roupas extravagantes. Ninguém talvez o reconhecesse caso surgisse vestido de maneira diferente.

— Você já sabe o meu nome, não sabe?

— Não, senhor — respondeu Nakata.

O estranho pareceu um tanto desapontado.

— Tem certeza?

— Tenho. Desculpe não ter dito desde o começo, mas Nakata não é bom da cabeça.

— Não se lembra de ter visto minha imagem nalgum lugar? — perguntou o homem erguendo-se da cadeira, mostrando o perfil e dobrando uma perna, como se caminhasse. — Deste jeito?

— Não, senhor. Desculpe. Nakata não se lembra de tê-lo visto.

— Ah, entendi. Acho que você não tem o costume de tomar uísque — disse o homem.

— Não, senhor. Nakata não bebe nada alcoólico. E também não fuma. Não pode fazer nada dessas coisas porque é pobre e precisa de uma *pen-são* do governo para poder sobreviver.

O homem tornou a se sentar na cadeira e a cruzar as pernas. Pegou um copo de cima da mesa e bebeu um gole do uísque ali contido. O gelo retiniu.

— Pois eu lhe peço licença para beber o meu. Posso?

— Claro. Nakata não se importa. Beba à vontade.

— Obrigado — disse o homem. Em seguida, voltou a observar o velho. — De modo que você desconhece meu nome.

— Sim, senhor. É uma pena, mas Nakata não conhece.

O homem curvou de leve os lábios. Um breve frêmito, que lembrou o ondular de uma superfície aquática, fez o sorriso gelado que lhe brincava nos lábios se distorcer, desaparecer momentaneamente e retornar logo em seguida.

— Qualquer indivíduo que tem o hábito de beber uísque logo me reconheceria... Mas não tem importância. Meu nome é Johnnie Walker. *Johnnie Walker*. Quase todo o mundo me conhece. Longe de mim a intenção de me gabar, mas sou mundialmente famoso. Quase um ícone. Contudo, não sou o *verdadeiro* Johnnie Walker. Não tenho nada a ver com destilarias britânicas. No momento, estou apenas usando a forma e o nome no rótulo sem a devida autorização. Afinal, todo mundo necessita de uma forma e de um nome.

Um silêncio pesado reinou na sala. Nakata não conseguia compreender nada do que seu interlocutor lhe dizia. Ele apenas entendeu que o nome do estranho era Johnnie Walker.

— O senhor Johnnie Walker é estrangeiro?

Johnnie Walker pendeu a cabeça para um dos lados, pensativo.

— Bem, se isso lhe facilita a compreensão, sou. Tanto faz se sou estrangeiro ou cá da terra. Aliás, sou ambas as coisas.

Nakata continuava sem entender o que o outro lhe dizia. Essa conversa se assemelhava com aquelas que tivera com o gato listrado Kawamura, não havia diferença alguma.

— Quer dizer que o senhor é estrangeiro, mas também não é?

— Exato.

Nakata resolveu não se aprofundar no assunto.

— E o senhor Johnnie Walker mandou este senhor cachorro trazer Nakata até aqui?

— Mandei — respondeu Johnnie Walker com simplicidade.

— Isto significa que o senhor Johnnie Walker quer alguma coisa de Nakata?

— A mim me parece que *você* quer alguma coisa de mim — disse Johnnie Walker. Sorveu outro gole de seu uísque com gelo. — Segundo entendi, você esteve durante muitos dias no terreno baldio à espera de que eu aparecesse.

— É verdade, foi assim mesmo. Nakata tinha se esquecido. Nakata tem a cabeça fraca e logo se esquece das coisas. Mas foi exatamente como o senhor disse. Nakata estava à espera do senhor Johnnie Walker porque queria lhe fazer perguntas a respeito de uma gatinha.

Johnnie Walker bateu na bota de couro com a bengala preta. Golpeou de leve, mas a pancada seca ecoou pela sala. O cão mexeu de leve as orelhas.

— O tempo e a maré não esperam por ninguém. Vamos adiantar a nossa conversa, está bem? — disse Johnnie Walker. — Você quer me perguntar a respeito da gatinha Goma, não é?

— Sim, senhor, exatamente. Nos últimos dez dias andei tentando, a pedido da senhora Koizumi, descobrir o paradeiro da gatinha malhada Goma. Será que o senhor Johnnie Walker sabe onde ela está?

— Sei, sei sim.

— Sabe onde ela está agora?

— Sei onde ela está agora.

Com a boca entreaberta, Nakata observou o rosto de Johnnie Walker. Por uma fração de segundo transferiu o olhar para o chapéu de seda preto e depois tornou a fixar o rosto. Os lábios finos de Johnnie Walker se achavam cerrados de maneira decidida.

— É perto daqui?

Johnnie Walker acenou a cabeça diversas vezes.

— Bem pertinho.

Nakata passeou o olhar pelo aposento. Não viu nenhum gato. Viu apenas a escrivaninha, a cadeira giratória onde se sentava o homem, a poltrona onde o próprio Nakata se sentava, mais duas cadeiras, o abajur e a mesinha de café.

— Nesse caso — disse Nakata —, será que Nakata pode levar Goma embora?

— Isso depende de você.

— Depende de Nakata?

— Exato. Depende de Nakata — disse Johnnie Walker arqueando de leve apenas uma das sobrancelhas. — Levar embora ou não a gatinha depende apenas de uma resolução sua. Se a levar, a senhora Koizumi e suas duas filhas vão ficar felicíssimas. Mas pode ser que você não consiga levá-la. E então, todas ficarão desesperadas. Você não quer deixá-las desesperadas, quer?

— Não, senhor. Nakata não quer deixá-las desesperadas.

— Nem eu. Também não quero deixá-las desesperadas. Naturalmente.

— Mas então, o que Nakata tem de fazer?

Johnnie Walker girou a bengala na mão diversas vezes. — Vou lhe pedir para fazer *certa coisa.*

— E Nakata seria capaz de fazer essa coisa?

— Nunca peço aos outros nada que não sejam capazes de fazer. Porque isso representaria perda de tempo, certo?

Nakata pensou algum tempo.

— Nakata acha que sim.

— Donde se conclui que o que vou pedir a Nakata é algo que ele é capaz de fazer, certo?

Nakata tornou a pensar.

— Sim, acho que a conclusão está correta.

— Genericamente falando, toda hipótese pressupõe a existência de uma evidência contrária.

— Hum? — fez Nakata.

— Onde não há evidência contrária, não há progresso científico — disse Johnnie Walker batendo no cano da bota com a bengala. O modo de bater era provocante. O cão tornou a mover as orelhas. — De jeito nenhum.

Nakata tinha fechado a boca.

— Para falar a verdade, andei muito tempo à procura de alguém como você — disse Johnnie Walker. — E não foi fácil encontrar. Ontem, porém, eu o vi por acaso conversando com um gato. No mesmo instante cheguei à conclusão de que ali estava a pessoa que eu procurara durante todos estes longos anos. E por isso o trouxe até aqui. E me desculpe se o fiz passar tanto incômodo.

— Não foi nenhum incômodo. Nakata tem tempo de sobra — disse o velho.

— E então, formulei uma série de hipóteses a seu respeito — continuou Johnnie Walker. — E, claro, preparei também as respectivas evidências contrárias. Uma espécie de jogo, entende? Um jogo mental solitário. Mas em qualquer tipo de jogo, há vencedores e vencidos. No presente caso, será essencial averiguar qual hipótese é verdadeira e qual é falsa a fim de poder determinar o vencedor e o vencido. Mas você na certa não está entendendo nada do que eu digo.

Nakata sacudiu a cabeça em silêncio.

Johnnie Walker bateu duas vezes com a bengala no cano da bota. Atendendo ao sinal, o cão se ergueu.

Capítulo 15

Oshima embarca em seu Miata e acende os faróis. Pisa no acelerador e faz voar alguns pedriscos que batem no fundo da lataria. O carro se afasta de ré e logo em seguida a frente se volta na direção de onde viemos. Ele ergue uma mão e se despede de mim. Também ergo a minha em resposta. As luzes traseiras são engolidas pela escuridão, o ronco do motor se extingue e, depois, a quietude da floresta preenche o vazio.

Entro na cabana e tranco a porta por dentro. Mal me vejo sozinho, um silêncio viscoso me envolve como se há muito aguardasse esse momento. O ar noturno, gelado, me faz duvidar se estamos realmente no começo do verão, mas já é tarde para acender o fogareiro. Agora, só me resta mergulhar no saco de dormir e cair no sono. Minha cabeça está anuviada por falta de sono e sinto dores em diversos músculos por causa da longa viagem de carro. Torço o parafuso do lampião e diminuo a intensidade da luz. A penumbra invade o quarto e as sombras reinantes nos cantos do aposento se intensificam. Com preguiça de me trocar, mergulho de parca e jeans no saco de dormir.

Fecho os olhos e tento dormir, mas não consigo. O corpo solicita com insistência um sono reparador, mas a consciência é um bloco frio totalmente alerta. Vez ou outra, o pio agudo de um pássaro noturno quebra o silêncio. Ouço também outros ruídos cuja origem não consigo estabelecer. Algo pisando folhas secas. Pesando sobre galhos que se atritam. Respirando ruidosamente. Todos os sons provêm de lugares bem próximos à cabana. As tábuas da varanda rangem às vezes de maneira sinistra. Sinto-me sitiado por uma horda de desconhecidos habitantes do reino das sombras.

Tenho a impressão de que alguém me observa. Esse olhar me queima a pele. O coração produz ruídos secos. Mergulhado no saco de dormir, entreabro diversas vezes os olhos e espio o interior do aposento revelado pela luz mortiça do lampião, a fim de me certificar de que não há realmente ninguém ali. A grossa tramela fecha a porta com firmeza e a pesada cortina veda por completo a janela. Estou seguro, não há ninguém além de mim no quarto, ninguém me espia pela janela.

Ainda assim, a impressão de que há *alguém me observando* não se desfaz. Sinto às vezes aguda falta de ar e também sede, quero água. Mas se eu beber a esta altura, na certa ficarei com vontade de urinar em seguida, e não tenho vontade de sair na escuridão noturna para satisfazer minhas necessidades. Vou suportar o desconforto até que a manhã chegue. Curvo-me em posição fetal dentro do saco e sacudo a cabeça de leve.

— Ora, onde já se viu? Você está todo encolhido, com medo do silêncio e da escuridão! Como um menininho apavorado! Esta é a sua imagem real? — diz atônito o menino chamado Corvo. — **Você sempre se julgou valente. E pelo visto, não é. Neste momento, está prestes a chorar. Se bobear, é até capaz de fazer xixi nas calças!**

Eu o deixo caçoar à vontade. Fecho os olhos com firmeza, puxo o zíper do saco até a altura do nariz e expulso qualquer pensamento da mente. Não abro mais os olhos, mesmo que a palavra soturna da coruja flutue na noite, mesmo que um baque distante agite o ar, mesmo que algo pareça se mover no interior do aposento. Imagino que *estou sendo testado*. Oshima dormiu diversas noites nesta cabana quando tinha a minha idade. E com certeza experimentou o mesmo tipo de terror. Foi o que ele quis dizer com: "Há diversos tipos de solidão." Acho que ele sabia como eu me sentiria durante a longa e solitária noite neste local porque ele também se sentiu assim no passado. Ao me dar conta disso, relaxo um pouco. Sou até capaz de tracejar com o dedo o contorno do passado que, como uma sombra, transpõe o tempo e surge nítida diante de mim. E, sobreposta à sombra, vejo minha imagem. Respiro fundo. Então, sem saber como, adormeço.

Acordo pouco depois das seis da manhã. O chilrear dos pássaros cai do alto em vigorosa chuveirada. As aves saltitam atarefadas de galho em galho e se chamam umas às outras com estridentes pios. Estas mensagens não contêm a ressonância sombria das dos pássaros noturnos.

Saio do saco de dormir, abro as cortinas e confirmo: a treva noturna se foi sem deixar resquício. A natureza resplandece em frescos matizes de ouro. Risco um fósforo, acendo o fogão, fervo a água mineral e tomo um chá de camomila. Do saco de provisões, tiro um pacote de bolachas salgadas e como algumas com queijo. Em seguida, vou à pia, escovo os dentes e lavo o rosto.

Visto um impermeável por cima da parca e saio da cabana. A luz matinal se filtra por entre árvores altas e ilumina a clareira diante da varanda. Vejo colunas de luz em toda parte e, dentro delas, a névoa matinal vagueia como um espírito recém-nascido. Inspiro fundo, e o ar destituído de impurezas assombra meus pulmões. Sento num degrau da varanda e contemplo os pássaros que saltitam entre as árvores, apuro os ouvidos ao seu gorjeio. Muitos voam em pares. Lançam repetidos olhares aos respectivos companheiros confirmando-lhes a posição, piam chamando-se mutuamente.

O riacho corre no interior da floresta em local próximo à cabana. Eu o localizo pelo burburinho. Há uma espécie de poço rodeado de pedras onde a correnteza para momentaneamente e descreve um redemoinho de padrão intrincado para logo em seguida recuperar a vivacidade e se despejar curso abaixo. De pureza cristalina, a água me encanta. Apanho-a na palma da mão em concha e bebo. É doce e gelada. Deixo as mãos na água por alguns momentos.

Preparo uma omelete de presunto na frigideira, tosto o pão na grelha pequena. Fervo o leite na caçarola e o tomo. Em seguida, levo uma cadeira para a varanda, sento-me nela, descanso ambos os pés no gradil e leio um livro durante a manhã com toda a calma. Nas prateleiras montadas por Oshima existem algumas centenas de livros estocados. Só alguns são de ficção, aliás, peças clássicas bastante conhecidas. Mas a maioria dos exemplares é de filosofia, sociologia, história, psicologia, geografia, ciências naturais e economia. Oshima, que quase não frequentou a escola, na certa resolveu estudar sozinho as matérias básicas de conhecimentos gerais. Os livros abrangem uma grande e, em certo sentido, incoerente variedade de assuntos.

Apanho um livro que tem por tema o julgamento de Adolf Eichmann. Não tenho especial interesse por ele, mas guardei vagamente na memória que Eichmann fora um criminoso de guerra nazista. Eu só peguei esse livro porque meu olhar caiu casualmente sobre ele. Fico então sabendo como era eficiente esse coronel da ss, de óculos de aro metálico e cabelos ralos. Logo após o início da guerra, Eichmann foi encarregado pelo comando nazista da tarefa de dispor definitivamente — ou seja, de perpetrar o assassinato em massa — dos judeus, e passa a pesquisar objetivamente a melhor maneira de se desincumbir dessa tarefa. Ele traça um plano. O aspecto moral da ação quase não lhe chega ao consciente. A única coisa que o preocupa é: de que maneira *dispor* dos judeus em curto espaço de tempo e sem gastar muito. De acordo com seus cálculos, o número de judeus em terras europeias chegava a estonteantes 11 milhões.

Quantas composições de quantos vagões cada ele precisaria arrumar, e quantos judeus caberiam em cada vagão. Quantos dentre eles morreriam de *morte natural* no percurso. De que maneira levar a cabo esse trabalho empregando o menor número possível de pessoas. Qual a maneira mais barata de dispor dos cadáveres: queimar, enterrar ou dissolvê-los? Sentado à mesa, ele calcula incansavelmente. Em seguida, põe em prática o que apura e obtém resultado muito próximo ao das suas previsões. Até o fim da guerra, cerca de 6 milhões de judeus (pouco mais da metade da meta inicialmente estipulada) tinham sido eliminados. Mas ele não sente culpa alguma. No banco de testemunhas da corte de Jerusalém, protegido por vidro à prova de balas, Eichmann parece não compreender por que se tornara alvo da atenção mundial nem a razão da celeuma levantada em torno do seu julgamento. Ele se considera um simples técnico que encontrou a solução mais apropriada para a tarefa que lhe fora confiada. Não era exatamente isso que se esperava de burocratas conscienciosos em todo o mundo? Por que só ele tinha de ser tão perseguido?

Leio a história deste "empreendedor" numa tranquila manhã enquanto ouço o gorjeio proveniente do interior da floresta. Na última página em branco do livro, há uma anotação a lápis de Oshima. Sei que é dele. A caligrafia é característica.

"É tudo uma questão de imaginação. Nossa responsabilidade começa no âmbito da imaginação. Yeats escreve: *In dreams begin responsibilities* — e é isso mesmo. Considerado de modo inverso, pode ser que a responsabilidade inexista onde não haja imaginação. Conforme se vê no caso Eichmann."

Imagino a cena: Oshima sentado nesta cadeira fazendo a anotação nesta página do livro com um lápis bem apontado. Suas palavras ecoam em meu espírito.

Fecho o livro e o ponho sobre os joelhos. E penso a respeito da minha responsabilidade. É inevitável. Em minha camiseta branca havia sangue fresco. Eu o lavei com estas mãos. Havia tanto sangue que tingiu a pia de vermelho. Pode ser que um dia eu venha a ser cobrado pelo derramamento daquele sangue. Imagino a cena do meu julgamento. O povo me culpa, exige que eu assuma a responsabilidade pelo meu ato. Todos fixam em mim olhares severos e me apontam, dedo em riste. Sustento que não posso assumir a responsabilidade de um ato que não me lembro de ter cometido. Não sei sequer o que realmente ocorreu. Mas meus acusadores dizem: "Independentemente de quem seja o *real* proprietário do sonho, *você* é parte dele. Assim, tem de se responsabilizar pelos atos praticados nele. Afinal, o sonho se infiltrou em seu íntimo por intermédio das escuras aleias da sua alma."

Do mesmíssimo modo que o coronel Adolf Eichmann foi sendo inexoravelmente enredado no distorcido e monstruoso sonho de Hitler.

Largo o livro, ergo-me da cadeira e, em pé na varanda, alongo a coluna. Eu havia lido por muito tempo. Precisava me mover. Pego dois garrafões de polietileno e vou ao córrego buscar água. Trago-a até a cabana e a despejo num tanque. Depois de repetir cinco vezes a operação, vejo que o tanque está quase cheio. Vou ao depósito nos fundos da cabana, apanho uma braçada de lenha e a empilho ao lado do fogareiro.

Descubro um fio de náilon desbotado estendido num canto da varanda. Retiro roupas úmidas do interior da mochila, estico-as para desfazer as rugas e as ponho a secar no varal improvisado. Depois, tiro todas as coisas restantes na mochila e as exponho sobre a cama. Sento-me então à mesa e atualizo o meu diário. Anoto um a um todos os acontecimentos com esferográfica de ponta fina e letra miúda. Tenho de descrevê-los com o maior número de detalhes possível enquanto ainda estão nítidos na memória. Afinal, ninguém sabe com certeza quanto tempo o cérebro é capaz de armazenar uma lembrança de maneira correta.

Exploro minha memória. Desperto do desmaio e me vejo caído num bosque nos fundos do santuário xintoísta. Está tudo escuro e há muito sangue em minha camiseta. Ligo então para Sakura, vou ao seu apartamento e ali pernoito. Conto tudo a ela e não esqueço *o que ela fez por mim* na ocasião.

Ela ri como se achasse muita graça. "Sabe que não o compreendo direito? Se você ficasse quieto, podia imaginar quanto quisesse! Para que pedir permissão? Afinal, de que jeito eu saberia o que lhe vai na cabeça?"

Não é assim. O que eu imagino talvez seja muito importante para todo mundo.

Depois do almoço, resolvo explorar a floresta. Conforme disse Oshima, é perigoso me embrenhar nela. "Mantenha sempre a cabana dentro do seu campo visual", aconselhara Oshima. Mas vou ter de passar os próximos dias sozinho neste local. Em vez de ignorar por completo a densa mata que me circunda como uma parede, acho melhor conhecê--la, mesmo que parcialmente. Sem levar nada nas mãos, deixo para trás a clareira ensolarada e adentro o escuro mar de árvores.

Logo, descubro um caminho rústico. É apenas uma trilha que segue ao sabor dos acidentes topográficos, mas percebo aqui e ali vestígios de melhoramentos, como, por exemplo, pedras planas dispostas como lajes. Troncos grossos tinham sido jeitosamente inseridos em barrancos suscetíveis de desmoronar, e providências tomadas para evitar que a passagem fosse coberta pela relva crescida. O irmão mais velho de Oshima deve ter feito tudo isso durante suas andanças por aqui. Sigo adiante acompanhando a trilha. Ela se transforma num aclive por algum tempo e, logo, em descida. Dou a volta a uma rocha grande e subo mais um pouco. De um modo geral, o caminho parece levar para cima, mas a subida não é íngreme. Árvores altas se erguem em ambos os lados da trilha. Troncos de coloração sombria, galhos grossos que se estendem em todas as direções, folhagem densa que esconde o céu sobre minha cabeça. No chão, erva e fetos crescem viçosos, absorvendo da melhor maneira possível a baça claridade. Nos trechos totalmente desprovidos de luz, o musgo cobriu silenciosamente a superfície das rochas.

Como num discurso que começa impetuoso e aos poucos se torna inseguro e desconexo, a trilha se estreita conforme prossigo e se perde na relva rasteira. Não vejo sinais de melhoramentos e aos poucos vai ficando difícil saber se o que existe diante de mim ainda é a trilha ou apenas algo semelhante a ela. E então, o caminho repentinamente desaparece engolfado num mar de fetos verdejantes. Talvez a trilha continue mais adiante. Contudo, considero prudente confirmar numa próxima oportunidade. Tenho então de estar com roupas adequadas e melhor equipado.

Paro e me volto na direção de onde vim. E vejo um cenário totalmente desconhecido. Não há nenhum marco familiar, absolutamente nada que me dê algum alento. Sinistros troncos de árvores sobrepostos impedem a visão. Penumbra e ar estagnado verde-escuro. Nem o canto dos pássaros me chega aos ouvidos. Minha pele se arrepia como que atingida por súbita corrente de ar gelado. Não se preocupe — digo para mim mesmo. *A trilha ainda está aí.* O caminho que vim seguindo continua no mesmo lugar. Basta não perdê-lo de vista para retornar à claridade original. Asseguro-me cuidadosamente de que estou na trilha, acompanho-a passo a passo, e retorno enfim à clareira diante da cabana levando muito mais tempo do que na ida. O sol do começo de verão inunda a clareira, e os pássaros continuam em busca de alimento com vibrantes trinados. Nada mudou desde o momento em que parti. *Assim espero.* A cadeira em que me sentava havia pouco continua na varanda. E diante dela, permanece emborcado o livro que eu lia.

Contudo, eu sentira que a floresta era realmente repleta de perigo. Digo a mim mesmo que não devo nunca me esquecer disso. O menino chamado Corvo já me alertara: o mundo está cheio de coisas que eu desconheço. Eu não sabia, por exemplo, que plantas podiam ser sinistras. Até agora, as que eu vira ou tocara eram urbanas, domesticadas, por assim dizer, e cuidadosamente podadas. Mas as que existem aqui — ou melhor, as que *vivem* aqui — são totalmente diferentes. Possuem força física, nos atingem com seu hálito, buscam suas presas com olhares penetrantes. Há algo nelas que faz pensar em magia negra e em antiguidade. Na floresta imperam as árvores — do mesmo modo que nas profundezas do mar reinam os seres abissais. Caso queira, a floresta pode me repelir — ou me devorar. E as árvores provavelmente esperam que eu lhes pague o tributo do respeito ou do temor.

De volta à cabana, tiro a bússola da mochila. Abro a tampa e me certifico de que a agulha aponta o norte. Ponho então a pequena bússola no bolso. Pode ter alguma utilidade numa emergência. Depois, torno a me sentar na varanda, contemplo a floresta e ligo o walkman. Inicialmente, ouço Cream e, em seguida, Duke Ellington. Eu havia gravado essas melodias antigas a partir da coleção de CDs de uma biblioteca. Ouço *Crossroads* repetidas vezes. A música acalma meus nervos excitados. Mas não posso continuar a ouvi-la indefinidamente. Se a bateria acabar, não poderei recarregá-la porque não há energia elétrica nesta área. E quando a bateria sobressalente também descarregar, não terei mais nada.

Faço exercícios antes do jantar. Flexões, abdominais, agachamentos, bananeiras, uma série de alongamentos — cumpro a bateria de exercícios sem aparelhos programada para locais restritos e para a manutenção das funções físicas. Embora monótona, a execução é simples e a carga, suficiente para trazer resultado satisfatório. Quem me ensinou esta bateria foi um instrutor de academia. "Esta série é uma das atividades físicas mais solitárias do mundo", explicou ele. "É a preferida de prisioneiros confinados em solitárias." Concentro-me e realizo algumas séries. Continuo até o suor molhar minha camiseta.

Depois de um jantar simples, saio à varanda e vejo uma miríade de estrelas brilhando sobre a minha cabeça. Eu não diria que pareciam incrustadas no firmamento, mas sim que tinham sido lançadas a esmo no céu. Nem no planetário eu vira tantas estrelas de uma única vez. Algumas espantosamente grandes brilhavam vividamente. Davam a impressão de que eu as alcançaria com as mãos, caso tentasse seriamente. Visão maravilhosa, de cortar o fôlego.

Aliás, não só maravilhosa. É verdade, penso: assim como as árvores desta floresta, as estrelas também têm vida, respiram. E me contemplam. Estão a par de tudo que andei fazendo até hoje e de tudo que ainda farei doravante. Nada escapa ao seu olhar. E então, sob o resplandecente céu noturno, sou acometido por nova e violenta onda de pavor. O ar me falta e o coração se acelera. Eu vivera sob o intenso escrutínio destas incontáveis estrelas, mas nem me dera conta de que existiam. Jamais me passara pela cabeça considerá-las com seriedade. Aliás, não só a elas. Pois quantas coisas além delas não haveria no mundo de cuja existência eu não tinha a menor ideia ou não me dera conta? Penso nisso e me sinto irremediavelmente pequeno e incapaz. É inevitável.

Entro na cabana, preparo o fogareiro empilhando a lenha com cuidado. Faço bolotas com o jornal velho que encontrei numa gaveta, ateio fogo e me certifico de que as labaredas alcançam a lenha. Aprendi a acender fogueiras num acampamento de verão, para onde fui mandado na época em que cursava a escola primária. O acampamento foi uma experiência terrível, mas servira para alguma coisa. Abro por completo o abafador da chaminé e deixo o ar externo entrar. Demorou um pouco, mas, afinal, uma das madeiras pega fogo. Depois, a chama passa para as outras. Fecho então a tampa do fogareiro, posiciono uma poltrona diante dele, ponho o lampião ao alcance da mão e continuo a ler. Quando o fogo se transforma num único núcleo e cresce, ponho uma chaleira com água sobre o fogareiro e a deixo ferver. A tampa tilinta de maneira agradável.

Nem todos os planos de Eichmann foram postos em prática com facilidade, claro. Por vezes algum detalhe local impedia que seus projetos seguissem o curso programado. Nesses momentos, Eichmann mostra que é um pouco humano. Ou seja, se enfurece. Ele odeia o fator imprevisível que ousa destruir seus cálculos precisos, incansavelmente refeitos à escrivaninha. Um trem se atrasa. A burocracia retarda medidas que deviam ser tomadas com rapidez. Funcionários são alocados em novos postos e suas vagas não são preenchidas com a devida agilidade. A frente oriental desmorona e guardas dos campos de concentração são mandados para lá. O suprimento de gás se mostra insuficiente. A estrada de ferro é bombardeada. Eichmann chega até a odiar a própria guerra — ela é o *fator imprevisível* que lhe perturba a execução dos planos cuidadosamente calculados.

Durante o julgamento, Eichmann, impassível, relata um a um tais acontecimentos. Sua memória é espantosa. Parece até que toda a sua vida nada mais é que uma sucessão desses minúsculos detalhes.

Quando o relógio indica que são dez horas, largo o livro, escovo os dentes e lavo o rosto. Fecho o abafador da chaminé para que o fogo se apague naturalmente enquanto durmo. Brasas iluminam o quarto em tons de laranja. O interior morno e aconchegante desfaz a tensão e o medo. Mergulho no saco de dormir vestindo apenas camiseta e shorts, e consigo fechar os olhos com maior naturalidade que na noite passada. Penso um pouco em Sakura.

— Que bom seria se eu fosse realmente sua irmã — dissera ela.

Decido porém não pensar mais em Sakura. Preciso dormir. Uma lenha se parte no interior do fogareiro. Sou então arrastado para dentro de um sonho confuso.

O dia seguinte é a repetição do anterior. Às seis da manhã, acordo com o chilrear dos pássaros. Fervo água, tomo chá, faço a refeição matinal. Sentado na varanda, leio um livro, ouço música em meu walkman, vou buscar água no riacho. Ando outra vez pela trilha na floresta. Desta vez, levo comigo a bússola. Observo-a em diversos pontos da trilha para saber mais ou menos em que direção se situa a cabana. Com uma machadinha que descobri no depósito, faço marcas simples em troncos de árvores. Afasto a erva que cresceu demais e exponho a trilha.

A floresta continua escura e densa, como ontem. Árvores altas me circundam como uma parede espessa. Algo escuro e indistinto oculto entre as árvores como um animal num quadro *trompe l'oeil* parece observar meus movimentos. Contudo, já não sinto o terror arrepiante que experimentei ontem. Eu havia construído minhas regras e as seguia cuidadosamente. Sei que deste modo não me perderei. Assim espero, ao menos.

Alcanço o ponto onde parei ontem e sigo adiante. Ponho o pé no mar de fetos que encobre a trilha. Depois de andar alguns metros, descubro a continuação da trilha. Mais adiante, uma parede de troncos me circunda outra vez. Faço cortes com a machadinha em alguns deles para marcar o caminho de volta. Num galho acima da minha cabeça, um pássaro grande rufla as asas com estrépito: ele talvez me considere um intruso e esteja tentando me afastar. Olho para cima e procuro em torno, mas não o vejo. A boca está seca e me obriga a engolir saliva. A deglutição produz um som incrivelmente alto.

Pouco adiante, encontro uma clareira arredondada. Cercado de imponentes árvores, o local lembra o fundo de um gigantesco poço. Raios de sol se infiltram por entre os galhos e incidem em linha reta como luz de holofote na área em torno dos meus pés. Esta clareira parece se revestir de um sentido especial. Sento-me no meio da luz e aprecio o mormaço. Tiro do bolso um tablete de chocolate e me deleito com a doçura que se espalha dentro da boca. Reconheço uma vez mais a enorme importância do sol na vida humana. Todo o meu corpo aprecia cada segundo do seu precioso calor. A violenta sensação de solidão e impotência que a visão daquelas incontáveis estrelas provocou ontem à noite em mim se foi por completo. O tempo passa, o sol se desloca e a claridade se esvai. Eu me levanto e retorno à cabana pelo caminho marcado.

Depois do almoço, nuvens negras vedam de repente o firmamento. A atmosfera se tinge de cores misteriosas. Não tarda muito, uma chuva violenta começa a cair, e o teto e as janelas da cabana se põem a gemer dolorosamente. Tiro as roupas com rapidez e saio na chuva. Lavo a cabeça e o corpo com sabonete. A sensação é maravilhosa. Berro palavras sem nexo. Pingos de chuva gordos e duros como pedregulhos me atingem com violência. Provocam um tipo de dor revigorante que talvez se assemelhe à de ritos religiosos. Batem em minhas faces, pálpebras, peito, barriga, pênis, testículos, costas, pernas e nádegas. Não consigo sequer manter os olhos abertos. Há algo místico nesta dor, com certeza. Sinto que o mundo me dispensa um tratamento justo. E isso me alegra. Uma repentina sensação de liberdade me invade. Ergo os dois braços para o alto, escancaro a boca e bebo a água da chuva.

170

Retorno à cabana e me enxugo com uma toalha. Sento-me na cama e observo meu pênis. Um pênis sadio, de coloração clara, recém--liberto do prepúcio. Depois do banho de chuva, a glande ainda arde um pouco. Contemplo longamente esse estranho órgão que, apesar de me pertencer, quase nunca obedece à minha vontade. Sinto como se ele ruminasse pensamentos diferentes daqueles que habitam o meu cérebro.

Assim como eu, Oshima, que aqui permaneceu algum tempo na época em que tinha a minha idade, teria também sofrido os tormentos do desejo sexual? Acredito que sim. É típico da minha idade. Contudo, não consigo imaginá-lo *resolvendo* sozinho esse problema. Oshima me parece distante demais, quase transcendente para recorrer a esse tipo de solução.

"Sou uma pessoa diferente" dissera ele. Que teria tentado me dizer? Não consigo entender. Mas ele não disse só por dizer, sei disso. Nem pretendeu fazer uma insinuação.

Estendo a mão e penso em me masturbar. Reconsidero e desisto. Quero preservar por mais algum tempo esta misteriosa sensação de pureza que me restou depois do violento banho de chuva. Calço shorts limpos, inspiro algumas vezes profundamente e inicio os exercícios de agachamento. Depois de repetir cem vezes, passo para mais cem abdominais. Concentro a atenção em cada um dos músculos. Quando termino a carga de exercícios, sinto a mente desanuviada. Lá fora, a chuva tinha parado, o sol se mostrava entre nuvens esgarçadas e pássaros cantavam outra vez.

Mas você sabe muito bem que essa calmaria não resistirá muito tempo. Como bestas insaciáveis, eles o perseguirão. Se embrenharão com você na densa floresta. São resistentes, obstinados, impiedosos, desconhecem o cansaço e nunca desistem. Mesmo que você resista e não se masturbe agora, hão de assumir a forma de sonhos eróticos e surgir à sua frente mais tarde. E nesses sonhos, pode ser que você violente sua irmã e sua mãe. Não cabe a você controlar os acontecimentos. Isso está acima de suas forças. Só lhe resta aceitar.

Você tem medo da imaginação. E dos sonhos, mais ainda. Assim como da responsabilidade que começa nos sonhos. Contudo, não pode deixar de dormir e, se dormir, os sonhos virão. Se está desperto, pode conter a imaginação. Mas não os sonhos.

Deitado na cama e com os fones no ouvido, ouço Prince. Concentro a atenção nessa estranha música sem cortes. A primeira bateria se esgota no meio de "Little Red Corvette". O som desaparece, como que sorvido por areia movediça. Retiro o fone dos ouvidos e ouço o silêncio. O silêncio é realmente audível. Sei disso agora.

Capítulo 16

O cão preto se ergueu e levou Nakata para a cozinha, que se situava a poucos passos do gabinete, seguindo por um corredor escuro. Poucas janelas, sombrio. Em perfeita ordem mas sem vida, como um laboratório escolar. O cão parou diante da porta de uma geladeira espaçosa e voltou o olhar gelado para Nakata.

Abra a porta da esquerda, ordenou em voz baixa. Mas Nakata percebeu que o cão não dissera nada. Quem falava era Johnnie Walker. Era ele que se comunicava com Nakata por intermédio do cão. Via Nakata pelos olhos do animal.

Nakata abriu a porta esquerda da geladeira verde-abacate, conforme lhe ordenavam. O aparelho era mais alto que o próprio Nakata. O termostato emitiu um estalido e, no mesmo instante, o motor gemeu e entrou em ação. Uma fumaça branca que lembrava neblina brotou de seu interior. O lado esquerdo da geladeira era um congelador ajustado em temperatura extremamente baixa.

Dentro dele, objetos arredondados semelhantes a frutas tinham sido armazenados em fileira. Devia haver cerca de vinte desses objetos. E mais nada. Nakata se curvou um pouco, apertou os olhos e procurou discerni-los. Quando a fumaça branca enfim se dissipou pela porta aberta, Nakata percebeu que os tais objetos não eram frutas. Eram cabeças de gato. Cabeças decepadas, de várias cores e tamanhos, arrumadas em três prateleiras como laranjas em quitanda. Congeladas, encaravam Nakata. O bom homem engoliu em seco.

Olhe bem, ordenou o cão. **Verifique com seus próprios olhos se alguma dessas cabeças é a da gata Goma.**

Obediente, Nakata examinou-as uma a uma. Não se sentiu especialmente apavorado. Tinha apenas um objetivo em mente: descobrir o paradeiro da gatinha Goma. Examinou criteriosamente todas as cabeças e se certificou de que a de Goma não estava ali. Teve certeza. Nenhuma era malhada. Os gatos transformados em simples cabeças tinham uma curiosa expressão vazia. Nenhum deles parecia ter sofrido.

Esse detalhe foi o único consolo para Nakata. Embora alguns tivessem os olhos fechados, a maioria os tinha abertos e fixos vagamente num ponto no espaço.

— A gatinha Goma não está aqui — disse Nakata com voz apática. Pigarreou de leve e fechou a porta da geladeira.

Tem certeza?

— Sim, Nakata tem certeza.

O cão se ergueu e reconduziu Nakata ao gabinete. Johnnie Walker ainda o esperava, sentado na cadeira giratória de couro. Ao ver que Nakata entrava na sala, levou a mão à pala do chapéu de seda num arremedo de continência e sorriu cordialmente. Em seguida, bateu palmas duas vezes. O cão se retirou.

— Eu mesmo decepei aquelas cabeças — disse Johnnie Walker. Depois, pegou o copo e bebeu um gole de uísque. — Eu as coleciono.

— Quer dizer que o senhor é realmente o homem que pega e mata os gatos do terreno baldio?

— Exatamente. Eu mesmo, sem tirar nem pôr. Sou o famoso matador de gatos Johnnie Walker.

— Nakata não consegue entender direito e quer fazer uma pergunta. Pode?

— Claro, claro — disse Johnnie Walker. Ergueu o copo de uísque. — Pergunte à vontade tudo que quiser. Responderei com muito prazer. Mas, para economizar nosso tempo, vou adiantar um pouco a história: antes de mais nada, o que você quer saber é a razão por que eu mato os gatos. Ou seja, o que me leva a colecionar suas cabeças. Acertei?

— Acertou. É isso que Nakata quer saber.

Johnnie Walker depôs o copo sobre a mesa e encarou Nakata.

— Este é um segredo valioso que não costumo revelar a qualquer um, mas vou contá-lo só para você, Nakata, como um favor especial. Portanto, não o divulgue para o mundo inteiro, entendeu? Aliás, acho que ninguém acreditaria mesmo que você o fizesse...

Assim dizendo, o estranho homem riu baixinho.

— Veja bem: não mato gatos por diletantismo. Não sou doente a ponto de matá-los por prazer. Além do mais, dá muito trabalho reunir tantos animais... Eu os mato para juntar suas almas. Com elas, pretendo produzir uma flauta especial. Depois, toco a flauta e reúno almas maiores. E com essas almas maiores, vou produzir uma flauta ainda maior. No final, creio que terei uma flauta de proporções cósmicas.

Mas tenho de começar com gatos. Tenho de reunir almas de gato. Elas são o ponto de partida. Pois para tudo no mundo existe uma ordem que precisa ser seguida. Obedeço fielmente a ordem e assim manifesto respeito. Afinal, estou lidando com almas. Não com abacaxis ou melões. Concorda?

— Sim — respondeu Nakata, na verdade sem entender coisa alguma. Flauta? Flauta doce ou transversal? E como soaria? Para começo de conversa, que jeito tinha a alma de um gato? Tais questões iam muito além da sua capacidade de compreensão. A única coisa que sabia com certeza era que tinha de achar a gatinha Goma de qualquer modo, e de devolvê-la sã e salva aos Koizumi.

— E você quer, mais que qualquer coisa, levar a gatinha Goma de volta para a casa dela — disse Johnnie Walker como se tivesse lido seus pensamentos.

— Sim senhor. Nakata quer levar a gatinha Goma de volta para a casa dela.

— Essa é a sua missão — disse Johnnie Walker. — Todos nós temos missões a cumprir na vida. É natural. Mudando de assunto, deixe-me perguntar: você já ouviu o som de uma flauta feita com alma de gatos?

— Não, senhor. Nunca.

— Claro que não. Porque seu som é inaudível ao ouvido humano.

— Uma flauta inaudível?

— Exato. Mas eu consigo ouvi-la, naturalmente. Se nem eu conseguisse, esta história não faria sentido. Mas um ser humano comum não consegue. Pode até estar ouvindo, mas não percebe. E mesmo que já a tenha ouvido antes, é incapaz de se lembrar disso. A flauta é misteriosa. Mas você, Nakata, talvez seja capaz de ouvi-la. Eu até faria um teste se tivesse uma delas comigo, mas por infelicidade não disponho de nenhuma neste momento — disse Johnnie Walker. Em seguida, ergueu um dedo no ar como se algo muito importante acabasse de lhe ocorrer. — Na verdade, Nakata, eu estava para cortar, dentro de instantes, a cabeça de todos os gatos que apanhei nos últimos dias. Acho que é época de colheita, entende? Já capturei todos os gatos do terreno baldio e está na hora de me mudar para outras bandas. A gatinha Goma que você procura também está no meio desta última leva. Mas se eu lhe cortar a cabeça, você não poderá levá-la de volta aos Koizumi. Concorda?

— Concorda, sim senhor — disse Nakata. Não podia voltar para os Koizumi levando a cabeça da gatinha. Se as duas meninas a vissem, perderiam para sempre a vontade de comer.

— Eu quero decepar a cabeça de Goma. Você não quer. Nossas missões e nossos interesses se conflitam. Isto acontece com muita frequência. Agora, precisamos negociar. Ou seja: eu poderia lhe entregar Goma sã e salva se você, Nakata, *fizesse certa coisa* para mim.

Nakata levou a mão ao topo da cabeça de cabelos curtos e grisalhos e a massageou com força diversas vezes. Era o gesto costumeiro dos momentos em que procurava pensar seriamente.

— E Nakata seria capaz de fazer essa coisa?

— Tenho certeza de que já falamos a respeito disso há pouco — disse Johnnie Walker com um sorriso.

— É verdade, sim senhor — disse Nakata, lembrando-se. — É verdade. Já conversamos a respeito disso ainda há pouco. Desculpe.

— Não disponho de muito tempo. Portanto, vou direto ao assunto. Quero que me mate. Ou seja, que me tire a vida.

Com a mão pousada no topo da própria cabeça, Nakata encarou Johnnie Walker longamente.

— Nakata tem de matar o senhor Johnnie Walker?

— Exato — disse Johnnie Walker. — Vou ser franco com você: cansei de viver, Nakata. Vivi muito. Tanto, que já nem sei quantos anos tenho. Não quero viver mais. Também me cansei dessa história de matar gatos. Mas enquanto viver, não posso deixar de matá-los. E de juntar suas almas. Tenho de fazer as coisas em ordem, obedecendo cuidadosamente as etapas de um a dez, e toda vez que alcançar a etapa dez, voltar à um outra vez. E repetir o ciclo eternamente. Isso acaba se tornando aborrecido e cansativo. E as coisas que eu faço não trazem felicidade para ninguém. Nem me tornam merecedor do respeito alheio. Mas como existe uma regra preestabelecida, não posso dizer: "Chega, parei!", e largar tudo a esta altura. Além do mais, não posso dar cabo da minha própria vida. Isto também foi previsto na regra. Não posso me suicidar. Existem muitas regras. Se eu quiser morrer, só tenho uma saída: pedir a alguém que me mate. Aí está a razão por que eu quero que você me mate. De maneira decisiva, com muito medo e ódio. Primeiro, você sente medo de mim. Depois, me odeia. E, no devido tempo, me mata.

— Por quê? — disse Nakata. — Por que Nakata, que até hoje nunca matou ninguém? Nakata não presta para esse tipo de serviço.

— Sei disso muito bem. Você nunca matou nem pensou em matar ninguém. Você não presta para esse tipo de serviço. Mas veja bem, Nakata: neste mundo, existem circunstâncias em que esse tipo de justificativa não funciona. Circunstâncias em que alguém tem de fazer o serviço, independentemente de prestar ou não para isso. Compreenda. Por exemplo, numa guerra. Você sabe o que é guerra, não sabe?

— Sim, Nakata sabe o que é guerra. Quando ele nasceu, havia uma grande em curso. Pelo menos foi o que contaram a Nakata.

— Quando uma guerra eclode, os homens são recrutados para o exército. Depois, se transformam em soldados, carregam fuzis ao ombro, vão para as linhas de frente e matam soldados do exército inimigo. Quanto mais matarem, melhor. Ninguém tem a consideração de perguntar a você se gosta ou não de matar. Porque é isso que você tem de fazer. Do contrário, *você* é que será morto.

Johnnie Walker voltou a ponta do dedo indicador na direção do peito de Nakata:

— Buum! — disse ele. — Eis um resumo da história da humanidade.

Nakata perguntou:

— O senhor governador vai alistar Nakata e mandá-lo matar outras pessoas?

— Isso mesmo. O senhor governador vai mandar. Mate, dirá ele.

Nakata pensou alguns instantes a respeito do que acabara de ouvir, mas não conseguiu concatenar as ideias. Por que haveria o governador de mandá-lo matar outras pessoas?

— De modo que você tem de pensar da seguinte maneira: *Isto aqui é uma guerra*. E você é um soldado. Você precisa tomar uma decisão. Ou você me mata, ou eu, Johnnie Walker, mato os gatos. Só existem estas duas opções. *Aqui e agora*, você está sendo pressionado a fazer a escolha. Do seu ponto de vista, esta escolha deve parecer realmente irracional. Mas pense um pouco: a maioria das escolhas que você tem de fazer na sua vida é irracional!

Johnnie Walker levou a mão ao chapéu de seda e o tocou de leve. Como se buscasse confirmar que ainda o tinha na cabeça.

— Para você, o único conforto — se precisa disso — será saber que eu mesmo desejo sinceramente morrer. *Eu* estou lhe pedindo: mate-me! Portanto, o ato de matar não deverá lhe pesar na consciência. Pois você estará apenas satisfazendo meu desejo. Concorda? Você não estará matando alguém que implora para não morrer. Ao contrário, você estará praticando um ato que pode ser considerado benemérito.

Nakata levou a mão à testa e enxugou as gotas de suor que começavam a porejar na raiz do cabelo.

— Mesmo assim, Nakata não consegue. Mesmo que digam para matar, Nakata não sabe como fazer uma coisa dessas.

— Tem razão! — disse Johnnie Walker com um toque de espanto na voz. — Tem toda razão. Vejo certa lógica no que diz. Você não sabe como se faz uma coisa dessas. Claro que não, pois esta será a primeira vez que mata... Concordo plenamente com você. Muito bem. Vou lhe ensinar o jeito. Na hora de matar, um dos truques é não hesitar. Embora não sejam humanas, tenho aqui algumas boas amostras. Vão servir para elucidá-lo.

Johnnie Walker se ergueu da cadeira e apanhou uma valise até então oculta sob a escrivaninha. Depois, depositou-a sobre a cadeira em que estivera sentado, abriu a tampa assobiando alegremente e, como num número de mágica, retirou um gato do seu interior. Um gato desconhecido. Macho, cinzento e listrado. Mal chegado à idade adulta. O gato tinha os olhos abertos, mas estava inerte. Parecia consciente. Sempre assobiando, Johnnie Walker apanhou o gato com as duas mãos e o mostrou a Nakata, como se exibisse um peixe recém-pescado. A melodia que assobiava era a "Eu vou", cantada pelos sete anões no filme *Branca de Neve e os sete anões*, de Walt Disney.

— Tenho cinco gatos dentro desta valise. Foram todos pegos no terreno baldio. Recém-caçados, fresquinhos. Direto do campo para a mesa. Injetei neles uma droga que lhes paralisou o corpo. A droga não é anestésica. Portanto, os gatos não estão adormecidos, seus sentidos funcionam. Sentem perfeitamente a dor. Mas como têm os músculos paralisados, não conseguem mover as patas. Nem virar a cabeça. Faço isso para evitar que se debatam e me arranhem. Dentro de instantes, vou abrir a barriga deles com uma faca, retirar o coração ainda pulsante e depois decepar-lhes a cabeça. Vou fazer tudo isso diante de seus olhos. Vai correr muito sangue. A dor será indescritível. Você também sentiria muita dor se lhe abrissem a barriga e lhe arrancassem o coração a sangue frio, não sentiria? Pois é isso que vai acontecer com estes gatos. Não podem deixar de sentir dor. Tenho pena deles, não nego. Não sou nenhum sádico desalmado. Faço isto porque não posso evitar. *Tem de haver dor.* Essa é a regra. Cá estamos de novo falando de regras. Esta zona é regida por muitas regras, percebeu?

Assim dizendo, Johnnie Walker piscou um olho para Nakata.

— Mas trabalho é trabalho. Missão é missão. Vou executar todos eles em ordem, um por um, e por último a gatinha Goma. Temos ainda um pouco de tempo, de modo que você pode se decidir até lá. Das duas, uma: ou eu mato os gatos, ou você me mata.

Johnnie Walker depôs o gato inerte sobre a escrivaninha. Em seguida, abriu uma gaveta, retirou um pacote preto e grande e o ergueu nos braços. Depositou-o com muito cuidado sobre a mesa, abriu o embrulho de pano preto e expôs os objetos que continha. Um pequeno serrote circular, bisturis cirúrgicos de diversos tamanhos, uma faca grande. Todos os instrumentos emitiam um brilho esbranquiçado, como se acabassem de ser polidos. Johnnie Walker examinou-os um a um com muito carinho antes de dispô-los sobre a escrivaninha. De uma outra gaveta tirou pratos de aço e também os enfileirou sobre a escrivaninha. Parecia estar preparando um cenário. Retirou também da gaveta um saco plástico de lixo, preto e grande. Sempre assobiando "Eu vou".

— Todas as coisas do mundo têm de ser feitas de maneira ordenada, Nakata — disse Johnnie Walker. — Não adianta olhar muito adiante. Porque, nesse caso, você perde de vista a área em torno dos pés e cai. Isto não significa porém que você deva fixar o olhar no chão e nas miudezas em torno dos pés. Não senhor, você precisa olhar para frente a fim de não ir de encontro a obstáculos. Observe portanto apenas uma pequena área diante de si e faça as coisas seguindo fielmente a ordem. Isso é essencial. Em todas as circunstâncias.

Johnnie Walker apertou de leve os olhos e, por instantes, acariciou carinhosamente a cabeça do gato. Depois, com a ponta do indicador percorreu de cima a baixo diversas vezes a macia barriga do felino. Apanhou então o bisturi na mão direita e, sem nenhum aviso ou hesitação, rasgou o ventre do macho. Foi um ato instantâneo. A barriga se abriu e os avermelhados órgãos internos transbordaram. O gato abriu a boca e tentou gritar, mas não se ouviu quase nada. Ele devia estar com a língua entorpecida. Nem conseguia abrir a boca direito. Mas os olhos se contraíam em indubitável expressão de violento sofrimento. Nakata conseguia imaginar a intensidade da dor. E então, como se tivesse sido subitamente despertado, o sangue esguichou. Molhou as mãos de Johnnie Walker e manchou-lhe o colete. Mas Johnnie Walker não tomou conhecimento do sangue. Sempre assobiando "Eu vou", meteu a mão no corpo do gato e com a ajuda de um bisturi pequeno retirou o coração com destreza. O coração era pequeno. E parecia bater ainda. Johnnie Walker pôs o pequeno órgão sangrento sobre a palma da mão e o mostrou a Nakata.

— Isto é o coração. Ainda pulsa. Veja.

Depois de exibi-lo por instantes, lançou-o para dentro da boca com a maior naturalidade do mundo. Em seguida, mastigou algumas vezes. Apreciou o gosto longamente e deglutiu sem dizer nada. Seus olhos brilhavam com a graça pura dos de uma criança que come um pedaço de doce recém-saído do forno. Depois, enxugou com as costas da mão o sangue que lhe restara em torno da boca. Passou a língua nos lábios e os lambeu cuidadosamente.

— Morno e fresco. Continuava a pulsar dentro da boca.

Como não encontrou nada para dizer, Nakata contemplou a cena em silêncio. Não conseguiu desviar o olhar. Mas algo começava a se mover em sua mente. O aposento recendia a sangue fresco.

Johnnie Walker cortou a cabeça do gato com o serrote, sempre assobiando "Eu vou". Os dentes do serrote rangiam em contato com o osso do pescoço. Seus gestos, precisos, indicavam longo hábito. Não demorou muito porque os ossos eram frágeis. O rangido, porém, tinha um peso inesperado. Com muito dó e carinho, o homem depôs a cabeça num prato de aço. Afastou-se um pouco, apertou os olhos e contemplou a cabeça decepada como se ela fosse uma obra de arte. Parou de assobiar por instantes, removeu com a ponta da unha um naco preso entre os dentes, meteu-o na boca outra vez e o saboreou. Em seguida, deglutiu ruidosamente com expressão satisfeita. Por último, abriu o saco de lixo e jogou com indiferença o corpo do gato despojado de cabeça e coração. A carcaça era inútil.

— Um liquidado! — disse Johnnie Walker, estendendo ambas as mãos sangrentas na direção de Nakata. — Trabalho duro, não acha? A vantagem é que posso comer corações frescos, claro, mas é bem desagradável ter de me sujar de sangue toda vez que faço isto. "Não, esta minha mão é que faria/Vermelho o verde mar de polo a polo!"* O trecho é de *Macbeth*. Embora a presente situação não seja tão grave quanto em *Macbeth*, custa caro mandar lavar as roupas toda vez que me sujo de sangue. Pois como pode ver, estas roupas são especiais. Se eu pudesse, faria tudo isso vestindo roupas e luvas cirúrgicas, mas não posso. Isto também foi estabelecido pelas ditas *regras*.

* *No, this my hand will rather/ The multitudinous seas incarnadine / Making the green one red!* (Trad. de Manuel Bandeira.) (N. T.)

Nakata nada disse. Algo continuava a se mover em seu cérebro. O cheiro de sangue era forte. E a melodia "Eu vou" continuava a ecoar em seus ouvidos.

Johnnie Walker tirou o gato seguinte de dentro da mala. Era uma fêmea branca. Meio idosa. Tinha a ponta do rabo quebrada. Johnnie Walker acariciou-lhe a cabeça por alguns instantes em silêncio, conforme fizera com o anterior. Em seguida, traçou com o dedo uma linha de corte no ventre do animal. Uma linha imaginária que partia da garganta e seguia lentamente até a base do rabo. Pegou em seguida o bisturi e, como da vez anterior, cortou-a de chofre. O resto foi uma repetição da vez anterior. Um grito silencioso. O tremor percorrendo o corpo inteiro. As entranhas se derramando. O coração retirado ainda pulsante, mostrado para Nakata e lançado para dentro da boca de Johnnie Walker. A deglutição lenta. O sorriso satisfeito. A limpeza da boca com as costas das mãos. "Eu vou" assobiado.

Nakata afundou o corpo na cadeira. Fechou os olhos. Agarrou a cabeça com as duas mãos. Enterrou as pontas dos dedos nas têmporas. Algo começava a acontecer dentro dele, não havia dúvida. Caos transformando a estrutura do seu ser. Sentiu a respiração se acelerar e uma dor aguda na região do pescoço. Sua visão parecia estar se recompondo de maneira abrangente.

— Ei, Nakata! — chamou Johnnie Walker alegremente. — Não vale fechar os olhos. A função principal vai começar agora. O que lhe mostrei até agora foi apenas uma abertura. Reles aquecimento. Agora é que vão surgir os gatos que você conhece, Nakata. Abra bem os olhos e olhe. Pois o verdadeiro entretenimento começa a partir deste instante. Espero que aprecie devidamente, pois me empenhei em produzir este *crescendo* para você.

Sempre assobiando "Eu vou", o homem tirou outro gato. Afundado na cadeira, Nakata abriu os olhos e olhou. Era Kawamura. O gato fixou um olhar intenso em Nakata. Que por sua vez suportou esse olhar. Mas Nakata não conseguia pensar. Não conseguia nem se erguer.

— Acho que este gato dispensa apresentações, mas, por educação, vou introduzi-lo formalmente a você — disse Johnnie Walker. — Atenção, este é o gato Kawamura. E, Kawamura, este é Nakata. Tenham o prazer de se conhecer mutuamente.

Johnnie Walker ergueu o chapéu de seda num gesto teatral, cumprimentou Nakata e, depois, Kawamura.

— As apresentações foram feitas. E terminadas estas, logo começam as despedidas. *Hello, good bye.* A vida é um breve adeus, ou então, uma flor na tempestade — disse Johnnie Walker acariciando com a ponta de um dedo a barriga macia de Kawamura. Uma carícia realmente terna e gentil. — Se quer impedir, é agora, Nakata. É agora. As horas passam, e Johnnie Walker não hesita. No dicionário do famoso matador de gatos Johnnie Walker a palavra *hesitação* não existe.

E realmente sem hesitar, Johnnie Walker rasgou o ventre de Kawamura. Seu grito foi perfeitamente audível. Sua língua não devia estar totalmente paralisada. Ou então o grito deste gato tinha uma qualidade especial que o tornava audível apenas a Nakata. Um grito agudo e violento, de enregelar os nervos. Nakata fechou os olhos, segurou a cabeça com as duas mãos. Sentiu as próprias mãos tremendo violentamente.

— Você não pode fechar os olhos — disse Johnnie Walker em tom decidido. — É outra regra. Você não pode fechar os olhos. Nada vai melhorar, mesmo que os feche. Não é porque você fecha os olhos que certas coisas desaparecerão. Ao contrário, muitas coisas tendem a piorar. Vivemos num mundo assim, Nakata. Abra os olhos. Fechá-los é sinal de fraqueza. Desviar o olhar é sinal de covardia. Enquanto você fecha os olhos ou tampa os ouvidos, o tempo passa do mesmo modo. Tique-taque, tique-taque.

Nakata abriu os olhos conforme mandavam. Johnnie Walker certificou-se disso e comeu o coração de Kawamura em exibição acintosa. De maneira mais lenta que antes, saboreando com mais prazer.

— É macio, morno, lembra tripas de enguias recém-pescadas — disse Johnnie Walker. Meteu o indicador cheio de sangue na boca, chupou-o, tirou-o para fora e o ergueu no ar. — Basta provar uma única vez este gosto para você se viciar. Você não consegue mais esquecê-lo. A viscosidade do sangue, então, é uma delícia indescritível.

Limpou o sangue do bisturi num pedaço de pano e, sempre assobiando alegremente, cortou a cabeça de Kawamura com o serrote circular. Os dentes miúdos da serra rangeram ao atingir o osso. O sangue espirrou para todos os lados.

— Por favor, senhor Johnnie Walker. Nakata não aguenta mais.

Johnnie Walker parou de assobiar. Interrompeu o que fazia, levou a mão a um dos lados do rosto e coçou o lóbulo da orelha.

— Ah, isso é muito ruim, Nakata. Você não pode passar mal. Me desculpe, mas não posso dizer: "Está bem, entendi", e parar neste ponto. Já disse antes e torno a repetir: Isto é uma guerra. Uma vez iniciada, é difícil interrompê-la. Agora que a espada foi extraída da bainha, tem de haver derramamento de sangue. Não estou apenas argumentando. Tampouco teorizando. E também não estou sendo egoísta. Estou simplesmente seguindo uma regra. De modo que, se você não quer ver mais gatos morrendo, só lhe resta um recurso: matar-me. Levante-se, concentre o pensamento e me mate definitivamente. *Agora.* Assim, tudo estará acabado. Ponto final.

Johnnie Walker recomeçou a assobiar, cortou a cabeça de Kawamura e jogou com um gesto rápido o cadáver decapitado no saco de lixo. Três cabeças repousavam agora sobre o prato de aço. Apesar do imenso sofrimento que deviam ter experimentado, as três cabeças apresentavam uma estranha expressão vazia. Do mesmo modo que as outras, estocadas no congelador.

— O gato seguinte é siamês.

Assim dizendo, Johnnie Walker extraiu de dentro da mala outro felino inerte. Claro, era Mimi.

— *Mi chiamano Mimi*, não é isso? Ária de Puccini. Realmente, esta gata tem um ar coquete, mas no bom sentido. Também gosto de Puccini. Sinto na música deste compositor algo que talvez possa ser definido como atemporalidade eterna. O estilo é realmente popular, mas curiosamente nunca se torna ultrapassado. Uma façanha e tanto em termos de arte.

Johnnie Walker assobiou um trecho de *Mimi*.

— Mas, veja bem, Nakata: penei um bocado para pegar esta gatinha. Ela é arisca, previdente e, acima de tudo, esperta. Não se apanha este tipo de gato com qualquer isca. Sua captura foi realmente a mais complicada de todas que empreendi até hoje. Mas por mais vasto que seja o nosso mundo, ainda está por nascer o felino capaz de eludir o famoso matador Johnnie Walker. E não estou me gabando, não. Estou apenas lhe dizendo que foi realmente difícil apanhá-la. E agora... *Voilà!*, aqui está a gatinha siamesa Mimi. Mais que de qualquer outra raça, eu gosto da siamesa. Na certa você não sabe, Nakata, mas o coração de um siamês é uma preciosidade. Seu gosto tem um traço requintado. Como o de uma trufa, entende? Mas não se preocupe, querida Mimi. Seu lindo coraçãozinho será devidamente saboreado por mim. Ora essa, seu coração disparou, Mimi!

— Senhor Johnnie Walker — disse Nakata com uma voz que pareceu sair a custo das entranhas. — Por favor. Pare com isso. Se continuar, Nakata vai ficar estranho. Nakata já está sentindo que não é mais Nakata.

Johnnie Walker deitou Mimi sobre a escrivaninha e, como de hábito, passou a ponta de um dedo descrevendo uma linha reta sobre o ventre de Mimi.

— Você já não é mais você — repetiu Johnnie Walker com calma. Como se rolasse as palavras uma a uma sobre a língua e as saboreasse. — Uma pessoa deixar de ser ela mesma: este ponto é muito importante, Nakata.

Johnnie Walker apanhou de cima da mesa um bisturi novo e limpo, e testou o fio com o dedo. Em seguida, passou a lâmina de leve no dorso da própria mão. Uma breve pausa e, depois, o sangue fluiu do corte. Escorreu pelo dorso da mão e caiu sobre a escrivaninha. Umedeceu também o corpo de Mimi. Johnnie Walker riu mansamente. "Uma pessoa deixar de ser ela mesma", repetiu. Você deixando de ser você mesmo. É isso, Nakata! Que maravilha! Este é o ponto mais importante. *"Ah, repleta de escorpiões está minha mente!"* — Isto também é uma passagem de *Macbeth*.

Mudo, Nakata ergueu-se da cadeira. Ninguém, nem mesmo o próprio Nakata, seria capaz de deter esse movimento. Adiantou-se em largas passadas e apanhou, sem hesitar, uma das facas sobre a escrivaninha. Era de tamanho grande, semelhante àquelas usadas para fatiar carne. Nakata segurou com firmeza o cabo de madeira e, sem hesitar, enterrou a lâmina quase até a empunhadura no peito de Johnnie Walker. Golpeou uma vez por cima do colete preto, extraiu a faca e tornou a cravá-la com toda a força em outro local. Nakata ouviu um ruído muito grande perto da orelha. A princípio, não conseguiu identificá-lo. Logo porém descobriu que se tratava de uma estrondosa risada de Johnnie Walker. Com a faca cravada fundo em seu peito e o sangue a jorrar, o homem continuava a gargalhar estrepitosamente.

— Isso mesmo! — gritou Johnnie Walker. — Você me esfaqueou sem hesitar. Muito bem!

Johnnie Walker continuava a rir enquanto caía. A gargalhada retumbava. Como se não aguentasse tanta graça. Logo, porém, o riso se transformou em soluço e em gorgorejo de sangue no fundo da garganta. O ruído lembrava o de um encanamento que acaba de ser desobstruído. Depois, o corpo inteiro entrou em convulsão e o sangue saiu da boca em golfadas. Com o sangue, foram também expelidos nacos escuros de algo pegajoso. Eram os corações recém-deglutidos. O sangue bateu na escrivaninha e espirrou nas roupas de golfista que Nakata usava. Johnnie Walker e Nakata ficaram ambos banhados em sangue. Assim como Mimi, que continuava deitada sobre a escrivaninha.

Quando Nakata tornou a si, Johnnie Walker jazia ao lado dele, morto. Deitado de lado com as pernas e os braços encolhidos como uma criancinha em noite de frio, ele estava realmente morto. Tinha a mão esquerda em torno do próprio pescoço e a direita estendida adiante num gesto de súplica. Sem mais convulsões ou gargalhadas. Mas um sorriso frio ainda brincava em seus lábios. Ali congelado para sempre. O sangue se empoçara numa larga extensão do assoalho, e o chapéu de seda, que lhe rolara da cabeça, se achava caído num canto da sala. Uma calva incipiente espiava por entre o cabelo ralo na área posterior do crânio. Sem o chapéu, o homem parecia muito mais velho e frágil.

Nakata soltou a faca. A lâmina bateu no chão com um tinido alto. Como se o dente de uma longínqua engrenagem tivesse avançado. Nakata permaneceu longo tempo ao lado do cadáver sem se mover. O aposento parecia estagnado, em calmo silêncio. Apenas o sangue continuava a escorrer silenciosamente, aos poucos ampliando a poça. Nakata recobrou o ânimo e pegou nos braços a gatinha Mimi, que ainda jazia sobre a escrivaninha. Sentiu nas mãos seu corpo morno, macio e inerte. Ela estava toda ensanguentada, mas não se ferira. Com o olhar fixo em Nakata, Mimi parecia querer lhe dizer alguma coisa. Mas a droga a impedia de falar.

Depois, Nakata vasculhou a grande valise de couro, encontrou Goma e a apanhou com a mão direita. Ele só a conhecia de fotos, mas sentiu um onda de afeto engolfá-lo como se estivesse revendo um velho e querido animal de estimação.

— Goma, linda gatinha… — disse Nakata.

Com as duas gatas nos braços, Nakata sentou-se na poltrona.

— Vamos para casa — disse ele para as gatas. Mas não encontrou forças para se erguer. Repentinamente, o cão preto se materializou e se sentou ao lado do cadáver de Johnnie Walker. Talvez lambesse o sangue, que se empoçara formando um pequeno lago. Mas posteriormente Nakata não conseguiu se lembrar direito da cena. A cabeça pesava, enevoada. Nakata inspirou fundo e fechou os olhos. A consciência se esvaiu e ele sentiu que submergia lentamente num profundo universo desprovido de luz.

Capítulo 17

Esta vai ser minha terceira noite na cabana. Conforme os dias passam, vou me acostumando com a quietude e com a densa escuridão. Já não sinto muito medo da noite. Alimento o fogareiro, ponho uma cadeira diante dele e leio um livro. Quando me canso, esvazio a mente por completo e contemplo o fogo. Nunca me aborreço disso. Há labaredas de diversos formatos e cores. Elas se movem livremente, como seres vivos. Nascem, prendem-se a outras, se separam, perdem alento e morrem.

Quando a noite é de céu limpo, vou para fora e ergo o olhar. As estrelas já não me dão aquela assustadora sensação de impotência. Começo a senti-las próximas a mim. Cada estrela tem um brilho diferente. Marco algumas e examino sua luz. Noto então que emitem um repentino brilho agudo, como se algo muito importante lhes ocorresse de súbito. A lua é branca e brilhante e se a olho fixamente parece-me até que consigo discernir uma a uma todas as formações rochosas da sua superfície. Nesses momentos, não consigo pensar em nada. Eu apenas me deixo ficar em muda contemplação, respirando com muito cuidado.

A bateria do meu walkman descarregou, mas a música não me faz tanta falta como a princípio imaginei que faria. Encontro substitutos para ela em toda parte: no canto dos pássaros, no cricrilar de inúmeros insetos, no burburinho do regato, no farfalhar do vento nas árvores, nos passos ligeiros sobre o telhado, no gotejar da chuva... E também em sons misteriosos que por vezes me chegam ao ouvido, inexplicáveis, inexprimíveis em palavras. Até agora, não me dera conta da infinidade de sons puros e maravilhosos que povoam a natureza. Eu vivera minha vida inteira sem me dar conta desse tesouro maravilhoso. Para compensar o tempo perdido, sento-me na varanda, fecho os olhos e me anulo para melhor captar todos os sons existentes ao meu redor.

A floresta também deixou de exercer sobre mim o pavor irracional dos primeiros momentos. Aos poucos, passo a sentir por ela algo semelhante a respeito, alguma cordialidade, até. Apesar disso, a área que me arrisco a palmilhar se restringe àquela existente em torno da senda, nas proximidades da cabana. Não devo sair do caminho. Enquanto eu respeitar esta norma não haverá perigo para mim. A floresta me aceita em silêncio. Ou finge que não me vê. E partilha comigo sua tranquilidade e beleza. Mas se me desviar minimamente da norma, as feras silenciosas de agudas garras que nela se escondem talvez me peguem.

Passeio pela senda diversas vezes e me deito na pequena clareira arredondada, aquecendo-me aos raios de sol que nela se empoçam. Fecho as pálpebras com firmeza, deixo a luz me banhar e apuro os ouvidos para o som do vento que percorre a copa das árvores. Ouço o ruflar de asas dos pássaros, o farfalhar do feto. Sinto o pungente odor da vegetação envolvendo-me o corpo. Nesses momentos, sinto-me livre da gravidade e flutuo a uma pequena altura do solo. Levito. A condição não persiste por muito tempo, é claro. Basta-me abrir os olhos e sair da floresta para que tudo se desfaça, a sensação é momentânea. Ainda assim, a experiência me deixa atônito. Sou capaz de flutuar!

Chove forte diversas vezes, mas logo estia. O tempo é instável nesta região. Toda vez que chove, saio nu ao ar livre, me ensaboo e me lavo. E, depois de cumprir uma série inteira de exercícios físicos, fico com as roupas úmidas de suor. Então, tiro-as todas e tomo um banho de sol na varanda. Bebo muito chá, sento numa cadeira na varanda e me dedico à leitura. Quando o sol se põe, leio diante do fogareiro. Livros de história, ciências, folclore, mitologia, sociologia e psicologia, assim como Shakespeare. Em vez de lê-los superficialmente do começo ao fim, procuro repassar diversas vezes os trechos que considero importantes até compreendê-los inteiramente.

Desta forma, sinto nitidamente que meu cérebro vai absorvendo com segurança os mais variados conhecimentos. Seria maravilhoso se eu pudesse ficar para sempre nesta cabana. Nas prateleiras, há ainda uma quantidade muito grande de livros que quero ler, e o estoque de suprimentos é também considerável. Mas sei que este é apenas um abrigo passageiro para mim. Em breve, terei de abandoná-lo. O local é demasiadamente tranquilo e natural, completo demais para mim. Não o mereço ainda. É cedo demais — acho.

Oshima aparece pouco antes do almoço do quarto dia. Não ouço seu carro chegar. Com uma mochila pequena às costas, ele se aproxima a pé. Não ouço seus passos porque tinha caído em leve modorra enquanto tomava banho de sol na varanda, totalmente nu. Ele deve ter chegado pé ante pé de propósito, só para me surpreender. Sobe silenciosamente os degraus da varanda, estende a mão e me toca de leve a cabeça. Salto em pé assustado. Procuro uma toalha para me cobrir. Não encontro nenhuma ao alcance da mão.

— Não se acanhe — diz Oshima. — Na época em que fiquei aqui, também tomei banho de sol completamente nu. É muito gostoso deixar o sol queimar áreas do corpo que não veem a luz do dia em situações normais.

Estar nu diante de Oshima me deixa sem ar. Pelos púbicos, pênis e escrotos estão ao sol. Parecem indefesos, vulneráveis. Não sei o que fazer. Escondê-los àquela altura também não faz sentido.

— Bom dia — eu digo. — Veio a pé?

— O dia está maravilhoso, ideal para isso. Seria uma pena não usar as pernas. Larguei o carro na porteira e vim andando — responde ele. Apanha a toalha estendida no corrimão e a passa para mim. Enrolo-a em torno dos quadris e só então recupero o domínio.

Cantarolando baixinho, Oshima põe a água a ferver, tira farinha, ovos e leite da pequena mochila, esquenta uma frigideira e faz panquecas. Cobre-as com manteiga e xarope. Tira também alface, tomates e cebola. Para fazer a salada, usa a faca com movimentos lentos e cuidadosos. Esse é o nosso almoço.

— Como passou os três dias? — pergunta Oshima enquanto corta a panqueca.

Conto-lhe então meu agradável cotidiano. Mas não digo nada a respeito da incursão na floresta. É melhor.

— Fico muito contente em saber disso — diz Oshima. — Realmente, achei que você ia gostar daqui.

— Mas agora, estamos voltando para a cidade, certo?

— Certo. Estamos voltando para a cidade.

Começamos a nos aprontar para o retorno. Arrumamos o interior da cabana de maneira eficiente e rápida. Lavamos os utensílios de cozinha e os guardamos no armário, limpamos o fogareiro. Esvaziamos o pequeno tanque de água, fechamos a válvula do gás. Guardamos os mantimentos no armário de comida, descartamos os perecíveis. Varremos o chão, limpamos com um pano úmido a superfície da mesa e o assento das cadeiras. Cavamos um buraco lá fora e enterramos o lixo. Juntamos sacos e recipientes plásticos e os levamos embora.

Oshima tranca a porta. No último instante, volto-me para contemplar a cabana. Tão real até há pouco, ela agora me parece parte de um mundo imaginário. Basta-me afastar alguns passos e imediatamente todas as coisas ali existentes começam a se tornar irreais. Acho até que eu mesmo, que ali vivi até há pouco, sou um ser fictício. Levamos cerca de trinta minutos para chegar a pé ao local onde Oshima largou o carro. Descemos o caminho até a porteira sem quase nos falarmos. Oshima cantarola uma música qualquer. Meus pensamentos vagueiam.

Imóvel, o pequeno carro esporte verde espera a chegada do dono, quase camuflado na vegetação. Para evitar incursões involuntárias (ou até voluntárias) de estranhos, Oshima tranca a porteira com duas voltas de corrente e cadeado. Minha mochila é novamente atada com cordas no rack traseiro. A capota é arriada: viajaremos com o carro aberto. "De volta à civilização", diz ele.

Aceno a cabeça em concordância.

— Ficar sozinho em meio à natureza é uma experiência realmente maravilhosa, mas viver aí para sempre não é coisa simples — diz Oshima. Encaixa os óculos escuros sobre o nariz e ajusta o cinto de segurança.

Sento-me a seu lado e também afivelo o cinto.

— Teoricamente é possível, tanto assim que algumas pessoas optam por viver assim. Mas, num certo sentido, a natureza não é natural. E a calma pode também se transformar em ameaça. Para lidar com esses dois fatores contraditórios, são necessários preparo e experiência. De modo que vamos voltar à cidade. À sociedade e ao local onde as pessoas trabalham.

Oshima pisa no acelerador e começamos a descer a montanha. Diferentemente da ida, ele guia o carro em ritmo tranquilo. Não está com pressa. Aprecia a paisagem que se desenrola diante de nossos olhos assim como a sensação do vento no rosto. O vento agita as mechas longas dos seus cabelos e as empurra para trás. Logo, a estrada de terra termina e se transforma numa via pavimentada e estreita. Aos poucos, surgem pequenas aldeias e plantações.

— E por falar em contradições — diz Oshima como se a ideia de repente lhe ocorresse —, sabe o que penso de você desde o primeiro momento em que o vi? Que, por um lado, você busca alguma coisa intensamente e, por outro, faz de tudo para fugir dessa coisa. Algo em você me faz pensar dessa maneira.

— Busco alguma coisa intensamente? O quê, por exemplo?

Oshima sacode a cabeça. Franze o cenho olhando o retrovisor:

— O que você estaria buscando? *Eu* não sei. Estou apenas dizendo que tenho essa impressão.

Continuo em silêncio.

— Sei por experiência própria que quando se busca alguma coisa intensamente, antes de mais nada essa coisa se torna elusiva. E quando se busca esquivar de alguma coisa, essa coisa vem ao nosso encontro naturalmente. Mas estou generalizando, claro.

— E particularizando essa generalização, como fica o meu caso? Supondo, é claro, que eu esteja realmente em busca de algo e ao mesmo tempo me esquivando dele, conforme você diz...

— Esta é difícil — replica Oshima, rindo. Depois de uma breve pausa, volta a dizer: — Mas se quer mesmo saber, acho que é o seguinte: a coisa que você busca não deve vir a você na forma que você imagina.

— Está me soando como uma profecia sinistra.

— Cassandra.

— Cassandra? — pergunto.

— Uma tragédia grega. Cassandra é uma profetisa. Filha de rainha Hécuba, de Troia. Ela se torna sacerdotisa e recebe de Apolo o poder de prever destinos. Em troca, Apolo exige que ela se submeta a ele sexualmente, mas Cassandra se recusa, o que irrita Apolo e o faz jogar sobre ela uma maldição. Deuses gregos são seres mais míticos que religiosos. Ou seja, possuem os mesmos defeitos emocionais dos humanos. São temperamentais, lascivos, ciumentos e esquecidos.

Oshima tira do porta-luvas uma caixinha de dropes de limão e põe um na boca. Me oferece outro. Aceito.

— E que maldição foi essa?

— A que foi lançada contra Cassandra?

Aceno a cabeça para dizer que é isso mesmo.

— As profecias de Cassandra serão sempre exatas. Mas ninguém acreditará nelas. Essa foi a maldição que Apolo lhe lançou. Além disso, serão, por algum motivo, sempre sinistras — falarão de traições, mentiras, mortes, queda de impérios. Por esse motivo, as pessoas não só não acreditarão nela como vão desprezá-la e odiá-la. Leia as tragédias de Eurípides e Ésquilo, se é que ainda não as leu. Nelas você encontrará descrita com espantosa lucidez a essência das questões que até hoje atormentam os seres humanos. Com *khorós*.

— *Khorós*?

— Grupos de atores que surgem em peças gregas. De pé no fundo do palco, o grupo declama em coro para explicar a situação ou o íntimo dos personagens em cena e, por vezes, até se empenham em influenciá-los. Um recurso muito conveniente, aliás. Bem que eu gostaria de ter *khorós* próprio às minhas costas em algumas situações.

— Você tem capacidade premonitória, Oshima?

— Não — diz ele. — Esse tipo de poder não possuo, não sei se feliz ou infelizmente. Se às vezes dou a impressão de estar fazendo previsões agourentas, é porque sou um realista dotado de alto grau de sensatez. Faço deduções e generalizações. E então, minhas palavras assumem uma sinistra conotação profética. Por quê? Porque a realidade nada mais é que um amontoado de profecias sinistras que se tornaram realidade. Abra os jornais de qualquer dia, ponha as notícias numa balança, as boas de um lado e as más do outro. Logo verá que falo a verdade.

Quando uma curva se aproxima, Oshima reduz conscienciosamente a marcha. Redução suave, nenhum solavanco. O único indicativo é uma leve alteração no ruído do motor.

— Mas tenho uma boa notícia — diz Oshima. — Resolvemos acolher você no quadro de funcionários da Biblioteca Memorial Komura. Tenho certeza de que você tem qualificações suficientes.

Atônito, volto o olhar para o rosto dele.

— Isso significa que vou trabalhar na biblioteca?

— Vou especificar melhor: você será parte da biblioteca. Vai passar os dias e as noites nela, vai morar ali. Ficará encarregado de abrir e fechar a biblioteca nos horários estabelecidos. Você vive de maneira regrada e tem vigor físico. Assim sendo, esse tipo de trabalho não representará uma carga pesada demais para você. Mas tanto eu como a senhora Saeki não temos vigor físico e sua ajuda virá a calhar. Além disso, você realizará algumas tarefas esporádicas no dia a dia. Nenhuma delas de difícil execução. Por exemplo, vai preparar um café gostoso para mim, ou fará algumas compras, às vezes... Já arrumei um quarto para você. É anexo à biblioteca, e tem até um chuveiro instalado no banheiro. Originariamente, o quarto se destinava a hóspedes, mas está vago porque já não os temos nos últimos tempos. Você passará a morar nesse quarto. O melhor de tudo é que, como você vai morar numa biblioteca, poderá ler quantos livros quiser.

— Mas como... — começo a dizer e perco a palavra.

— Como isso se tornou possível? É isso o que você queria perguntar, não é? — diz Oshima, concluindo a pergunta por mim. — A razão é muito simples. Eu compreendo você, e a senhora Saeki me compreende. Eu o aceito. A senhora Saeki me aceita. E assim, o fato de você ser um garoto desconhecido de 15 anos de idade fugido de casa deixa de ser importante. Mas afinal, o que você pensa de tudo isso? Isto é, da questão de se tornar parte da biblioteca?

Penso alguns instantes. Depois, digo:

— Eu queria viver debaixo de um teto. Só isso. Não consigo pensar em mais nada neste momento. Ainda não entendi o que significa ser parte da biblioteca. Mas se me permitirem morar nela, ficarei muito grato. Sem falar que não precisarei mais tomar o trem todos os dias para ir até lá.

— Nesse caso, estamos combinados — diz Oshima. — Vou levá-lo agora para a biblioteca. E então *você se tornará parte da biblioteca.*

Entramos na rodovia federal e passamos por algumas cidades. Diante de meus olhos desfilam, primeiro, um gigantesco painel publicitário de uma financeira e, depois, um posto de gasolina com decoração chamativa, paredes envidraçadas de lanchonetes, um motel com fachada imitando um castelo europeu, uma videolocadora falida com o anúncio ainda inalterado, uma casa de jogos eletrônicos com área de estacionamento enorme. McDonald's, Family Mart, Lawson, Yoshinoya... a barulhenta realidade aos poucos me engolfa. Freio hidráulico de potentes caminhões, buzinas, monóxido de carbono. Místicas labaredas no fogareiro, miríades de estrelas cintilantes, floresta silenciosa — tudo que até ontem estivera tão próximo a mim se afasta e desaparece. Nem consigo me lembrar direito dessas imagens.

— Existem algumas passagens da vida da Sra. Saeki que eu gostaria que você conhecesse — diz Oshima. — Minha mãe foi colega de classe da Sra. Saeki na infância, as duas eram muito amigas. De acordo com minha mãe, a Sra. Saeki era uma criança muito inteligente. Seu aproveitamento escolar sempre foi excelente, com destaque em redação, atividades físicas e também como pianista. Obtinha sempre a melhor nota em tudo. Além do mais, era linda. Aliás, ainda é.

Aceno para mostrar que estou ouvindo.

— Desde os tempos do curso primário ela namorou sempre o mesmo garoto. O filho mais velho dos Komura. Os dois eram da mes-

193

ma idade e muito bonitos. Tinham uma relação distante de parentesco, do mesmo jeito que Romeu e Julieta. Moravam em casas próximas, iam juntos a todos os lugares e juntos faziam todas as atividades. Uma atração natural os uniu na infância e, quando cresceram, passaram a se amar como homem e mulher. Minha mãe me disse que pareciam formar uma só carne e espírito.

Enquanto aguarda num sinaleiro, Oshima ergue o olhar para o céu. Na luz verde, ele acelera e ultrapassa um caminhão-tanque.

— Você ainda se lembra do que eu lhe falei certa vez na biblioteca? Aquela história de que as pessoas andam por aí em busca de suas metades perdidas?

— Homem-homem, mulher-mulher e mulher-homem?

— Exato. A história de Aristófanes. Mais da metade da população humana passa a vida inteira em desajeitada busca por sua outra metade. Mas isso não foi necessário nem para a Sra. Saeki, nem para o namorado dela. Os dois tinham descoberto as respectivas metades desde o momento em que nasceram.

— Tiveram sorte.

Oshima acena, concordando.

— Tiveram muita sorte, sem dúvida alguma. Até certa altura de suas vidas.

Oshima passa a mão pela face, como se procurasse certificar-se de que se escanhoara direito. Mas não há vestígios de barba em seu rosto. A pele é lisa como porcelana.

— O rapaz foi para uma faculdade em Tóquio quando completou 18 anos. Ele tinha ótimas notas e queria se especializar. Queria também conhecer a cidade grande. Ela resolveu continuar na cidade natal e estudar piano numa faculdade local. Assim como o povo desta parte do nosso país, a família dela era do tipo conservador. Além de tudo, ela era filha única, e os pais não queriam mandar seu precioso tesouro para Tóquio. E assim, os dois jovens se viram separados pela primeira vez. Como se alguma divindade mitológica houvesse seccionado suas vidas com um golpe de espada. Mas os dois se correspondiam, escreviam cartas quase diárias um para o outro. "Talvez seja importante para nós vivermos separados por algum tempo, ao menos desta vez", escreveu ele para ela. "Desse modo, seremos capazes de avaliar com certeza quanto valemos um para o outro, quanto necessitamos um do outro." Mas ela não pensava assim. Pois sabia perfeitamente que a relação entre eles era verdadeira e dispensava qualquer tipo de teste.

A união deles, predestinada, era de uma em um milhão, nada poderia separá-los. Ela sabia disso. Mas ele, não. Ou talvez até soubesse, mas não fosse capaz de aceitar essa verdade sem restrições. E, por isso, ele foi para Tóquio. Na certa imaginou fortalecer ainda mais a união submetendo-a a provações. Homens tendem a se comportar dessa maneira, às vezes.

"Aos 19 anos, ela escreveu um poema. Compôs uma música para os versos e cantou, acompanhando-se ao piano. A melodia era melancólica, bela em sua ingênua simplicidade. Em contrapartida, a letra era do tipo reflexivo e repleta de simbolismos, de difícil compreensão em certo sentido. E essa incongruência conferiu frescor ao conjunto. Tanto a letra quanto a melodia clamavam, nem é preciso dizer, pelo amado distante. Ela cantou a composição diversas vezes em público. Normalmente, ela era do tipo recatado, mas gostava de cantar e chegou até a liderar uma banda de música folclórica nos tempos em que frequentava o colegial. E, numa dessas apresentações, um entusiástico ouvinte fez uma gravação rústica da composição e a remeteu para o diretor de uma conhecida gravadora. O diretor, que também se encantou com a canção, chamou sua autora para o estúdio em Tóquio e, então, decidiram gravar a canção comercialmente.

"Foi a primeira viagem dela a Tóquio. Lá, ela se encontrou com o namorado e entre uma e outra sessão de gravação, os dois se amaram. Minha mãe acha que os dois mantinham relações sexuais desde a época em que tinham cerca de 14 anos de idade. Eles eram precoces. E, como muitas vezes acontece com pessoas precoces, não conseguiram amadurecer de maneira satisfatória. Permaneceram para sempre na faixa dos 14 ou 15 anos. Os dois se abraçavam com firmeza e comprovavam a necessidade que um tinha do outro. Nenhum dos dois sentia a mínima atração por outras pessoas. Mesmo separados, não deixavam espaço para ninguém se interpor entre eles. São aborrecidas estas histórias de amor parecidas com conto de fadas, não acha?"

Sacudo a cabeça, discordando.

— Pressinto uma grande virada mais adiante.

— Pois pressentiu certo — replica Oshima. — É assim que se constroem as grandes histórias — com viradas estonteantes. E acontecimentos inesperados. A felicidade é invariável. Mas a infelicidade apresenta inúmeras facetas, se modifica de pessoa para pessoa. Exatamente como disse Tolstoi. A felicidade é uma alegoria, a infelicidade é uma história. Quanto à canção, foi gravada, transformou-se em disco e em sucesso de vendas. E não em sucesso simples. Em sucesso retumbante. As pessoas não paravam de comprar o disco. Um milhão, dois milhões de cópias vendidas, não sei o número certo. Seja como for, constituiu-se em recorde de vendas. Há uma foto dela na capa do disco. Ela está sentada ao piano de cauda do estúdio de gravação e sorri voltada para a câmera.

"Como não houve tempo para preparar novas composições, gravaram uma versão instrumental da mesma música na face B do disco. Para piano e orquestra. Com ela ao piano. Essa execução também é maravilhosa. Tudo isso aconteceu pela altura de 1970. Dizem que naquela época se ouvia essa canção em qualquer estação que você sintonizasse. Foi o que minha mãe me contou. Eu mesmo não sei, porque nem era nascido. Mas no fim das contas, essa foi a única música que ela compôs e cantou. Nem LPs nem discos simples se seguiram a essa gravação."

— Acha possível que eu tenha ouvido essa canção?

— Você costuma ouvir o rádio com frequência?

Sacudo a cabeça e nego.

— Nesse caso, não deve ter ouvido. Hoje em dia você só a ouviria em programas radiofônicos do tipo "Melodias inesquecíveis". Mas é maravilhosa. Eu a tenho num CD e a ouço de vez em quando. Nunca na presença dela, naturalmente. Ela detesta que toquem no assunto.

— E como se chama essa composição?

— "Kafka à beira-mar" — responde Oshima.

— "Kafka à beira-mar"?

— Isso mesmo, senhor Kafka Tamura. A canção tem seu nome. Estranha coincidência, eu diria.

— Mas Kafka não é o meu nome verdadeiro, embora Tamura seja.

— Mas foi o nome que você escolheu para si, não foi?

Concordo com um aceno. Quem o escolhera fora eu: assim se chamará meu novo eu, tinha eu decidido havia muito.

— Pois é isso que importa — completa Oshima.

Aos 20 anos, o namorado da Sra. Saeki tinha morrido. Em plena temporada de sucesso da melodia "Kafka à beira-mar". A faculdade que ele frequentava estava fechada por causa de uma greve estudantil. Ele quebrou o piquete e entrou no campus para entregar uma refeição a um colega, que dormia lá. Era pouco antes das dez da noite. Os grevistas que guardavam o prédio o tomaram por um dos líderes da facção oposta (os dois se pareciam muito), o amarraram a uma cadeira e o submeteram a uma "inquisição" por suspeita de espionagem. Ele tentou explicar que houvera confusão de identidade, mas foi espancado com barras e canos de ferro. Quando foi ao chão, os estudantes o chutaram com pesadas botas. Antes do amanhecer, ele já estava morto. Tinha o crânio partido, costelas quebradas, pulmões rompidos. Seu corpo foi jogado no meio da rua, como um cão vadio. Dois dias depois, a Guarda Nacional invadiu o campus por solicitação da universidade: a greve se encerrou em poucas horas, e alguns estudantes foram presos sob a acusação de assassinato. Os estudantes reconheceram o crime, foram julgados, mas o júri concluiu que não houvera intenção de matar; só dois foram presos por homicídio culposo e cumpriram pena curta. Foi uma morte sem sentido, sob todos os aspectos.

Ela nunca mais cantou. Trancou-se no quarto e não quis falar com ninguém. Não atendia o telefone. Não compareceu ao enterro do rapaz. Em seguida, pediu afastamento da faculdade que frequentava. Alguns meses se passaram e, quando as pessoas se deram conta, ela tinha sumido da cidade. Ninguém sabia para onde ela fora, nem o que fazia. Os pais também nada revelavam. Acho que nem eles sabiam de seu paradeiro. Ela tinha desaparecido, como fumaça no ar. Até mesmo a mãe de Oshima, única amiga dela, não soube o que ela fez depois disso. Houve boatos de que tentou o suicídio no meio da floresta em torno do monte Fuji, mas que falhara e que estava internada num hospício. Um conhecido de um conhecido dizia ter topado com ela na cidade de Tóquio. De acordo com essa pessoa, ela estava em Tóquio e trabalhava como redatora, ou algo parecido. Alguém disse também que ela se casara e tivera um filho. Mas eram apenas boatos, não havia nada consistente por trás das notícias.

A única coisa quase certa era que, onde quer que ela tivesse estado ou qualquer que tenha sido a forma como viveu, não passara por nenhum problema financeiro. Royalties da venda do disco *Kafka à beira-mar* sempre abasteciam sua conta bancária. A quantia era considerável, mesmo depois de deduzidos os impostos. Ela os recebia toda vez que a canção era tocada em rádios ou incluída em CDs de sucessos do passado. De modo que não lhe deve ter sido difícil viver de maneira independente longe de sua terra. Além de tudo, ela era a única filha de uma família rica.

Contudo, 25 anos depois, a Sra. Saeki retornou a Takamatsu. A razão direta de seu retorno foi o enterro da mãe. (Cinco anos antes, o pai também havia falecido, mas a esse enterro ela não compareceu.) Ela organizou uma cerimônia fúnebre discreta para a mãe e, passado um tempo, vendeu a mansão onde nascera e crescera. Em seguida, comprou um apartamento de luxo numa área residencial tranquila da cidade de Takamatsu, e ali se estabeleceu. Tudo indicava que não pretendia mais se mudar. Passado algum tempo, a família Komura entrou em contato com ela. (A chefia do clã tinha passado para um irmão três anos mais novo que o falecido herdeiro. A Sra. Saeki e ele conversaram a sós. Ninguém soube do que trataram nesse encontro.) Logo depois, a Sra. Saeki passou a exercer a função de supervisora geral da Biblioteca Memorial Komura.

Ainda hoje, ela é bonita e conserva a silhueta esguia, assim como o ar puro e intelectual que exibe na foto estampada na capa do antigo disco. Mas o sorriso translúcido e incondicional não existe mais. Ainda hoje, ela sorri vez ou outra. Percebe-se porém que o sorriso, embora cativante, sofreu limitação de tempo e espaço. Atualmente, há uma cerca alta invisível em torno do seu sorriso. Ele não leva ninguém a lugar algum. Todas as manhãs, a Sra. Saeki vem da cidade para a biblioteca dirigindo um Golf cinza da Volkswagen, e nele retorna à casa no fim do expediente.

De volta à própria terra, ela não reatou relações nem com amigos nem com parentes. E se lhe acontece de encontrar um conhecido nalgum lugar, cumprimenta-o com educação e conversa sobre generalidades. O tema da conversa é quase sempre o mesmo. E se acaso comentam acontecimentos passados (principalmente aqueles que ela própria protagonizou), a Sra. Saeki imediatamente conduz a conversa em outra direção com toda a naturalidade. Fala sempre de maneira respeitosa e gentil, mas sem curiosidade ou entusiasmo. Quanto aos seus sentimentos — se é que existem —, ela sempre os guarda a sete chaves. Quase nunca expressa sua opinião pessoal, excetuando nas ocasiões em que precisa tomar decisões de cunho prático. Entregue a si mesma, fala muito pouco: prefere ouvir e aquiescer com gentis monossílabos. Em consequência, seus interlocutores quase sempre sentem um vago desassossego a certa altura do diálogo. Têm a impressão de estar perturbando a tranquilidade dela com conversas vãs, de estar invadindo seu universo metodicamente organizado. E quase sempre a percepção é correta.

Embora estivesse morando de novo em sua própria cidade, ela era ainda um enigma para o povo local. Seu modo de viver, refinado, continuava envolto em mistério. Algo nela dificultava uma abordagem leviana. Até mesmo os membros da família Komura, que afinal eram seus empregadores, demonstravam certo respeito por ela e evitavam imiscuir-se em sua vida.

Com o tempo, Oshima passou a trabalhar na biblioteca na qualidade de assistente. Nessa época, Oshima não ia à escola e nem tinha um trabalho fixo: ele se trancava em casa, lia uma quantidade enorme de livros e ouvia música. Exceto pelos correspondentes do correio eletrônico, parecia não ter nenhum amigo. Em parte por sua condição de hemofílico, só saía da cidade para ir a hospitais especializados, para andar sem destino em seu Mazda Roadstar, para visitar um hospital universitário de Hiroshima ou para ir à cabana na montanha de Kochi e ali se trancar. Mas ele não era infeliz por levar esse tipo de vida. Até que, certa ocasião, a mãe dele o apresentou à Sra. Saeki, que imediatamente se encantou com ele. Oshima também gostou da Sra. Saeki e tinha muito interesse em trabalhar na biblioteca. E tudo indica que o único com quem a Sra. Saeki tem contato e conversa todos os dias é Oshima.

— Pelo que você me contou, tive a impressão de que a Sra. Saeki retornou a esta cidade com o intuito de se tornar supervisora da Biblioteca Komura — comentei.

— Pois é isso que eu também sinto. Imagino até que o enterro da mãe não passou de uma desculpa para o seu retorno. Contudo, acredito também que ela precisou de certa dose de coragem para voltar a esta cidade repleta de recordações.

— Por que motivo a biblioteca seria tão importante para ela?

— Em parte, porque ele morou ali. Ele, ou seja, o namorado da Sra. Saeki, morava na Biblioteca Komura, que, na época, era um simples depósito de livros da família. Ele era o herdeiro da casa e, talvez por uma questão genética, gostava de ler livros mais do que de qualquer outra coisa. E amava a solidão, outra característica da família Komura. E por isso, quando começou a frequentar o nível ginasial, preferiu sair da construção principal onde morava a família e pedir um quarto só dele no anexo transformado em depósito de livros, e foi atendido. Afinal, o clã inteiro gostava de ler e compreendeu muito bem a necessidade do garoto. "Ah, quer viver sozinho rodeado de livros? Ótimo!", disseram eles. E nesse anexo ele viveu sem ser incomodado por ninguém, apenas retornando à ala principal da casa para as refeições. A Sra. Saeki vinha diariamente visitá-lo. Os dois estudavam juntos, ouviam música juntos, e se engajavam em conversas infindáveis. E provavelmente dormiam um nos braços do outro. O local se transformou no paraíso terrestre de ambos.

Com a mão sobre o volante, Oshima olha para mim.

— E você vai morar nesse local, Kafka. No quarto em que ele mesmo viveu. Conforme já lhe disse antes, a construção passou por reformas quando foi transformada em biblioteca. Mas ainda assim o quarto é o mesmo.

Mantenho-me em silêncio.

— Basicamente, a vida da Sra. Saeki parou na faixa dos 20 anos, no momento em que o namorado morreu. Ou melhor, talvez a estagnação se tenha dado ainda antes dos 20 anos. Esse é um ponto que não sei. Mas você tem de compreender isso. Os ponteiros do relógio embutido em sua alma estão imobilizados nalgum ponto em torno dessa idade. Externamente, porém, o tempo continuou a correr e exerceu sobre ela sua influência. Mas para ela, esse tipo de tempo quase não tem sentido.

— Não tem sentido?

Oshima acena.

— Estou dizendo que é como se nada representasse.

— Quer dizer que a Sra. Saeki continua a viver nesse tempo paralisado?

— Exato. Mas ela não é um morto vivo, de modo algum. Você vai compreender isso quando a conhecer melhor.

Oshima estende o braço e pousa a mão sobre o meu joelho.

— Meu caro Kafka Tamura, existe um ponto em nossas vidas em que voltar atrás já não nos é permitido. E também um ponto, este mais raro, em que não podemos mais avançar. Alcançados tais pontos, só nos resta aceitá-los, para o bem ou para o mal. É dessa maneira que todos nós vivemos.

Entramos numa via expressa. Pouco antes disso, Oshima estacionara o carro e erguera a capota. E ligara a sonata de Schubert outra vez.

— E tem mais uma coisa que gostaria que você soubesse — diz ele. — Em certo sentido, a Sra. Saeki é uma pessoa que carrega uma grande dor no coração. Eu e você também carregamos as nossas, claro. Mas a da Sra. Saeki ultrapassa o conceito geral de dor, é algo *peculiar*. Talvez se possa dizer que sua alma possui uma faculdade diferente da das demais pessoas. Mas isso não significa que ela seja perigosa, nada disso. No dia a dia, ela é uma pessoa perfeitamente normal. Em certo aspecto, posso até dizer que é mais normal do que qualquer um que eu conheço. Ela é profunda, inteligente e encantadora. Quero apenas que você não se impressione caso venha a perceber algo estranho nela.

— Estranho? Como assim? — pergunto impensadamente.

Oshima sacode a cabeça.

— Eu adoro a Sra. Saeki. Tenho muito respeito por ela. E tenho certeza de que você também passará a se sentir do mesmo jeito com relação a ela.

Não era uma resposta direta à minha pergunta. Mas Oshima não quis falar mais nada. Calculou o tempo certo para reduzir a marcha, pisou no acelerador e ultrapassou uma caminhonete pouco antes de entrarmos num túnel.

Capítulo 18

Quando tornou a si, Nakata estava caído de costas sobre a relva. Aos poucos se recobrou e abriu os olhos lentamente. Era noite. Não viu estrelas. Ainda assim, havia uma leve claridade no céu. Sentiu no ar o odor acre de grama, típico de verão. Ouviu grilos cricrilando. Tudo indicava que se encontrava no terreno baldio que andara vigiando nos últimos dias. Alguma coisa lhe roçava o rosto. Alguma coisa áspera e morna. Mexeu de leve a cabeça e viu dois gatos, um de cada lado do rosto, lambendo-lhe as faces. Eram Mimi e Goma. Nakata se ergueu vagarosamente, estendeu as mãos e acariciou as duas.

— Será que Nakata estava dormindo? — perguntou ele às gatas.

As duas miaram, parecendo ávidas por lhe contar algo. Mas Nakata não conseguiu captar nada do que lhe diziam. A linguagem delas tinha-se tornado ininteligível para ele. Simples miado.

— Desculpe, mas parece que Nakata não consegue entender direito o que vocês falam.

Nakata se pôs em pé, examinou-se superficialmente e teve certeza de que não havia nada estranho consigo. Não sentia dores. Era capaz de mover pés e mãos a contento. Levou algum tempo até que seus olhos se acostumassem com a escuridão reinante e lhe assegurassem: não havia sangue nem nas roupas nem nas mãos. A roupa, aliás, era a mesma que usava quando saíra de casa. E estava impecável. A sacola de lona contendo a garrafa térmica e o lanche continuava a seu lado. O chapéu continuava no bolso. Nakata não entendia mais nada.

Ainda há pouco, ele empunhara uma faca enorme e eliminara Johnnie Walker, o matador de gatos. Só para salvar a vida de Mimi e de Goma. Disso Nakata se lembrava muito bem. Em suas mãos ainda restava a sensação daquele momento. Tinha certeza de que não sonhara. No momento do golpe, ele se encharcara com o sangue do estranho homem. Johnnie Walker fora ao chão e ali ficara, enrodilhado, morto.

203

Até esse ponto ele se lembrava bem. Depois disso, Nakata desabara sobre o sofá e perdera a consciência. E, quando dera por si, estava caído no meio do mato do terreno baldio. De que jeito chegara até ali se nem sabia onde estivera? Além de tudo, não havia nenhuma gota de sangue em suas roupas. Mas como prova de que não sonhara, Mimi e Goma continuavam a seu lado. Só que, agora, ele já não conseguia entender o que as gatas lhe diziam.

Nakata suspirou. Não era capaz de pensar direito. Paciência. Mais tarde, tornaria a refletir no assunto. Pôs a sacola ao ombro, carregou uma gata em cada braço e saiu do terreno baldio. Quando emergiu do cercado, Mimi se agitou dando a entender que queria ser posta no chão. Nakata a soltou.

— Você está querendo me dizer que sabe voltar sozinha, não é, Mimi? Porque agora estamos pertinho de sua casa — disse Nakata.

Mimi sacudiu o rabo vigorosamente, como a dizer: "Isso mesmo!"

— Não consigo compreender nada do que ocorreu e, além de tudo, perdi a capacidade de conversar com você. Seja como for, encontrei Goma. Daqui, vou até a casa dos Koizumi entregá-la. Pois a família está à espera do retorno desta gatinha querida. Agradeço a sua ajuda do fundo do coração, Mimi.

A gatinha miou alto, tornou a agitar o rabo, dobrou a esquina a passos rápidos e desapareceu. Não havia sinal de sangue nela. Nakata guardou o detalhe na memória.

A família Koizumi recebeu Goma com alegria esfuziante. Já passava das dez e as meninas, prontas para dormir, estavam escovando os dentes. O casal Koizumi, que tomava chá e assistia ao noticiário noturno, recebeu Nakata entusiasticamente. As meninas surgiram em pijamas e disputaram o direito de pegar no colo a gatinha malhada. Elas lhe ofereceram leite e ração, e Goma se alimentou com avidez.

— Desculpe visitá-los nesta hora tardia. Teria sido melhor se fosse mais cedo, mas Nakata não teve escolha.

— Que é isso? Não se desculpe, por favor — disse a senhora Koizumi.

— Ninguém aqui está se importando com o horário. Esta gata faz parte da nossa família. Estamos realmente muito felizes de tê-la de volta. Entre, entre um instante. Venha tomar chá conosco — convidou o senhor Koizumi.

— Não, não senhor. Nakata vai embora em seguida. Nakata queria apenas devolver a gatinha para a sua família o mais cedo possível.

A senhora Koizumi desapareceu por momentos para preparar o envelope com o pagamento. O dono da casa o entregou em seguida para Nakata.

— Isto é apenas um agradecimento simbólico por todo o trabalho que o senhor teve procurando Goma. Aceite, por favor.

— Muito obrigado, Nakata aceita — disse o homem recebendo o envelope e fazendo uma leve mesura.

— Mas como é que conseguiu encontrá-la agora à noite, no escuro? — perguntou o senhor Koizumi.

— Se for explicar, a conversa vai ficar muito comprida. E Nakata não consegue. Nakata não tem a cabeça boa, não sabe contar histórias longas e complicadas.

— Isso não tem importância. Eu apenas não sei como lhe agradecer — disse a senhora Koizumi. — Ah, é verdade, sobrou berinjela assada e um pouco de pepino agridoce do jantar. Não quer levá-los?

— Quero sim. Nakata gosta muito de berinjela e pepino, muito obrigado.

Nakata guardou na sacola o envelope com o pagamento, o recipiente contendo a berinjela assada e o pepino agridoce, e saiu da casa dos Koizumi. Apressou os passos na direção da estação e se aproximou do posto policial próximo à rua comercial. Um jovem policial se sentava à escrivaninha e preenchia formulários. O chapéu do uniforme repousava sobre o tampo da mesa.

Nakata puxou a porta de vidro do posto e entrou.

— Boa noite. Com licença — disse.

— Boa noite — respondeu o guarda. Ergueu o olhar do formulário e examinou Nakata. Um velhinho inofensivo e tranquilo, pensou. Na certa vai perguntar a localização de alguma rua.

De pé na soleira da porta, Nakata removeu o chapéu e o guardou no bolso da calça. Em seguida, tirou um lenço do bolso oposto e assoou o nariz. Dobrou o lenço e guardou-o outra vez.

— E então? Que deseja? — perguntou o policial.

— Pois é. Nakata acaba de matar uma pessoa.

O policial deixou a caneta escapar por entre os dedos e cair sobre a escrivaninha. Boquiaberto e mudo, contemplou Nakata durante alguns momentos.

— C-como... Venha cá, sente-se aí, antes de mais nada — disse o guarda meio cético, apontando a cadeira diante da escrivaninha. Em seguida, levou a mão à cintura e se certificou de que portava revólver, cassetete e algemas.

— Sim, senhor — disse Nakata sentando-se no lugar indicado. Endireitou as costas, pousou as mãos sobre os joelhos e encarou o policial.

— Quer dizer então que o senhor... matou uma pessoa.

— Sim senhor. Nakata esfaqueou uma pessoa e a matou. Foi há poucos momentos — declarou Nakata resolutamente.

O policial apanhou um formulário, lançou o olhar ao relógio de parede, inscreveu o horário e registrou com esferográfica: assassinato com arma branca.

— Antes de mais nada, dê-me seu nome e endereço.

— Pois não. O nome é Satoru Nakata. O endereço...

— Espere um pouco. Com que ideogramas se escreve Satoru Nakata?

— Nakata não entende nada de ideogramas. Desculpe. Não sabe escrever. Nem ler.

O policial armou uma carranca.

— Não sabe escrever nem ler coisa alguma? Nem o próprio nome?

— Isso mesmo, senhor. Segundo me disseram, Nakata sabia ler e escrever perfeitamente até os 9 anos de idade, mas sofreu um acidente nessa época e desde então não consegue mais. A cabeça não é boa.

O policial suspirou e depositou a esferográfica sobre a mesa.

— E como vou preencher este formulário se você não sabe me dizer como se escreve seu nome!

— Nakata sente muito, é verdade.

— Você não tem ninguém que eu possa contatar? Família?

— Nakata é sozinho. Não tem família. Não tem emprego. Vive da *pen-são* que recebe do senhor governador.

— Já é tarde e é melhor você ir para casa. Depois, tenha uma boa noite de sono. E se você se lembrar de mais alguma coisa quando acordar amanhã de manhã, me procure de novo. Aí então poderemos conversar direito.

A hora de troca de turnos estava se aproximando, e o policial queria terminar seu relatório. Depois, ele e um colega tinham ficado de se encontrar num barzinho perto dali para beber. Não tinha tempo a perder com velhinhos malucos. Mas Nakata o contemplava com olhar severo e sacudiu a cabeça:

— Não senhor, Nakata prefere contar enquanto se lembra direito de tudo que aconteceu. Amanhã de manhã, ele pode ter-se esquecido de algum detalhe importante. Nakata estava no terreno baldio da rua Dois. A pedido dos Koizumi, estava à procura da gatinha Goma. E então, um grande cão preto apareceu de repente e conduziu Nakata para uma certa mansão. Era uma casa grande, com portão grande e um carro preto parado na entrada. Nakata não sabe o endereço. Não se lembra de ter estado naquelas bandas nenhuma vez. Mas a rua deve pertencer ao bairro de Nakano. Nessa mansão, morava um homem estranho que se chamava Johnnie Walker e usava um chapéu preto. O chapéu era do tipo alto. Na cozinha da casa tinha uma geladeira com uma porção de cabeças de gato enfileiradas nas prateleiras. Devia ter umas vinte cabeças. Esse homem pegava os gatos, serrava seus pescoços e comia seus corações. Ele estava fabricando uma flauta especial com a alma dos gatos. Depois, pretendia usar essa flauta para pegar almas de seres humanos. Johnnie Walker pegou uma faca e matou Kawamura diante dos olhos de Nakata. Matou também mais alguns gatos. Ele abria a barriga deles com a faca. Quase matou Mimi e a pequena Goma. E então Nakata pegou a faca e matou Johnnie Walker. Porque Johnnie Walker pediu a Nakata que o matasse. Mas Nakata não pretendia matar Johnnie Walker. É verdade, Nakata nunca matou ninguém até hoje. Nakata apenas queria impedir que Johnnie Walker matasse mais gatos. Mas o corpo não obedecia mais as ordens de Nakata. O corpo começou a se mexer por conta própria. Apanhou a faca que tinha por perto e esfaqueou Johnnie Walker uma, duas, três vezes. Johnnie Walker foi ao chão coberto de sangue e morreu. Nessa hora, Nakata também se sujou todo de sangue. Depois disso, Nakata cambaleou, caiu sentado numa poltrona e acho que acabou adormecendo. Quando recobrou a consciência, já era noite alta e estava caído no terreno baldio. E tinha Mimi e Goma ao lado. Tudo isso aconteceu há poucos instantes. Então, Nakata foi antes de mais nada devolver Goma aos Koizumi, ganhou berinjela assada e pepino agridoce da senhora Koizumi e, depois, veio direto para cá. Nakata achou que tinha de relatar o acontecido ao senhor governador.

Sentado com as costas eretas, Nakata contou tudo isso de um só fôlego e respirou fundo. Era a primeira vez que contava uma história tão longa numa única tirada. Sentiu a cabeça oca.

— Portanto, comunique tudo isso ao senhor governador, por favor.

O jovem policial ouviu a história de Nakata com expressão aturdida. Não conseguira compreender quase nada do que acabara de ouvir. Johnnie Walker? Goma?

— Está bem. Vou contar tudo isso ao senhor governador — disse por fim o policial.

— Nakata espera que ele não corte a *pen-são*.

O guarda armou uma carranca compenetrada e fingiu anotar tudo num pedaço de papel.

— Entendi. Vou anotar da seguinte maneira: *O depoente espera não ter a pensão cortada*. Está bem assim?

— Está muito bem. Muito obrigado. Nakata pede desculpas por ter tomado o seu tempo. Dê lembranças ao senhor governador.

— Darei sim. Agora, vá para casa e descanse bem — disse o policial, mas antes de terminar, não resistiu e fez uma única observação:

— Para alguém que, conforme você mesmo disse, acabou de matar uma pessoa e se sujou todo de sangue, suas roupas estão em perfeito estado...

— Exatamente. Para falar a verdade, Nakata também está intrigado com isso. Não consegue entender. Nakata estava realmente sujo de sangue, mas quando voltou a si, não encontrou nenhuma mancha. É muito estranho.

— Muito estranho, realmente — disse o guarda deixando transparecer na voz o cansaço de um dia inteiro de trabalho.

Nakata abriu a porta e ia saindo, mas parou e se voltou para dizer:

— Mudando um pouco de assunto, o senhor vai estar nestas redondezas amanhã à tarde?

— Vou sim — disse o guarda com um toque de cautela na voz. — Estarei neste posto amanhã à tarde. Por quê?

— Pois Nakata acha melhor o senhor trazer seu guarda-chuva, mesmo que faça muito sol.

O guarda acenou para dizer que compreendera e transferiu o olhar para o relógio da parede. Seu colega estava para ligar a qualquer instante.

— Entendi, vou trazer meu guarda-chuva.

— Porque vai cair peixe do céu, do mesmo jeito que água em dia de chuva. Muito peixe. Acho que serão sardinhas. Talvez haja algumas cavalinhas no meio delas.

— Sardinhas e cavalinhas? — disse o policial sorrindo. — Nesse caso, talvez seja melhor virar o guarda-chuva e apanhar os peixes com ele. Curtidos no vinagre, ficam deliciosos.

— Nakata também gosta muito de cavalinha curtida em vinagre — disse Nakata com expressão séria. — Mas talvez já não esteja aqui quando isso acontecer.

No dia seguinte, o jovem policial empalideceu a olhos vistos no momento em que realmente viu chover sardinhas e cavalinhas naquela área do bairro de Nakano. Cerca de 2 mil peixes desabaram das nuvens. A maioria se espatifou ao atingir o solo, mas alguns continuavam vivos e saltitavam sobre o asfalto da zona comercial. Visivelmente frescos, os peixes ainda cheiravam a mar. Bateram com estrépito em pedestres, carros e telhados, mas por sorte não feriram ninguém com gravidade porque aparentemente caíram de uma altura não muito grande. O choque psicológico das pessoas atingidas pareceu mais intenso que o físico. Afinal, peixes em grande quantidade tinham caído do céu como granizo. O acontecimento tinha um caráter verdadeiramente apocalíptico.

Mais tarde, a polícia desenvolveu diversas investigações mas não foi capaz de saber de onde ou de que maneira esses peixes tinham sido levados para o alto. Não houvera nenhum relato de desaparecimento de expressiva quantidade de sardinhas e cavalinhas tanto do mercado de peixes como de navios pesqueiros. Nenhum avião ou helicóptero sobrevoara o bairro naquele horário. Não houvera relato de tornado. E também não tinha jeito de ser brincadeira de mau gosto. Prepará-la demandaria muito trabalho. Atendendo à solicitação da polícia, a Secretaria de Saúde de Nakano recolheu alguns espécimes caídos do céu e realizou pesquisas, mas não descobriu nenhum tipo de anomalia neles. Aparentavam ser peixes comuns. Frescos e apetitosos. Mas, por via das dúvidas, radiopatrulhas equipadas com alto-falantes percorreram o bairro aconselhando os moradores a não consumirem os peixes caídos do céu porque sua procedência era desconhecida e podiam conter substâncias nocivas à saúde. Canais de televisão enviaram unidades móveis para reportagens *in loco*. O acontecimento merecia realmente ser transformado em matéria televisiva. Repórteres se aglomeraram na zona comercial, e divulgaram em rede nacional o incidente absolutamente estranho. Diante das câmeras, apanharam com pás os peixes caídos nas ruas. Transmitiram o comentário de uma dona de casa que fora atingida na cabeça por um peixe. A nadadeira da cavalinha lhe provocara um corte no rosto. "Ainda bem que eram sardinhas e cavalinhas. Já pensou se fossem peixes grandes como atuns?", dissera a mulher, apertando um lenço contra a face. O comentário tinha sido feito com seriedade, mas os telespectadores desataram a rir. Alguns repórteres mais corajosos assaram sardinhas e cavalinhas diante das câmeras e as comeram. "Saborosas", comentaram triunfantes. "Estão frescas, e têm bastante gordura. Pena que não possamos comê-las com nabo ralado e arroz quente!"

O jovem policial estava desnorteado. O estranho idoso — não conseguia se lembrar como raios se chamava ele — tinha profetizado que naquela tarde cairia do céu uma grande quantidade de peixes. Sardinhas e cavalinhas. E acontecera exatamente o que ele dissera. Mas o policial rira do velhinho e não anotara nem seu nome, nem seu endereço. Será que devia comunicar tudo isso ao superior hierárquico? Esse talvez fosse o procedimento correto. Mas que mérito haveria em contar àquela altura dos acontecimentos? Ninguém se ferira com gravidade, nem existia prova alguma de que houvera participação criminosa no fenômeno. Peixes haviam caído do céu, só isso.

E, pensando bem, quem garantia que seu superior o levaria a sério caso contasse essa história maluca de que um velhinho estranho aparecera no posto na noite anterior e profetizara que choveria sardinha e cavalinha no dia seguinte? O chefe na certa pensaria que tinha um subalterno louco. Ou, pior ainda, inventaria detalhes para transformá-lo em motivo de riso do distrito.

E havia mais uma coisa: o dito velhinho aparecera no posto confessando também ter matado uma pessoa. Em outras palavras, viera se entregar. Mas o policial não lhe prestara a devida atenção. Nem ao menos se dera o trabalho de registrar o acontecimento no livro de ocorrências. Infringira claramente o regulamento interno, o que sem dúvida acarretaria punição. Mas a história do velhinho era maluca demais. Nenhum policial com alguma experiência em serviço de ronda teria levado a sério tamanho disparate. Afinal, os dias num posto policial são movimentados, com mil detalhes para resolver, e o serviço burocrático vai se acumulando. O mundo está cheio de gente com parafusos a menos na cabeça, e toda essa gente costuma bater à porta dos postos como se tivesse convencionado falar coisas sem nexo. Não era possível atender a cada um desses malucos com seriedade.

Mas uma vez que a profecia de que ia chover peixe (céus, que história absurda!) tinha se concretizado, talvez aquela outra história, qual seja, a de que o velhinho tinha esfaqueado e matado alguém — um certo Johnnie Walker, segundo ele próprio confessara —, não pudesse ser descartada como pura invencionice. E se isso realmente acontecera, o policial tinha agora uma verdadeira batata quente nas mãos. Pois ele mandara embora um homem que se entregara voluntariamente confessando que acabara de matar alguém, e nem ao menos reportara o acontecimento.

Logo, um caminhão do Departamento Sanitário surgiu para levar os peixes espalhados na rua. O jovem policial se encarregou de controlar o tráfego. Posicionou uma barreira na entrada da via e impediu a passagem de veículos. Escamas de peixes tinham aderido ao asfalto e às calçadas da área comercial, e embora a prefeitura tivesse mandado caminhões-pipa, foi difícil removê-las. Por algum tempo as ruas continuaram escorregadias e diversas donas de casa caíram quando as rodas de suas bicicletas derraparam. O cheiro de peixe permaneceu muito tempo no ar e alvoroçou todos os gatos da redondeza. A solução desses pequenos problemas tomou integralmente o tempo do jovem policial, e ele não pensou mais na história do estranho velhinho.

Mas no dia seguinte ao da chuva de peixes, o mesmo policial engoliu em seco quando descobriram o cadáver de um homem morto a facadas numa mansão da vizinhança. O morto, um escultor famoso, fora descoberto pela faxineira que comparecia à casa dele, dia sim, dia não. A vítima estava nua por alguma razão desconhecida, e o piso em que jazia assemelhava-se a um mar de sangue. A hora aproximada da morte era a tarde de dois dias antes e a arma, uma faca encontrada na cozinha. Tudo o que o velhinho havia dito era verdade!, pensou o policial. Caramba, em que enrascada fui me meter! Eu devia ter contatado a central naquela hora e pedido para levar o velhinho numa radiopatrulha. Devia tê-lo entregue ao comando, pois ele havia confessado um assassinato. E o comando que se encarregasse de avaliar se o velhinho era ou não maluco. Dessa forma, minha responsabilidade como autuante estaria encerrada. Mas eu não fiz nada disso. Agora, só me resta fingir ignorância.

Assim resolveu o jovem policial.

Àquela altura, Nakata já tinha abandonado a cidade.

Capítulo 19

É segunda-feira, dia em que a biblioteca permanece fechada. O silêncio, que já é grande em dias de funcionamento normal, passa então a ser excessivo. Parece até que a biblioteca foi esquecida pelo tempo. Ou que, para não ser notada por ele, se retrai e respira com muito cuidado.

Seguindo pelo corredor que se estende além da sala de leitura (uma placa avisa: "Entrada proibida a pessoas estranhas à administração"), existe uma pequena copa com pia para uso dos funcionários, onde se pode preparar ou aquecer qualquer bebida. Está equipada com micro-ondas. Para além dessa área há uma porta que se abre para o apartamento de hóspedes. O apartamento é provido de banheiro simples e armário embutido. Cama de solteiro, mesinha de cabeceira com luz para leitura e despertador. Uma escrivaninha e um abajur sobre ela. Um jogo antiquado de sala de visitas com poltronas cobertas com capa de tecido branco, um baú para guardar roupas. Uma pequena geladeira e, sobre ela, prateleiras para armazenar comida e louça. Se o hóspede quer uma refeição ligeira, usa a copa existente do outro lado da porta. No banheiro há xampu, sabonete, secador de cabelo e toalha de banho. Em suma, o apartamento está preparado para abrigar um hóspede com razoável conforto por algum tempo. Da janela voltada para o oeste se avistam árvores. A tarde está caindo, e o sol em seu caminho para o poente brilha além dos galhos dos ciprestes.

— Além de mim, que às vezes durmo aqui quando me dá preguiça de ir para casa, ninguém mais ocupa este apartamento — diz Oshima. — Por tudo que sei, a Sra. Saeki jamais o usa. Em outras palavras, ninguém será prejudicado se você passar a ocupá-lo.

Deponho minha mochila no chão e inspeciono o quarto.

— A cama já está preparada e a geladeira abastecida com produtos básicos: leite, frutas, verduras, manteiga, presunto, queijo... Insuficientes para pratos requintados, mas dá para você preparar sanduíches e saladas. Se quiser algo mais substancioso, terá de recorrer ao

213

serviço de entregas em domicílio ou comer fora. As roupas precisam ser lavadas no banheiro. Será que lhe dei todas as informações necessárias?

— Onde é o local de trabalho da Sra. Saeki?

Oshima aponta o teto com o dedo.

— Quando você fez o tour pela biblioteca, viu um escritório no andar superior, não viu? A Sra. Saeki fica naquele aposento, sempre escrevendo. Se eu me ausento, ela desce e me substitui no balcão. Mas se não tem nada para fazer no térreo, ela fica no escritório.

Aceno a cabeça para dizer que compreendi.

— Estarei aqui amanhã às dez horas para pô-lo a par do seu trabalho. Descanse bem até lá.

— Obrigado por tudo — digo.

— *My pleasure* — responde ele.

Depois que Oshima se foi, arrumo as coisas que tenho na mochila. Guardo minhas poucas roupas no baú, dependuro camisas e jaqueta no cabide, ponho caderno, lápis e esferográfica em cima da escrivaninha, levo o material de higiene para o banheiro, guardo a mochila no armário embutido.

Não há itens decorativos no quarto, mas um único quadro a óleo enfeita uma das paredes. É uma pintura em estilo realista de um garoto à beira-mar. Nada mau. Talvez seja de um pintor famoso. O garoto parece ter cerca de 12 anos. Usa chapéu branco de aba larga e está sentado numa pequena cadeira de praia. Apoia o cotovelo numa balaustrada e o queixo na mão. Seu rosto exprime um misto de melancolia e triunfo. Um cão pastor alemão preto está sentado a seu lado em atitude protetora. Ao fundo, vê-se o mar. Há também outras pessoas no quadro, mas não consigo discernir suas feições porque são minúsculas. Há uma pequena ilha ao largo. Algumas nuvens em forma de punho fechado flutuam sobre o mar. Cena de verão. Sento-me à escrivaninha e contemplo a pintura. E então parece-me até que começo a ouvir o marulhar das ondas e a sentir o cheiro de maresia.

O garoto representado no quadro talvez tenha morado neste aposento antigamente. Talvez tenha sido o rapaz que a Sra. Saeki amou, aquele que tinha a mesma idade dela. O tal que se viu envolvido numa briga entre facções estudantis e morreu bestamente. Embora sem meios de saber com certeza, essa é a impressão que eu tenho. A paisagem também parece ser de alguma praia das cercanias. Caso minhas suposições estejam corretas, a pintura retrata uma cena de quase quarenta anos atrás. Quarenta anos para mim são quase uma eternidade. Experimento imaginar-me dentro de quarenta anos. É quase o mesmo que imaginar os limites do universo.

Na manhã do dia seguinte, Oshima aparece e me ensina os procedimentos para a abertura da biblioteca. Destranco a porta, abro as janelas para renovar o ar, passo rapidamente o aspirador de pó, limpo com um pano úmido o tampo das mesas, troco a água dos vasos de flores, acendo luzes, molho o jardim quando houver necessidade e, na hora certa, abro o portão. E no fim do expediente refaço quase todo o processo em ordem inversa. Tranco as janelas, torno a passar um pano sobre as mesas, apago as luzes e fecho o portão.

— Pode até ser que não haja necessidade de trancar portas e janelas com tanto cuidado porque não temos nada que valha a pena ser roubado — diz Oshima. — Mas tanto a Sra. Saeki como eu não apreciamos o desleixo. Nós nos esforçamos para manter tudo em ordem. Esta é a *nossa* casa, e nós a respeitamos. Quero que você também a respeite.

Concordo com um aceno.

Em seguida, Oshima me ensina o que devo fazer quando estiver no balcão da recepção. Como orientar as pessoas que procuram a biblioteca.

— Fique perto de mim por uns tempos e veja o que eu faço. O serviço é simples. Se surgir uma situação com a qual não saiba lidar, procure a Sra. Saeki no andar de cima. Ela se encarregará de tudo.

A Sra. Saeki aparece pouco antes das 11 da manhã. O ruído do motor do seu carro, um Golf da Volkswagen, é característico e facilmente identificável. Ela o deixa na área de estacionamento, entra na biblioteca pela porta dos fundos e cumprimenta Oshima. "Bom dia!", diz ela. "Bom dia, Sra. Saeki", respondemos Oshima e eu. Isso é tudo que dizemos. A Sra. Saeki usa um vestido azul-marinho de manga curta, leva um blazer de algodão na mão e uma bolsa ao ombro. Não usa quase nada como adereço. E quase nada de maquiagem. Mesmo assim, sua beleza cativa o olhar. Quando me vê em pé ao lado de Oshima, ela parece querer me dizer alguma coisa, mas desiste. Dirige um sorriso suave para mim e, em seguida, sobe com passos calmos para o andar superior.

— Não se preocupe — diz Oshima. — Ela não faz objeção alguma à sua presença neste local. Ela é do tipo que fala apenas o estritamente necessário.

Às onze horas, Oshima dá início ao expediente. Abre o portão, mas ninguém entra por ele em seguida. Oshima me ensina como acessar o computador para pesquisas. É um IBM do tipo comum em bibliotecas e eu já sei usá-lo. Em seguida, ele me ensina a catalogar as fichas de consulta. Preencher à mão as fichas catalográficas das publicações que chegam diariamente pelo correio é outra das minhas tarefas.

Às 11h30, duas mulheres aparecem juntas. Ambas usam jeans de corte idêntico e no mesmo tom de azul. A mais baixa tem cabelos curtos aparados como uma atleta de natação, e a mais alta usa os dela em tranças. As duas calçam tênis. Uma delas, da marca Nike e a outra, da Asics. A mais alta tem cerca de 40 anos e a mais baixa, uns 30. A primeira usa óculos e camisa xadrez, a outra, blusa branca. As duas levam mochilas pequenas às costas e seus rostos são sombrios como um dia nublado. Falam pouco. Oshima lhes pede que deixem as mochilas na entrada e as duas tiram de dentro, mal-humoradas, blocos de anotações e lápis.

Elas examinam com cuidado as estantes assim como as fichas catalográficas. Vez ou outra, fazem anotações em seus blocos. Não leem livros. Nem se sentam. Não me parecem usuárias frequentes de biblioteca, lembram antes fiscais do Ministério da Fazenda levantando o estoque de uma empresa qualquer. Nem Oshima nem eu temos a menor ideia do que elas são ou do tipo de trabalho que pretendem desenvolver em nosso estabelecimento. Oshima me lança um olhar e dá de ombros. O comportamento delas é, no mínimo, preocupante.

Na hora do almoço, eu fico na recepção enquanto Oshima vai comer no jardim.

— Eu queria perguntar uma coisa — diz uma das mulheres aproximando-se do balcão. É a mais alta. O tom de voz, rígido e forçado, faz lembrar um naco de pão há muito esquecido num canto de armário.

— Sim, senhora. Em que posso ajudá-la?

Ela franze o cenho e me olha como se eu fosse um quadro fora do prumo.

— Espere um pouco. Você é novo demais, ainda está cursando o colegial, não está?

— Sim, senhora. Sou *trainee*.

— Pois faça-me o favor de chamar alguém que entenda das coisas.

Vou ao jardim e chamo Oshima. Ele deglute o que tem na boca, lava o resto com um gole de café, espana as migalhas de pão da roupa e me acompanha.

— Alguma dúvida, senhora? — pergunta Oshima cordialmente.

— A organização a que pertenço está desenvolvendo pesquisa de campo em âmbito nacional com o intuito de avaliar pela óptica feminina a facilidade de uso e de acesso das instituições culturais — diz ela. — Durante um ano, nós nos dividiremos em grupos que visitarão e examinarão efetivamente cada uma das instituições do país e, em seguida, publicaremos o resultado da pesquisa. Há muitas mulheres envolvidas neste projeto. E nós duas somos as encarregadas desta área.

— Caso não se importem, gostaria de saber o nome de sua organização — diz Oshima.

A mulher apresenta um cartão de visitas. Sem se alterar minimamente, Oshima examina o cartão com cuidado, deposita-o sobre o balcão, ergue a cabeça e fixa o olhar no rosto da mulher com um sorriso cativante. Sorriso de primeira, capaz de fazer qualquer mulher digna desse nome corar. Mas sua interlocutora permanece impassível, não move um único músculo do seu rosto.

— E agora, vou ser franca e revelar, antes de mais nada, o resultado das nossas averiguações: existem diversos aspectos problemáticos nesta biblioteca — continua a mulher.

— Quando vista pela óptica feminina, a senhora quer dizer? — pergunta Oshima.

— Exatamente, pela óptica feminina — diz ela. Depois, pigarreia. — E se não se importa, eu gostaria de ouvir o departamento administrativo a esse respeito.

— Nesta biblioteca não existe nada tão pomposo que possa ser chamado de "departamento administrativo", mas se não se importa de falar comigo, posso ouvi-la.

— Para começo de conversa, vocês não dispõem de um banheiro só para mulheres, dispõem?

— Não, senhora, não dispomos. Nesta biblioteca não existe um banheiro de uso exclusivamente feminino. O que existe é compartilhado por homens e mulheres.

— Pois você não acha que, se está aberta para o público, esta biblioteca, mesmo sendo particular, deveria em princípio ter um banheiro exclusivo para mulheres?

— *Em princípio* — repete Oshima como a confirmar a declaração da mulher.

— Isso mesmo. Banheiros compartilhados por homens e mulheres originam uma série de situações desagradáveis para as mulheres. De acordo com nossas pesquisas, a maioria das mulheres sente agudo desconforto quando obrigada a usar esse tipo de banheiro. Isto se constitui obviamente em negligência em relação à usuária do sexo feminino.

— *Negligência* — repete Oshima. Em seguida careteia como se tivesse engolido involuntariamente alguma coisa muito amarga. Ele parece não gostar dessa palavra.

— Um descuido intencional.

— *Descuido intencional* — repete Oshima. Por instantes, parece considerar a inconsistência da expressão.

— Qual a sua opinião a esse respeito? — pergunta a mulher mal disfarçando a irritação.

— Como a senhora mesma está vendo, esta biblioteca é muito pequena — diz Oshima. — E, por essa razão, não dispomos de espaço para construir dois banheiros, um só para homens e outro só para mulheres. É indiscutível que seria muito melhor termos banheiros separados, mas, até hoje, nenhum dos nossos visitantes reclamou. Nossas dependências nunca ficam lotadas, não sei se feliz ou infelizmente. Mas se as senhoras querem realmente perseguir essa questão de banheiros separados, um para homens e outro para mulheres, que acham de procurar a sede da Boeing em Seattle e levantar a questão no tocante aos Jumbos fabricados por essa companhia? As referidas aeronaves são muito maiores que a nossa biblioteca e costumam ficar lotadas; mesmo assim, todas elas são equipadas de banheiros de uso compartilhado tanto por homens como por mulheres.

A mulher alta aperta os olhos e fixa o olhar agressivo no rosto de Oshima. Quando ela aperta os olhos, as maçãs do rosto sobressaem. Em consequência, seus óculos se elevam.

— Não estamos aqui para pesquisar veículos de transporte, senhor Oshima. Por que é que o assunto dos Jumbos teve de vir à tona?

— Porque *em princípio* tanto num Jumbo como nesta biblioteca, os banheiros compartilhados por homens e mulheres devem gerar para as usuárias femininas o mesmo tipo de problema, concorda?

— Nós estamos fazendo um levantamento da situação das instituições culturais desta localidade. Não estamos aqui para falar de princípios.

218

Oshima continua a sorrir suavemente.

— É mesmo? Pois eu havia pensado que estávamos trocando ideias a respeito de *princípios*.

A mulher alta se dá conta de que cometeu um engano. Suas faces enrubescem levemente. Mas isso nada tem a ver com o sorriso sedutor de Oshima. Agora, a mulher procura melhorar seu posicionamento.

— Seja como for, não estamos discutindo aeronaves nem Jumbos neste momento. Não tente trazer à tona assuntos irrelevantes com o intuito de embaralhar a questão, por favor.

— Muito bem, vamos deixar de lado a questão dos aeroplanos — diz Oshima. — Vamos falar apenas de coisas terrestres.

A mulher lança um olhar duro para Oshima. Respira fundo e continua:

— E há também mais uma questão a considerar. Nesta biblioteca, os autores estão separados por sexo.

— Sim, senhora. Quem compilou este índice foi o encarregado anterior, e não sei por que ele resolveu separar os autores por sexo. Venho pensando em refazê-lo, mas não tenho tido tempo.

— Nós não estamos reclamando disso — diz ela.

Oshima pende a cabeça de leve para um dos lados.

— Noto porém que nesta instituição os autores masculinos vêm sempre relacionados antes dos femininos em todas as circunstâncias — diz ela. — Nós entendemos que essa medida contraria o princípio da igualdade sexual, é injusta.

Oshima apanha de novo o cartão de visitas, passa os olhos por ele uma vez mais e torna a depositá-lo no balcão.

— Senhora Soga — diz Oshima. — Quando um professor fazia a chamada em seus tempos de estudante, Soga deve ter vindo antes de Tanaka e depois de Sekine. A senhora reclamou disso? Exigiu que invertessem a ordem de chamada? A letra G do alfabeto acaso se irrita por vir depois da letra F? A página 68 de um livro acaso se revolta por vir depois da página 67?

— A questão não é essa! — diz a mulher, irritada. — Você está tentando confundir as questões intencionalmente desde que começamos a conversar.

Ao ouvir a voz alterada da mulher alta, sua companheira, que até então fazia anotações diante das estantes, se aproxima a passos rápidos.

— *Tentando confundir as questões intencionalmente* — repete Oshima escandindo as sílabas uma a uma.

— Pretende negar, por acaso?

— *Red herring* — diz Oshima.

A mulher de nome Soga se mantém em silêncio com a boca rigidamente entreaberta.

— Em inglês, existe esta expressão, *red herring*. Refere-se a coisas usadas para desviar a atenção do tema central da discussão. Arenque vermelho. Não sei a razão da expressão porque não sou especialista no assunto, mas...

— Arenque ou cavalinha, que me importa! O fato é que o senhor está se esquivando.

— ...falando com mais precisão, estou substituindo uma analogia por outra — completa Oshima. — Aristóteles já dizia que este é um dos recursos de retórica mais eficazes. Esse tipo de ardil intelectual era muito apreciado e empregado cotidianamente pelos antigos cidadãos atenienses. Mas lamentavelmente, na velha Atenas, mulheres não eram incluídas na classe dos "cidadãos".

— O senhor está zombando de nós?

Oshima sacode a cabeça.

— Veja bem, o que eu estou tentando lhe dizer é o seguinte: se a senhora dispõe de tempo suficiente para fuçar as pequenas bibliotecas particulares desta pequena comunidade em busca de impropriedades em banheiros e fichas catalográficas, use esse tempo para procurar outras questões, aliás abundantes, cujas soluções servirão para assegurar efetivamente o legítimo direito de todas as mulheres do nosso país. Nós aqui nos dedicamos de corpo e alma a transformar esta modesta biblioteca numa instituição capaz de contribuir para o progresso da nossa pequena comunidade. Reunimos livros de excelente nível e os oferecemos aos amantes da literatura. E visamos também um atendimento de carinho e respeito pelo público. Talvez a senhora não saiba, mas a coletânea de estudos de renomados poetas e compositores de *waka* do período que abrange de 1910 a 1940, existente nesta biblioteca, mereceu reconhecimento nacional. Não nego, contudo, que temos defeitos. E também limitações. Mas estamos fazendo o máximo que podemos dentro de nossas possibilidades. Peço-lhe portanto que, em vez de procurar o que não fomos capazes de realizar, procure o que fomos capazes de realizar. Esta seria a imparcialidade que apregoa, não seria?

A mulher alta olha para a mulher baixa, que por sua vez ergue o olhar para a alta. E fala pela primeira vez. A voz é estridente.

— Tudo que você disse até agora é, em última análise, argumentação vazia, simples subterfúgio para fugir da responsabilidade. Lança mão do termo "realidade", aliás muito conveniente, para se autojustificar. Se me permite, você é o histórico e patético exemplar do gênero masculino, nada mais nada menos.

— *Histórico e patético exemplar* — repete Oshima em tom maravilhado. Pelo modo como pronunciou as palavras, Oshima gostou um bocado da expressão.

— Em outras palavras, queremos dizer que você é a personificação do clássico machista discriminador — diz a mulher alta sem poder mais conter a raiva.

— *O clássico machista discriminador* — repete Oshima outra vez.

A mulher baixa o ignora e continua:

— Escudado na realidade social e na conveniente lógica machista elaborada para reger essa realidade, você está rebaixando ao patamar de cidadão de segunda classe todo o gênero feminino, e destarte cerceando e subtraindo os direitos a que a mulher faz jus. Talvez você esteja fazendo tudo isso mais por inconsciência do que por intenção real, o que aliás torna o crime ainda mais grave. Vocês, homens, se mostram insensíveis ao sofrimento alheio e desse modo preservam a vantagem masculina do direito adquirido. E nem procuram saber o tamanho do malefício que esse tipo de insensibilidade acarreta às mulheres e à sociedade. A questão dos banheiros e das fichas catalográficas são naturalmente meros detalhes. Mas o todo é composto de detalhes. E só se arranca o véu de insensibilidade que reveste a nossa sociedade atacando os detalhes. Esse é o princípio segundo o qual agimos.

— Esse também é o modo de sentir de toda mulher esclarecida — acrescenta a mulher alta mantendo o rosto inexpressivo.

— *De que outra maneira haveria de comportar-se qualquer mulher de espírito generoso, em vista dos tormentos que enfrento* — diz Oshima.

Lado a lado, as duas mulheres permanecem imóveis como dois blocos de gelo.

— *Electra*, de Sófocles. Peça maravilhosa. Reli diversas vezes. E por falar nisso, como a palavra *gênero* foi a princípio usada gramaticalmente para distinguir classes de palavras, acho mais adequado empregar *sexo* para distinguir a sexualidade física. O termo *gênero,* nesta situação, está mal-empregado. Isto se quisermos nos ater a rigores linguísticos.

O silêncio gelado continua.

— Seja como for, o que as senhoras alegam está basicamente errado — diz Oshima de modo sereno, mas decisivo. — Eu não sou nenhum histórico e patético exemplar masculino.

— Poderia então me explicar de maneira simples e clara onde e como nossas alegações estão basicamente erradas? — diz a mulher baixa, desafiadora.

— Sem tergiversações nem eruditismo — acrescenta a mais alta.

— Compreendi. Sem tergiversações nem eruditismo, vou explicar-lhes de maneira simples e clara — diz Oshima.

— Faça-nos esse grande favor — diz a mulher baixa. A outra acena a cabeça, em conciso sinal de concordância.

— Antes de mais nada, não sou homem — declara Oshima.

Calamo-nos todos, estupefatos. Eu mesmo engulo em seco e lanço um rápido olhar de esguelha para Oshima.

— Sou mulher — diz Oshima.

— Deixe de lado as brincadeiras de mau gosto — diz a mulher baixa depois de breve pausa. Mas disse apenas por dizer. Sem convicção.

Oshima tira a carteira de um bolso da calça de sarja, extrai um cartão plastificado e o entrega à mulher. Cédula de identidade com foto. Algo relacionado a um tratamento hospitalar. A mulher lê os dizeres, franze o cenho e entrega a cédula à mais alta. Esta também a examina, hesita por momentos e a devolve com cara de jogador de baralho que passa para o outro uma carta particularmente desvantajosa.

— Quer ver também? — diz Oshima voltando-se para mim. Sacudo a cabeça recusando. Ele guarda a cédula na carteira e esta no bolso da calça. Em seguida, apoia as duas mãos no balcão. — E assim, conforme constataram, sou inquestionavelmente mulher, tanto do ponto de vista biológico quanto legal. Portanto, suas alegações estão *basicamente* erradas. Não posso de maneira alguma ser "a personificação do clássico machista discriminador" da sua definição.

— Mas... — começa a dizer a mulher alta, sem contudo ser capaz de concluir. A mais baixa juntou os lábios formando um único traço firme e puxa nervosamente a gola da blusa com os dedos da mão direita.

— Tenho estrutura física feminina, mas consciência masculina — continua Oshima. — Espiritualmente, sou homem. De modo que posso até ser o que vocês definiram como *exemplo histórico*. Talvez eu seja realmente um genuíno discriminador sexual. Mas devo esclarecer que, embora me apresente desta maneira, não sou lésbica. Em termos de preferências sexuais, gosto de homens. Ou seja, sou mulher, mas sou gay. Ou seja, homossexual masculino. Nunca usei a vagina durante o ato sexual, faço sexo anal. Tenho clitóris sensível, mas não sinto quase nada no bico do seio. Não menstruo. E então, que estaria eu discriminando? Quem se habilita a me explicar?

As duas mulheres e eu nos mantemos em silêncio. Alguém pigarreia de leve, e o som reverbera no aposento como uma inconveniência. O relógio da parede emite um tique inusitado, alto e seco.

— Queiram me desculpar, mas estou no meio do almoço — diz Oshima com um sorriso. — Estava comendo um *wrap* de espinafre e atum. Larguei-o pela metade para vir atendê-las. Receio que algum gato da vizinhança termine de comê-lo por mim se eu o deixar na varanda por muito tempo. É que há muitos gatos na vizinhança. As pessoas têm o hábito de abandonar os filhotes no pinheiral à beira-mar, sabem? Portanto, vou voltar para a minha varanda e terminar de almoçar, se não se incomodam. Mas as senhoras podem ficar quanto quiserem. Esta biblioteca está aberta a todos. As senhoras são livres para fazer o que quiserem, desde que cumpram o regulamento interno e não perturbem os demais leitores. Leiam os livros que lhes agradar pelo tempo que lhes aprouver. E depois, escrevam o que lhes convier em seus relatórios. Seja qual for o comentário, nós não nos importaremos. Até hoje mantivemos nossas diretrizes independentes, sem receber nenhum tipo de contribuição nem ordens de ninguém, e assim pretendemos continuar.

Após a saída de Oshima, as duas mulheres se entreolham em silêncio e, em seguida, voltam-se para mim. Talvez imaginem que sou amante dele. Em silêncio, continuo classificando as fichas de consulta. As duas discutem algum tempo em voz baixa diante das estantes, mas logo resolvem recolher seus pertences e partir. Suas feições estão rígidas. Nem me agradecem quando lhes entrego as mochilas.

Passados instantes, Oshima, que terminou o almoço, retorna. Ele me dá dois *wraps* de espinafre e atum. São sanduíches enrolados numa espécie de tortilha verde, recheados com atum, verduras e creme branco. É o meu almoço. Fervo um pouco de água, ponho nele um saquinho de Earl Grey e tomo o chá.

— Tudo que eu disse há pouco é verdade, ouviu? — diz Oshima quando me vê retornar do almoço.

— Então, é isso o que você quis dizer no outro dia quando se definiu como diferente...

— Não quero me gabar disso, mas não exagerei, não é mesmo? Você entendeu?

Aceno para dizer que entendi.

Oshima sorri.

— Sou realmente mulher nesse aspecto de distinção sexual, mas meus seios quase não cresceram, e nunca menstruei. Nem por isso tenho pênis, sacos escrotais ou barba. Ou seja, não tenho nada. Se eu disser que não ter nada me proporciona certa sensação de alívio, não estarei mentindo. Mas aposto como você não faz ideia do que é sentir-se assim.

— Acho que não faço mesmo.

— Às vezes, eu mesmo fico totalmente confuso. Nessas horas eu me pergunto: que raios sou, afinal? Que raios sou eu, me diga?

Sacudo a cabeça.

— Não me pergunte, Oshima. Porque não sei nem o que eu mesmo sou.

— Clássica crise de identidade.

Aceno a cabeça concordando.

— Mas você ao menos tem algo em que se agarrar, um ponto de partida. Coisa que eu não tenho.

— Seja lá o que você for, gosto de você do mesmo jeito, Oshima — digo. É a primeira vez que digo estas palavras a alguém. Enrubesço.

— Obrigado — diz Oshima. Depois, pousa a mão suavemente em meu ombro. — Sou um pouco diferente das demais pessoas, é óbvio. Mas basicamente sou também um ser humano, assim como qualquer um. É isso que eu gostaria que você compreendesse. Não sou nenhum monstro. Sou uma pessoa comum. Sinto e ajo como qualquer um. Mas às vezes essa pequena diferença é um abismo sem fundo. É inevitável, sei disso.

Apanha o lápis de ponta aguçada que repousa sobre o balcão e o examina. Por instantes, o lápis parece ser uma extensão dele mesmo.

— Eu sabia que tinha de lhe contar tudo isso tão logo pudesse. Queria que você ficasse sabendo por mim, e não por intermédio de alguém. E esta oportunidade veio a calhar. Mas nem por isso considerei a experiência agradável.

Aceno a cabeça positivamente para dizer que entendo o que ele sente.

— E por ser o que sou, vim até agora sofrendo discriminações de todo tipo em diversos lugares — continua Oshima. — Só mesmo quem passou pela experiência de ser discriminado sabe o que isso significa e como são profundas as marcas que tal experiência deixa nas pessoas. A dor é individual, assim como sua marca. De modo que busco imparcialidade e justiça tanto quanto qualquer um. Mas muito mais que isso, o que me desgosta são as pessoas desprovidas de imaginação. Os "homens vazios", de T. S. Eliot. Gente que preencheu esse vazio, esse vácuo deixado pela ausência da imaginação, com a palha da insensibilidade, e anda por aí sem ao menos se dar conta do que aconteceu com eles. Gente que força os outros a aceitar essa insensibilidade fazendo uso de palavras desprovidas de substância. Em resumo, gente como as duas mulheres de há pouco.

Oshima suspira e gira o lápis entre os dedos.

— As pessoas podem ser gays, lésbicas, héteros, feministas, fascistas, comunistas, *hare krishna*, nada disso me importa. Qualquer que seja a sua bandeira, não me importa. O que eu considero insuportável são as *pessoas vazias*. Quando as tenho diante de mim, acabo falando mais do que pretendo, sem querer. Há pouco, por exemplo, eu devia ter deixado essas duas mulheres falarem quanto quisessem, devia tê-las tratado de maneira convencional. Ou chamado a Sra. Saeki. Ela sem dúvida alguma as teria atendido com um sorriso e as despachado com elegância. Mas isso está acima das minhas forças. Acabo sempre dizendo e fazendo o que não devo. Não consigo me conter. Esse é o meu ponto fraco. Sabe por que isso se transforma em ponto fraco?

— Porque tratar com seriedade todas as pessoas desprovidas de imaginação é se desgastar infinitamente?

— Exato — responde Oshima. Aperta de leve a têmpora com a ponta emborrachada do lápis. — Sem tirar nem pôr. Contudo, prezado Kafka Tamura, lembre-se sempre de uma coisa: as pessoas que acabaram matando o namorado da Sra. Saeki eram espécimes pertencentes a esse grupo. Mentalidade tacanha e intolerância. Teorias infundadas, palavras vazias, ideais usurpados, sistemas inflexíveis. Estas são as coisas que eu realmente temo e odeio. É muito importante saber o que é certo e o que é errado. E erros de julgamento individuais são na maioria das vezes passíveis de correção. São reparáveis, desde que haja coragem para reconhecer o erro. Mas a mentalidade tacanha e a intolerância resultantes da ausência de imaginação são como parasitas: transformam seus hospedeiros, metamorfoseiam-se e continuam a existir. Não há salvação para elas. E eu não quero nada desse tipo *aqui dentro* — diz Oshima apontando as estantes com a ponta do lápis.

Mas ele se refere à biblioteca inteira, claro.

— Não consigo rir e dar de ombros a tais tipos, isso está além de minhas forças.

Capítulo 20

Já passava das oito da noite quando o motorista da jamanta-frigorífico largou Nakata no posto de serviço Fujigawa à beira da rodovia Tomei. Nakata desceu da boleia carregando a sacola de lona e o guarda-chuva.

— Pegue aqui uma outra carona que o possa levar para onde você quer ir — disse o motorista metendo a cabeça pela janela. — Pergunte por aí até achar alguém que se disponha a levá-lo.

— Muito obrigado. O senhor ajudou muito.

— Cuide-se, ouviu? — disse o motorista. Em seguida, ergueu uma mão e se foi.

Fu-ji-ga-wa, dissera o motorista da jamanta. Mas Nakata não tinha a menor ideia da localização de *Fu-ji-ga-wa*. Apesar de tudo, sabia muito bem que se afastava de Tóquio e que rumava pouco a pouco para o oeste. Esse tanto ao menos ele compreendia instintivamente, mesmo sem recorrer a bússolas ou a mapas. Agora, bastava-lhe apenas pegar outra carona num veículo que se dirigisse para o oeste.

Nakata sentiu fome e resolveu comer um prato de lámen na lanchonete do posto de serviço. O bolinho de arroz e a barra de chocolate que trazia na sacola deviam continuar intocados para uma emergência. Como não sabia ler, levou um tempo enorme para entender o funcionamento da lanchonete. Antes de entrar, ele precisava comprar a ficha correspondente ao prato que queria consumir. A ficha devia ser adquirida numa máquina automática, mas o analfabeto Nakata precisava da ajuda de alguém para vencer esta etapa. "Não enxergo direito, tenho um problema no olho", explicou ele para a mulher de meia-idade, que inseriu o dinheiro para ele na máquina, apertou o botão correto e lhe entregou a ficha e o troco. Nakata sabia por experiência própria que, dependendo da pessoa a quem fosse pedir ajuda, era melhor não dizer que era incapaz de ler. Ao revelar a verdade, não poucas vezes o tinham olhado como se ele fosse um monstro.

Mais tarde, Nakata pôs ao ombro a sacola de lona, pegou o guarda-chuva e perguntou a todos os prováveis motoristas de caminhão: Será que podiam lhe dar uma carona? Ele estava indo para o oeste... Os homens examinavam primeiro o seu rosto, depois suas roupas e em seguida sacudiam a cabeça negativamente. Caronas idosos eram raros, e os motoristas se precaviam instintivamente contra coisas inusitadas. Sinto muito, mas o patrão me proibiu de dar carona, diziam eles.

Nakata tinha levado um tempo enorme para sair de Tóquio e chegar à rodovia Tomei. Sem nunca haver saído do bairro de Nakano, era-lhe difícil saber onde se situavam os acessos à referida rodovia. Ele até conseguia andar no ônibus municipal que aceitava passes para excepcionais, mas nunca tomara trens ou o metrô porque então teria de comprar bilhetes.

Nakata guardou na sacola de lona algumas mudas de roupa, artigos de toalete e um lanche, envolveu com muito cuidado numa faixa em torno da cintura as economias que até então ocultara sob o tatame, pegou um guarda-chuva grande e saiu do apartamento às dez da manhã. Em seguida, perguntou ao motorista do ônibus municipal: "De que jeito se chega à rodovia Tomei?", mas o motorista riu dele:

— Este ônibus só vai até a estação de Shinjuku. Nenhum ônibus municipal corre pela rodovia, entendeu? Para andar na rodovia, você precisa pegar um ônibus expresso.

— E onde é que se pega esse expresso que corre na rodovia Tomei?

— Na Estação de Tóquio — disse o motorista. — Vá neste ônibus até a estação Shinjuku, e de lá pegue um trem até a estação de Tóquio. Quando você chegar à estação de Tóquio, compre um bilhete numerado e tome o expresso. Ele o levará pela rodovia Tomei.

Nakata não entendeu direito mas tomou o ônibus até a estação Shinjuku. Lá chegando, descobriu que as ruas eram espantosamente largas. E tinha tantas pessoas indo de um lado para o outro que ele não conseguia andar direito no meio delas. Havia também trens de diversos tipos, e ele não fazia nem uma vaga ideia de qual deles tomar para chegar à estação de Tóquio. Não sabia ler as placas indicativas. Perguntou a diversas pessoas, mas Nakata achou difícil guardar as respostas na cabeça, pois elas eram dadas com rapidez e vinham repletas de nomes próprios que jamais ouvira. Era o mesmo que conversar com o gato Kawamura, pensou. Podia recorrer ao guarda do posto policial, mas então correria o risco de ser considerado um velho senil e detido (ele havia passado por experiência semelhante uma única vez anteriormente). E enquanto perambulava em torno da estação, começou a passar mal por causa do barulho e do ar poluído. Procurou uma área menos congestionada e encontrou um minúsculo parque escondido entre arranha-céus. Ali ele se sentou num banco.

Nakata permaneceu muito tempo no parque sentindo-se perdido. Falava consigo mesmo de vez em quando e passava a mão pelos cabelos cortados rentes. Não havia nenhum gato no parque. Um corvo surgiu para vasculhar uma lata de lixo. Nakata ergueu a vista para o alto diversas vezes e obteve noção aproximada das horas pela posição do sol. Por causa do ar poluído, o céu tinha uma cor turva, indescritível.

Logo depois do meio-dia, alguns funcionários de um prédio próximo vieram lanchar na praça. Nakata comeu o pão doce que como de costume trouxera consigo e tomou o chá da garrafa térmica. Ao ver que duas mulheres se sentavam num banco ao lado, Nakata procurou conversar com elas. Como lhe seria possível chegar à rodovia Tomei?, perguntou. As duas mulheres lhe deram instruções idênticas às do motorista do ônibus municipal: pegue um trem da linha *Chuo* até a estação de Tóquio e, lá chegando, compre uma passagem de ônibus que percorre a rodovia Tomei.

— Mas Nakata já tentou fazer isso e não conseguiu — disse ele com franqueza. — Nakata nunca havia saído do bairro de Nakano até hoje. De modo que não é capaz de tomar um trem sozinho. Só consegue pegar o ônibus municipal. Não consegue nem comprar uma passagem porque não sabe ler. Veio no ônibus municipal até aqui, mas não consegue ir adiante.

Ao ouvir isso, as duas mulheres se assustaram. Não consegue ler? Mas o velhinho parecia totalmente inofensivo. Era cordial e vestia roupas limpas. Era um tanto estranho que ele andasse com um guarda-chuva num dia ensolarado, realmente, mas não parecia sem-teto. Não era feio e, acima de qualquer coisa, tinha um olhar puro.

— É verdade que nunca saiu do bairro de Nakano? — perguntou a jovem de cabelos pretos.

— Sim. Nakata sempre fez de tudo para não sair de lá. Não queria se perder, porque se isso acontecesse, ninguém daria por falta dele, ninguém viria procurar, entende?

— E também não consegue ler — acrescentou a outra jovem, a de cabelos tingidos de acaju.

— É verdade, Nakata não consegue ler absolutamente nada. Sabe ler números simples, mas não sabe fazer contas.

— Desse jeito é difícil tomar um trem, não é mesmo?

— Muito, muito difícil. Nakata não consegue comprar a passagem.

— Nós até o levaríamos até a estação e o poríamos no trem certo, mas já está quase na hora de voltarmos para o escritório. Não temos tempo de levá-lo. Desculpe, viu?

— Que é isso, que é isso, não se desculpem. Nakata vai dar um jeito.

— Já sei! — disse a moça dos cabelos pretos. — Togeguchi, do departamento de vendas, disse que vai ainda hoje para Yokohama, não disse?

— É, acho que disse. Tenho a impressão de que tudo se resolverá se pedirmos a ele. O rapaz é um pouco retraído, mas não é má pessoa — disse a moça dos cabelos acaju.

— Mas escute: se o tio não sabe ler, por que não pega carona?

— Pegar carona? Como assim?

— Peça a qualquer motorista que o leve junto. É melhor pedir a caminhoneiros que fazem frete para lugares distantes. Motoristas de carros particulares geralmente não gostam de dar carona.

— Nakata não sabe nada de frete para lugares distantes, nem de carros particulares. Isso tudo é muito difícil de entender.

— Não precisa entender, apenas vá. Eu também viajei de carona uma vez, nos meus tempos de estudante. Caminhoneiros são geralmente gente muito boa, sabe?

— Mas diga uma coisa, tio: até que altura da rodovia Tomei pretende seguir? — perguntou a menina dos cabelos acaju.

— Nakata não sabe.

— Não sabe?

— Não. Mas chegando *lá* saberá. Neste momento, Nakata pretende seguir para o oeste pela Tomei. Mais tarde vai pensar no que fazer em seguida. Seja como for, Nakata precisa ir para o oeste.

Atônitas, as duas moças se entreolharam, mas havia algo convincente no jeito de falar do velhinho. Elas sentiam instintiva simpatia por ele. As duas terminaram o lanche, jogaram a embalagem no lixo e se ergueram.

— Escute, tio, venha conosco. Acho que descobrimos um jeito de ajudá-lo — disse a moça dos cabelos pretos.

Nakata acompanhou-as e entrou num grande prédio nas proximidades do parque. Era a primeira vez que entrava num edifício tão grande. As duas moças sentaram Nakata num banco da recepção e trocaram algumas palavras com a moça do balcão.

— Espere aqui, tio — disseram.

Em seguida, desapareceram no interior de um dos muitos elevadores que davam para o vestíbulo. Diversos funcionários que retornavam do almoço passaram diante de Nakata, que continuava sentado com o guarda-chuva na mão e a sacola de lona ao ombro. Até então, Nakata nunca vira esse tipo de cena. Todas as pessoas que desfilavam diante dele estavam muito bem vestidas, como se tivessem combinado previamente. Os homens usavam gravatas e levavam malas lustrosas, e as mulheres calçavam sapatos de salto alto. E todos caminhavam a passos rápidos numa única direção. Nakata não conseguia compreender o que tanta gente fazia junta naquele lugar.

Instantes depois, as duas moças reapareceram trazendo consigo um rapaz alto e magro, que usava camisa branca e gravata listrada. Em seguida, apresentaram Nakata a ele.

— Este moço se chama Togeguchi. Daqui a pouco, ele vai de carro para Yokohama. E ele disse que pode levá-lo até lá. Vai deixá-lo no estacionamento Kohoku, na rodovia Tomei, onde o tio precisa procurar outra condução. Explique aos motoristas que quer ir para o oeste, e se um deles aceitar levá-lo, pague-lhe uma refeição quando pararem para comer. Entendeu? — perguntou a moça dos cabelos acaju.

— Tem dinheiro suficiente? — perguntou a dos cabelos pretos.

— Sim, Nakata tem esse tanto de dinheiro.

— Escute aqui, Togeguchi. O tio Nakata é nosso amigo, seja gentil com ele, ouviu?

— Se vocês também forem comigo... — replicou o rapaz timidamente.

— A gente fala disso em outra hora — disse a menina dos cabelos pretos.

No momento de se despedirem, as moças lhe deram um bolinho de arroz e uma barra de chocolate que haviam comprado numa loja de conveniências.

— Tio, leve isto com você. Coma quando ficar com fome. É o nosso presente de despedida.

Nakata agradeceu profusamente:

— Muito, muito obrigado, realmente. Nakata não sabe como agradecer tanta bondade. Vai rezar todos os dias para que coisas boas aconteçam a vocês duas.

— Tomara que suas preces sejam atendidas — disse a moça dos cabelos castanhos enquanto a dos cabelos pretos ria baixinho.

Togeguchi acomodou Nakata no banco de passageiros da perua Hi-Ace e entrou na rodovia Tomei pela via expressa municipal. Como a estrada estava congestionada, os dois conversaram longamente. Togeguchi, um tipo tímido, não falou muito no começo, mas conforme o tempo passava foi-se acostumando à presença de Nakata e logo monopolizou a conversa. Ele tinha muita coisa guardada no íntimo que precisava ser externada e se sentiu capaz de revelar tudo a Nakata, pois imaginava que nunca mais o veria. Contou que havia alguns meses brigara com a namorada, com quem sonhara até em se casar. Ela arrumara outro homem. Sem que Togeguchi soubesse, a moça namorara simultaneamente com ele e com o outro homem durante muito tempo. Ele não se dava bem com o chefe e pensava até em abandonar o emprego. Seus pais tinham se separado na época em que ele ainda cursava o ginasial. Em seguida, a mãe se casara outra vez com um homem imprestável, um estelionatário. Togeguchi emprestara uma soma considerável para um amigo e, pelo visto, nunca mais veria a cor desse dinheiro. Além de tudo não conseguia dormir direito porque o estudante que morava no apartamento vizinho ouvia música a todo volume até altas horas.

Nakata ouviu conscienciosamente todas as queixas, murmurou algumas palavras de conforto e incentivo e emitiu modestas opiniões. Na altura em que o carro entrava na área de estacionamento Kohoku, Nakata já conhecia todos os fatos relevantes da vida do rapaz. Muita coisa lhe fugiu à compreensão, mas, em linhas gerais, percebeu que Togeguchi era um rapaz merecedor de simpatia que tentava viver de maneira digna e honesta, mas uma série de problemas o impediam de progredir devidamente.

— Muitíssimo obrigado. Nakata se sente realmente feliz com a sua ajuda, graças à qual conseguiu chegar até aqui.

— Ora, que é isso. Eu é que me sinto muito feliz em ter podido viajar em sua companhia. Foi ótimo poder falar da minha vida com tanta liberdade. Até hoje, nunca consegui falar de mim tão abertamente. Só espero que o senhor não tenha se cansado de ouvir tanta história sem importância.

— De jeito nenhum. Nakata também acha que foi muito bom ter podido conversar com você, Togeguchi. Não se sentiu nem um pou-

232

co cansado de ouvi-lo, fique tranquilo. Nakata acha que muitas coisas boas vão também lhe acontecer daqui para a frente.

O rapaz tirou um cartão de telefone público da carteira e o entregou a Nakata.

— Aceite isto. O cartão é produzido na empresa onde trabalho. É uma pequena lembrança, só sinto que seja tão modesta.

— Muito obrigado — disse Nakata, aceitando o presente e guardando-o cuidadosamente na carteira. Nunca ligara para ninguém, de modo que não sabia como usar o cartão, mas achou melhor não recusar o presente.

Eram três da tarde.

Nakata levou cerca de uma hora para encontrar o caminhoneiro que o largou em Fujigawa. O homem guiava uma jamanta-frigorífico e transportava pescados. Tinha cerca de 45 anos e era corpulento. Seus braços eram grossos como toras, e a barriga, saliente.

— Fede a peixe, mas se você não se incomoda... — dissera ele ao lhe oferecer a carona.

— Peixe é um dos alimentos preferidos de Nakata — respondera este.

O motorista riu.

— Você é um tanto diferente, não é mesmo?

— Muita gente já disse isso, sim senhor.

— Pois saiba que eu gosto de gente diferente — disse o motorista. — Acho que, hoje em dia, é preciso desconfiar das pessoas que vivem normalmente neste nosso mundo.

— Acha mesmo?

— Claro. Esta é a minha opinião.

— Nakata não tem nenhuma opinião. Mas gosta de um bom prato de enguia defumada.

— Pois isso já é uma opinião. Gostar de enguia defumada, quero dizer.

— Uma enguia é opinião?

— Gostar de enguia é. Aliás, uma opinião muito boa.

E assim foram os dois até Fujigawa. O caminhoneiro se chamava Hagita.

— E o que você acha que vai acontecer com o nosso mundo daqui para a frente? — perguntou o caminhoneiro a certa altura.

— Sinto muito, mas Nakata não é bom da cabeça, não entende nada dessas coisas — replicou o velho.

— Independentemente de ser bom ou não da cabeça, você pode ter uma opinião.

— Mas, Hagita, se a gente não é bom da cabeça, não consegue nem pensar direito!

— Mas você gosta de enguia, não é verdade?

— Sim. Nakata gosta muito de enguia.

— Pois eis aí a origem de uma relação.

— Ahn...

— Você gosta também daquele prato de arroz com ovo e frango, não gosta?

— Este é outro favorito de Nakata.

— Aí está mais uma relação — disse o caminhoneiro. — E quando as relações vão se juntando uma a uma, nasce o que chamamos de significado. E quanto mais relações — pratos de enguia, de arroz com ovo e frango, comerciais de peixe grelhado ou o escambau — se juntam, mais se aprofunda o significado. Entendeu?

— Não muito. Acaso se refere à relação entre alimentos?

— Não só entre alimentos. A relação pode ser com trens, ou até com o Imperador.

— Nakata não toma trens.

— Tudo bem. Mas o que eu quero realmente dizer é que, enquanto vivemos, todas as coisas ao nosso redor vão adquirindo significado, independentemente do que sejam essas coisas. O mais importante de tudo é se isso se processa ou não de maneira natural. Ser ou não bom da cabeça não é importante. Interessa apenas que a gente veja as coisas com os próprios olhos.

— O senhor Hagita é muito inteligente.

O caminhoneiro gargalhou.

— Mas eu não acabei de dizer que ser ou não bom da cabeça não tem importância? Eu não sou bom da cabeça, mas tenho um jeito de pensar que é diferente do dos outros, entendeu? Por causa disso, muita gente me acha um chato. Reclamam que eu falo difícil. Isso geralmente acontece com as pessoas que tentam pensar com a própria cabeça. Elas são consideradas uma aperreação.

— Nakata ainda não entendeu direito, mas Hagita está querendo dizer que existe uma relação entre gostar de enguia e gostar de arroz com frango e ovos?

— Em resumo, é isso. Entre você, Nakata, e as coisas que você entende, sempre se estabelecerá uma relação. Ao mesmo tempo, se estabelecerá uma relação entre o prato de enguia e o de frango com ovos. E se você for ampliando esse relacionamento cada vez mais, vai surgir de maneira natural uma relação sua, Nakata, com capitalistas ou com o proletariado, entendeu?

— *Pro-le...*

— Proletariado — disse Hagita soltando a direção e mostrando para Nakata duas mãos enormes. Lembravam luvas de beisebol. — Pessoas que trabalham duro e ganham a vida com o suor do corpo compõem o proletariado. Em contrapartida, pessoas que se sentam à mesa e não se movem, mas mandam os outros se moverem e dessa maneira ganham salários cem vezes maiores do que o meu, são os capitalistas.

— Nakata não sabe nada a respeito de pessoas chamadas capitalistas. Nakata é pobre, não sabe nada a respeito de gente importante. De importante, Nakata só conhece o senhor governador de Tóquio. Será que ele é capitalista?

— Mais ou menos. Governadores são uma espécie de cães de estimação dos capitalistas.

— O governador é um cão? — perguntou Nakata, lembrando-se do cão preto que o conduzira à casa de Johnnie Walker, associando ao mesmo tempo essa sinistra imagem à do governador.

— Pois existe um monte de cães desse tipo por aí. São chamados paus-mandados

— *Paus-mandados?*

— Pessoas que obedecem cegamente às ordens dos patrões.

— E gatos capitalistas? Não existem? — perguntou Nakata.

A pergunta arrancou nova gargalhada de Hagita.

— Você é um homem realmente diferente. Eu simplesmente adoro gente do seu tipo. Imagine, gato capitalista! Que opinião *sui generis*!

— Escute, Hagita.

— Hum?

— Nakata é pobre e ganha todos os meses uma *pen-são* do senhor governador. Isso é mau?

— Quanto?

Nakata disse. Atônito, Hagita sacudiu a cabeça.

— Mas deve ser difícil sobreviver com isso nos dias de hoje!

— Nem tanto. Nakata não gasta muito. E, além da *pen-são*, Nakata ganhava uns trocados localizando gatos perdidos da vizinhança.

— Interessante. Um homem que localiza gatos profissionalmente — disse Hagita admirado. — Estou realmente pasmo! Você é único.

— Para falar a verdade, Nakata é capaz de falar com gatos — revelou Nakata armando-se de coragem. — Nakata entende o que eles dizem. E por isso, conseguiu descobrir o paradeiro de uma porção de gatos perdidos.

Hagita acena a cabeça para dizer que compreendeu.

— É provável que tenha mesmo! *Você* seria realmente capaz. Isso não me espanta nem um pouco.

— Mas faz algum tempo que perdeu a capacidade de falar com os gatos. Por que será?

— O mundo muda todos os dias, Nakata. Manhãs chegam todos os dias na devida hora. Mas cada manhã revela um mundo diferente daquele que existia um dia antes. O Nakata que cada manhã revela não é o mesmo Nakata que existia no dia anterior. Entendeu?

— Sim.

— As relações também mudam. Quem é capitalista, quem é proletário? Qual lado é o direito, qual lado é o esquerdo? Revolução na informação, opção de mercado, movimentação de ativos, reestruturação funcional, empresas multinacionais — o que é bom, o que é mau? Linhas divisórias desaparecem todos os dias. Talvez não consiga mais entender a língua dos gatos por causa disso.

— Nakata sabe com muito custo distinguir a direita da esquerda. Ou seja, este é o lado direito e este, o esquerdo. Não é isso?

— Exatamente — concordou Hagita com um profundo aceno de cabeça. — E isso é o que importa.

No final, os dois entraram numa lanchonete num posto de serviços e comeram. Hagita pediu dois pratos de enguia e pagou por eles. Nakata insistiu que ele próprio pagaria em agradecimento pela carona, mas Hagita sacudiu a cabeça:

— Esquece! Posso não ser podre de rico, mas também não sou nenhum pé-rapado que precisa ser sustentado por quem ganha uma miséria do governador de Tóquio.

— Nesse caso Nakata agradece e aceita. Muito obrigado.

Nakata sondou durante uma hora diversos motoristas do posto de serviços de Fujigawa mas não encontrou nenhum disposto a lhe dar carona. Isso porém não o desesperou nem o abateu. Para ele, o tempo transcorria de maneira muito lenta. Ou talvez não transcorresse de maneira alguma.

Para mudar o ânimo, Nakata saiu e andou a esmo pelos arredores. O céu estava tão limpo que lhe possibilitava enxergar as crateras da Lua. Nakata andou batendo com a ponta do guarda-chuva no asfalto. Um número espantoso de jamantas descansava ombro a ombro, como animais. Algumas exibiam cerca de vinte pneus de diâmetros correspondentes à altura de um ser humano. Nakata contemplou a cena por alguns instantes. Nunca imaginara que tantos veículos tão grandes percorressem a rodovia no meio da noite. E o que carregariam eles? Não conseguia imaginar. Será que saberia caso fosse capaz de ler as letras estampadas nos contêineres?

Depois de andar algum tempo, notou que no canto do estacionamento, onde a quantidade de veículos estacionados começava a diminuir, havia umas dez motocicletas paradas. E perto delas, alguns jovens haviam se reunido e gritavam alguma coisa. Dispostos em círculo, pareciam observar alguma coisa caída no centro. Com a curiosidade despertada, Nakata aproximou-se deles. Os jovens talvez tivessem descoberto alguma coisa interessante.

Ao se aproximar, descobriu que os rapazes pisavam e chutavam uma pessoa que jazia no meio da roda. Um dos rapazes tinha uma corrente na mão. Outro manejava um bastão escuro semelhante aos cassetetes usados pela polícia. A maioria tinha os cabelos tingidos de loiro ou de acaju. Usavam camisas de manga curta desabotoadas, camisetas ou regatas. Alguns tinham os braços tatuados. O homem que, caído no chão, era chutado e pisoteado, também se vestia do mesmo modo. Quando Nakata se aproximou batendo a ponta do guarda-chuva no asfalto, alguns se voltaram e o encararam com olhar hostil. Em seguida, deram-se conta de que Nakata era apenas um velho de aspecto inofensivo e relaxaram.

— Suma daqui, tio! — ordenou um deles.

Sem se importar, Nakata se aproximou. O homem caído sangrava pela boca.

— Esse homem está com hemorragia. É capaz de morrer — disse Nakata.

Pegos de surpresa, os homens se calaram momentaneamente.

— E daí? Quer morrer também? — disse afinal o homem da corrente rompendo o silêncio. — Porque, para mim, tanto faz matar um como dois. O trabalho é o mesmo, sacou?

— Não é certo matar sem motivo — disse Nakata.

— Não é certo matar sem motivo — repetiu alguém imitando a voz de Nakata e provocando o riso dos demais.

— Motivo a gente tem, mas o que é que o velhote tem a ver com isso? Vá, abra essa porcaria de guarda-chuva e se mande antes que chova — disse outro.

O homem caído no meio da roda se contorceu, e o rapaz de cabelos cortados à escovinha chutou-lhe as costelas com a ponta da pesada bota.

Nakata fechou os olhos. Algo começava a brotar dentro dele. Algo que não conseguia conter. Uma leve náusea o invadiu. Lembrou-se repentinamente das circunstâncias em que matara Johnnie Walker. A sensação daquela facada ainda restava nítida na palma da sua mão. *Re-la-ção*, pensou Nakata. Este tipo de coisa também seria uma das relações de que falara Hagita? Enguia = faca = Johnnie Walker. As vozes dos rapazes soavam distorcidas, inidentificáveis. A elas se fundiu o chiado dos pneus dos veículos que corriam incessantes pela estrada, resultando num timbre estranho. O coração pulsava forte mandando sangue às extremidades do corpo. A noite o envolveu.

Nakata ergueu o olhar para o céu. Em seguida, abriu lentamente o guarda-chuva e protegeu a própria cabeça. Depois, deu alguns cuidadosos passos para trás distanciando-se dos homens. Olhou ao redor, e tornou a dar mais alguns passos para trás. Ao ver isso, os homens gargalharam:

— Que barato! — disse um deles. — Não é que o velhote abriu o guarda-chuva de verdade?

Mas não riram por muito tempo. Pois naquele instante, coisas estranhas e gosmentas começaram a chover do firmamento. Caíram aos pés dos homens emitindo repulsivos estalos que lembravam cusparadas. Os homens pararam de chutar a vítima e voltaram os olhos para o alto. Não havia uma única nuvem no céu. Mas as coisas estranhas continuavam a cair umas após outras. Espaçadamente a princípio, mas aos poucos com frequência cada vez maior e, logo, de maneira torrencial. As coisas eram pretas e tinham cerca de 3 centímetros de comprimento. À luz das lâmpadas, brilhavam como neve preta. Os sinistros flocos de neve preta caíam sobre ombros, braços e pescoços dos homens e neles se agarravam. Os homens tentavam removê-los, mas seus esforços se mostravam inúteis.

— Sanguessugas! — berrou alguém.

O berro foi repetido de boca em boca, e os homens cruzaram correndo o estacionamento rumo ao lavatório gritando de maneira incoerente. Em meio à confusão, um deles foi atropelado por um caminhão que chegava pela passagem, mas o veículo vinha em marcha reduzida e o acidentado não se feriu seriamente. Derrubado, o homem de cabelos tingidos de loiro se ergueu, esmurrou a carroceria do caminhão e berrou imprecações contra o motorista. Mas não tentou mais nada: sempre arrastando um pé, correu para o lavatório.

A chuva de sanguessugas caiu intensa por alguns instantes, mas foi parando aos poucos e, depois, cessou completamente. Nakata fechou o guarda-chuva, sacudiu as sanguessugas aderidas e foi verificar a situação do homem que continuava caído. Os montículos de sanguessugas que se retorciam no chão dificultavam a aproximação. O homem espancado também se achava coberto de sanguessugas. Nakata o examinou com cuidado e viu que ele sangrava muito por um corte na sobrancelha. Tinha também alguns dentes quebrados. Nakata não seria capaz de socorrê-lo. Precisava chamar alguém. Andou então até a lanchonete e avisou um dos funcionários que havia um homem ferido caído no canto do estacionamento. "Talvez seja melhor chamar a polícia. Pode ser que o homem morra", explicou Nakata.

Pouco depois desses acontecimentos, Nakata encontrou um motorista que se dispôs a levá-lo a Kobe. Um homem de seus 25 anos e olhar sonolento. Sentado sozinho a um canto, usava os cabelos presos em rabo de cavalo, brinco nas orelhas, boné do time de beisebol Dragões Chunichi e fumava enquanto lia uma revista em quadrinhos. Vestia camisa havaiana de padrão vistoso e calçava tênis Nike folgado. Estatura mediana. Derrubou a cinza do cigarro sem hesitar no caldo do lámen restante no fundo da cumbuca. Fixou o olhar franco em Nakata e, depois, acenou de maneira algo relutante:

— Está bem, pode vir. Você se parece com meu avô. Tem o jeitão dele e o mesmo modo de falar meio aéreo... Faleceu há alguns anos. Estava totalmente caduco nos últimos tempos.

Achava que chegariam antes de o dia raiar. Transportava móveis para uma loja de departamentos de Kobe. Ao saírem do estacionamento com o caminhão, os dois se depararam com um acidente. Algumas viaturas policiais estavam no local. Luzes vermelhas piscavam e um policial com lanterna na mão direcionava os carros que entravam ou saíam da área de estacionamento. O acidente não era grave, mas causara o engavetamento de um número considerável de carros. Uma van tinha a lateral amassada e um carro de passeio estava com a lâmpada traseira quebrada. O motorista do caminhão que levava Nakata abriu a janela, pôs a cabeça para fora e conversou com um dos policiais. Depois, fechou a janela.

— Ele disse que choveu um monte de sanguessugas agora há pouco — explicou o caminhoneiro com voz inexpressiva. — Os carros passaram por cima, a pista ficou escorregadia e os condutores perderam a direção. O policial disse que é melhor eu dirigir com cuidado. Além disso, parece que um bando de motoqueiros promoveu uma arruaça e alguém saiu ferido. Sanguessugas e motoqueiros... Estranha combinação, não acha? E a polícia paga o pato.

Reduziu a velocidade e guiou com extremo cuidado rumo à saída do estacionamento. Ainda assim, o pneu patinou algumas vezes. A cada vez, o caminhoneiro controlou o veículo movimentando minimamente a direção.

— Caramba, quantas! — resmungou. — Escorrega um bocado. Sanguessugas são uns bichos bem nojentos. Já sentiu um desses grudando em você, tio?

— Não que Nakata se lembre...

— Pois eu já e muitas vezes. Me criei nas montanhas de Gifu. Às vezes elas caem do alto, enquanto você está andando no meio do mato. E se você entra num rio, elas grudam no seu pé. Não quero me gabar nem nada, mas sou especialista em matéria de sanguessugas. É difícil tirar esses bichos quando eles grudam na pele da gente. As grandes, então, se agarram com tanta força que se você tentar arrancá-las a muque, levam um pedaço da sua pele e ainda deixam uma cicatriz feia no lugar, sabia? O melhor mesmo é aproximar uma chama e queimá-las, porque assim elas caem sozinhas. Bichos horrorosos. Grudam na pele e chupam seu sangue. Depois, ficam moles e gordos. Nojentos, não acha?

— Sim, realmente — concordou Nakata.

— Mas uma coisa eu lhe digo: nunca ouvi falar de sanguessugas caindo do céu em plena área de estacionamento. Esses bichos não chovem. Nunca ouvi nada tão absurdo. Mas o povo destes lados nem percebe a enormidade do absurdo porque não sabe nada desses vermes. Sanguessugas caindo do céu! Pode uma história dessa?

Nakata se manteve em silêncio.

— Um bocado de anos atrás, a província de Yamanashi sofreu uma infestação de centopeias e, nessa ocasião, os carros também deslizaram e se envolveram numa confusão dos diabos. Como aqui, a pista virou um melado e muitos carros bateram. Trilhos se tornaram gosmentos e trens pararam. Mas as centopeias não choveram do céu. Elas brotaram da terra. Basta pensar um pouco para se chegar a essa conclusão, ora.

— Muitos anos atrás, Nakata morou uns tempos em Yamanashi. Foi na época de guerra.

— Ué! Que guerra? — perguntou o caminhoneiro.

Capítulo 21

ESCULTOR KOICHI TAMURA MORTO A FACADAS
Encontrado em casa, lavado em sangue caído sobre o piso
do gabinete de sua casa

Tóquio — O corpo do mundialmente famoso escultor Koichi Tamura (5* anos) foi achado no gabinete da casa onde morava, em Nogata, bairro de Nakano, na tarde do dia 30 pela faxineira da família. O escultor estava nu e jazia de bruços no piso ensanguentado. Evidências de luta levam a polícia a considerar o caso como homicídio. A arma do crime, uma faca de cozinha, foi deixada ao lado do cadáver.

A polícia calcula que a morte tenha ocorrido na tarde do dia 28, mas o corpo só foi descoberto dois dias depois porque Tamura vivia sozinho nos últimos tempos. Golpeado diversas vezes no tórax com um trinchante afiado que lhe atingiu coração e um dos pulmões, teve hemorragia violenta e morte quase instantânea. A vítima apresentava também algumas costelas quebradas, fazendo supor que o crime foi cometido com muita violência. A polícia ainda não divulgou os resultados da perícia datiloscópica e residual. Tudo indica que não há testemunhas oculares.

A ausência de sinais de vandalismo pela casa e o fato de que tanto a carteira do escultor como diversos objetos de valor foram deixados intocados nas proximidades do corpo levam a polícia a supor que o motivo do crime tenha sido vingança. Embora a casa se situe numa rua silenciosa do bairro de Nakano, os vizinhos não ouviram gritos ou ruídos anormais na hora em que se presume tenha ocorrido o crime e não conseguiram esconder o espanto quando foram postos a par da situação. Segundo eles, Koichi Tamura tinha um estilo de vida discreto e não se relacionava com a vizinhança.

Ele vivia com o único filho de 15 anos, o qual, segundo a faxineira, desapareceu da residência há cerca de dez dias, época em que deixou também de comparecer à escola que frequentava. A polícia investiga seu paradeiro.

Além da casa, o escultor Tamura possuía ainda escritório e estúdio na cidade de Musashino, onde trabalhou normalmente até um dia antes dos acontecimentos, segundo informou sua secretária. No dia do crime, a secretária tentou ligar diversas vezes para o telefone residencial do escultor porque queria resolver algumas questões rotineiras, mas todas as chamadas caíram na secretária eletrônica.

Koichi Tamura nasceu em 194* em Kokubunji, Tóquio. Fez escultura na Faculdade de Belas-artes de Tóquio e, ainda estudante, produziu uma série de peças de marcante personalidade, saudada como uma nova corrente artística. O tema principal de suas obras era o subconsciente humano materializado, e seu estilo, que fugia do estereótipo, obteve reconhecimento internacional. Entre suas esculturas mais conhecidas está a monumental série *Labirinto*, na qual buscou dar asas à sua ilimitada imaginação para expressar a beleza e a empatia das formas dedálicas. Nos últimos tempos vinha exercendo o cargo de professor-visitante na Universidade de **, e na exposição realizada há dois anos no Museu de Arte Moderna de Nova York...

Neste ponto, interrompo a leitura do jornal. Há uma foto do portão de minha casa. E outra de meu pai, mais jovem. Ambas imprimem um ar sinistro à notícia. Dobro o jornal em quatro e o largo em cima da mesa. Sentado na cama, não digo nada, apenas aperto as pálpebras com a ponta dos dedos. Tenho um zumbido abafado soando em frequência uniforme nos ouvidos. Experimento sacudir a cabeça diversas vezes. Mas não consigo me livrar desse incômodo ruído.

Estou no quarto. Já passa das sete da noite. Oshima e eu tínhamos acabado de fechar a biblioteca. Pouco antes, a Sra. Saeki tinha ido embora em seu Volkswagen. No interior da biblioteca restamos apenas nós dois, Oshima e eu. O irritante zumbido continua em meus ouvidos.

— O jornal é de anteontem. Você ainda estava na cabana da montanha. Quando li a notícia e o nome Koichi Tamura, perguntei-me se ele não seria seu pai. Havia diversos fatos coincidentes. Eu talvez devesse tê-la mostrado a você ainda ontem, mas achei melhor esperar até vê-lo instalado.

— Eu não o matei.

— Sei que não — diz Oshima. — Nesse dia, você ficou lendo até o fim da tarde numa sala desta biblioteca. Não teria tido tempo de sair daqui, ir a Tóquio, matar seu pai e retornar.

Mas eu mesmo não tenho tanta certeza. Faço alguns cálculos mentais e me dou conta de que meu pai foi morto no dia em que me descobri com a camisa úmida de sangue.

— De acordo com o jornal, a polícia está à sua procura. Na certa eles o têm na conta de testemunha importante.

Concordo com um aceno.

— Acho que se você se apresentar imediatamente à polícia e provar de maneira irrefutável que tem um bom álibi, seu problema vai se simplificar bastante e você não precisará mais se esconder nem fugir. E eu posso testemunhar em seu favor, claro.

— Mas se fizer isso, serei levado de volta para Tóquio.

— Acredito que sim. Afinal, você ainda cursa o ensino básico obrigatório. Não pode ir sozinho aonde bem quiser. Por lei, você ainda precisa de um tutor.

Sacudo a cabeça e discordo.

— Não quero explicar nada a ninguém. E não quero voltar nem para a minha casa em Tóquio, nem para a escola.

Com os lábios firmemente cerrados, Oshima me encara por alguns momentos.

— Você é que vai decidir — diz ele com calma instantes depois. — Penso que tem o direito de viver do jeito que lhe agrada. Seja aos 15 ou aos 51 anos de idade, tanto faz, todos têm o mesmo direito. Mas infelizmente acho que esse jeito de pensar não se coaduna com o do resto da sociedade. E se neste momento você escolher o caminho do "não quero explicar nada a ninguém, me deixem em paz", terá de viver fugindo da polícia e da sociedade, e sua vida vai se tornar um inferno. Está certo de que não se importa? Afinal, você tem apenas 15 anos e muito tempo de vida pela frente.

Fico em silêncio.

Oshima apanha o jornal e passa os olhos outra vez pela notícia.

— Aqui diz que você é o único parente vivo de seu pai…

— Tenho mãe e uma irmã. Mas elas saíram de casa há muito tempo e não sei por onde andam. E mesmo que elas fossem notificadas, é quase certo que não viriam ao enterro.

— Nesse caso quem se encarregará de tomar as providências? Quero dizer, do enterro e da papelada burocrática?

— Conforme noticiou o jornal, tem uma secretária no escritório do meu pai que sempre cuidou dos negócios dele. Acho que posso deixar tudo por conta dessa mulher, ela saberá o que fazer. Não tenho intenção alguma de herdar nenhum dos bens do meu pai, nem casa, nem patrimônio. Que façam disso o que bem entenderem.

Herdo do meu pai apenas os genes, penso comigo.

— Se minhas impressões estão corretas — diz Oshima —, você não está nem triste nem particularmente inconformado com o fato de seu pai ter sido assassinado.

— Sinto muito que tudo isso tenha acontecido a ele. Afinal, é sangue de meu sangue. Mas para lhe ser absolutamente franco, sinto muito mais que ele não tenha morrido mais cedo. Sei que é desumano falar assim de alguém que acaba de falecer, mas...

Oshima sacode a cabeça:

— Não faz mal. Mais que nunca, este momento lhe dá o direito de ser franco.

— Porque se isso tivesse acontecido antes, eu...

Minha voz não soa séria como a situação exige. As palavras que acabo de pronunciar não encontram destino certo e se perdem no vazio. Oshima se ergue da cadeira, se aproxima e se senta a meu lado.

Digo:

— Coisas acontecem umas após outras em torno de mim, Oshima. Algumas porque eu quis, mas outras nada têm a ver com o fato de eu querer ou não. Só que, ultimamente, não consigo mais perceber a diferença entre elas. Sinto que mesmo as coisas que eu quis que acontecessem tinham sido programadas para acontecer muito antes de eu ter querido, entende? Como se eu estivesse apenas executando fielmente coisas que alguém programou para mim nalgum lugar. E que tudo é vão, que não adianta eu me empenhar ou me matar de tanto pensar. Ou melhor, que quanto mais me esforço, mais vou deixando de ser eu mesmo. Que estou me afastando cada vez mais do meu próprio caminho. E essa sensação é muito dolorosa. Talvez seja mais apropriado dizer que é *apavorante*. Às vezes, quando começo a pensar nessas coisas, chego até a ficar paralisado de terror, entende?

Oshima estende o braço e toca em meu ombro. Sinto o calor reconfortante da palma da sua mão.

— Mesmo que isso fosse verdade, isto é, mesmo que você tenha sido destinado a ver frustrado todo o esforço ou a vontade, ainda assim você é indiscutivelmente você mesmo, nada mais, nada menos. E está progredindo, não há dúvida alguma quanto a isso. Não se aflija.

Ergo o olhar e encaro Oshima. Suas palavras possuem um estranho poder persuasivo.

— O que o leva a pensar assim?

— A existência de ironia em tudo isso.

— Ironia?

Oshima mergulha o olhar no meu.

— Preste atenção, Kafka Tamura. Tudo isso que você está sentindo agora é tema de diversas tragédias gregas. Os homens não escolhem seu destino, o destino é que os escolhe. Essa é a visão de mundo que existe na base das tragédias gregas. E, ironicamente, a tragédia, e quem diz isso é Aristóteles, não é produto da fraqueza dos personagens, mas de suas qualidades, nas quais a dita tragédia se alavanca e cresce. Consegue entender o que estou dizendo? As pessoas são arrastadas para tragédias cada vez maiores em virtude de suas qualidades, e não de seus defeitos. Exemplo marcante disso é *Édipo rei*, de Sófocles. A tragédia de Édipo não é produto da indolência ou da estupidez do personagem, mas de sua coragem e honestidade. O que, inevitavelmente, vem a ser uma ironia.

— E disso não há salvação.

— Depende — diz Oshima. — Às vezes não há, realmente. Apesar de tudo, a ironia aprofunda e engrandece as pessoas. Transforma-se em porta de entrada para a salvação num plano mais elevado, no qual você será capaz de divisar a espécie de esperança que tudo abrange. Esta é a razão pela qual as pessoas ainda hoje leem as tragédias gregas — elas são uma espécie de arquétipo das artes. E, repito, tudo na vida é metáfora. Nem todos matam o próprio pai ou dormem com a própria mãe. Não é verdade? Ou seja, aceitamos a ironia por intermédio de um dispositivo a que chamamos de metáfora. E assim nos aprofundamos e crescemos como seres humanos.

Permaneço em silêncio. Imerso em meus próprios pensamentos.

— Quantas pessoas sabem que você veio a Takamatsu? — pergunta Oshima.

Sacudo a cabeça.

— Ninguém. Planejei e fiz esta viagem sozinho. Não contei para ninguém.

— Nesse caso, aconselho-o a se esconder neste quarto por algum tempo. Não fique no balcão. Desse modo, acho que a polícia não será capaz de descobrir nenhuma pista que leve a você. E depois, se precisar, esconda-se de novo na cabana da montanha.

Volto a encarar Oshima. Em seguida, digo:

— Oshima, acho que se eu não o tivesse conhecido, não saberia o que fazer nesta altura. Eu estaria sozinho numa cidade desconhecida, sem ter ninguém a quem recorrer.

Oshima sorri. Retira a mão do meu ombro e a observa.

— Acho que não é bem assim. Se não tivesse me conhecido, teria encontrado outros caminhos. Não sei por quê, mas é o que sinto. Existe algo em você que me faz pensar assim.

Então, Oshima se ergue e me traz mais um jornal de cima da mesa.

— Mudando um pouco de assunto, os jornais publicaram esta nota um dia antes da descoberta do crime. É curta, mas muito interessante, ficou guardada na minha cabeça. Não sei se podemos defini-la como mera coincidência, mas este incidente também aconteceu muito perto da sua casa.

Ele me entrega o jornal.

CHUVA DE PEIXES DESABA DO FIRMAMENTO
Cerca de 2 mil sardinhas e cavalinhas caem do céu em área comercial do distrito de Nakano

Perto das seis da tarde do dia 29, quase 2 mil peixes entre sardinhas e cavalinhas caíram do céu na rua ** do bairro de Nogata, distrito de Nakano, espantando seus moradores. Os peixes atingiram o rosto de duas donas de casa que faziam compras em lojas das proximidades e as feriram de leve. Felizmente não ocorreu nenhum incidente mais grave. Nesse horário, o céu estava limpo, quase sem nuvens, e não havia vento. A maioria dos peixes continuava viva mesmo depois de atingir o solo e saltitava pelas ruas...

Leio a curta reportagem e devolvo o jornal para Oshima. A nota trazia ainda algumas especulações quanto às causas do estranho fenômeno, nenhuma convincente. A polícia não descartava roubo ou brincadeira de mau gosto. O serviço de meteorologia declarava inexistência de elementos climáticos capazes de desencadear uma chuva de peixes. Até o momento, o porta-voz do Ministério da Agricultura, Administração Florestal e Pesca não havia se pronunciado.

— Você tem alguma ideia capaz de elucidar este incidente? — pergunta Oshima.

Sacudo a cabeça. Não tenho a mínima ideia.

— Um dia depois de seu pai ser assassinado, 2 mil peixes caíram do céu nas proximidades do local onde o crime ocorreu. Coincidência?

— Provavelmente.

— Os jornais também publicaram outra notícia segundo a qual uma enorme quantidade de sanguessugas caiu do céu sobre o posto de serviço Fujigawa, à beira da Rodovia Tomei tarde da noite do mesmo dia. A chuva de sanguessugas foi localizada, atingiu apenas uma pequena área. Mas, por causa dela, diversos carros bateram uns contra os outros. Parece que eram sanguessugas muito grandes. E ninguém conseguiu explicar a razão por que essa legião de vermes choveu do céu. Era uma noite de céu limpo, sem vento. Você não sabe nada a respeito disso também?

Sacudo a cabeça de novo.

Oshima dobra o jornal e diz:

— Como vê, uma série de acontecimentos estranhos e inexplicáveis vêm ocorrendo uns após outros. Pode ser que não haja nenhuma relação entre eles. Talvez sejam simples coincidências. Mas me incomodam. Tem alguma coisa estranha no ar.

— Quem sabe são metáforas também — digo.

— Pode ser. Mas que tipo de metáfora seriam sardinhas, cavalinhas e sanguessugas caindo do céu?

Calamo-nos por instantes. E então, tento transformar em palavras certas coisas que há muito tenho na mente.

— Oshima, meu pai fez algumas profecias a meu respeito muitos anos atrás.

— Profecias?

— Nunca falei disso a ninguém porque achei que não acreditariam em mim.

Oshima apenas me ouve. Seu silêncio me encoraja.

Eu digo:

— Tem mais jeito de ser maldição do que profecia. Ele me fez ouvi-la muitas vezes em diversas ocasiões. Como se quisesse gravar com formão cada palavra em meu cérebro.

Respiro fundo. Em seguida, repasso mentalmente tudo que tenho de dizer. Mas as palavras estão ali, não precisam ser repassadas. Elas estão sempre ali. Apesar de tudo, tenho de pesá-las uma vez mais.

Eu digo:

249

— *Dia virá em que você matará seu pai com essas suas mãos e dormirá com sua mãe* — foi isso o que ele disse.

Uma vez pronunciada a profecia, ou seja, transformada em palavras, sinto surgir em meu íntimo uma enorme cratera. E no oco da cratera, meu coração vazio pulsa com batidas metálicas. Feições inalteradas, Oshima permanece longo tempo a me contemplar.

— Você vai matar seu pai com suas mãos e dormir com sua mãe — foi isso o que ele disse?

Aceno a cabeça diversas vezes.

— Essa mesmíssima profecia foi feita a Édipo. Você sabe disso, naturalmente.

Aceno a cabeça outra vez e continuo:

— Mas não foi só isso o que ele me disse. Ele acrescentou um brinde. Tenho uma irmã seis anos mais velha que eu. Pois meu pai disse que provavelmente vou dormir com ela também.

— Quer dizer que seu pai fez essa profecia na sua frente?

— Isso mesmo. Mas na época eu ainda cursava o primário e não entendi direito o que significava "dormir" com alguém. Foi só muitos anos depois que cheguei a entender o sentido dessa expressão.

Oshima permanece em silêncio.

— Por mais que me esforce, jamais serei capaz de escapar desse destino, disse meu pai. Essa profecia está embutida em meus genes, como um timer e, faça eu o que fizer, não me livrarei dela. *Vou matar meu pai e dormir com minha mãe e com minha irmã.*

Oshima mergulha em longo mutismo. Ele examina minhas palavras uma a uma como se buscasse uma pista nelas. Logo, diz:

— Mas para que fazer uma profecia tão cruel?

— Não sei. Ele não explicou mais nada — respondo, sacudindo a cabeça. — Pode ser também que meu pai quisesse simplesmente se vingar de minha mãe e de minha irmã, que saíram de casa e o abandonaram. Talvez quisesse castigá-las através de mim.

— Mesmo que isso acabasse ferindo você?

Aceno a cabeça.

— Acho que meu pai me via como uma de suas obras, nada mais. Uma escultura, entende? Ele achava que era livre para me destruir ou deformar.

— Se isso for verdade, acho que ele tinha um modo de pensar bem distorcido — comenta Oshima.

250

— Lá, onde cresci, tudo era distorcido. Tão, mas tão distorcido, que as coisas direitas pareciam, ao contrário, distorcidas. Eu sabia disso havia muito. Mas eu era pequeno ainda, e não tinha nenhum outro lugar para ir.

Oshima diz:

— Eu já vi algumas obras do seu pai. Ele era um escultor talentoso, magistral. Original, provocante e poderoso, intransigente. Sua obra era autêntica em todos os sentidos.

— Talvez fosse mesmo. Mas sabe essa espécie de borra venenosa que sobra depois que a pessoa tira de si todas essas qualidades de que você falou? Essa borra ele tinha de jogar, de espalhar ao redor dele, entende? Meu pai conspurcava as pessoas que viviam perto dele, deformava-as. Não sei se ele fazia isso porque queria. Talvez ele simplesmente tivesse de fazer. Talvez essa fosse a sua natureza. Seja como for, acho que, nesse sentido, ele estava conectado a *alguma coisa* diferente. Entende o que estou dizendo?

— Acho que sim — diz Oshima. — E essa *coisa* especial deve se situar além de conceitos como bem ou mal. A fonte do poder, talvez.

— E eu herdei metade dos genes dele. Talvez essa seja a razão por que minha mãe não me levou junto ao sair de casa. Talvez ela tenha me descartado por me considerar um ser conspurcado, deformado, nascido dessa fonte maldita.

Oshima pressiona a têmpora com a ponta dos dedos, perdido em pensamentos. Em seguida, aperta os olhos e me examina.

— E não há nenhuma possibilidade de ele não ser seu pai? Do ponto de vista biológico?

Nego sacudindo a cabeça.

— Fizemos alguns exames há alguns anos. Meu pai e eu fomos juntos a um hospital, e ele solicitou o mapeamento genético do nosso sangue. O resultado provou com 100% de certeza que somos pai e filho. Ele me mostrou toda a documentação.

— Para que tudo isso?

— Meu pai queria que eu soubesse. Queria deixar claro que eu era uma criação dele, entende? Do mesmo jeito que assina suas obras.

Oshima continua pressionando a têmpora com a ponta dos dedos.

— Mas na verdade, a profecia dele não se realizou. Pois você não matou seu pai. Nessa hora, você estava em Takamatsu. Outra pessoa o matou. É isso, não é?

— Falando com franqueza, não tenho tanta certeza assim.

Em silêncio, espalmo minhas mãos e as contemplo. As mãos que me pareceram pretas, sujas de sangue, naquela noite escura.

Conto em seguida tudo que me aconteceu. Digo a Oshima que naquela noite, ao retornar da biblioteca, perdi a consciência por algumas horas e que voltei a mim no bosque de um santuário xintoísta com a camisa encharcada de sangue. Que lavei esse sangue na pia do sanitário. Não lhe digo nada a respeito de ter passado a noite no quarto de Sakura para evitar que a história fique longa demais. Oshima faz algumas perguntas de vez em quando, esclarece certos detalhes, e memoriza tudo. Mas não dá nenhuma opinião.

— E eu não sei onde foi que me sujei, nem de quem é o sangue. Não consigo me lembrar de nada — explico. — Talvez eu tenha matado meu pai não no sentido metafórico, mas de verdade, com estas mãos. Tenho essa impressão. Realmente, não retornei a Tóquio naquele dia. Conforme você disse, estive o tempo todo em Takamatsu. Isso é uma certeza. Mas "responsabilidades têm início em sonhos", não é mesmo?

— Um verso de Yeats.

Eu digo:

— Pode ser que eu tenha matado meu pai num sonho. Talvez tenha percorrido uma espécie de circuito onírico especial e matado meu pai.

— Isso é o que você pensa. E isso talvez lhe pareça real num certo sentido. Mas a polícia — ou qualquer outra pessoa — não vai exigir que você assuma responsabilidades poéticas. Um indivíduo não pode existir simultaneamente em dois lugares. Einstein provou de maneira científica este princípio, que aliás é respaldado por lei.

— Mas neste exato momento, não estou falando nem de ciência nem de lei.

Oshima diz:

— Contudo, meu jovem Kafka Tamura, tudo isso que você fala não passa de uma hipótese. Uma hipótese aliás bem audaciosa e surrealista, para dizer a verdade. Lembra até enredo de ficção científica.

— Claro que é hipótese. Sei disso muito bem. E acho que ninguém acreditaria em algo tão bobo. Mas onde não houver evidência contrária, não há progresso científico. Era o que meu pai sempre me dizia. E também que hipóteses se constituem em campos de batalha de um cérebro. Ele vivia repetindo isso. E no momento, não consigo achar nenhuma evidência contrária.

Oshima emudece.

Eu mesmo não encontro nada para falar.

— Seja como for, esse é o motivo que o fez fugir até Shikoku, não é? A maldição de seu pai, quero dizer.

Confirmo com um aceno de cabeça. Depois, aponto para o jornal dobrado:

— Mas, pelo jeito, não consegui.

Não deposite muita esperança nessa questão de distância, havia dito o menino chamado Corvo.

— Você precisa de um esconderijo — diz Oshima. — Essa é a única certeza que tenho no momento.

Percebo então que estou exausto. De repente, sinto que não consigo sustentar meu próprio corpo. Reclino-me então sobre o peito de Oshima, que continuava sentado ao meu lado. Ele me aperta nos braços. Apoio meu rosto contra seu tórax raso.

— Não quero fazer nada disso, Oshima. Não queria matar meu pai. Nem quero dormir com minha mãe ou com minha irmã.

— Claro! — diz Oshima. Passa os dedos por meus cabelos curtos. — É impossível que tudo isso aconteça, claro.

— Nem em sonhos?

— Nem em metáfora — replica Oshima. — Nem em alegoria ou em analogia.

— Se quiser, posso passar a noite aqui — diz Oshima pouco depois.

Eu porém recuso. Digo-lhe que prefiro ficar sozinho.

Oshima passa para trás a mecha de cabelo que lhe caiu sobre o rosto. Hesita uns instantes e depois diz:

— Sou um indivíduo indefinível: andrógino, mulher gay e sabe-se lá mais o quê... Mas espero que isso não o esteja preocupando...

— Não é nada disso — replico. — Não tem nada a ver. Eu apenas queria ficar sozinho esta noite e pensar. Foram tantas as coisas que me aconteceram, tão de repente e de uma vez só!

Oshima anota um número de telefone num papel memorando.

— Se você sentir de repente no meio da noite que quer conversar com alguém, ligue para este número. Não se constranja. Tenho o sono leve.

Agradeço.

Nessa noite, vejo um fantasma.

Capítulo 22

Passava das cinco da manhã quando o caminhão que levava Nakata entrou na cidade de Kobe. A manhã já clareava as ruas, mas o expediente no armazém da loja ainda não começara e não havia como descarregar a encomenda. O motorista estacionou o caminhão numa rua larga próxima ao porto e resolveu dormir um pouco. Deitou-se no espaço costumeiro na parte traseira da boleia e logo roncava gostosamente. Nakata teve o próprio sono interrompido diversas vezes pelo ronco do companheiro, mas não demorava a recair em agradável estupor. Insônia era fenômeno desconhecido para Nakata.

Faltava pouco para as oito da manhã quando o jovem motorista se ergueu com um estrondoso bocejo.

— Ei, tio, está com fome? — perguntou com os olhos fixos no espelho retrovisor ao mesmo tempo em que usava o barbeador elétrico.

— Sim, Nakata acha que está com um pouco de fome.

— Então vamos comer alguma coisa.

De Fujigawa a Kobe, Nakata dormira a maior parte do percurso. O motorista sintonizara o rádio num desses programas que varam a noite e dirigira o tempo todo quase sem falar. De vez em quando, cantava acompanhando músicas que vinham pelo transmissor. Todas desconhecidas para Nakata. Deviam ser composições japonesas, mas as letras lhe eram incompreensíveis. Captava apenas uma ou outra palavra de tempo em tempo. Nakata tirou da sacola a barra de chocolate e os bolinhos de arroz embalados um a um que ganhara das duas moças no dia anterior em Shinjuku e os repartiu com o motorista.

Dizendo que o cigarro ajudava a espantar o sono, o motorista fumou sem parar, de modo que as roupas de Nakata tresandavam quando o caminhão chegou a Kobe.

Nakata saltou da boleia carregando sacola e guarda-chuva.

— Ei, tio, deixe esse trambolho no caminhão. A gente vai logo aí e volta num instante, é só o tempo de comer — disse o motorista.

— Sim, tem razão. Mas Nakata não se sente bem sem estas coisas.

— É mesmo? — disse o rapaz com um leve sorriso. — Tá, então leve. Afinal, não sou eu que vai carregar... Fique à vontade.

— Muito obrigado.

— Eu me chamo Hoshino. Meu nome é escrito com os mesmos ideogramas daquele Hoshino, que é o técnico do time de beisebol Dragões do Chunichi, entendeu? Mas não sou parente dele nem nada.

— Ah, entendi. Senhor Hoshino. Muito prazer. Meu nome é Nakata.

— E eu já não sei?

O rapaz, que parecia conhecer muito bem a vizinhança, foi andando na frente em passadas largas e decididas. Nakata o seguiu quase correndo. Os dois entraram num restaurante modesto de uma ruela transversal. Motoristas e estivadores lotavam o estabelecimento. Não se via ninguém de terno e gravata. Expressão compenetrada, os homens devoravam o desjejum como se estivessem se abastecendo de combustível. No interior do estabelecimento, pratos tilintavam, garçonetes gritavam pedidos e o locutor da rede NHK de TV falava.

O jovem motorista apontou o menu colado na parede.

— Tio, peça o que quiser. O rango aqui é bom e barato.

— Certo — disse Nakata contemplando por instantes o menu conforme lhe fora recomendado, mas logo se lembrou que não sabia ler.

— Desculpe, senhor Hoshino, mas Nakata não é bom da cabeça, ele não sabe ler.

— Ora essa... — disse Hoshino com uma ponta de admiração na voz. — O tio não sabe ler? Coisa rara hoje em dia... Mas isso não importa. Eu mesmo vou pedir comercial de peixe grelhado e omelete. Por que não pede o mesmo?

— Claro! Nakata gosta muito de peixe grelhado e omelete.

— Beleza.

— Gosta também de um bom prato de enguia defumada.

— Eu também, eu também. Mas é meio estranho pedir enguia na primeira refeição do dia, certo?

— Certo. E depois, ele acabou de comer enguia defumada com um senhor chamado Hagita, que pagou o jantar de Nakata ontem à noite.

— Beleza! — disse o rapaz. — Dois comerciais de peixe grelhado e duas omeletes! Arroz extra num deles! — gritou Hoshino para a atendente.

— Dois comerciais de peixe grelhado, duas omeletes e um arroz extra! — repetiu a garçonete também aos berros.

— Mas vem cá: essa história de não saber ler deve complicar sua vida — disse o rapaz para Nakata.

— Complica sim. Nakata se vê em apuros de vez em quando por causa disso. Se ele fica só no bairro de Nakano, em Tóquio, nem tanto. Mas se vai para longe, como agora, as coisas ficam meio difíceis.

— Ah, com certeza. Ainda mais que Kobe fica bem longe de Nakano...

— E Nakata também não entende direito de norte e sul, sabe? Só entende de direita e esquerda. Por isso ele se perde quando anda por ruas desconhecidas e também não consegue comprar passagens.

— Mal consigo acreditar que você chegou até aqui!

— Chegou porque teve a ajuda de muitas pessoas bondosas. O senhor Hoshino é uma delas. Nakata nem sabe como agradecer.

— Dureza ser analfabeto. Meu avô, por exemplo, estava caduco mas ao menos sabia ler.

— Nakata é especialmente fraco da cabeça.

— São todos assim na sua família?

— Não, não. O mais velho é diretor num lugar chamado *I-to--chu*, e o mais novo trabalha no *Mi-nis-té-ri-o da In-dús-tri-a e do Co--mér-cio*.

— Ora, quem diria! — disse admirado o motorista. — Um bando de intelectuais! Quer dizer que só você saiu assim, meio diferente.

— Sim senhor. Só Nakata. Ele sofreu um acidente e não é bom da cabeça. Por isso, vivem dizendo para ele: muito cuidado com o que faz, não se esqueça que pode prejudicar irmãos, sobrinhos ou sobrinhas com atos impensados, viva o mais discretamente possível.

— Realmente, a maioria das pessoas acharia complicado ter alguém como você aparecendo volta e meia na vida delas.

— Nakata não entende coisas complicadas, mas enquanto viveu só no bairro de Nakano, nunca perdeu o rumo. Ele recebia ajuda do senhor governador e se dava muito bem com os gatos. Cortava o cabelo uma vez por mês, e até podia comer enguia de vez em quando. Mas então, o senhor Johnnie Walker apareceu e Nakata não conseguiu mais viver em Nakano.

— Johnnie Walker?

— Sim. Um homem que calçava botas e usava um chapéu alto e preto na cabeça. Vestia colete e levava uma bengala na mão. Caçava gatos e tirava a alma deles.

— Tá, tá... Mas vamos deixar isso para lá — disse Hoshino. — Não tenho muita paciência para ouvir histórias compridas. Resumindo, aconteceram algumas coisas e você saiu de Nakano.

— Exato, Nakata saiu de Nakano.

— E agora? Para onde vai?

— Nakata não sabe ainda. Mas depois que chegou aqui, descobriu que precisa cruzar uma ponte e seguir mais para frente. Uma ponte comprida que existe perto deste lugar.

— Ou seja, vai para a ilha de Shikoku?

— Desculpe, mas geografia é um mistério para Nakata. Se cruzar a ponte ele chega em Shikoku?

— Isso mesmo. A única ponte comprida que existe nestas bandas é a que leva para Shikoku. Ou melhor, são três as pontes: uma sai de Kobe, passa pela ilha de Awaji e leva à de Tokushima. A outra sai das proximidades de Kurashiki e cruza para Sakaide. E a terceira liga Onomichi a Imabari. Bastava uma, mas os políticos meteram a colher torta no meio e acabamos ficando com três.

Hoshino derramou um pouco de água sobre o tampo impermeabilizado da mesa e riscou um mapa rústico do Japão com o dedo. Em seguida, desenhou três pontes ligando a ilha de Honshu à de Shikoku.

— E essa ponte é grande, realmente grande? — perguntou Nakata.

— Enorme, sem exagero algum!

— Entendi. Pois Nakata está pensando em cruzar uma dessas três pontes. Acho que vai ser a que está mais próxima. Depois disso, ele pensa de novo.

— Mas então... você não tem conhecidos nem parentes no lugar para onde está indo?

— Exato. Nakata não tem nenhum conhecido.

— Você só quer cruzar a ponte, chegar em Shikoku e, uma vez lá, ir a *algum lugar*.

— Isso mesmo.

— Mas não sabe onde é esse *algum lugar*.

— Não senhor. Nakata não tem a mínima ideia. Mas acha que, chegando lá, saberá.

— Caramba! — exclamou Hoshino.

Ajeitou o cabelo, certificou-se de que o rabo de cavalo continuava arrumado e tornou a pôr o boné dos Dragões Chunichi na cabeça.

Logo, os pratos pedidos foram servidos e os dois os devoraram em silêncio.

— Me diga agora: essa omelete é boa ou não? — perguntou Hoshino.

— Muito gostosa, realmente. Bem diferente da que Nakata comia em Nakano.

— É porque estamos na região de Kansai. A omelete desta área é muito diferente daquela coisa seca e dura que servem em Tóquio.

Depois, calaram-se os dois, entretidos em apreciar a omelete, a cavalinha salgada e grelhada, o caldo de missô com vôngole, a conserva de nabo, o espinafre cozido, a alga em folha e até o último grão de arroz. Nakata levou muito tempo para terminar sua parte porque tinha o hábito de mastigar criteriosamente 32 vezes cada bocado.

— E então, Nakata? Está satisfeito?

— Sim, Nakata está. E o senhor Hoshino?

— Também estou. É bom encher a barriga com uma comida gostosa logo de manhã, não é?

— Sim senhor. Deixa Nakata muito feliz.

— E agora? Não lhe deu vontade de fazer cocô?

— Tem razão. Agora que o senhor falou, Nakata ficou com vontade.

— Então vá. O banheiro fica logo ali.

— E o senhor Hoshino? Não vai?

— Vou mais tarde, com calma. Vá primeiro, vá!

— Sim senhor. Nesse caso, Nakata vai agora fazer cocô.

— E não precisa falar tão alto, tio. Tem gente comendo ainda.

— Desculpe. É que Nakata tem a cabeça fraca.

— Tá, tá! Mas vá de uma vez.

— Posso escovar os dentes também?

— Pode, pode escovar os dentes. Temos muito tempo ainda, faça tudo que quiser. Mas você bem podia deixar o guarda-chuva comigo. Afinal, está indo só até o banheiro.

— Está bem, vou deixar o guarda-chuva.

Quando retornou, Hoshino já tinha pago a conta.

— Nakata tem dinheiro, senhor Hoshino, ele pode pagar sua própria refeição.

O motorista porém sacudiu a cabeça.

— Não se preocupe. Eu devo muito ao meu avô. Aprontei poucas e boas nos velhos tempos.

— Sim. Mas Nakata não é o vovô do senhor Hoshino.

— Problema meu, tio. Não se preocupe com isso, já disse. Pare de encher o saco e aceite.

Depois de pensar alguns instantes, o velho homem resolveu concordar.

— Então Nakata aceita e agradece do fundo do coração. Muito obrigado.

— Por uma mixaria de peixe grelhado e omelete? Esquece!

— Mas sabe de uma coisa, senhor Hoshino? Desde o dia que saiu de Nakano, Nakata vem recebendo tantos favores de tanta gente que chegou até aqui quase sem gastar nenhum centavo.

— Isto sim é impressionante! — admirou-se Hoshino. — Não é proeza para qualquer um.

Nakata pediu a uma garçonete que abastecesse de chá fresco e quente sua pequena garrafa térmica. Em seguida, guardou cuidadosamente a garrafa na sacola.

Os dois retornaram a pé até o local onde tinham deixado o caminhão.

— Mas voltando a essa história de ir a Shikoku... — disse Hoshino.

— Pois não?

— Antes de mais nada, o que é que o tio vai fazer lá?

— Isso nem ele sabe.

— Não sabe para quê, nem para onde vai. Mas quer chegar a Shikoku de qualquer jeito.

— Isso mesmo. Nakata tem de cruzar uma ponte comprida...

— ... porque depois, as coisas vão ficar mais claras. É isso?

— Nakata acha que sim. Mas não tem ideia de nada enquanto não atravessar a ponte.

— Seei... — disse o motorista. — O importante é cruzar a ponte.

— Exato. A coisa mais importante.

— Caramba!

O motorista entrou no caminhão e foi descarregar os móveis no armazém da loja de departamentos. Enquanto isso, Nakata matou o tempo sentado num banco do pequeno parque próximo ao porto.

— Não saia daqui, ouviu? — recomendara o rapaz. — O banheiro fica ali, está vendo? E tem um bebedouro ao lado. O essencial está ao seu redor, não é preciso se afastar daqui. Porque se fizer isso, vai se perder. E uma vez perdido, não conseguirá voltar a este lugar, entendeu?

— Sim, senhor. Nakata sabe que não está mais em Nakano.

— Exatamente. Isto aqui não é Nakano. Portanto, fique bem quietinho, não arrede o pé deste lugar, entendeu?

— Sim senhor. Entendeu. Não arreda o pé daqui.

— Beleza. Volto assim que entregar a mercadoria.

Conforme recomendado, Nakata não se afastou nem um passo do banco. Não foi ao banheiro. Esperar sem sair do lugar não representava sofrimento para o idoso homem. Ou melhor, era uma das suas especialidades.

Do banco, ele podia ver o mar, algo que ele não via há muito. Em sua infância, havia ido algumas vezes à praia com a família. Usara calção de banho e brincara no raso. Apanhara conchas na maré baixa. Mas a lembrança daqueles momentos era muito vaga. Parecia-lhe que tudo isso acontecera num outro mundo. Do mar, essa era a última recordação que guardara, nunca mais o vira.

Depois do estranho incidente ocorrido nas montanhas da província de Yamanashi, Nakata retornara para a escola em Tóquio. Ele recobrara a consciência e as funções físicas, mas tinha perdido completamente a memória; quanto à capacidade de ler e escrever, nunca mais a recobraria. Não conseguia ler livros escolares nem fazer provas. Perdeu todo o conhecimento acumulado ao longo dos anos, assim como grande parte da capacidade de pensar de maneira subjetiva. Mesmo assim, a escola lhe concedeu o diploma. Nakata não compreendia quase nada do que lhe ensinavam, mas era capaz de permanecer sentado num canto da sala de aula em sereno silêncio. Obedecia corretamente as instruções dos professores. Não incomodava ninguém, o que possibilitou aos professores esquecerem-se dele. Em suma, foi considerado aluno "ouvinte", mas não "problemático".

261

Logo, ninguém mais se lembrava de que, antes do acidente, o menino tinha sido um aluno brilhante. Atividades, eventos escolares, nada mais contou com a participação de Nakata. Mas ele não se importou. Ao contrário, o fato de ninguém se incomodar com ele lhe permitia absorver-se num mundo só dele. Ele só demonstrava intenso interesse pelas seguintes atividades: cuidar de pequenos animais (coelhos e cabras) criados na escola, cuidar do jardim e limpar a sala de aula. Sempre sorrindo, ele se desincumbia com entusiasmo dessas tarefas sem nunca se aborrecer.

Sua existência tinha sido quase esquecida não só na escola como também em casa. Ao se darem conta de que o primogênito era agora incapaz de ler e de escrever e, em decorrência, de acompanhar o currículo escolar, os pais, fanáticos educadores, perderam interesse por ele e concentraram a atenção nos filhos menores, que continuavam se destacando nos estudos. E quando, terminado o curso primário, tornou-se evidente que Nakata dificilmente seria admitido no curso ginasial da rede municipal, foi deixado aos cuidados dos avós maternos que moravam em Nagano. Ali chegando, passou a frequentar o curso prático de agricultura. Como não sabia ler, acompanhou a programação escolar a custo, mas as aulas práticas de agricultura eram do seu gosto. E teria seguido a carreira de agricultor caso os colegas de classe não o maltratassem tanto. Os demais alunos não perdiam a oportunidade de bater no estranho garoto vindo da capital. E quando as marcas da perseguição que sofria começaram a mostrar progressiva violência (Nakata perdeu nessa época o lóbulo de uma orelha), os avós resolveram tirá-lo da escola e o criaram em casa dando-lhe pequenas tarefas caseiras para cumprir. Os avós amaram muito esta criança calma e obediente.

Foi também nessa época que aprendeu a falar com os gatos. Os avós tinham alguns gatos de estimação, que logo se tornaram bons amigos de Nakata. No começo, eles se comunicavam por meio de palavras simples, mas aos poucos Nakata ampliou sua habilidade com a perseverança de alguém que estuda uma língua estrangeira e, logo, viu-se capaz de manter conversas razoavelmente longas com os felinos. Foram os gatos que ensinaram a Nakata inúmeros fatos da natureza e do mundo em geral. Na verdade, foram eles que lhe ensinaram quase tudo que Nakata precisava saber com relação ao funcionamento do mundo.

Quando fez 15 anos, Nakata começou a trabalhar numa fábrica de móveis das proximidades. O empreendimento, modesto, antes marcenaria que fábrica, especializava-se em produzir rústicos móveis artesanais, e as mesas, cadeiras e cômodas ali fabricadas eram vendidas em Tóquio. Nakata logo se apaixonou pelo trabalho de marcenaria. Muito hábil com as mãos, realizava criteriosamente os detalhes miúdos e complexos dos móveis, não perdia tempo com conversa inútil, nunca se queixava do trabalho, e se tornou querido do patrão. Excetuando cálculos e leitura de plantas, tudo o mais ele executava com perfeição. Uma vez aprendido um padrão, repetia a mesma coisa infindavelmente sem nunca se cansar. Depois de passar por dois anos de treinamento, foi em seguida efetivado.

E assim ele viveu até os 50 anos. Nunca se acidentou nem adoeceu. Não bebia, não fumava, dormia cedo e comia com moderação. Não assistia à televisão, e ouvia o rádio apenas para fazer a ginástica matinal. Dia após dia, dedicou-se apenas à confecção de móveis. No ínterim, os avós faleceram e, depois, os pais. Nakata era visto com simpatia pelos conhecidos, mas não tinha nenhum amigo. Coisa inevitável, talvez. Bastavam dez minutos de prosa para deixar sem assunto qualquer pessoa disposta a conversar com ele.

Nakata nunca se considerou infeliz ou solitário por causa do tipo de vida que levava. Totalmente desprovido de desejo sexual, não tinha também vontade de se apegar a alguém em especial. Nakata sabia que era diferente de outras pessoas. Sabia que a sombra que ele próprio projetava sobre o solo era clara e rarefeita em comparação com a de outros seres humanos, mas só ele notava isso. Os únicos seres com quem se comunicava plenamente eram os gatos. Nos dias de folga, ia para um parque próximo, sentava-se num banco até o fim do dia e conversava com eles. Curiosamente, nunca se via sem assunto nessas ocasiões.

Quando Nakata fez 52 anos, o dono da fábrica de móveis faleceu e, em seguida, a fábrica fechou as portas. Móveis artesanais rústicos, pesados e de cor escura já não vendiam tão bem. Os antigos marceneiros tinham envelhecido, e os mais novos não demonstravam nenhum interesse em aprender esse tipo de artesanato tradicional. E por fim, o descampado, em meio ao qual a fábrica tinha sido construída, transformou-se em área residencial e seus moradores reclamavam continuamente do barulho e da fumaça resultante da queima de serralho. Sem nenhuma intenção de assumir essa fábrica transformada em foco de problemas, o filho, administrador de empresas com escritório de contabilidade montado no centro da cidade, resolveu fechar o empreendimento mal o pai faleceu e vender a propriedade para uma imobiliária. A imobiliária destruiu a fábrica, limpou o terreno e o vendeu a uma construtora. A construtora ergueu um prédio de apartamentos de seis andares no local. As unidades foram todas vendidas no dia do lançamento.

E assim, Nakata se viu desempregado. O valor do prêmio que recebeu pelos longos anos de trabalho foi mínimo porque a fábrica, alegavam, tinha dívidas. Desde então, nunca mais conseguiu emprego. Realmente, um homem analfabeto na casa dos cinquenta, cuja única habilidade era fabricar rústicos móveis artesanais, dificilmente haveria de encontrar um novo posto de trabalho.

Mas em sua conta na agência de correios local Nakata conseguira juntar razoável poupança, fruto dos seus 37 anos de árduo trabalho sem tirar férias. Não gastara quase nada no seu cotidiano simples, e suas economias teriam sido suficientes para uma velhice despreocupada, mesmo sem trabalhar. Um primo prestimoso que trabalhava na prefeitura local se encarregara de administrar a poupança em nome do analfabeto Nakata. Muito embora bondoso, o primo era também um tanto ingênuo e, levado por um corretor inescrupuloso, associou-se a um empreendimento imobiliário que promovia a construção de um condomínio de lazer junto a uma pista de esqui, e acabou soterrado em pesadas dívidas. O primo fugiu com a família para local desconhecido na mesma época em que Nakata perdeu o emprego. Segundo boatos, um agiota pusera em seu encalço um bando de cobradores violentos. Ninguém sabia do paradeiro do primo. Nem ao menos se estava vivo ou morto.

Nakata foi então com um conhecido à agência do correio para averiguar o saldo de sua poupança e descobriu que lhe sobravam apenas alguns trocados. Até o prêmio depositado dias antes fora roubado pelo primo. O que lhe acontecera só podia ser definido como azar excessivo. Nakata ficara simultaneamente sem dinheiro e sem emprego. Seus parentes sentiram muita pena dele, mas todos tinham sido lesados pelo primo, alguns mais, outros menos. Nenhum estava em condição de ajudar Nakata.

Finalmente, o irmão logo abaixo de Nakata se encarregou dele. Esse irmão possuía e administrava um modesto prédio de apartamentos do tipo quitinete no bairro de Nakano (herdado dos pais) e cedeu uma das unidades para o usufruto de Nakata. O irmão também passou a administrar a herança (modesta) em dinheiro deixada pelos pais para o primogênito, e tomou as providências necessárias para que o governo de Tóquio lhe pagasse o benefício para deficientes, ao qual Nakata tinha direito. Nisso se resumiram os cuidados do irmão. Apesar de não saber ler nem escrever, Nakata era capaz de realizar as tarefas cotidianas e viver sem a ajuda de ninguém, uma vez que tivesse casa onde morar e dinheiro para o dia a dia.

Os irmãos quase não tinham contato com Nakata. Eles se viram algumas vezes apenas para acertar o novo arranjo. Os mais de trinta anos que viveram separados estabeleceram uma diferença intransponível em seus modos de viver. Os irmãos não sentiam amor fraternal pelo primogênito deficiente, ou melhor, não tinham tempo para se preocupar com ele, ocupados como andavam em cuidar de suas próprias vidas.

Mas o tratamento frio dos parentes nunca deixou Nakata infeliz. Ao contrário: acostumado a viver sozinho, ficava tenso quando se via alvo dos cuidados ou da bondade alheia. Não se sentiu também particularmente irritado com o primo que lhe roubara as economias, penosamente amealhadas ao longo da vida. Sabia que estava em situação difícil, naturalmente, mas não se sentiu deprimido. Não entendia direito o que era um condomínio de lazer e, por falar nisso, nem o sentido da palavra "falência". Aliás, nem o que era "dívida". Nakata vivia limitado por um vocabulário restrito.

Dinheiro era outra coisa cujo valor percebia somente até a quantia de 5 mil ienes. Qualquer coisa acima disso, fossem dez, cem, mil ou até um milhão de ienes, era apenas "muito dinheiro". Sabia que tinha certa quantia guardada, mas nunca a vira. Apenas ouvira periodicamente dizer: "Agora, você tem *tanto* na sua conta." Ou seja, um conceito abstrato. Assim, quando lhe disseram de repente que esse *tanto* não existia mais, não lhe pareceu que perdera algo real.

Continuou portanto a viver tranquilamente no apartamento que o irmão lhe cedera, recebendo pensão do governo, andando de ônibus com passe especial para deficientes e conversando com gatos num parque próximo. O bairro inteiro de Nakano era agora seu novo mundo. Como qualquer cão ou gato, estabeleceu uma área em que podia se locomover livremente, e dali se afastava apenas em circunstâncias excepcionais. Enquanto se mantivesse dentro dessa área, seus dias seriam seguros. Nunca se revoltava, nem se irritava. Não sentia solidão, não se preocupava com o futuro, nem se sentia particularmente prejudicado por ser o que era. Ele apenas desfrutava os dias, um após outro, de maneira conscienciosa e serena. Assim foi sua vida por mais de dez anos.

Até o dia em que Johnnie Walker surgiu.

Fazia muito tempo que Nakata não via o mar. O litoral era distante tanto da província de Nagano como do bairro de Nakano. Naquele momento, e só então, Nakata se deu conta de que perdera o mar por muito, muito tempo. Aliás, nem pensara nele. Acenou movendo a cabeça diversas vezes, confirmando para si mesmo: o mar existia. Tirou o chapéu, passou de leve a palma da mão sobre os cabelos curtos. Em seguida repôs o chapéu e contemplou o mar. Seu conhecimento do mar se restringia à noção de que era amplo, que nele viviam os peixes e que a água era salgada. Ainda sentado no banco, Nakata cheirou a brisa recendendo a maresia que vinha do oceano, observou as gaivotas voando e os barcos ancorados a distância. Não se cansava da vista. Vez ou outra, uma gaivota vinha até o parque e descia sobre a relva intensamente verde desse verão. O contraste das cores era excepcionalmente belo. Nakata experimentou entabular conversa com a gaivota, mas a ave apenas lhe lançou um olhar rápido e frio, não lhe respondeu. Não havia nenhum gato à vista. Os únicos animais visíveis eram gaivotas e pardais. Tirou a garrafa térmica da sacola mas começou a chover enquanto tomava o chá, de modo que Nakata abriu o guarda-chuva que sempre trazia consigo.

A chuva já havia parado quando Hoshino retornou, pouco antes do meio-dia. Com o guarda-chuva agora fechado, Nakata ainda contemplava o mar sentado no banco na mesma posição em que fora deixado. O motorista estacionara o caminhão nalgum lugar e viera de táxi.

— Demorei muito? Desculpe — disse o rapaz. Trazia uma sacola de plástico ao ombro. — Achei que fosse liquidar o trabalho num instante, mas houve uma série de imprevistos, entende? Em toda loja de departamento tem sempre alguém para complicar a vida da gente.

— Nakata não se importou nem um pouco. Ficou sentado aqui mesmo, contemplando o mar.

— É mesmo? — disse o rapaz. Em seguida, voltou o olhar na mesma direção, mas viu apenas uma doca em mau estado e água oleosa.

— Fazia muito tempo que Nakata não via o mar.

— Ah, sei...

— Na última vez, ele ainda frequentava o curso primário e esteve num lugar chamado *E-no-shi-ma*.

— Puxa, isso é coisa muito, muito antiga, não é?

— Nessa época, os Estados Unidos ainda ocupavam o Japão e a praia de *E-no-shi-ma* estava cheia de soldados americanos.

— Mentira!

— Não senhor. Não é mentira.

— Que é isso, tio! — disse o rapaz. — Por que os Estados Unidos haveriam de ocupar o Japão?

— Nakata não entende coisas complicadas. Mas os Estados Unidos tinham aviões grandes. Eles lançaram um monte de bombas grandes sobre Tóquio e, por causa disso, Nakata foi mandado para a província de Yamanashi. E lá, ele adoeceu.

— É mesmo? Tá, mas deixe isso para lá. Histórias compridas não são o meu forte. Seja como for, vamos embora de uma vez. Levei mais tempo do que tinha calculado e se a gente bobeia, acaba anoitecendo.

— Mas aonde vamos?

— Shikoku, ora. Vamos cruzar a ponte. Você não queria ir a Shikoku?

— Sim. Mas o senhor Hoshino tem de trabalhar e...

— Não se preocupe com isso. Trabalho é o tipo da coisa que sempre se arruma. Eu andei dando duro nos últimos tempos e pensava exatamente em descansar um pouco. Para falar a verdade, eu mesmo nunca fui a Shikoku e quero conhecer a região. E depois, você não sabe ler e eu posso ajudá-lo a comprar as passagens, certo? A não ser que você não queira me levar junto.

— Não, Nakata ficará muito contente em ir com o senhor Hoshino.

— Então está resolvido. Já me informei quanto ao horário do ônibus. Vamos a Shikoku!

Capítulo 23

Nessa noite, vi um fantasma.

Não sei se é correto chamar o que eu vi de "fantasma". Mas com certeza não é um "ser" vivo. Um relance foi suficiente para saber que não pertencia a este mundo.

Uma vaga sensação me despertou e, então, vejo a garota. É noite alta, mas há uma estranha claridade no interior do quarto. O luar penetra pela janela. A cortina, que com certeza fechei antes de dormir, está escancarada agora. A garota é uma silhueta nítida, lavada na brancura óssea do luar.

Ela parece ter a minha idade — 15 ou 16 anos. Na certa, 15. É o que acho. A diferença entre os 15 e os 16 anos é nítida. Miúda e delicada, tem postura correta e nenhum sinal de fragilidade. Cabelo liso cortado na altura do ombro, e leve franja caída sobre a testa. Vestido azul-claro, saia rodada de comprimento mediano. Não usa meias nem sapatos. Os punhos estão corretamente abotoados. O decote, redondo e amplo, realça o pescoço bem-conformado.

Sentada à escrivaninha, ela apoia o rosto nas mãos e fixa o olhar num ponto da parede. E cisma. Mas não rumina problemas complexos. Parece antes rever uma lembrança agradável de um passado não muito distante. Um leve sorriso surge vez ou outra em seus lábios. Mas a sombra que o luar projeta em seu rosto me impede de decifrar as nuanças mais delicadas da sua fisionomia. Finjo dormir. Não pretendo perturbá-la no que quer que esteja fazendo por aqui.

Percebo que a garota é um "fantasma". Para começar, é bonita demais. Não só o rosto, mas ela inteira é perfeita, além da conta para ser real. Ela me parece diretamente saída de um sonho. E essa beleza pura provoca em mim algo próximo à tristeza. Uma sensação muito natural, mas que não deve ser deste mundo.

Prendo a respiração debaixo do cobertor. Ela também quase não se move, rosto apoiado nas mãos e cotovelos sobre a mesa. Vez ou outra, o queixo se ajeita de leve no côncavo das mãos e, em decorrência, o ângulo da sua cabeça se altera minimamente. Esse é o único movimento no interior do meu quarto. Vejo as flores grandes e serenas do corniso próximo à janela brilhando ao luar. Não há vento. Não ouço o menor ruído. É como se eu tivesse morrido sem saber. Morri e estou com a garota nas profundezas de um lago na cratera de um vulcão.

De repente, a garota retira os braços de cima da mesa e pousa as mãos sobre os joelhos brancos que espiam lado a lado pela barra da saia. Algo parece lhe ocorrer de repente, pois ela para de contemplar o quadro na parede, move o corpo e volta o olhar para o meu lado. Leva a mão à testa e toca de leve a franja. Por instantes, imobiliza sobre a testa os dedos esguios, típicos de adolescente, como se tentasse lembrar-se de alguma coisa. *Ela está olhando para mim*. As batidas do meu coração soam secas. Contudo, e por estranho que pareça, não tenho a sensação de estar sendo visto por ela. Ela não está me enxergando, ela está vendo algo *através* de mim.

Tudo é silêncio nas profundezas do lago desta cratera de vulcão, extinto há muitos anos. Aqui, a solidão se acumula como barro mole. A luz que varou a espessura da água branqueia o entorno na vaga claridade de uma longínqua lembrança. Não vejo sinal de vida neste fundo de lago. Quanto tempo teria ela me contemplado, ou melhor, contemplado o lugar onde estou? Dou-me conta de que o tempo perdeu a marca das horas. Aqui, ele corre ou estanca, ao sabor das emoções. Mas a garota logo se ergue e caminha para a porta em passos calmos, silenciosos. A porta não se abre, mas ela a cruza e desaparece sem fazer o menor ruído.

Eu continuo imóvel debaixo das cobertas. Olhos semicerrados, não ouso me mexer. *Ela talvez retorne*, é o que penso. Ou melhor, é o que desejo. A espera é longa, mas ela não reaparece. Levanto a cabeça do travesseiro e verifico a posição dos ponteiros fosforescentes no despertador da cabeceira. Três horas e 25 minutos. Saio da cama e passo a mão na cadeira em que ela se sentara. Não sinto nenhum calor. Verifico a escrivaninha. Talvez haja um fio de cabelo caído sobre o tampo. Não encontro nada. Sento-me na mesma cadeira, massageio as faces com a palma das mãos e suspiro fundo.

Não consigo mais dormir. Escureço o quarto e mergulho na cama. Mas o sono não vem. Dou-me conta de que sinto uma atração anormal por essa garota misteriosa. *Algo* descomunal e poderoso, diferente de tudo que jamais senti, nasce em meu peito, cria raízes e cresce com firmeza. Enjaulado na caixa torácica, meu coração ferve, contrai e expande, independentemente da minha vontade. Expande e contrai.

Acendo a luz, sento-me na cama e assim acolho a manhã. Não consigo ler, não consigo ouvir música. *Não consigo fazer nada.* A mim, só me restou aguardar sentado o amanhecer. Volto a dormir um pouco só depois que o céu começa a clarear. Acho que chorei enquanto dormia. Quando acordei, o travesseiro estava úmido e gelado. Eu porém não sei o porquê das minhas lágrimas.

Pouco depois das nove, o ronco do motor Miata anuncia a chegada de Oshima. Nós dois aprontamos a biblioteca para mais um expediente. Terminada a arrumação, vou fazer o café para Oshima. Ele me ensina como se coa um bom café. Passo os grãos no moedor, levo ao fogo uma chaleira especial de bico fino, espero até ver a água entrar em ebulição, deixo-a descansar alguns segundos e passo lentamente o café por um filtro de papel. Oshima acrescenta um tiquinho de açúcar, quase nada. Não usa creme. Enfatiza que esse é o modo mais gostoso de se tomar café. Preparo também uma xícara de chá Earl Grey para mim e o tomo. Oshima está com uma camisa marrom de tecido brilhante e manga curta, e calça de linho branca. Tira um lenço imaculadamente limpo do bolso, limpa os óculos e depois me encara com firmeza.

— Você me parece tresnoitado — diz ele.

— Tenho um pedido a lhe fazer — replico.

— Pois faça.

— Quero ouvir a canção "Kafka à beira-mar". Você me consegue a gravação em disco?

— Não em CD?

— Eu preferia em disco antigo. Quero ouvir o som original. E nesse caso, vou precisar também de um toca-discos.

Oshima leva um dedo à têmpora e pensa.

— Agora que você falou, tenho a impressão de que vi um velho toca-discos estereofônico no depósito. Mas não sei se ainda funciona.

O depósito é um quarto pequeno voltado para o estacionamento e iluminado por uma única claraboia no alto de uma das paredes. Ali está desordenadamente estocada uma série de artigos que, por outra série de motivos, foi recolhida no decorrer dos anos. Móveis, utensílios de cozinha, revistas, roupas, quadros... Alguns são provavelmente valiosos, outros (aliás a maioria) não.

— Alguém precisava ajeitar tudo isto, mas não encontramos ninguém corajoso o bastante — diz Oshima com voz sombria.

E no meio daquele turbilhão de objetos que o tempo acumulou, encontramos um antigo estéreo Sansui. O aparelho é de boa qualidade, mas cerca de 25 anos devem ter se passado desde os seus dias de glória. Receptor-amplificador e toca-disco automático. Encontramos também uma coleção de LPs antigos. Beatles, Stones, Beach Boys, Simon and Garfunkel, Stevie Wonder. Cerca de trinta álbuns, todos da década de 60. Retiro alguns discos da capa. Quase não têm riscos, indicando que o proprietário os ouvia com cuidado. Também não estão embolorados.

Acho uma guitarra com todas as cordas e, empilhadas a um canto, algumas revistas de que eu jamais ouvira falar. Uma raquete de tênis antiquada... Ruínas de um passado recente.

— Acho que os discos, o violão e a raquete de tênis pertenceram ao namorado da Sra. Saeki — diz Oshima. — Como já lhe disse antes, ele morava nesta casa e, se não me engano, guardaram as coisas dele aqui dentro. Mas o estéreo parece coisa de época posterior.

Carregamos o estéreo e a coleção de discos para o quarto. Tiramos o pó, introduzimos o plugue na tomada, conectamos o toca-discos ao amplificador e ligamos o aparelho. O piloto verde se ilumina, e o prato começa a girar suavemente. O estroboscópio hesita momentaneamente, mas logo se decide e se estabiliza. Depois de confirmar que a agulha na cápsula está em boas condições, encaixo no prato giratório um disco de plástico vermelho, o *Sgt. Pepper's Lonely Hearts Club Band*, dos Beatles. A guitarra irrompe dos alto-falantes na conhecida introdução. O som é muito mais limpo do que imaginei.

— Os problemas em nosso país são muitos, mas uma coisa precisamos reconhecer: nossa tecnologia industrial impõe respeito — diz Oshima com leve admiração na voz. — Este aparelho esteve muito tempo abandonado, mas a qualidade do som continua boa.

Por algum tempo ficamos ouvindo o disco *Sgt. Pepper's*. A mim me parece uma melodia diferente daquela reproduzida agora em CD.

Oshima diz:

— Achamos o toca-discos, mas, segundo imagino, vai ser um tanto difícil encontrar o compacto do "Kafka à beira-mar". Virou raridade, a esta altura. Em todo caso, pergunto à minha mãe. A probabilidade de ela possuir um exemplar é grande. Ou de saber quem o possua, ao menos.

Aceno a cabeça.

Oshima ergue o dedo indicador no ar, à maneira de professor chamando atenção de aluno.

— Mas como já lhe disse antes, você não deve tocá-lo em nenhuma circunstância enquanto a Sra. Saeki estiver nesta casa. Aconteça o que acontecer. Entendeu bem?

Aceno a cabeça de novo em sinal de compreensão.

— Lembra a cena do filme *Casablanca* — diz Oshima. Em seguida, cantarola um trecho da canção "As time goes by". — *Nunca toque esta canção, entendeu?*

— Quero fazer uma pergunta, Oshima — digo, criando coragem. — Existe alguma garota de uns 15 anos que frequenta este local?

— Quando você diz *este local* está se referindo à biblioteca?

Aceno. Oshima pende de leve a cabeça para um dos lados e pensa um pouco:

— Até onde sei, não existe nenhuma garota de 15 anos nestas redondezas — responde depois de instantes. Depois, fixa um olhar intenso em mim, como o de alguém que espia o interior de um quarto pela janela. — Qual a razão dessa estranha pergunta?

— Porque parece que eu a vi de relance no outro dia.

— Especifique *outro dia*.

— Ontem à noite.

— Você viu uma garota de uns 15 anos por aqui na noite de ontem.

— Isso.

— Como era ela?

Enrubesço.

— Apenas uma garota, ora. Cabelo na altura dos ombros, vestido azul-claro.

— Bonitinha?

Aceno concordando.

— É o desejo sexual provocando visões — diz Oshima com um sorriso. — Muita coisa estranha acontece no mundo, Kafka. E depois, esse tipo de fenômeno ocorre com frequência com garotos heterossexuais sadios da sua idade.

Lembro-me então que Oshima me viu nu na cabana das montanhas e sinto o rosto avermelhar ainda mais.

273

Na hora do almoço, Oshima me entrega furtivamente um envelope quadrado com o compacto *Kafka à beira-mar*.

— Minha mãe tinha um exemplar, bem como imaginei. Cinco, aliás. Ela é do tipo que guarda tudo. Incapaz de jogar coisas fora. É um problema sério, mas útil em algumas ocasiões.

— Muito obrigado — eu digo.

Volto para o quarto e tiro o disco do envelope. Na certa andara metido nalgum canto sem nunca ter sido usado, pois está impecável. Antes de mais nada, vejo a foto na capa. Ali está a Sra. Saeki de 19 anos. Sentada ao piano no estúdio da gravadora, ela encara a câmera. Cotovelo no suporte de partituras e queixo apoiado na mão, pende um pouco a cabeça para um dos lados e sorri, algo acanhada, mas com naturalidade. Os lábios cerrados se distendem de maneira agradável para os lados, criando minúsculas rugas atraentes nos cantos da boca. Não parece usar maquiagem. Uma presilha de plástico impede a franja de cair sobre a testa. Metade da orelha direita espia por entre mechas de cabelo. Usa um vestido liso azul-claro, de mangas curtas e saia rodada. O único adorno é uma pulseira prateada no braço esquerdo. Pés bonitos, descalços. Há um par de sandálias delicadas aos pés da banqueta.

Ela parece ser o símbolo de alguma coisa. De um certo tempo e de um certo lugar, talvez. Ou ainda, de uma disposição de espírito. Parece também um espírito nascido de um encontro fortuito e feliz. Certo ar de inocência e candura para todo o sempre imaculado paira em torno dela como esporos na primavera. Nesta foto, o tempo parou. Cena de 1969 — bem anterior ao meu nascimento.

A garota que veio ao meu quarto ontem à noite era a Sra. Saeki, não há sombra de dúvida. Eu já sabia disso, quis apenas me certificar.

A Sra. Saeki da foto tinha 19 anos, e a sua fisionomia é um tanto mais madura e adulta que a da menina de 15 anos. E o contorno do rosto — caso alguém se desse realmente o trabalho de comparar — parece mais definido. Talvez tenha perdido aquela vaga expressão de insegurança da garota de 15 anos. Mas, no geral, as duas são idênticas. O sorriso da foto é o mesmo da garota que eu vi ontem à noite, assim como o são o jeito de apoiar o rosto no côncavo da mão e de pender de leve a cabeça para um lado. E a Sra. Saeki atual naturalmente herdou tanto as feições como o jeito de ser delas. Sou capaz de discernir na Sra. Saeki atual tanto a garota de 15 anos como a jovem de 19. Ali estão os traços regulares e o ar etéreo que lembra o de uma ninfa. E também a silhueta, inalterada. E isso me deixa feliz.

Mas a foto na capa do disco registra de maneira nítida algo que a mulher madura perdeu. Algo que talvez pudesse ser definido como "fluxo de energia". Não é nada extraordinário. Lembrava uma simples fonte de água translúcida e incolor a brotar secretamente dentre rochas, um tipo de apelo puro e natural capaz de atingir de maneira direta o coração de qualquer pessoa. E era esse fluxo de energia especialmente luminoso que emanava do corpo da Sra. Saeki de 19 anos sentada ao piano. Só de ver o sorriso que brincava em torno daqueles lábios já se podia reconstituir o caminho normalmente trilhado por espíritos felizes. Da mesma maneira que se visualiza o rastro de luz desenhado por um pirilampo na escuridão noturna.

Fico alguns momentos sentado na borda da cama com a capa do disco na mão. Não penso em nada, deixo apenas o tempo passar. Em seguida, abro os olhos, vou para a janela e aspiro o ar externo. Sinto o cheiro do mar no vento que me chega através do bosque de pinheiros. O que vi na noite anterior foi sem dúvida alguma a Sra. Saeki de 15 anos. Ela está viva, naturalmente. Vive no mundo real, como uma mulher real de mais de 50 anos. E neste exato momento, trabalha sentada à escrivaninha da sala existente no andar superior. Se eu sair daqui e subir as escadas, posso me encontrar com ela. E também conversar com ela. *Não obstante*, o que vi ontem à noite tinha sido o "fantasma" dela. Uma pessoa não pode estar em dois lugares ao mesmo tempo, dissera Oshima. Pode sim, em algumas situações. Agora sei disso com certeza. Pessoas vivas se transformam em "fantasmas".

E outro fato importante: o "fantasma" me atrai. Não é a Sra. Saeki presente aqui e agora que me atrai, mas a Sra. Saeki *ausente*, de 15 anos. Uma atração forte, além do mais. Inexplicavelmente forte. E isto é real, não há como negar. Pode ser que a garota não seja real. Mas o que palpita com força é o meu coração real. Tão real quanto o sangue que manchava o meu peito naquela noite.

O expediente estava para terminar e a Sra. Saeki se prepara para sair. Como sempre, o toque-toque dos seus saltos ecoa no patamar da escada. Mal a vejo, sinto meus músculos enrijecendo e meu coração pulsando perto da orelha. Percebo a menina de 15 anos dentro da Sra. Saeki. Lembra um animalzinho furtivo hibernando num côncavo do corpo. Só eu consigo vê-la.

A Sra. Saeki me pergunta alguma coisa. Não consigo responder. Nem entender o sentido da pergunta, aliás. Sua voz alcança meus ouvidos, agita os tímpanos, daí se propaga para o cérebro, que a transforma em palavras. Mas não consigo relacionar as palavras com o seu significado. Nervoso, enrubesço, e respondo algo totalmente sem sentido. Oshima responde em meu lugar. Eu apenas concordo com um aceno. A Sra. Saeki sorri, despede-se de mim e de Oshima e se vai. Da área de estacionamento, vem o ronco do motor do seu Golf. Aos poucos o ruído se distancia e some. Oshima fica um pouco mais e me ajuda no trabalho de fechamento da biblioteca.

— Será que você está apaixonado? — pergunta Oshima. — Vejo que anda muito distraído.

Fico quieto porque não sei o que responder. Depois, digo:

— Escute, Oshima. A pergunta que vou lhe fazer pode parecer estranha, mas... pessoas podem se tornar fantasmas ainda em vida?

Oshima, que arrumava o balcão, se imobiliza e me encara.

— Sua pergunta é muito interessante. Você quer saber da alma humana no sentido literário, ou seja, metafórico? Ou no sentido pragmático?

— Acho que no sentido pragmático — respondo.

— Partindo do pressuposto de que fantasmas existem, certo?

— Certo.

Oshima tira os óculos, limpa-os com um lenço e os repõe.

— Esse tipo de fantasma é chamado *ikiryou*, ou seja, "espírito vivente". Não sei quanto aos demais países, mas no Japão há muitos exemplos disso na literatura. *A história de Genji* está povoada de *ikiryou*. No período Heian (séculos IX a XII d.C.), ou seja, no universo espiritual do povo desse período, as pessoas eram capazes de se transformar em espírito ainda em vida, viajar pelo espaço e realizar seus desejos. Você já leu o romance *A história de Genji*?

Sacudo a cabeça e nego.

— Nesta biblioteca existem algumas versões dessa obra em língua japonesa moderna. Leia-as. Por exemplo, quando a dama Rokujo, uma das amantes do príncipe Genji, é acometida por crises de ciúme da senhora de Aoi, que é a mulher oficial do príncipe, a referida amante se transforma num espírito maligno e surge, noite após noite, à cabeceira da mulher oficial, e tanto a atormenta que, por fim, acaba por matá-la. A senhora de Aoi gerava um filho do príncipe Genji, e foi essa notícia que ativou o ciúme da dama Rokujo, entendeu? O príncipe convoca os bonzos e tenta exorcizar o espírito maligno, mas o rancor deste é tão poderoso que nenhum dos recursos de que os bonzos lançam mão surte efeito. Mas o aspecto mais interessante desta história é que a dama Rokujo nem imagina que se transforma em *ikiryou* durante o sono. Atormentada por pesadelos, ela acorda e se dá conta de que seu cabelo, longo e negro, está impregnado de um inexplicável odor de gergelim. Sem entender nada, ela se perturba. Pois o cheiro de gergelim em seu cabelo é o do óleo usado para exorcizar os espíritos malignos que atormentam a senhora de Aoi. Sem que ela própria se desse conta, a dama Rokujo atravessava o espaço pelo túnel do subconsciente para frequentar a cabeceira da senhora de Aoi. Esta é uma das cenas mais sinistras e eletrizantes do romance *A história de Genji*. Posteriormente, a dama Rokujo fica sabendo do que andara fazendo em sua inconsciência e, incapaz de suportar o peso da própria maldade, corta o cabelo e renuncia ao mundo.

"Portanto, a área sombria do nosso espírito só pode ser definida como 'mundo fantástico'. Antes de Jung e Freud surgirem no século XIX para lançar a luz da análise sobre o nosso subconsciente, a correlação entre as trevas do mundo e as do nosso espírito era tão clara que as pessoas não perdiam tempo pensando nisso, nem a consideravam uma metáfora. E, se regredirmos ainda mais no passado, as duas trevas não eram sequer correlatas. Até a descoberta da luz elétrica por Edison, o mundo vivia literalmente mergulhado em trevas. Portanto, não havia fronteira definida entre a treva externa material e a interna, espiritual: ambas se mesclavam e existiam diretamente conectadas desta maneira", completa Oshima juntando as duas mãos espalmadas.

— Nos tempos de Murasaki Shikibu, autora do romance *A história de Genji, ikiryou,* o "espírito vivente" era um fenômeno misterioso e ao mesmo tempo um estado perfeitamente natural, muito próximo ao cotidiano das pessoas. O povo dessa época não conseguia pensar nestas duas trevas separadamente. Mas hoje em dia, o mundo já não é assim. As trevas externas desapareceram por completo, mas as espirituais continuam intactas. O que nós denominamos ego e consciência têm, como no caso dos icebergs, grande parte do seu domínio submersa em profundas trevas. E é essa dissociação que origina em nosso íntimo profunda inconsistência e confusão.

— Mas ao redor da sua cabana as trevas eram reais, Oshima.

— Exato. Ali ainda existe treva real. E às vezes vou até lá apenas para vê-las — diz Oshima.

— São sempre sentimentos negativos que transformam as pessoas em *ikiryou*? — pergunto.

— Não possuo conhecimento suficiente para dizer que sim. Mas o pouco que sei me permite afirmar que "espíritos viventes" quase sempre têm origem em sentimentos negativos. Os sentimentos mais intensos que nós, humanos, experimentamos, são ao mesmo tempo particulares e negativos. E *ikiryou* é o resultado espontâneo de um sentimento muito intenso. Sinto muito, mas inexistem exemplos de tais espíritos surgindo para cumprir uma tarefa lógica ou para promover a paz mundial.

— E para amar?

Oshima se senta numa cadeira e pensa.

— Essa é uma pergunta difícil. Não sou capaz de respondê-la. A única coisa que posso lhe adiantar é que nunca vi nenhum exemplo disso. Mas em *Histórias do luar e da chuva* (*Ugetsu Monogatari*), há um conto denominado "A promessa do crisântemo" (*Kikubana no Chigiri*). Já o leu?

— Não — respondo.

— *Histórias do luar e da chuva* foi escrita por Akinari Ueda no final do período Edo (1600-1867), mas o autor retrata o turbulento período de guerras anterior, o período *Sengoku*. Nesse sentido, pode-se dizer que o escritor era *rétro*, ou talvez saudosista. Dois guerreiros amigos juram fraternidade. Esse é um tipo de relação que os samurais prezavam muito. Jurar fraternidade significava empenhar a vida um pelo outro. Sacrificar a própria vida para salvar a do outro, entende? Os dois moravam em locais distantes e serviam a senhores diferentes. Um deles diz para o outro: quando os crisântemos florirem, irei vê-lo sem falta. O outro então replica que estará à espera. Mas o primeiro se envolve com problemas do próprio clã e é aprisionado. Não lhe permitem sair. Nem mandar cartas. Os dias passam, o verão chega ao fim, o outono começa e logo chega o tempo de floração dos crisântemos. Daquele jeito, ele não poderá visitar o amigo conforme prometera. Para um samurai, o cumprimento de promessas é coisa séria, fundamental. Fidelidade à palavra empenhada é mais importante que a própria vida. Ele então se mata por desentranhamento e seu espírito percorre léguas e léguas, e chega à casa do amigo distante. E diante de flores de crisântemo, os dois conversam até a saciedade e, em seguida, o espírito desaparece da face da terra. O texto é maravilhoso.

— Mas para se transformar em espírito, o samurai teve de morrer.

— Isso mesmo — diz Oshima. — Tudo indica que sentimentos como fidelidade, amizade ou amor não levam as pessoas a se transformar em *ikiryou*. Nessas situações, é preciso morrer para se transformar em espírito. As pessoas abdicam da vida por fidelidade, amizade ou amor e só assim se transformam em espíritos. Por tudo que sei, a gente se torna "espírito vivente" só em presença de emoções malignas. De desejos negativos.

Penso um pouco a respeito disso.

— Mas talvez haja exemplos de pessoas que, em nome de sentimentos construtivos como o amor, se transformam em espírito ainda em vida, conforme você diz. Eu não pesquisei a fundo esse tema, entende? Pode ser que isso aconteça — diz Oshima. — O amor é capaz de reformar o mundo, tudo é possível em presença dele.

— Você já amou alguém, Oshima? — pergunto.

Ele mergulha o olhar no meu, atônito.

— Escute aqui, rapaz! Não sou nenhuma estrela-do-mar nem pé de pimenta-brava, ouviu? Sou gente de carne e osso. Está claro que já amei.

— Não foi nesse sentido que eu perguntei — digo, enrubescendo.

— Eu sei — replica ele. E sorri carinhosamente.

Depois que Oshima se vai, retorno ao meu quarto, ligo o estéreo e ponho o disco *Kafka à beira-mar* no prato giratório. Acerto a rotação em 45 e desço a agulha. Depois, ouço a melodia e acompanho a letra impressa num cartão.

Kafka à beira-mar

Você se situa na beira do mundo
E eu, na cratera de um vulcão extinto;
E em pé à sombra da porta,
Perfilam palavras cujas letras se perderam.

Lagarta adormecida que a lua ilumina,
Peixinhos que chovem do firmamento,
E do lado de fora da janela
Soldados de espírito decidido.

(Refrão)
Numa cadeira à beira-mar, Kafka

Pensa no pêndulo que move o mundo.
O ciclo espiritual se completa,
E da esfinge que não vai a lugar algum
A sombra em faca se transforma
E trespassa seus sonhos.

Os dedos da menina que se afogou
Tateiam e buscam a pedra da entrada.
Ela arrepanha a barra do vestido azul
E contempla Kafka à beira-mar.

Ouço o disco três vezes. Antes de mais nada, surge uma dúvida. Por que uma canção com este tipo de letra teria vendido mais de um milhão de cópias? As palavras usadas não chegam a ser difíceis, mas ainda assim são simbólicas e apresentam até certo viés surrealista. No mínimo não é o tipo de letra que o povo decora rapidamente e sai cantarolando por aí. Mas depois de ouvir a canção repetidas vezes, a letra adquire aos poucos um eco familiar. Cada palavra parece encontrar espaço próprio no meu íntimo e nele se fixar. A sensação é estranha. Imagens que vão além do seu sentido se erguem no ar como gravuras recortadas e começam a andar sozinhas. Como se eu estivesse em sono profundo e sonhasse.

Para começar, a música é maravilhosa. Melódica, sem distorções. Não há vestígios de vulgaridade nela. E a voz da Sra. Saeki se dissolve na melodia com perfeita naturalidade. Falta-lhe potência e técnica para ser considerada profissional, mas banha suavemente o consciente como chuva caindo sobre lajes de um jardim na primavera. Ela deve ter cantado acompanhando-se ao piano e, posteriormente, a gravadora sobrepôs a essa gravação o som de cordas e oboé. Na certa por problemas financeiros. A edição é bastante modesta, mesmo considerando a época, mas a própria simplicidade dá viço à obra.

E no refrão surgem dois acordes misteriosos. Os demais são comuns, mas esses dois são inesperados, inovadores. Num primeiro momento, não consigo perceber sua composição e me sinto confuso. Posso até estar exagerando, mas a impressão que tive foi de ter sido traído. A reverberação estranha que me chega aos ouvidos de maneira repentina agita minha alma e me desestabiliza. É uma corrente gelada que, entrando de supetão no aposento, me pega desprevenido. Mas quando o refrão termina, a maravilhosa melodia inicial ressurge e me leva outra vez ao íntimo mundo da harmonia. A corrente gelada já não incomoda. A canção chega ao fim, o piano lança no ar a última nota, as cordas mantêm a suave harmonia, e o oboé ecoa encerrando a melodia.

Ouço a melodia repetidas vezes e começo a compreender de maneira vaga por que a canção "Kafka à beira-mar" cativou tanta gente. Ela é a justaposição de um dom natural a um espírito gentil e puro, desprovido de ambição. Uma justaposição perfeita, quase merecedora da qualificação *miraculosa*. Numa pequena cidade interiorana, certa garota tímida de 19 anos escreve um poema pensando no namorado distante; em seguida, senta-se ao piano, compõe uma melodia para o poema e depois a canta sem afetação. Ela não a compôs para ser ouvida, ela a compôs para si mesma. Para aquecer um pouco o próprio coração. E é essa inocência que comove as pessoas de maneira suave mas efetiva.

Faço um jantar rápido com as coisas que achei na geladeira. Depois, reponho o disco no prato giratório. Sento-me na cadeira, fecho os olhos e evoco a imagem da Sra. Saeki de 19 anos, tocando a melodia e cantando-a no estúdio. Penso na cálida emoção que abrigava em si. E penso também na violência sem sentido que extinguiu de maneira inesperada esse belo sentimento.

O disco termina, a agulha retorna à posição original.

A Sra. Saeki escreveu a letra da canção aqui mesmo, neste quarto. A certeza me vem depois de ouvi-la muitas vezes. Além de tudo, *Kafka é o garoto retratado na pintura a óleo que pende da parede*. Sento-me na cadeira da mesma maneira que a garota da noite anterior, apoio os cotovelos sobre a mesa e o rosto nas mãos, e dirijo o olhar para a parede. Na direção do meu olhar está o quadro a óleo. Não tem erro. A Sra. Saeki contemplou o quadro nesta sala e escreveu "Kafka à beira-mar" pensando no garoto. As sombras da noite na certa se adensavam naquele momento.

Fico em pé diante do quadro e o observo de perto mais uma vez. O garoto contempla a distância. O olhar é expressivo e misterioso. A um canto do firmamento flutuam nuvens de contorno definido. A maior delas lembra, com um pouco de boa vontade, uma esfinge. Esfinge — penso eu vasculhando a memória — era o adversário que o jovem Édipo derrotou. Édipo resolveu o enigma que a Esfinge lhe propusera. Ao se ver derrotado, o monstro se jogou num abismo e se matou. Como recompensa pelo feito, Édipo é guindado à posição de rei de Tebas e se casa com a mãe dele, a rainha.

E quanto ao nome Kafka, deduzo que a Sra. Saeki captou o misterioso ar de solidão que paira em torno do garoto do quadro e o relacionou ao universo kafkiano. E por isso a jovem o chamou de "Kafka à beira-mar" — alma solitária a vagar na fímbria das ondas à beira de um mar absurdo. Esse deve ser o sentido do nome Kafka.

Descubro a relação comigo não só no nome Kafka e na parte da Esfinge, como também em diversos outros versos. *Peixinhos que chovem do firmamento* — este é a descrição exata das sardinhas e cavalinhas que choveram na rua comercial do bairro de Nakano. *A sombra em faca se transforma/ E trespassa seus sonhos* — estes parecem se relacionar com o meu pai, que morreu trespassado por uma faca. Copio a letra verso por verso num caderno e a releio diversas vezes. Sublinho a lápis as partes que me incomodam. Mas, no fim, tudo me parece tão sugestivo que não entendo mais nada.

"E em pé à sombra da porta,/ Perfilam palavras cujas letras se perderam"
"Os dedos da menina que se afogou/ Tateiam e buscam a pedra da entrada"
"E do lado de fora da janela/ Soldados de espírito decidido"

Que sentido tem isso? Ou as aparentes coincidências nada mais são que obras do acaso? Vou até a janela e contemplo o jardim. Penumbra que vem do alto. Eu me sento numa poltrona da sala de leitura e abro o livro *A história de Genji* em versão de Junichiro Tanizaki para a língua moderna. Às dez, vou para a cama, apago a luz da cabeceira e fecho os olhos. E aguardo o *retorno* da Sra. Saeki de 15 anos.

Capítulo 24

Já passava das oito da noite quando o ônibus que partira de Kobe levando os dois homens parou diante da estação de Tokushima.

— Cá estamos nós, Nakata, em Shikoku.

— Sim, senhor. A ponte era realmente impressionante. Nakata nunca tinha visto uma ponte tão comprida — disse o velho homem.

Descendo do ônibus, os dois se sentaram num banco da estação e contemplaram durante alguns momentos o movimento ao redor.

— E agora? Já recebeu uma mensagem divina ou algo semelhante comunicando aonde devemos ir? — perguntou o jovem motorista.

— Ainda não. Nakata continua sem a menor ideia.

— Problemas à vista...

Nakata massageou o topo da cabeça com a palma da mão e pensou longamente.

— Sr. Hoshino — disse ele.

— Hum?

— Sinto muito, mas Nakata está com vontade de dormir. Ele tem muito sono. É capaz de dormir aqui mesmo.

— Ei, espere um pouco — disse o rapaz às pressas. — Não caia no sono neste lugar porque vai me deixar em apuros. Aguente um pouco, vou procurar imediatamente um lugar para ficarmos.

— Está bem. Nakata aguenta um pouco, faz força para não dormir.

— E o jantar, hein?

— Não precisa. Nakata só quer dormir.

Hoshino examinou às pressas o folheto turístico, escolheu uma estalagem não muito cara com refeição matinal inclusa e ligou para se certificar de que havia vagas. Como o estabelecimento se situava longe da estação, os dois tiveram de pegar um táxi até lá. Mal entraram no quarto, pediram que a camareira lhes estendesse o leito. Nakata despiu as roupas e mergulhou nas cobertas sem ao menos tomar banho e, no

283

instante seguinte, já respirava de maneira profunda e regular, totalmente adormecido.

— Nakata acha que vai dormir muito tempo. Não se preocupe, senhor Hoshino, ele estará apenas dormindo — avisara o homem antes de cair no sono.

— Está bem, não vou perturbá-lo. Durma à vontade — disse o rapaz vendo o companheiro cair em sono profundo num piscar de olhos.

Hoshino tomou um banho demorado e, em seguida, saiu a passear pela cidade. Andou algum tempo sem destino pelas redondezas para obter uma impressão geral da vida urbana. Em seguida, entrou na primeira casa de sushi que lhe chamou a atenção, pediu também uma cerveja e jantou. Não sendo do tipo resistente ao álcool, ficou com as faces vermelhas e sentiu-se em estado de bem-aventurança logo depois de esvaziar uma garrafa mediana de cerveja. Foi então para uma casa de jogos eletrônicos e perdeu cerca de 3 mil ienes em uma hora. Diversos frequentadores o examinaram com curiosidade porque usava o boné de beisebol dos Dragões Chunichi. Hoshino achou que era o único em toda a Tokushima a andar com o boné desse time.

Quando retornou à estalagem, Nakata continuava profundamente adormecido e na mesma posição em que o deixara. A luz do quarto estava acesa, mas isso não parecia incomodá-lo. Eis aqui um homem justo, pensou. Tirou então o boné, despiu a camisa havaiana de padrão espalhafatoso e as calças jeans, e mergulhou nas cobertas vestindo apenas a roupa de baixo. Apagou a luz mas não conseguiu dormir: estranhava o local e estava excitado. Raios, pensou, eu devia ter procurado uma prostituta e me aliviado. Mas enquanto ouvia a respiração serena e compassada de Nakata, começou a achar-se muito inconveniente. Ele não sabia explicar por quê, mas sentiu vergonha de ter pensado em dormir com uma meretriz.

Insone, contemplou o teto no escuro e começou a sentir-se inseguro consigo mesmo e com o fato de estar deitado numa hospedagem barata de Tokushima ao lado de um velho cujos antecedentes desconhecia. Em circunstâncias normais, Hoshino estaria retornando a Tóquio levando uma nova carga em seu caminhão. Àquela altura, estaria passando por Nagoya. Ele gostava do que fazia e, em Tóquio, tinha até uma pequena que sempre corria ao encontro dele a um simples telefonema. Mas o que fizera ele depois de descarregar a encomenda no depósito da loja de departamentos? Ligara impulsivamente para um colega de Kobe e lhe pedira para substituí-lo na viagem de retorno a Tóquio daquela noite. Telefonara em seguida para a empresa de transportes, arrancara quase à força uma permissão para três dias de folga e viera com Nakata para Shikoku. Na pequena sacola, tinha só algumas mudas de roupa e artigos de toalete.

O interesse de Hoshino por Nakata despertara por causa da semelhança do idoso homem com o falecido avô, tanto física como no jeito de falar. Mas passados alguns instantes, a sensação de semelhança foi se dissipando e seu interesse pela pessoa do velho Nakata, crescendo cada vez mais. Seu modo de falar era realmente estranho e o conteúdo da conversa, mais ainda. Mas havia algo nessa estranheza capaz de cativar as pessoas. Sentira então que precisava saber aonde esse velhinho iria em seguida e também o que faria.

O jovem Hoshino era o terceiro de cinco filhos — todos homens — de uma família de lavradores. Bom aluno até o nível ginasial, começou a andar em más companhias e a se meter em confusões a partir do ano em que se matriculara num curso técnico profissionalizante. Criou diversos casos com a polícia. Obteve o diploma com muito custo mas não conseguiu arrumar um bom emprego, envolveu-se com uma mulher e, ao fim e ao cabo, alistou-se nas Forças de Autodefesa. Seu sonho era guiar tanques de guerra, mas, como não passou nos testes, teve de se contentar com dirigir jamantas enquanto permaneceu no exército. Pediu baixa três anos depois e acabou encontrando emprego numa transportadora. Desde então, fazia já seis anos que trabalhava levando cargas para locais distantes.

Hoshino gostava de guiar jamantas. Sempre apreciara mexer com motores e, além disso, sentia-se senhor absoluto de um domínio quando se via trancado numa boleia, segurando com firmeza o enorme aro de direção. Era um serviço duro, naturalmente. Mas ele sabia que não suportaria empregos burocráticos que o obrigassem a entrar todas as manhãs no mesmo horário num escritório qualquer e a cumprir tarefas sob o olhar vigilante de superiores hierárquicos.

Sempre fora do tipo briguento. Magro e esbelto, não parecia grande coisa como adversário, mas tinha muita força. E quando se descontrolava, seu olhar adquiria um brilho enlouquecido, capaz de acovardar a maioria dos seus contendores. Metera-se em muitas brigas no tempo em que servira às Forças de Autodefesa e também como motorista de caminhão. Algumas ele ganhou; outras, perdeu. E ganhando ou perdendo, as brigas não trouxeram nenhuma consequência importante à sua vida. Mas isso ele só veio a perceber nos últimos tempos. Como é que escapara ileso de tantos pandemônios?, perguntava-se agora com certo espanto.

Nos tempos de colegial rebelde, fora o avô que viera buscá-lo na delegacia toda vez que se envolvia com a polícia. O velhinho se desculpava com os policiais, chamava para si a responsabilidade do neto. No caminho de volta para a casa, o avô sempre parava numa lanchonete e lhe pagava uma refeição gostosa sem fazer longos sermões moralizantes. Os próprios pais jamais tinham se dado o trabalho de sair de casa para socorrer Hoshino. Eram pobres, mal ganhavam o suficiente para alimentar a família e não lhes sobrava ânimo para se importar com o terceiro filho rebelde. Às vezes, Hoshino se perguntava o que teria sido dele sem o avô. "O vô nunca se esqueceu que eu existia, ele realmente se preocupava comigo…"

Naqueles tempos, porém, Hoshino nunca se preocupara em agradecer ao idoso homem. Primeiro porque, mesmo que quisesse, não saberia como fazê-lo e, segundo, porque tinha toda a atenção concentrada em sobreviver. Pouco depois de se alistar nas FAD, o avô falecera de câncer. Com a mente perturbada pela senilidade, o velhinho não conseguia nem reconhecer o neto nos últimos tempos. E depois do seu falecimento, Hoshino nunca mais voltara à própria casa.

Ao acordar às oito da manhã do dia seguinte, Hoshino viu que Nakata continuava profundamente adormecido na mesma posição da noite anterior. Como antes, sua respiração era regular e serena. O rapaz desceu para o térreo e fez o desjejum com os demais hóspedes. A refeição era simples, mas caldo de missô e arroz podiam ser repetidos à vontade.

— Seu companheiro de quarto não vai comer? — perguntou a empregada.

— Acho que não. Ele continua dormindo a sono solto. Sei que vai atrapalhar a sua rotina, mas deixe-o dormir mais um pouco, faça-me o favor.

A hora do almoço chegou e Nakata continuava a dormir, de modo que Hoshino prorrogou por mais um dia a estada na hospedaria. Saiu em seguida à rua, foi a uma lanchonete e pediu arroz com frango e ovos. Depois, passeou pelos arredores, entrou numa casa de chá, tomou café, fumou um cigarro e leu revistas em quadrinho que o estabelecimento punha à disposição dos frequentadores.

Quando retornou à estalagem, encontrou Nakata ainda adormecido. Já eram quase duas da tarde. Ligeiramente preocupado, o rapaz pousou a palma da mão na testa do companheiro. Tudo normal. A pele não estava nem mais quente nem mais fria. A respiração continuava serena e regular, as faces apresentavam um rubor saudável. Nada indicava que Nakata passava mal. Ele apenas dormia tranquilamente. Nem se mexia.

— Tudo bem com ele? Não faz mal dormir tanto? — perguntou apreensiva a empregada que veio saber do hóspede.

— Meu amigo estava muito cansado — disse Hoshino. — Deixe-o dormir à vontade.

— Hum... Nunca vi ninguém dormir tanto em toda a minha vida.

Na hora do jantar, Nakata continuava dormindo. O rapaz saiu e comeu um volumoso prato de arroz com carne em molho de caril, e salada. Depois, foi à mesma casa de jogos eletrônicos do dia anterior e apostou em uma das máquinas. Desta vez, não precisou gastar mil ienes para conseguir dois pacotes de cigarro Marlboro. Quando retornou ao quarto da hospedaria sobraçando os dois pacotes, eram nove e meia da noite. Nakata continuava a dormir.

Hoshino fez as contas. Havia mais de 24 horas que Nakata dormia. Embora tivesse sido prevenido que o sono seria longo e que não precisava se preocupar com isso, Hoshino achou que era um exagero dormir tanto. Sentiu-se também um pouco inseguro, coisa que raramente lhe acontecia. E se Nakata não acordasse mais?

— Em que enrascada fui me meter! — murmurou.

Mas ao despertar às sete da manhã do dia seguinte, Hoshino viu que Nakata estava acordado e olhava para fora pela janela.

— Oi, tio! Você acordou, finalmente! — exclamou o rapaz com voz que demonstrava alívio.

— Sim senhor, Nakata acordou há pouco. Dormiu um bocado, mas não sabe quantas horas. Sente como se tivesse renascido.

— Põe "bocado" nisso! Homem, você caiu no sono às nove da noite de anteontem! Foram quase 32 horas de sono sem interrupção. Nem que fosse a Branca de Neve!

— E Nakata está com fome.

— Aposto que está. Você não come nada há dois dias!

Os dois desceram ao refeitório no andar térreo para o desjejum. Nakata repetiu tantas vezes o arroz que espantou a empregada.

— Seu amigo dorme bastante e, quando acorda, come feito um boi! Devorou o suficiente para se manter em jejum por dois dias! — exclamou a empregada.

— Sim senhora. Nakata precisa comer direito.

— Sinal de saúde — disse a mulher, admirada.

— É verdade. Nakata é analfabeto, mas não tem cárie, nem precisa usar óculos. E nunca teve de ir ao médico. Não tem dores nas costas, e faz cocô todas as manhãs.

— Beleza! — disse a empregada. — E o que vão fazer agora?

— Nakata vai para o oeste — respondeu Nakata, convicto.

— Ah, para o oeste... Bom... — disse a empregada —, a oeste daqui fica a cidade de Takamatsu, eu acho.

— Nakata não é bom da cabeça, não entende nada de geografia.

— Não faz mal, tio, vamos para Takamatsu — disse Hoshino. — A gente chega lá e, depois, pensa no resto. Certo?

— Isso mesmo, antes de mais nada, a gente vai para Takamatsu. E depois pensa no resto.

— Que jeito diferente de viajar! — interveio a empregada.

— Realmente diferente — disse Hoshino.

Ao voltar para o quarto, Nakata entrou no banheiro. Enquanto isso, Hoshino assistiu à televisão ainda vestindo o quimono cedido pela hospedaria e deitado de bruços sobre as cobertas. Não havia nenhuma notícia interessante. O incidente em que certo escultor famoso do bairro de Nakano tinha sido esfaqueado e morto continuava sem solução. Não havia testemunhas nem restaram pistas no local do crime. No momento, a polícia procurava o paradeiro do filho de 15 anos, desaparecido pouco antes do incidente.

— Raios, outro de 15 anos! — pensou Hoshino.

Por que rapazotes de 15 anos se metem em incidentes violentos nos últimos tempos? Aos 15 anos, ele próprio costumava roubar motocicletas estacionadas e andar nelas sem habilitação. Portanto, não tinha moral para criticar os outros. Mas vamos e venhamos, entre roubar motos e matar o próprio pai havia uma grande diferença. Pensando bem, ele tivera é muita sorte: depois de tanto apanhar do pai, algum desígnio misterioso o impedira de matá-lo a facadas, pensou Hoshino.

288

O noticiário tinha terminado quando Nakata saiu do banheiro.

— Posso lhe fazer uma pergunta, senhor Hoshino?

— Faça.

— O senhor acaso não tem dores na coluna?

— Claro que tenho. Afinal, são muitos anos guiando jamantas. Entre nós, caminhoneiros que cobrem longas distâncias, é difícil encontrar um que não sofra da coluna. Tão difícil quanto achar um arremessador de beisebol que nunca tenha avariado o ombro — disse o rapaz. — Mas por que essa pergunta repentina?

— Porque foi o que eu senti enquanto observava suas costas.

— Ora essa...

— Posso apalpar sua coluna?

— Poder, pode...

Nakata se pôs a cavalo sobre as costas do rapaz, que continuava deitado e de bruços. Por instantes, apoiou as duas mãos num área pouco acima dos quadris e assim se deixou ficar, imóvel. Enquanto isso, Hoshino assistia a um programa de mexericos sobre celebridades do mundo artístico. Uma atriz famosa tinha se casado com um escritor não tão famoso. Hoshino não se interessava por esse tipo de notícia, mas continuava sintonizado no canal por falta de uma opção melhor. A atriz, diziam, ganhava dez vezes mais que o escritor. O escritor não era especialmente bonito nem parecia muito inteligente. Hoshino torceu o pescoço e se voltou para Nakata.

— Esse tipo de arranjo não dá certo na maioria das vezes, sabe? Acho que esses dois não se entenderão direito.

— Senhor Hoshino, seus ossos estão um tanto desalinhados.

— Vivi fora da linha por muito tempo. É natural — disse o rapaz bocejando.

— Se continuar assim, poderão surgir complicações muito sérias.

— É mesmo?

— Vai ter enxaquecas e encontrar dificuldade para fazer cocô.

— Ah, essa não!

— Vai doer um pouco, mas... Posso?

— Pode.

— Para falar a verdade, vai doer *um bocado*.

— Escute, tio, levei surras atrás de surras tanto em casa, como na escola e no exército. Não é que eu esteja querendo me gabar mas, na verdade, sou capaz de contar nos dedos os dias em que não apanhei de alguém. Não há de ser portanto a esta altura que vou me queixar de dor, calor, coceira ou cócegas, nem do salgado e nem do doce. Esteja à vontade.

Nakata se concentrou apertando de leve os olhos e verificou com cuidado a posição dos próprios polegares pousados sobre os ossos dos quadris. Quando teve certeza de que estavam corretamente posicionados, começou a pressionar, a princípio devagar, experimentando, e depois com força cada vez maior. Em seguida, inspirou uma vez abruptamente, soltou um leve grito que ecoou como o pio de um pássaro no inverno e introduziu os dedos com toda a força entre ossos e músculos. Hoshino sentiu instantaneamente uma dor aguda que ultrapassou os limites da racionalidade. Um raio cegante fustigou seu cérebro, branqueando-lhe a consciência. Perdeu a respiração. Teve a impressão de estar em queda vertiginosa do topo de uma torre para o fundo de um abismo. Não conseguia sequer gritar. A dor era tamanha que não conseguiu pensar em nada. Todos os pensamentos tinham se queimado e voavam em estilhaços, todas as sensações se concentravam naquela dor. Sentiu que sua estrutura física se desfazia. Nem a morte deveria ser tão devastadora. Não conseguia abrir os olhos. De bruços e paralisado, babou sobre o tatame. Lágrimas rolaram dos seus olhos. A situação, excruciante, durou cerca de trinta segundos.

Passado esse tempo, o rapaz finalmente conseguiu inspirar, apoiar-se nos cotovelos e se erguer cambaleante. Diante dele, o piso ondulava, sinistro como mar em dia de tempestade.

— Doeu?

Cuidadosamente, o rapaz sacudiu a cabeça algumas vezes querendo se certificar de que continuava vivo.

— Se doeu? Caramba! O que senti não foi simples dor! Fui esfolado vivo, passado num espeto, ralado e moído e ainda por cima atropelado por uma manada de bois enfurecidos! Que foi que você fez, homem?

— Nakata repôs os ossos da sua articulação no devido lugar. Agora, o senhor ficará bem por muito tempo. Sua coluna não doerá mais. E vai fazer cocô normalmente.

E, verdade seja dita, quando a terrível dor refluiu como maré vazante, o rapaz deu-se conta da sensação de leveza em suas costas. A opressão e o cansaço que sempre sentia tinham desaparecido. Havia muito não tinha a nuca tão livre e a respiração tão fácil. E estava com vontade de ir ao banheiro.

— Realmente, diversas partes do meu corpo estão em melhor situação agora.

— Sim, todo o mal-estar vinha da coluna — disse Nakata.

— Mas que dor, homem! Raios! — reclamou Hoshino com um suspiro.

Da estação de Tokushima, os dois tomaram o expresso da JR rumo a Takamatsu. Hoshino pagou tanto a hospedagem quanto as passagens. Nakata insistira em saldar sua parte, mas o rapaz não permitiu.

— Eu vou pagando as contas por enquanto e mais tarde rateamos. Homem que é homem não discute trocados, é o que penso.

— Sim senhor. Nakata não entende muito de dinheiro, de modo que vai deixar tudo por conta do senhor Hoshino — disse o velho.

— Mas uma coisa é certa: seu shiatsu aliviou muito a dor da coluna. Portanto, deixe-me pagar ao menos uma parte das suas despesas. Não me sinto tão bem há muito, muito tempo. Estou novo em folha.

— Nakata fica contente em saber disso. Ele não sabe o que é shiatsu, mas ossos são realmente parte importante do corpo.

— Eu também não sei se aquilo que você fez se chama shiatsu, *seitai* ou quiroprática, mas tudo indica que você tem um dom muito grande para esse tipo de coisa. Profissionalize-se e vai ganhar rios de dinheiro, isso eu garanto. Imagine a pequena fortuna que fará só com os colegas de profissão que eu lhe apresentar.

— Nakata olhou para as suas costas e logo percebeu que os ossos estavam desalinhados. Quando Nakata vê alguma coisa desalinhada, logo tem vontade de consertar. Nakata trabalhou muitos anos como marceneiro e acha que por isso tem vontade de endireitar todas as coisas tortas. Faz tempo que ele é assim. Mas esta é a primeira vez que endireitou ossos.

— Você realmente tem o dom — disse o rapaz admirado.

— Antes disso, Nakata era capaz de conversar com gatos.

— Não diga!

— Mas dias atrás, Nakata de repente descobriu que não consegue mais falar com eles. Acha que a culpa é do senhor Johnnie Walker.

— Seei...

— Nakata não é bom da cabeça, não é capaz de entender coisas complicadas. Mas nos últimos tempos só lhe acontecem coisas complicadas. Por exemplo, essa história de peixes e sanguessugas que chovem do céu.

— Hum...

— Ainda assim, Nakata fica muito contente em saber que o senhor Hoshino está melhor da coluna. Se o senhor Hoshino se sente bem, Nakata também se sente bem.

— E eu fico mais feliz ainda.

— Ótimo.

— E quanto àquela história das sanguessugas que choveram na área de estacionamento de Fujigawa...

— Sim, senhor. Nakata se lembra muito bem dessa história.

— Aquilo lá teve alguma relação com você, Nakata?

Coisa rara, Nakata permaneceu alguns instantes em silêncio, pensando.

— Nakata não sabe direito, mas quando ele fez assim e abriu o guarda-chuva, um monte de sanguessugas despencaram do céu.

— Seei...!

— Seja como for, matar é errado — declarou Nakata. Em seguida, fez movimentos afirmativos com a cabeça para si mesmo com convicção.

— Isso agora é verdade. Não está certo matar — concordou o jovem.

— Sim senhor — disse Nakata, balançando a cabeça outra vez vigorosamente.

Os dois saltaram do trem em Takamatsu. Entraram em seguida numa casa especializada em massas e almoçaram uma sopa de macarrão escaldante servida em tigela bojuda. Da janela do refeitório se viam as gigantescas gruas do porto. Diversas gaivotas pousavam nelas. Nakata saboreou um a um os grossos fios da massa.

— Que macarrão delicioso! — disse Nakata.

— Você gostou? Ótimo! — disse Hoshino. — E então, acha que é este o local?

— Sim, senhor Hoshino. Nakata acha que é aqui. Assim lhe parece.

— Quer dizer que o problema do local está resolvido. Que fazemos agora?

— Nakata vai procurar a pedra da entrada.

— Pedra da entrada?

— Isso mesmo.

— Ora essa… — disse o rapaz. — Mas na certa tem uma história muito comprida atrás disso.

Nakata inclinou a bojuda tigela e tomou o caldo restante até a última gota.

— Sim senhor, tem mesmo uma história muito comprida. Tão comprida que Nakata não consegue entender nada. Mas tem a impressão de que, quando chegar lá, vai saber.

— Quando chegar lá, vai saber. Como sempre.

— Exatamente.

— E enquanto não chegar lá, não sabe…

— Isso. Enquanto não chega lá, Nakata não tem a menor ideia.

— Ah, não tem importância. Se quer saber, eu também não gosto de histórias compridas. O problema todo se resume em encontrar essa tal *pedra de entrada*, certo?

— Isso mesmo. Exato.

— E onde mais ou menos ela estaria?

— Nakata não tem a mínima ideia.

— Até parece que adiantava perguntar… — murmurou Hoshino sacudindo de leve a cabeça.

Capítulo 25

Durmo um pouco, acordo, durmo outro pouco e torno a acordar. Faço isso diversas vezes. Quero ver o exato instante em que ela aparece. Mas quando dei por mim, ela já estava sentada na mesma cadeira da noite anterior. O ponteiro fosforescente do relógio de cabeceira indica que são pouco mais de três da manhã. A cortina, que com certeza cerrei antes de mergulhar na cama, está aberta. Do mesmo jeito que ontem. Mas não há luar. Esse é o único detalhe diferente. Há nuvens espessas no céu, talvez esteja até chovendo. Dentro do quarto, a escuridão é muito mais intensa que ontem e, filtrada pela vegetação, a luz das luminárias do jardim mal chega até mim. Meus olhos demoram a se habituar à escuridão.

Cotovelos sobre a mesa e rosto apoiado nas mãos, a garota observa o quadro a óleo que pende da parede. Está usando o mesmo vestido de ontem. Por mais que aguce o olhar, a escuridão intensa me impede de divisar seu rosto. Em compensação, os contornos do seu corpo e do seu rosto se destacam com estranha clareza e flutuam no escuro compondo uma figura tridimensional. Não há dúvida de que quem ali está é a Sra. Saeki adolescente.

Parece-me que algum tipo de pensamento absorve totalmente a atenção da garota. Ou pode ser que ela esteja vivendo um sonho longo e profundo. Melhor ainda, talvez a própria garota seja o sonho longo e profundo da Sra. Saeki. De todo modo, procuro respirar com suavidade para não perturbar o equilíbrio do momento. Eu me paraliso inteiramente. Só movo o olhar para o relógio vez ou outra a fim de confirmar as horas, as quais passam de maneira lenta, mas uniforme e segura.

De repente, meu coração começa a pulsar alto. O som seco ecoa no quarto semelhante a insistentes batidas à porta, firme e resoluto na madrugada silenciosa. Quem mais se espanta com isso sou eu. Tanto que quase caio da cama.

A silhueta escura da garota ondula ligeiramente. Ela ergue o rosto e apura os ouvidos na escuridão. O pulsar do meu coração tinha chegado aos seus ouvidos. Ela tomba a cabeça de leve para um dos lados e concentra a atenção, como um pequeno animal selvagem que ouviu um ruído estranho. Em seguida, volta o rosto na direção da minha cama. Mas meus olhos não estão refletidos nos dela. Eu percebo isso. Não faço parte do seu sonho. Eu e ela estamos em mundos diferentes, separados por uma linha demarcatória invisível.

Logo, o violento pulsar do meu coração se acalma, tão abrupto como começou. Minha respiração também se normaliza. Volto a anular minha presença. E a garota desiste de apurar os ouvidos. Torna a olhar o quadro *Kafka à beira-mar*. Como antes, apoia os cotovelos na mesa e o rosto nas mãos, e seu espírito se volta inteiro para o rapaz e para a paisagem de verão dentro do quadro.

Cerca de vinte minutos depois, a bela garota se vai. Como no dia anterior, ergue-se da cadeira, caminha descalça na direção da porta e, sem abri-la, desaparece silenciosamente. Permaneço ainda algum tempo na mesma posição e em seguida me ergo e saio da cama. Com as luzes apagadas, sento-me na cadeira em que ela se sentara. Apoio os cotovelos na escrivaninha e mergulho no eco da sua passagem.

Entre ela e mim existe ao menos um ponto em comum. Esta verdade me vem de maneira súbita à mente. Isso mesmo: nós dois estamos apaixonados por pessoas que já não pertencem a este mundo.

Pouco depois, caio em sono agitado. O corpo busca um sono profundo, mas a consciência se empenha em permanecer alerta. E eu oscilo entre os dois extremos. Pássaros iniciam seu alegre chilrear no jardim e me despertam de vez.

Visto jeans, camisa de manga comprida sobre camiseta e saio. São pouco mais de cinco da manhã e não há sinais de presença humana nos arredores. Cruzo as ruas da antiga cidade, atravesso o pinheiral que serve de anteparo contra o vento, ultrapasso o quebra-mar e saio na areia da praia. O ar está parado. Nuvens cinzentas encobrem completamente o céu, mas não há sinal de chuva iminente. Amanhecer sereno. As nuvens abafam e absorvem todos os sons sobre a face da terra.

Ando durante algum tempo pelo caminho à beira-mar imaginando que o rapaz do quadro deve ter instalado sua cadeira de lona e se sentado nalgum ponto desta praia. Mas não consigo estabelecer onde com exatidão. No quadro, a paisagem de fundo é apenas areia, horizonte, nuvens e céu. E ilhas. Mas há muitas ilhas por aqui, e eu não consigo me lembrar direito do formato daquelas desenhadas no quadro. Sento-me na areia e, com os dedos, enquadro a paisagem marítima a esmo. E nela posiciono o garoto na cadeira. Uma gaivota branca corta indecisa o céu sem vento. Ondas miúdas quebram na areia a intervalos regulares compondo uma linha suave, mas logo se retraem deixando atrás um rastro de espuma rala.

Dou-me conta de que estou com ciúmes do garoto do quadro.

— Você está com ciúme do garoto do quadro — diz o menino chamado Corvo.

Veja bem, você está com ciúme de um pobre rapaz que morreu bestamente com 20 anos de idade só porque foi tomado por outra pessoa. Num episódio que, aliás, aconteceu há quase trinta anos! Ciúme tão intenso que chega a lhe apertar o coração. Tudo isso é novidade para você. Agora sabe o que é ciúme, esse sentimento que devasta o coração como uma queimada.

Desde o dia em que nasceu até hoje, você nunca invejou ninguém, nunca quis ser outra pessoa. Mas, agora, nutre uma inveja profunda por esse garoto. Não lhe importa saber que será torturado e morto com golpes de cano de ferro antes de completar os 20 anos: você deseja ser esse rapaz e amar incondicionalmente a Sra. Saeki da época em que ela tinha entre 15 e 20 anos de idade, e deseja também ser amado incondicionalmente por ela. Quer abraçá-la sem restrições, quer copular com ela muitas, muitas vezes. Quer acariciar todas as partes do corpo dela. Quer também que ela acaricie todos os cantos e recantos do seu corpo. E, mesmo depois de morto, gostaria de permanecer gravado no íntimo dela como uma lenda ou uma imagem. Quer ser amado por ela todas as noites, ser parte de suas recordações.

Sua situação é estranha, realmente. Está apaixonado por uma imagem feminina que já não existe e tem ciúme de um rapaz que já morreu. Apesar de tudo, sua paixão é mais verdadeira e dolorosa que qualquer sentimento jamais experimentado por você. E não há saída possível. Não existe nem mesmo a *possibilidade* de achar uma saída. Você está perdido no labirinto do tempo. E o que é mais importante, não tem a mínima vontade de sair dele. Certo?

Oshima chega um pouco mais tarde que ontem. Antes disso, eu já tinha passado o aspirador de pó no primeiro e no segundo andar, tirado o pó de mesas e cadeiras com pano úmido, aberto e limpado as janelas, lavado o banheiro, esvaziado as latas de lixo e trocado a água dos vasos de flor. Tinha também acendido a luz das salas, ligado o computador de pesquisas, e agora só faltava abrir os portões. Oshima checa um a um todos os preparativos e afinal acena demonstrando certo prazer.

— Você aprende depressa — diz ele.

Fervo a água e preparo o café para Oshima. Eu mesmo tomo minha xícara de chá preto Earl Grey, como ontem. Lá fora, a chuva havia começado a cair. Chuva forte. Trovões ecoam a distância. Ainda nem é meio-dia, mas está escuro, como se o dia já estivesse findando.

— Oshima, tenho um pedido a lhe fazer.

— Que pedido?

— Você me conseguiria a partitura de "Kafka à beira-mar"?

Oshima pensa um pouco.

— Se ela consta no catálogo do site das editoras de partituras, talvez seja possível baixá-la pagando um pouco. Mais tarde pesquiso para você.

— Muito obrigado.

Oshima se senta a um canto do balcão, mergulha um minúsculo cubo de açúcar no café e o mexe cuidadosamente com uma colher.

— E então, gostou da canção?

— Muito.

— Eu também gosto. É ao mesmo tempo bonita e original. Cândida e profunda. A personalidade da compositora nos chega diretamente através dela.

— Mas a letra é repleta de simbolismos.

— Poesia e simbolismo sempre andam de mãos dadas desde tempos imemoriais. Do mesmo jeito que pirata e rum.

— Você acha que a Sra. Saeki compreendia o sentido das palavras que usou?

Oshima ergue a cabeça e apura os ouvidos para o ribombar longínquo do trovão como se calculasse sua distância e, depois, se volta para mim.

— Não necessariamente. Simbologia e sentido são duas coisas diferentes. Acho que ela obtevе as palavras certas porque ignorou as tediosas formalidades do sentido ou da lógica. Colheu as palavras de um sonho como alguém que gentilmente apanha uma borboleta em pleno voo pelas asas. Artistas são pessoas capazes de contornar coisas tediosas.

— Você está querendo dizer que a Sra. Saeki talvez tenha encontrado as palavras do seu verso em outro espaço — como, por exemplo, num sonho?

— A maioria dos grandes poemas é composta dessa maneira. Mas se as palavras neles existentes não conseguirem encontrar um túnel de comunicação profético com o leitor, não estarão cumprindo sua função poética.

— Mas existem muitos poemas que só fingem fazer isso.

— Exatamente. Fingir é fácil, basta aprender o macete. Se você usar palavras que parecem simbólicas, obterá um arremedo de poesia.

— Mas acho que existe algo premente em "Kafka à beira-mar".

— Também acho. As palavras não são superficiais. Se bem que, no meu caso, letra e música já se incorporaram de tal maneira um no outro que perdi a capacidade de considerar apenas a poesia e de julgar corretamente o poder persuasivo das palavras... — diz Oshima. Depois, sacode a cabeça de leve. — Seja como for, a Sra. Saeki era dotada de poderoso talento natural, além de musicalidade. Tinha também real senso de oportunidade, sabia vislumbrar uma chance e agarrá-la. Na certa teria desenvolvido essas aptidões livremente caso não tivesse aberto mão da própria vida em decorrência daquele incidente doloroso. Foi uma pena muito grande em diversos sentidos.

— E onde foi parar todo o imenso talento dela? — pergunto.

Oshima me encara.

— Você quer saber o que aconteceu com o talento da Sra. Saeki depois que o namorado morreu?

Confirmo e acrescento:

— Se talento é uma espécie de energia natural, ele deveria estar procurando um meio de se expressar, certo?

— Não sei — responde Oshima. — Sua destinação é imprevisível. Talentos podem simplesmente desaparecer. Ou mergulhar nas profundezas como uma corrente subterrânea e fluir para lugares desconhecidos.

— Ou a Sra. Saeki pode ter direcionado seu talento para algo diferente, não musical — eu digo.

— Para algo diferente? — diz Oshima interessado, franzindo o cenho. — Por exemplo?

Não consigo me expressar.

— Não sei. Eu apenas tive essa impressão. Algo, por exemplo, sem forma definida.

— Sem forma definida?

— Quero dizer, algo que ela busca para si mesma, invisível aos demais. Para uma atividade íntima, talvez.

Oshima leva a mão à testa e afasta o cabelo. Mechas finas escapam por entre os dedos delgados.

— Você tem opiniões interessantes. Realmente, depois de sair desta cidade, a Sra. Saeki pode ter ido para um lugar que desconhecemos e direcionado seu talento para esse *algo sem forma definida* que você menciona. Mas lembre-se de que ela andou desaparecida durante 25 anos, de modo que só poderemos saber o que ela andou fazendo ou onde esteve nesse período perguntando a ela.

Depois de hesitar alguns instantes, tomo coragem e digo.

— Posso perguntar uma coisa realmente boba?

— Realmente boba?

Sinto as faces em fogo.

— Desmesuradamente boba.

— Pode. Eu gosto de coisas realmente, desmesuradamente bobas.

— Nem eu consigo acreditar no que vou perguntar.

Oshima pende a cabeça de leve para um lado e espera.

— Você acha possível que a Sra. Saeki seja minha mãe?

Oshima não diz nada. Recostado no balcão, ele procura as palavras com cuidado, gasta tempo nisso. Enquanto isso, concentro a atenção no tique-taque do relógio.

Finalmente ele diz:

— Resumindo em poucas palavras o sentido da sua pergunta, você está querendo saber se seria possível que, aos 20 anos de idade, a Sra. Saeki tenha saído desesperada de Takamatsu e se ocultado nalgum canto, quando então teria conhecido o seu pai, Koichi Tamura, casado com ele, sido abençoada com o nascimento de uma criança — você —, e quatro anos depois fugido de casa por algum motivo, abandonando a referida criança para retornar à terra natal dela, Shikoku, após um misterioso período sobre o qual nada sabemos?

— Isso.

— A possibilidade existe, não nego. Ou melhor, no momento não disponho de provas que refutem essa hipótese. Boa parte da vida dela está envolta em mistério. Existe realmente um boato de que viveu uns tempos em Tóquio. E ela tem mais ou menos a mesma idade do seu pai. Mas quando retornou a Takamatsu, ela estava sozinha. Ela pode até ter tido uma filha que leva agora uma vida independente nalgum lugar, claro. Por falar nisso, quantos anos deve ter sua irmã?

— Vinte e um.

— Como eu — diz Oshima. — Mas tudo indica que não sou sua irmã. Tenho pai e mãe, e um irmão mais velho. Gente boa, muito melhor que eu, e se quer saber, todos sangue do mesmo sangue.

Oshima cruza os braços e observa meu rosto por alguns instantes.

— Mas agora, quem tem uma pergunta a fazer sou eu — diz ele. — Você já examinou sua certidão de nascimento? Nela você encontraria com facilidade tanto o nome como a idade da sua mãe.

— Claro que examinei.

— E qual era o nome da sua mãe?

— Não consta — digo.

Oshima se espanta ao ouvir isso.

— Não consta? Como assim? Que eu saiba, isso é impossível.

— Não consta. *De verdade*. Como isso se tornou possível nem eu mesmo sei. Mas de acordo com a certidão, não tenho mãe. Nem irmã. No documento, só aparecem o nome do meu pai e o meu. Em outras palavras, sou filho natural do ponto de vista legal. Filho nascido fora do casamento. Ou seja, ilegítimo.

— Mas na realidade, você teve mãe e irmã.

Aceno a cabeça.

— Até os 4 anos, eu realmente tinha mãe e irmã. Nós quatro vivíamos numa casa e constituíamos uma família. Disso me lembro perfeitamente. Não é imaginação nem nada. E logo depois do meu quarto aniversário, as duas foram embora.

Retiro da carteira a foto em que eu e minha irmã brincamos à beira-mar. Oshima a observa por momentos, sorri e me devolve.

— *Kafka à beira-mar* — diz Oshima.

Aceno concordando e guardo a velha foto na minha carteira. Lá fora, o vento dança e a chuva fustiga a vidraça com estrépito. A luz do teto projeta nossas sombras no piso. Elas parecem confabular algo sinistro no mundo do avesso.

— Você não se lembra do rosto da sua mãe? — pergunta Oshima. — Se você conviveu com ela até os 4 anos de idade, deveria ter ao menos uma vaga lembrança das feições dela.

Sacudo a cabeça e nego.

— Não consigo me lembrar de jeito nenhum. Não sei por quê, a área da minha memória correspondente ao rosto da minha mãe está escura, como se alguém a tivesse pintado de preto.

Oshima pensa algum tempo e depois diz:

— Que acha de me falar um pouco mais a respeito das razões pelas quais você supõe que a Sra. Saeki seja sua mãe?

— Ah, vamos mudar de assunto, Oshima — eu digo. — Acho que estou ficando obcecado por essa história.

— Não faz mal. Conte-me tudo que lhe vai na cabeça — diz Oshima. — Se isso é ou não obsessão, decidiremos mais tarde, depois de pensar a respeito.

Sobre o piso, a sombra de Oshima se desloca acompanhando um ligeiro movimento da parte dele. Mas a sombra parece ter se movido mais que o próprio Oshima.

Digo:

— Existem inúmeras coincidências entre a minha história e a da Sra. Saeki. Elas se encaixam perfeitamente, como peças de quebra-cabeças. Dei-me conta disso enquanto ouvia "Kafka à beira-mar". Para começar, cheguei a esta biblioteca como que arrastado por mãos invisíveis. Do meu bairro, Nakano, até Takamatsu, praticamente em linha reta. E isso é realmente estranho, se você pensar bem.

— É verdade, lembra o enredo de uma tragédia grega — concorda Oshima.

Digo:

— E eu estou apaixonado por ela.

— Pela Sra. Saeki?

— Isso. Acho que sim.

— Acha que sim? — diz Oshima, franzindo o cenho. — Está querendo dizer que *talvez esteja apaixonado pela Sra. Saeki*? Ou que está apaixonado *talvez pela Sra. Saeki*?

Sinto o rosto avermelhar.

— Não consigo explicar direito — respondo. — A questão é complexa demais e há muitos pontos nela que nem eu consigo entender direito.

— Mas você acha que está apaixonado e acha que é pela Sra. Saeki?

— Isso — respondo. — E muito.

— *Acha*, e muito.

Concordo com um aceno de cabeça.

— Mas, ao mesmo tempo, a probabilidade de ela ser sua mãe existe.

Concordo com um novo aceno.

— A carga que você leva aos ombros é excessivamente pesada para um rapazinho imberbe de 15 anos — diz Oshima, tomando cuidadosamente um gole do café e devolvendo em seguida a xícara ao pires. — Não estou dizendo que isso seja errado. Mas em todo acontecimento existe um ponto crítico.

Permaneço em silêncio.

Oshima leva um dedo à têmpora e pensa alguns instantes. Depois, cruza os dedos delgados sobre o peito.

— Vou ver se consigo a partitura de "Kafka à beira-mar" o mais rápido possível. É melhor você voltar para o seu quarto e deixar por minha conta o resto do serviço.

Na hora do almoço, substituo Oshima no balcão de atendimento. Hoje, temos menos visitantes que de costume por causa da chuva. Ao retornar do almoço, Oshima me entrega uma cópia da partitura de "Kafka à beira-mar" num envelope grande.

— Tudo é muito fácil hoje em dia — comenta.

— Muito obrigado.

— Se não se incomoda, gostaria que levasse uma xícara de café para o andar superior. Você faz um café muito bom, sabia?

Preparo café fresco, ponho-o numa bandeja e o levo para a Sra. Saeki no andar superior. Sem açúcar nem creme. A porta está escancarada, como de hábito. Ela está à escrivaninha escrevendo alguma coisa. Deposito a bandeja sobre a mesa, e ela ergue o rosto e me sorri. Depois, tampa a caneta e a depõe sobre o papel.

— E então? Já se adaptou?

— Aos poucos — respondo.

— Você está livre agora?

— Estou.

— Sente-se aí, então — diz a Sra. Saeki apontando uma cadeira de madeira perto da mesa. — Vamos conversar um pouco.

Começa a trovejar de novo. O ribombo é distante por enquanto, mas vem se aproximando.

Eu me sento no local indicado.

— Quantos anos você tem mesmo? Dezesseis?

— Quinze, para falar a verdade. Meu aniversário foi há pouco — respondo.

— Você fugiu de casa, não é?

— Sim senhora.

— Teve razões especiais para fugir?

Sacudo a cabeça negando. Que devo dizer, afinal?

Enquanto aguarda a minha resposta, a Sra. Saeki apanha a xícara e toma um gole de café.

— Senti que acabaria desvirtuado de maneira irreparável caso continuasse por lá — digo afinal.

— Desvirtuado? — repete a Sra. Saeki apertando de leve os olhos.

— Isso.

Depois de breve pausa, a Sra. Saeki observa:

— Acho surpreendente uma pessoa da sua idade usar termos como *desvirtuar*. Desperta meu interesse, sabe? O que você quis dizer com *acabar desvirtuado*, em termos práticos?

Busco as palavras. Antes de mais nada, vou atrás do menino chamado Corvo. Mas não o acho em lugar algum. Procuro então eu mesmo as palavras. Mas isso toma tempo. A Sra. Saeki, porém, espera imóvel e em silêncio. Um relâmpago cintila e, depois de breve pausa, ouço outro ribombo distante.

— Senti que minha imagem acabaria alterada para algo que não sou.

A Sra. Saeki me observa com muito interesse.

— Mas já que o tempo existe, todas as pessoas acabam afinal desvirtuadas, ou seja, têm suas imagens alteradas, concorda? Cedo ou tarde?

— Mesmo que um dia acabem desvirtuadas, as pessoas precisam de um lugar para onde possam retornar.

— Um lugar para onde possam retornar?

— Ou seja, um lugar para onde valha a pena retornar.

A Sra. Saeki me encara, imóvel.

Enrubesço. Mas tomo coragem e ergo a cabeça. Ela usa um vestido azul-marinho de mangas curtas. Pelo jeito, possui uma grande quantidade de vestidos em diversos tons de azul. Um colar fino de prata e um relógio com pulseira de couro preta é tudo que ela usa como adorno. Procuro dentro dela a jovem de 15 anos. Logo a encontro. Ela dorme na floresta da alma, furtiva como uma figura em quadro *trompe l'oeil*. Mas basta aguçar meus olhos para vê-la. Meu coração começa a produzir ruídos secos outra vez. Alguém martela um longo prego na parede do meu coração.

— Você fala coisas muito sensatas para um garoto de 15 anos.

Não sei o que responder, de modo que me mantenho em silêncio.

— Nos meus 15 anos, eu também vivia pensando em ir embora para um outro mundo — diz a Sra. Saeki com um sorriso. — Para um lugar onde ninguém fosse capaz de me alcançar. Onde o tempo não passasse.

— Mas tal lugar não existe no mundo.

— Exato. E por isso vivo deste jeito num mundo onde coisas são desvirtuadas, espíritos sucumbem e o tempo não para nunca de passar — diz ela calando-se por instantes em silenciosa referência à passagem do tempo. Em seguida, prossegue:

— Mas, aos 15 anos, eu tinha a certeza de que esse lugar existia. E também de que nalguma parte do mundo eu acharia a entrada para ele.

— A senhora era muito solitária aos 15 anos?

— Sim, num certo sentido... fui solitária. Não sozinha, mas ainda assim extremamente solitária. Pois sabia que jamais seria mais feliz do que eu era então. Disso eu tinha certeza. De modo que eu queria entrar nesse lugar em que o tempo não passa e ali ficar para sempre do jeito como eu era.

— Pois eu quero é envelhecer o mais rápido possível.

A Sra. Saeki se afasta um pouco e procura ler a minha fisionomia.

— Você deve ser mais forte que eu, mais independente. Nos meus 15 anos, eu apenas alimentava a ilusão de fugir da realidade. Mas você não foge dela: ao contrário, você a enfrenta, luta contra ela. Há aí uma grande diferença.

Não sou forte, nem muito independente. A realidade está apenas me tangendo, me obrigando a seguir adiante. Mas não digo nada.

— Você me lembra certo rapaz de 15 anos que conheci há muito, muito tempo.

— Esse rapaz se parece comigo? — pergunto.

— Você é mais alto e mais robusto. Mas acho que se parecem. Ele não tinha assunto para conversar com rapazes da idade dele, de modo que vivia trancado em seu próprio quarto, lendo livros e ouvindo músicas. E, como você, costumava franzir o cenho quando falava de temas difíceis. Me disseram que você também gosta muito de ler...

Concordo com um aceno de cabeça.

A Sra. Saeki olha o relógio.

— Gostei do café. Obrigada.

Eu me levanto e faço menção de sair do quarto. A Sra. Saeki apanha a caneta preta, desatarraxa a tampa lentamente e se prepara para escrever de novo. Outro raio corta o céu e, por instantes, o aposento se tinge de um estranho colorido. Depois de curta pausa, troveja. As pausas estão se tornando cada vez mais curtas.

— Kafka — chama a Sra. Saeki.

Paro na soleira da porta e me volto.

— Acaba de me ocorrer que, nos velhos tempos, escrevi um livro sobre trovoadas.

Espero em silêncio. Um livro sobre trovoadas?

— Percorri o país inteiro entrevistando pessoas que foram atingidas por raios e não morreram. Levei anos. Juntei muitos depoimentos. Cada um mais interessante que o outro. O livro foi publicado por uma editora pequena, mas quase não vendeu. Ele não era concludente. E ninguém se interessa por livros inconcludentes. Mas a mim isso me pareceu perfeitamente natural.

Um pequeno martelo bate numa das gavetas da minha mente. As batidas soam persistentes. Estou tentando me lembrar de algo realmente importante mas não consigo. A Sra. Saeki retornou à sua escrita, e eu desisto e saio do quarto.

A violenta tempestade de raios e trovoadas continuou por quase uma hora. Os trovões foram tão fortes que temi ver todos os vidros da biblioteca transformados em cacos. A cada clarão, o vitral existente no patamar da escada lançava luzes que lembravam fantasmas de eras passadas contra a parede branca oposta. Mas, há duas horas, a chuva parou e raios de sol dourados começam a se filtrar por entre nuvens dando a entender que a paz enfim se restabeleceu. Em meio à suave luminosidade, persiste apenas o som das gotas que caem do beiral. Logo a tarde chega ao fim e eu começo os preparativos para o fechamento da biblioteca. A Sra. Saeki se despede de mim e de Oshima e se retira. O ruído do motor do seu Golf me chega aos ouvidos. Eu a imagino ao volante, girando a chave na ignição. Digo a Oshima que consigo dar conta da arrumação noturna sozinho. Oshima cantarola a ária de uma ópera enquanto lava rosto e mãos, e depois também se vai. O ruído do motor do seu Miata vai aos poucos diminuindo e se apaga por completo. Agora, a biblioteca é só minha. O silêncio é mais intenso que o costumeiro.

Volto para o quarto e passo os olhos pela partitura de "Kafka à beira-mar" que Oshima imprimiu para mim. A maioria dos acordes é simples. Mas existem dois extremamente complexos na passagem de um tema para o outro. Vou à sala de leitura, sento-me ao pequeno piano vertical e toco o acorde. O dedilhado é bem difícil. Treino diversas vezes para acostumar os músculos e a duras penas obtenho uma boa imitação. A princípio, o acorde me soa simplesmente descabido e errado. Chego a pensar que alguém se enganou no momento de imprimir a partitura. Ou que o piano está desafinado. Mas depois de ouvir com atenção e repetidas vezes os dois acordes intercalados, aos poucos dou-me conta de que, na verdade, são esses dois acordes que sustentam a canção. Por causa dessas duas harmonias, "Kafka à beira-mar" deixou de ser uma canção vulgar e se transformou numa peça de profundidade incomum. Mas de que maneira a Sra. Saeki conseguiu idealizar essa rara harmonia?

Retorno ao meu quarto, fervo água no aquecedor elétrico e tomo chá. Em seguida, ponho um a um sobre o prato giratório os discos que trouxe do depósito e os ouço. *Blond on Blond*, de Bob Dylan, *White Album*, dos Beatles, *Dock of the Bay*, de Otis Redding, *Getz/Gilberto*, de Stan Getz. Peças que andaram em voga na metade final da década de 60. Como eu neste exato momento, o rapaz que ocupava este quarto — e ao lado dele estava a Sra. Saeki, com certeza — posicionava os discos um a um no prato giratório, descia sobre eles a agulha e ouvia as melodias que vinham pelo alto-falante. Sinto que o som leva o quarto inteiro — e a mim com ele — para um tempo distante do atual. Para um mundo anterior ao meu nascimento. E enquanto ouço as canções, tento reviver mentalmente, com a maior precisão possível, o diálogo que mantive esta tarde com a Sra. Saeki no escritório do andar superior.

— Mas, aos 15 anos, eu tinha a certeza de que esse lugar existia. E também que nalguma parte do mundo eu acharia a entrada para ele.

Sou capaz de ouvir sua voz junto ao meu ouvido. Sinto outra vez que batem na porta da minha mente. De maneira forte e persistente.

"Entrada"?

Levanto a agulha do disco *Getz/Gilberto*. Depois, tiro o compacto *Kafka à beira-mar* do envelope e o ponho no disco giratório. Deixo a agulha cair. Ela canta:

> Os dedos da menina que se afogou
> Tateiam e buscam a pedra da entrada.
> Ela arrepanha a barra do vestido azul
> E contempla Kafka à beira-mar.

Acho que a garota que visita este quarto à noite conseguiu encontrar a *pedra da entrada*. Ela ainda tem 15 anos, continua num mundo à parte, e de lá vem até este quarto à noite. Usa o vestido azul-claro e contempla *Kafka à beira-mar*.

E então, de maneira súbita e sem propósito algum, lembro-me. Meu pai disse certa vez que tinha sido atingido por um raio. Essa história não me foi contada diretamente por ele. Eu a li numa entrevista que ele deu a um semanário. Na época do acidente, meu pai ainda estudava na Faculdade de Belas-Artes e ganhava alguns trocados trabalhando como *caddie* num campo de golfe. Certa tarde de julho em que ele andava pelo campo na companhia de alguns golfistas, o céu escureceu e uma tempestade repentina desabou sobre eles. Um raio atingiu então uma árvore debaixo da qual eles tinham procurado abrigo. A gigantesca árvore se partiu ao meio e um dos golfistas perdeu a vida, mas segundos antes, alertado por algo semelhante a uma premonição, meu pai havia saltado de debaixo da árvore e se salvara. Teve apenas queimaduras leves, cabelo chamuscado, assim como concussão e desmaio ao ser lançado longe pelo raio e bater a cabeça numa pedra. Essa era a história. Do incidente, restara uma pequena cicatriz em sua testa. E era disso que, em pé na soleira da porta do escritório da Sra. Saeki, eu tentara me lembrar enquanto ouvia os trovões. A carreira de meu pai como escultor começara verdadeiramente depois que ele se recuperou desse acidente.

A Sra. Saeki talvez tenha se avistado com meu pai na época em que andou entrevistando pessoas atingidas por raios para compilar seu livro. A possibilidade existe. Afinal, não há no mundo tanta gente atingida por raios e que tenha sobrevivido.

Respiro com cuidado à espera da madrugada. Uma nuvem tinha se partido e o luar ilumina agora as árvores do jardim. As coincidências são excessivas. Há muita coisa convergindo com inacreditável rapidez para um único lugar.

Capítulo 26

A tarde caía e os dois homens tinham de assegurar um canto para dormir. O jovem Hoshino procurou o Centro de Informações Turísticas da estação de Takamatsu e solicitou reserva numa hospedaria. Apesar de o estabelecimento não ser dos mais atraentes e ter como único mérito o fato de se situar perto da estação, os dois homens o consideraram satisfatório. Se oferecia um leito onde pudessem deitar e dormir, tudo o mais não tinha importância. Da mesma maneira que a hospedaria anterior, esta também tinha a refeição matinal incluída na diária. O arranjo convinha a Nakata, que era capaz de cair em sono profundo a qualquer momento.

Uma vez acomodados no quarto, Nakata pediu ao motorista que se deitasse de bruços sobre o tatame e, em seguida, pôs-se a cavalo sobre suas costas, posicionando os dois polegares na coluna lombar. Depois, foi examinando uma a uma todas as articulações e músculos do rapaz até a altura do dorso. Sem quase imprimir pressão na ponta dos dedos, examinou apenas a conformação dos ossos assim como a tensão muscular entre eles.

— E então? Algum problema? — perguntou Hoshino, temendo nova onda de dor aguda e repentina.

— Nakata acha que agora está tudo certo. Não tem mais pontos problemáticos. Os ossos também estão voltando à forma original.

— Beleza! Francamente, não quero nunca mais passar por apuros semelhantes aos de ontem — resmungou Hoshino.

— Está certo. Nakata sente muito. Mas o senhor Hoshino disse que não se importava com a dor, de modo que Nakata pôs toda a força no tratamento.

— Reconheço que disse, realmente. Mas tudo no mundo tem seu limite, entendeu, tio? É uma questão de bom senso. Você me curou da coluna e não vou começar a reclamar a esta altura, é lógico. Mas que dor, homem! Dor de um tipo que nunca imaginei existir no mundo! Fiquei todo desconjuntado. Pareceu até que morri e vivi de novo.

— Teve uma vez que Nakata morreu durante três semanas.

— É mesmo? — disse Hoshino. Ainda de bruços, tomou um gole de chá e mastigou ruidosamente as sementes de caqui salgadas que comprara numa loja de conveniência. — Permaneceu morto durante três semanas?

— Isso mesmo.

— E por onde andou nesse período?

— Pois Nakata não se lembra direito. Parece que andou num lugar distante fazendo outras coisas. Mas quando pensa nisso, a cabeça estonteia e não consegue se lembrar de nada. Depois, voltou para cá, ficou fraco da cabeça e não conseguiu mais ler nem escrever.

— Você deve ter deixado a capacidade de ler e escrever lá por onde andou.

— Pode ser.

Os dois permaneceram em silêncio por algum tempo. Àquela altura, Hoshino começava a achar que era melhor acreditar em tudo que o velho lhe dizia, não importava quão disparatadas ou excêntricas soassem suas afirmações. Por outro lado, temia meter-se numa situação caótica e incontrolável caso explorasse a fundo a questão *Nakata morreu durante três semanas*. Decidiu portanto mudar de assunto e discutir uma questão real, de solução pendente.

— E agora que estamos em Takamatsu, que pretende fazer, tio?

— Nakata não sabe — respondeu o velho. — Não consegue perceber claramente o que fazer em seguida.

— A gente não ia procurar a "pedra da entrada"?

— Ia sim. Exatamente. Nakata tinha se esquecido por completo dessa história. A gente tem de achar a pedra. Mas Nakata não faz a menor ideia de onde procurar por ela. Sente nuvens na testa e não consegue ver nada com clareza. Não encontra saída porque já é fraco da cabeça e agora tem mais isso para atrapalhar.

— Que problema, hein?

— Sim, grande problema.

— Por outro lado, não tem graça alguma a gente continuar aqui olhando um para a cara do outro. Isso não resolve nada, não é mesmo?

— É verdade.

— E que acha de andarmos por aí perguntando às pessoas se não sabem dessa pedra nestas bandas?

— Se é isso que o senhor Hoshino quer, Nakata concorda. Nakata vai perguntar para diversas pessoas. Nakata não está se gabando disso, mas como ele é fraco da cabeça, tem muita experiência em perguntar coisas para os outros.

— Realmente, meu avô costumava dizer: "Perguntar é passar vexame momentâneo, não perguntar é passar vexame a vida inteira."

— Exatamente. E quando você morre, tudo que sabe desaparece.

— Bem, não era exatamente isso que ele quis dizer — disse Hoshino coçando a cabeça. — Mas não faz mal, deixe isso para lá... Quanto à pedra, você tem uma imagem dela na sua cabeça capaz de sugerir tipo, tamanho, formato ou cor, ou ainda o efeito que ela produz? Porque se você não sabe dessas coisas fica até difícil perguntar. Ninguém vai entender nada se você sair por aí dizendo: "Sabe se existe uma pedra da entrada por aqui?" Os outros vão pensar que nós somos loucos, concorda?

— Sim senhor. Nakata é fraco da cabeça, mas não é louco.

— Certo.

— A pedra que Nakata procura é especial. Não muito grande. Branca, sem cheiro. Não sabe direito que efeito ela produz. Tem forma arredondada e achatada, como um *mochi*.

Com os dedos das duas mãos Nakata formou no ar um círculo do tamanho de um disco LP.

— Seei... Mas vem cá: se você vir essa pedra, vai saber no mesmo instante que se trata da pedra que procura?

— Sim senhor. Um único olhar e Nakata saberá: é esta pedra.

— Ela é histórica, ou tradicional, ou possui um significado especial? Se é muito famosa, pode estar exposta num templo ou num santuário, não pode?

— Nakata não sabe, mas talvez esteja.

— Pode também estar funcionando como peso em cima de um barril de picles de alguma dona de casa, não pode?

— Ah, não. Isso, não.

— Como sabe que não está?

— Porque essa pedra não pode ser movida por qualquer pessoa.

— Mas o tio pode.

— Sim, Nakata acha que pode.

311

— E o que vai acontecer quando você a mover?

Coisa rara, a pergunta deixou Nakata pensativo. Talvez ele apenas parecesse pensativo. Com a palma da mão, esfregou com força o topo da cabeça de cabelos grisalhos e curtos.

— Esse é um ponto difícil de entender. A única coisa que Nakata sabe é que está chegando a hora de alguém movê-la.

O rapaz também se calou, pensativo.

— E esse alguém é você, Nakata? Ao menos neste momento? — perguntou minutos depois.

— Exatamente.

— Essa pedra só existe em Takamatsu? — tornou a perguntar Hoshino.

— Não, nada disso. Nakata tem a impressão de que o local onde ela existe não é importante. Neste momento, ela está aqui por um acaso, nada mais. Se estivesse no bairro de Nakano teria sido muito mais prático, entende?

— Mas pense bem, tio. Não é perigoso mexer em coisa tão importante?

— Sim, senhor Hoshino. Nakata não quer alarmá-lo, mas é muito perigoso.

— Caramba… — murmurou Hoshino. Sacudiu lentamente a cabeça, pôs o boné dos Dragões Chunichi e passou o rabo de cavalo pela abertura na parte de trás. — Está começando a parecer um filme da série *Indiana Jones*.

Na manhã do dia seguinte, os dois foram à cabine do Centro de Informações Turísticas e perguntaram se em Takamatsu, ou nalguma cidade próxima, havia uma pedra muito famosa, ou algo semelhante.

— Pedra? — disse a jovem atrás do balcão franzindo o cenho de leve. A pergunta era específica demais e a desnorteou. Afinal, ela só tinha sido treinada para conduzir turistas a ruínas e locais históricos.

— Que tipo de pedra?

— Arredondada, mais ou menos deste tamanho — disse Hoshino imitando Nakata e formando no ar um círculo do tamanho de um LP com as duas mãos. — E é conhecida como "pedra da entrada".

— "Pedra da entrada".

— Isso mesmo, é assim que ela se chama. Acho até que é muito famosa.

— Mas entrada do quê?

— Quem me dera eu soubesse!

A moça do balcão pensou uns momentos e Hoshino observou-lhe o rosto fixamente. Até que não era feia, mas tinha olhos e nariz muito separados, o que lhe emprestava ao semblante o ar cauteloso de um ruminante. Ela ligou para diversos lugares perguntando se alguém sabia alguma coisa a respeito da "pedra da entrada". Não obteve nenhuma informação útil.

— Sinto muito, mas me parece que ninguém ouviu falar dela — disse ela.

— Nenhuma informação?

A moça sacudiu a cabeça.

— É pena, realmente. Perdoe a curiosidade, mas os senhores vieram de longe só para procurar essa pedra?

— Hum... Eu não diria que viemos *só para isso*... Eu sou de Nagoya. Este senhor aqui veio do bairro de Nakano, em Tóquio.

— Sim senhora. Nakata veio do bairro de Nakano, em Tóquio — interveio Nakata. — Pegou carona com diversos caminhoneiros, e até ganhou de presente um prato de arroz com enguia defumada. E chegou até aqui sem gastar nenhum tostão.

— Ahn... — replicou a moça.

— Paciência, vamos deixar isso para lá. Que se há de fazer se ninguém conhece a pedra, não é mesmo? Não é culpa sua, moça. Mas vem cá: tem certeza de que não conhece nenhuma pedra famosa nestas bandas? Pode até não se chamar "pedra da entrada". Uma pedra qualquer, histórica, ou tradicional ou miraculosa.

Com seus olhos distantes um do outro, a moça atrás do balcão considerou Hoshino temerosamente: examinou-lhe o boné dos Dragões Chunichi, o rabo de cavalo, os óculos de sol de lentes verdes, o brinco e a camisa de raiom com estampa havaiana.

— Os senhores não gostariam de pesquisar o assunto por conta própria na biblioteca municipal? Se quiserem, posso lhes indicar o caminho. Eu mesma não sei muita coisa a respeito de pedras, entendem?

A visita à biblioteca municipal também não foi proveitosa. Não havia nenhum livro com informações sobre pedras, tanto da área de Takamatsu quanto de outras, da vizinhança. O bibliotecário descarregou sobre a mesa uma pilha de livros do tipo *Lendas da província de Kagawa*, *Histórias da passagem de Kobo Daishi por Shikoku*, *A história de Takamatsu* e disse secamente: "Pode haver alguma coisa sobre pedras nestes livros. Procurem por conta própria." Hoshino suspirou fundo e passou os olhos por todos eles até o fim da tarde. Enquanto isso, o analfabeto Nakata examinou página por página, intensamente concentrado, todas as ilustrações de um livro intitulado *Pedras famosas do Japão*.

— Esta é a primeira vez que Nakata visita uma biblioteca. Claro, pois ele não sabe ler!

— Pois eu sei e, mesmo assim, é a primeira vez que visito uma biblioteca. Não que eu esteja orgulhoso disso, entende?

— Não sabia que o lugar era tão interessante. Nakata está feliz.

— Ótimo.

— No bairro de Nakano também havia bibliotecas. De hoje em diante, Nakata irá sempre a elas. A entrada é gratuita, o que é muito importante. Nakata não sabia que analfabetos também podem entrar em bibliotecas.

— Pois eu tenho um primo que é cego e, ainda assim, vai sempre ao cinema. Não sei qual a graça, mas ele vai.

— Nakata não é cego, mas nunca foi ao cinema.

— Verdade? Nesse caso eu o levo lá qualquer dia.

O bibliotecário se aproximou da mesa dos dois e lhes disse que não podiam falar em voz alta ali dentro. Desistindo então de conversar, os dois concentraram a atenção nos livros que examinavam. Nakata terminou de ver *Pedras famosas do Japão*, devolveu-o à prateleira e começou a folhear *Gatos do mundo inteiro*.

Hoshino passou os olhos por sua pilha de livros resmungando o tempo todo. As referências a pedras eram poucas, infelizmente. Alguns livros tratavam da muralha de pedras do castelo de Takamatsu, mas estas pareciam pesadas demais para serem carregadas por Nakata. Hoshino encontrou também muita referência a pedras em conexão com o santo Kobo Daishi. Descreviam episódios em que, por exemplo, o santo teria erguido uma pedra existente no meio de uma campina e, do local, a água teria jorrado em abundância, transformando o terreno num alagadiço excelente para o plantio do arroz. O rapaz descobriu também que em determinado templo havia certa Pedra da Fertilidade, muito famosa mas inconveniente, pois tinha quase um metro de altura e forma fálica. Não era a que Nakata procurava, definitivamente.

Os dois desistiram de pesquisar, saíram da biblioteca, entraram numa lanchonete próxima e jantaram. Ambos pediram sopa de macarrão com tempurá. Hoshino pediu uma terrina extra de sopa de macarrão.

— Gostei muito da biblioteca — disse Nakata. — Existem muitas espécies de gatos no mundo e eles são bem diferentes uns dos outros! Nakata não sabia disso.

— Eu mesmo não descobri muito a respeito da pedra, mas não tem importância. Afinal, é o nosso primeiro dia de pesquisas — disse Hoshino. — Vamos dormir uma boa noite de sono e esperar melhor resultado para amanhã.

No dia seguinte, os dois retornaram à biblioteca. Do mesmo modo que no dia anterior, Hoshino empilhou sobre sua mesa diversos livros que lhe pareceram relacionados com pedra e os foi lendo um a um. Era a primeira vez que lia tanto. Em consequência, tornou-se bom conhecedor da história de Shikoku e descobriu que seu povo tinha cultuado diversos tipos de pedra desde a Antiguidade. Contudo, não encontrou nada sobre o assunto que mais lhe interessava, qual seja, o da pedra da entrada. No começo da tarde, o excesso de leitura tinha começado a lhe dar leve enxaqueca. Os dois saíram da biblioteca, deitaram-se sobre a relva de um parque e contemplaram longamente a passagem das nuvens. Hoshino fumou um cigarro e Nakata tomou chá quente da garrafinha térmica.

— Amanhã, vai chegar uma porção de nuvens com trovões — previu Nakata.

— Ei, você não os está chamando, está?

— Não senhor. Nakata não chama trovões. Não tem tanto poder assim. Mas os trovões vão chegar por conta própria.

— Melhor assim — comentou brevemente Hoshino.

Depois de retornar à hospedaria e tomar banho, Nakata logo mergulhou sob as cobertas e adormeceu. Hoshino ligou a televisão em som baixo e começou a assistir a um jogo de beisebol em transmissão direta, mas, como os Giants batiam Hiroshima por uma diferença muito grande, sentiu-se desgostoso e desligou o aparelho. O sono não vinha, a garganta estava seca e ele ansiava por um chope, de modo que resolveu sair. Já na rua, entrou na primeira cervejaria que achou e pediu chope e anéis de cebola. Pensou em puxar conversa com a garota ao lado, mas reconsiderou: não era hora para se comportar levianamente. Afinal, tinha de recomeçar a busca pela pedra logo cedo na manhã seguinte.

315

Acabou de tomar a bebida, tornou a pôr o boné dos Dragões Chunichi na cabeça e saiu andando a esmo. A cidade não parecia oferecer muitos entretenimentos, mas achou interessante andar sem destino por uma cidade desconhecida. Ele sempre gostara de passear. Cigarro Marlboro preso no canto da boca e mãos metidas nos bolsos, perambulou por avenidas e ruelas ao deus-dará. Entre um cigarro e outro, assobiava. Havia ruas movimentadas e outras silenciosas, sem vestígio humano. Hoshino andou por elas sempre no mesmo passo. Ele era jovem, livre e saudável, não havia nada a temer.

Passou por uma rua estreita onde se enfileiravam lado a lado pequenos bares e karaoquês (todos parecendo fadados a trocar de dono e de nome no prazo máximo de meio ano) e, ao alcançar outro trecho pouco iluminado e frequentado, percebeu que alguém às suas costas o chamava em voz alta:

— Hoshino, meu chapa!

A princípio, o jovem motorista não achou que era com ele. Em Takamatsu, não havia ninguém que o conhecesse. Por outro lado, outros Hoshinos deviam existir por ali. Seu nome não era dos mais comuns, mas também não era raridade. Continuou portanto a andar sem ao menos se dar o trabalho de se voltar.

Mas esse alguém continuava em seu encalço e o chamava às costas com certa premência:

— Ei, Hoshino! Ô meu chapa!

O rapaz finalmente parou e se voltou. Ali estava um homem idoso, miúdo, em terno totalmente branco. Cabelo e barba brancos, óculos de gente séria. Tinha também bigode e cavanhaque. Usava camisa branca e gravata-borboleta preta. As feições eram japonesas, mas a aparência era a de um sulista americano, um gentil-homem interiorano. Apesar de medir apenas cerca de um metro e meio, não parecia um homem baixo: era antes um ser humano em escala reduzida, uma miniatura de homem. Estendia os dois braços diante de si, como se equilibrasse uma bandeja nas mãos.

— Hoshino, meu chapa — disse o velho. A voz era metálica e penetrante e falava com um leve sotaque.

Hoshino contemplou o homem em silêncio estupefato.

— Mas você é... — disse passados instantes.

— Isso mesmo. Coronel Sanders.

— Idêntico! — tornou a dizer Hoshino, admirado.

— Idêntico, não! Eu *sou* o Coronel Sanders.

— O do Fried Chicken...?

O velho acenou majestosamente.

— Sem tirar nem pôr!

— Ei, espere aí! Como é que você sabe o meu nome?

— Estabeleci uma regra: chamo sempre de Hoshino qualquer torcedor dos Dragões Chunichi e de Nakajima qualquer torcedor dos Giants.

— Acontece que eu me chamo Hoshino de verdade.

— Puro acaso, não tenho culpa — disse o Coronel Sanders com arrogância.

— E então? Que quer de mim?

— Quero lhe apresentar uma garota maravilhosa.

— Ah, agora entendi — disse Hoshino. — Você é cafetão. É por isso que se veste dessa maneira.

— Preste atenção, Hoshino. Já disse uma vez e repito: não estou fantasiado. Eu *sou* o Coronel Sanders. Tenha isso bem claro em sua mente.

— Mas se você é realmente o Coronel Sanders, por que está trabalhando de cafetão numa viela escura da cidade de Takamatsu? Um homem mundialmente famoso como você deve ganhar milhões em royalties e estaria a esta altura na beira da piscina de uma bela mansão num canto dos Estados Unidos gozando tranquilamente a aposentadoria, não estaria?

— Jovem, você talvez não saiba, mas no mundo há distorções.

— Ahn...

— Essas distorções são, em última análise, os responsáveis diretos pela tridimensionalidade do mundo. Quem quer tudo reto e direito o tempo todo deve viver num mundo traçado a esquadro.

— Caramba, outro que fala esquisito! — resmungou Hoshino. — Impressionante! As estrelas do meu signo parecem favorecer encontros com velhinhos excêntricos. Se isso continua, vou passar a ver o mundo por um outro prisma!

— E eu lá me importo com isso? Mas voltando ao assunto: Hoshino, meu chapa, você quer ou não uma garota?

— Garota tipo massagista?

— Que raio é isso?

— Aquelas que não deixam fazer o principal. Topam tudo: carícias, felação, o escambau, aliviam a gente mas nada do principal.

317

— Errado! — disse o Coronel Sanders sacudindo a cabeça irritado. — Errado, errado! Não é nada disso. Não é só carícia e felação, ela faz tudo e o principal também.

— Está falando de garotas do tipo banho turco?

— Banho quê?

— Ei, deixe de brincadeiras, está bem? Tenho um companheiro de viagem à minha espera e preciso acordar muito cedo amanhã. Não estou a fim de aventuras noturnas.

— Quer dizer que não quer garotas.

— Não quero garotas nem *fried chicken* esta noite. Vou retornar à estalagem e dormir.

— E vai conseguir? — perguntou o Coronel Sanders em tom significativo. — Hoshino, meu chapa, ninguém dorme profundamente quando não encontra o que procura.

Hoshino contemplou o velho, boquiaberto.

— *Quando não encontra o que procura*? E como é que você sabe que eu estou à procura de uma coisa?

— Está escrito na sua testa. Você é basicamente uma pessoa honesta, Hoshino. Você, meu chapa, tem tudo escrito bem aí, na testa. Sua cara é um livro aberto para os entendidos, registra tudo que lhe vai na mente.

Hoshino passou instintivamente a mão direita pelas faces. Em seguida, abriu a mão e a contemplou. Não havia nada ali. *Escrito na cara?*

— De modo que — disse o Coronel Sanders erguendo um dedo no ar — o que o meu jovem amigo procura é algo pesado e arredondado. Acertei?

Hoshino franziu o cenho.

— Vem cá, vovô: quem é você, afinal? Como sabe de tudo isso?

— Você é duro de entender as coisas, não é mesmo? Pois já não lhe disse que está tudo escrito em sua cara? — replicou o Coronel sacudindo o dedo no ar. — Não é à toa que estou tanto tempo neste ramo de negócios, ouviu? E agora, volto a perguntar: você não quer mesmo uma garota?

— Escute, eu estou realmente à procura de uma pedra. Ela é conhecida como "pedra da entrada".

— Pois eu sei tudo a respeito da "pedra da entrada".

— Verdade?

— Não minto nunca. Nem gracejo. Sou sério e correto por natureza.

— E você sabe também onde posso encontrar essa pedra?

— Sei também onde ela se encontra.

— Acaso pode me dizer onde?

O Coronel Sanders tocou com os dedos a armação preta dos seus óculos e pigarreou:

— Tem certeza de que não quer uma garota?

— Bem... Posso pensar no assunto se você me contar onde se acha a pedra — replicou Hoshino, desconfiado.

— Negócio fechado. Siga-me.

E sem esperar resposta, o Coronel Sanders se afastou a passos rápidos. Hoshino o acompanhou às pressas.

— Ei, vovô, coronel...! Eu só tenho cerca de 25 mil ienes comigo neste momento.

Andando velozmente, o velho homem estalou a língua de impaciência.

— Mais que suficientes. Sua garota é uma lindeza de 19 anos e vai lhe fazer um serviço especial. Carícias, felação, o escambau e o principal, com ela vale tudo. E de quebra vai lhe dar informações relativas à pedra.

— Caramba! — murmurou o rapaz.

Capítulo 27

Às 2h47, dou-me conta de que a garota já está aqui. Lanço um olhar ao relógio da cabeceira e registro o horário. Chegou um pouco mais cedo que ontem. Desta vez, fiquei acordado o tempo todo, à espera dela. Excetuando os momentos em que pestanejei, meus olhos estiveram abertos o tempo todo. E nem assim vi o momento exato de sua aparição. Quando dei por mim, ela já estava ali. Acho que passou roçando pelo ponto cego da minha consciência.

De vestido azul-claro, cotovelos sobre a escrivaninha e face apoiada nas mãos, como sempre, ela contempla serenamente o quadro *Kafka à beira-mar*, e eu a observo prendendo a respiração. O quadro, a garota e eu constituímos os três pontos de um triângulo estático no interior do quarto. Da mesma maneira que a garota não se cansa de observar o quadro, eu também não me canso de observá-la. O triângulo está imóvel, jamais ondula. Nesse momento, porém, há um acontecimento inesperado.

— Saeki-san — digo, sem querer. Eu não tinha nenhuma intenção de chamá-la. O pensamento apenas transbordou do meu íntimo e se vocalizou. Num sussurro. Ainda assim, o murmúrio alcança os ouvidos da garota. E então, um dos cantos do até então estático triângulo se desfaz. Independentemente de eu querer ou não.

Ela se volta para o meu lado. Mas não está aguçando o olhar com a intenção de descobrir a procedência do chamado. Com o rosto ainda apoiado nas mãos, apenas volta o rosto calmamente. Como se sentisse um frêmito leve e inexplicável no ar. Não sei se está me vendo. Mas eu assim desejo. Quero que ela se dê conta de que estou vivo, neste lugar.

— Saeki-san — repito.

Não consigo anular a forte vontade de pronunciar seu nome em voz alta. Minha voz talvez apavore ou perturbe a garota, talvez a faça partir. E pode ser que ela não volte nunca mais. Se isso acontecer, meu desespero será grande. Desespero coisa nenhuma! Acho que minha vida vai perder todo o sentido, toda a perspectiva. Ainda assim, não consigo refrear o impulso de pronunciar seu nome. Língua e lábios se movem à revelia, automaticamente, formulando seu nome repetidas vezes.

A garota já não está contemplando o quadro. Está olhando para mim. Seu olhar ao menos está voltado para o lugar em que me encontro. Eu porém não consigo discernir sua expressão daqui. Nuvens se movem no firmamento, e o luar ondula com elas. Deve estar ventando lá fora, mas nenhum som me chega aos ouvidos.

— Saeki-san — torno a chamar.

A sensação de urgência é uma torrente que me leva de roldão.

A garota tira o rosto do côncavo das mãos e leva a mão direita à boca. Como se dissesse: "Não diga nada!" Mas será que é isso mesmo que ela quer me dizer? Ah, como gostaria de vê-la de perto, mergulhar meu olhar no dela. Como gostaria de poder ler em seus olhos o que ela pensa ou sente agora. Como seria bom se eu pudesse decifrar o sentido ou a sugestão daquele gesto! Mas todo o significado parece envolto no negrume das três da madrugada. Repentinamente sinto que vou sufocar e fecho os olhos. Tenho um bolo duro de ar em meu peito. Parece até que degluti uma nuvem inteira. E ao abrir os olhos, segundos depois, a garota já tinha desaparecido. Restou apenas uma cadeira vazia. A sombra de uma nuvem corre furtiva sobre a escrivaninha.

Saio da cama, vou à janela e espio o céu noturno. E penso no tempo que jamais retornará. Em rios e marés, em fontes nascendo aos borbotões. Penso em chuva e em trovões. Em rochas. Em sombras. Tudo isso existe dentro de mim.

Logo depois do almoço do dia seguinte, um inspetor de polícia à paisana aparece na biblioteca. Eu não sabia disso porque estava em meu quarto. O policial questionou Oshima por cerca de vinte minutos e foi embora em seguida. Mais tarde, Oshima aparece em meu quarto e me põe a par dos acontecimentos.

— Era um inspetor da polícia local. Fez perguntas a seu respeito — diz Oshima abrindo a geladeira e tirando de dentro uma garrafa de Perrier. Torce a tampa, abre a garrafa, despeja o conteúdo num copo e toma a água.

— Como é que ele soube que estou aqui?

— Você andou usando o celular do seu pai, não andou?

Vasculho a memória. Em seguida, aceno a cabeça concordando. Eu havia usado o celular e telefonado para Sakura na noite em que voltei a mim e me vi caído com a camisa suja de sangue no bosque existente no fundo de um santuário.

— Uma única vez — eu digo.

— A polícia descobriu que você está em Takamatsu pelo registro de chamadas do celular. Eles não costumam explicar essas coisas para ninguém, mas o inspetor acabou me revelando esse detalhe no meio de uma conversa bastante descontraída. Posso ser bastante simpático quando quero. Segundo entendi, o proprietário do número para o qual você ligou não foi localizado. Acho que era um desses números que não constam de listas. Seja como for, descobriram que você se encontra na cidade de Takamatsu e vasculharam todos os hotéis e hospedarias. E então descobriram que um certo rapaz de nome Kafka Tamura, cuja descrição aliás coincide com você, tinha se hospedado por um curto período num hotel comercial conveniado com a Associação Cristã de Moços. Até o dia 28 de maio, ou seja, até o dia em que seu pai foi assassinado por um desconhecido.

Senti alívio ao saber que a polícia não conseguiu descobrir o endereço e o nome de Sakura pelo registro telefônico. Eu agora não podia fazer mais nada que pudesse prejudicá-la.

— O gerente do hotel se lembrou que tinha ligado para esta biblioteca para falar de você. Ele queria saber se você realmente passava os dias aqui, lembra-se?

Aceno a cabeça para dizer que me lembro.

— E foi por isso que a polícia apareceu aqui.

Oshima toma um gole da Perrier.

— Eu menti para o inspetor, naturalmente. Disse-lhe que, desde o dia 28, nunca mais pus os olhos em você. Que até essa data você costumava passar os dias neste local, mas que depois tinha desaparecido por completo.

— Mentir para a polícia pode lhe trazer complicações — observo.

— Mas se eu não mentisse, *você* teria complicações ainda mais sérias.

— Sei disso, mas não quero comprometê-lo.

Oshima aperta os olhos de leve e sorri.

— Acho que você ainda não notou, mas já me comprometeu.

— Claro que notei, mas mesmo assim...

— Pare portanto de se preocupar com coisas que já aconteceram. Ficar falando disso não nos levará a lugar algum.

Aceno a cabeça em silêncio.

— Seja como for, o inspetor deixou seu cartão comigo e me pediu para ligar para ele caso você aparecesse por aqui.

— Eles suspeitam de mim?

Oshima nega sacudindo a cabeça lentamente:

— Acho que não, mas com certeza o consideram importante fonte de informações para a elucidação do assassinato de seu pai. Venho acompanhando o caso pelos jornais e me parece que as investigações não progridem, e isso está deixando a polícia bastante pressionada. Não há impressões digitais nem testemunhas. A única pista que lhes resta é você. Esse é um dos motivos por que eles o procuram com tanto afinco. Afinal, seu pai era um homem famoso e tanto as revistas como a televisão estão dando ampla cobertura para o caso. A polícia não pode ficar de braços cruzados, vendo o tempo passar.

— Mas se descobrirem que você mentiu para eles, Oshima, vão deixar de considerá-lo testemunha de confiança. E, nesse caso, perco o álibi para aquele dia e me transformo em criminoso.

Oshima sacode de novo a cabeça.

— A polícia japonesa não é tão parva, Kafka Tamura. A imaginação deles realmente não é das mais brilhantes, mas incompetentes eles não são. Eles já devem estar checando minuciosamente a lista de passageiros de todos os voos entre Shikoku e Tóquio. Além disso, talvez você não saiba, mas nos portões de embarque dos aeroportos existem câmeras de vídeo que registram as imagens de todos os passageiros que por ali passam. Eles já devem ter confirmado que você não passou pelo aeroporto de Tóquio momentos antes ou depois do crime. No Japão, a informação está quase totalmente controlada. Assim sendo, a polícia não pensa em você como suspeito. Se pensassem, não teríamos a esta altura um investigador qualquer da delegacia local aparecendo por aqui, mas alguém devidamente autorizado do Departamento de Polícia Central. A situação seria então bem mais séria e eu não iria me livrar tão facilmente. No momento, a única coisa que eles querem é ouvir da sua boca alguns fatos anteriores e posteriores ao caso.

Deve ser exatamente isso que está acontecendo.

— Seja como for, acho melhor você ficar escondido por algum tempo — conclui ele. — Pode ser que a polícia esteja observando este lugar. E eles tinham cópias de uma foto sua. Acho que a obtiveram do cadastro de alunos do curso ginasial, mas não tinha muita semelhança com você. Na foto, você parecia bastante irritado com alguma coisa.

Essa era a única foto que eu deixara para trás. Empreguei todos os recursos imagináveis para não ser fotografado, mas aquela foto eu não conseguira evitar.

— O investigador disse que você foi um aluno problemático. Que algumas vezes se envolveu em incidentes violentos com colegas de classe e que, em decorrência, foi suspenso três vezes.

— Duas. E não foram suspensões, foram confinamentos domiciliares — corrijo. Inspiro profundamente e depois solto o ar devagar. — Sabe, tenho meus *momentos*...

— ... em que não consegue se controlar — completa Oshima.

Aceno a cabeça confirmando.

— E nessas ocasiões, acaba machucando os outros, certo?

— Não é que eu queira fazer isso. Mas, às vezes, sinto como se houvesse outra pessoa dentro de mim. E então, quando dou por mim, já feri alguém.

— Gravemente? — pergunta Oshima.

Eu suspiro.

— Nada sério. Nunca cheguei a quebrar ossos nem dentes de ninguém.

Oshima está sentado com as pernas cruzadas sobre a cama. Leva a mão ao rosto e afasta algumas mechas de cabelo. Veste calças de sarja azul-marinho e tênis Adidas branco. E camisa polo preta.

— Parece-me que você tem diversas questões a resolver — diz ele.

Questões a resolver, penso. Em seguida, ergo a cabeça:

— E você, Oshima? Não tem nenhuma questão a resolver?

Oshima ergue ambas as mãos.

— Não sei se é solucionável, mas minha questão se resume unicamente nisto: sobreviver cada dia dentro deste recipiente excepcionalmente defeituoso que é o meu corpo. Sob certo ponto de vista, é uma questão simples, sob outro, bastante complexa. Seja como for, mesmo quando tudo dá certo e eu sobrevivo, isso não representa nenhum grande feito. Ninguém se levanta para me aplaudir com entusiasmo.

Ele morde os lábios e permanece alguns instantes em silêncio.

— E nunca pensou em sair do interior disso que você chama de recipiente? — pergunto.

— Quer dizer, sair do meu corpo?

Aceno concordando.

— No sentido simbólico ou real?

— Tanto faz.

Faz algum tempo que a mão dele se mantém imóvel atrás da cabeça segurando uma mecha de cabelo. Sua testa, pálida, está totalmente descoberta, e sou capaz de ver lá no fundo da cabeça dele as engrenagens do pensamento funcionando a todo vapor.

— E você? Pensa nisso? — indaga Oshima em vez de me responder.

Inspiro uma vez com força e digo:

— Vou falar de mim com toda franqueza, Oshima: não gosto nem um pouco do recipiente em que estou contido. Nunca, jamais gostei dele, desde o momento em que nasci. Pelo contrário, sempre o odiei. Este rosto, estas mãos, este sangue, os genes... Tudo que recebi dos meus pais me parece odioso. Se possível, gostaria de sair dele, deixá-lo inteiramente para trás. Do mesmo jeito que fugi de casa, entende?

Ele observa meu rosto e depois sorri.

— Você tem físico perfeito e é esplendidamente desenvolvido. Tem um rosto bonito, não importa de quem o tenha herdado. Bem, bonito pode não ser o termo adequado porque seus traços são fortes demais, mas nem por isso é de se jogar fora. Eu, pelo menos, gosto do seu rosto. Sua cabeça funciona muito bem. E tem também um pênis maravilhoso. Quisera eu ter um desses, é o que penso. Muitas garotas vão enlouquecer por sua causa futuramente. Portanto, não consigo entender que aspectos desse seu *recipiente* tanto o desagradam.

Enrubesço.

Oshima continua:

— Mas vamos deixar isso para lá. Para você, o xis da questão talvez nem seja esse. E eu também não ando nada satisfeito com este meu *recipiente*. O que é bastante compreensível, não é? Isto aqui é um elefante branco, sob todos os aspectos. E, em termos práticos, é tremendamente inconveniente. Apesar de tudo, penso da seguinte forma: considerando casco e essência às avessas — isto é, se considerar o casco como essência, e a essência como casco — pode ser que o sentido da existência se torne mais claro.

Torno a contemplar minhas duas mãos. E penso em todo o sangue que as sujava. Relembro nitidamente a sensação pegajosa daquele momento. Penso na minha essência e no meu casco. Sobre mim — essa essência contida nesse casco que sou eu. Mas a única coisa que me vem à mente é aquela sensação pegajosa do sangue.

— E a Sra. Saeki? Que pensará ela disso? — pergunto.

— Como assim?

— Será que ela também tem questões a resolver?

— Pergunte diretamente a ela — sugere Oshima.

Às duas da tarde, levo o café numa bandeja para a Sra. Saeki. Ela está sentada à escrivaninha em seu escritório. A porta está aberta. Sobre a mesa, estão como sempre papel e caneta. Esta, com a tampa atarraxada. Ela tem as duas mãos pousadas sobre a mesa e fixa o olhar num ponto do espaço. Não está contemplando um objeto específico, mas um local inexistente. Ela me parece um tanto cansada. A janela às suas costas está escancarada, e a leve brisa deste começo de verão agita a cortina de renda branca. A cena talvez possa ser comparada a uma maravilhosa pintura alegórica.

— Obrigada — diz ela ao me ver depositando a bandeja de café sobre a escrivaninha.

— A senhora me parece cansada.

Ela acena a cabeça positivamente.

— Estou mesmo. E devo estar com cara de velha.

— Não. A senhora me parece maravilhosa, como sempre.

Ela sorri.

— Você é novo, mas diz exatamente aquilo que uma mulher gosta de ouvir.

Meu rosto se avermelha.

Ela aponta outra vez para uma cadeira. A mesma em que me sentei ontem está no mesmíssimo lugar. E eu me sento nela.

— Mas estou acostumada ao cansaço, sabe? Você, ao contrário, não deve estar.

— Acho que não, realmente.

— Aos 15 anos, eu também não estava, é claro.

Leva a mão à asa da xícara e toma um gole com calma.

— O que você é capaz de ver além da janela, Kafka?

Volto o olhar para a janela às costas dela.

— Árvores, céu e nuvens. E um pássaro pousado num galho.

— Uma paisagem comum, dessas que se encontram em qualquer lugar. Certo?

— Certo.

— Mas se você soubesse que não mais veria este cenário amanhã, ele passaria a ser algo especial e muito precioso para você, não passaria?

— Acredito que sim.

— Já pensou em coisas deste gênero alguma vez?

— Já.

Ela me olha como se a resposta fosse inesperada.

— Quando?

— Quando estou amando.

A Sra. Saeki sorri de leve. O sorriso ainda lhe brinca nos lábios por instantes. Lembra água que, espargida no jardim numa manhã quente de verão, restou num pequeno côncavo sem evaporar.

— Você está amando — diz ela.

— Sim.

— Isto significa que, para você, o rosto dela lhe parece especial e muito precioso a cada dia e a cada instante?

— Exatamente. Porque não sei quando vou perdê-lo.

Ela me contempla por instantes. A sombra do sorriso já desapareceu de suas feições.

— Suponha que um pássaro esteja pousado num fino galho de árvore — diz a Sra. Saeki. — E que o vento balança fortemente o galho. E então, acompanhando o balanço do galho, a visão do pássaro também balança. Está certo?

Aceno concordando.

— De que jeito você acha que o pássaro estabiliza a própria visão?

Sacudo a cabeça:

— Não sei.

— Ele ergue e abaixa a cabeça de acordo com o balanço do galho. Um pouquinho de cada vez. Observe direito os pássaros no próximo dia de ventania. Eu os observo pela janela constantemente. Não lhe parece que esse tipo de vida seja cansativo? Quero dizer, o tipo de vida que o obriga a balançar a cabeça de acordo com o movimento dos galhos?

— Parece.

— Mas o pássaro está habituado a isso. Para ele, esse procedimento é natural. É algo que consegue fazer de maneira inconsciente. Eis por que não se cansam tanto quanto nós imaginamos. Mas eu sou humana, de modo que às vezes me canso.

— A senhora está pousada num galho?

— Num certo sentido... — diz ela. — E, às vezes, o vento sopra com força.

Ela devolve a xícara ao pires, desatarraxa a tampa da caneta. Era hora de me retirar. Eu me ergo da cadeira.

— Tem uma coisa que preciso lhe perguntar, Sra. Saeki — digo, juntando coragem.

— Algo particular?

— Sim senhora. E talvez ofensivo.

— Mas é importante para você?

— Sim senhora. Muito importante para mim.

Ela torna a depositar a caneta sobre a escrivaninha. Há um brilho neutro flutuando em seu olhar agora.

— Tudo bem. Pergunte.

— A senhora tem filhos?

Ela inspira uma vez e faz uma breve pausa. A expressão desaparece aos poucos de suas feições. E depois retorna. Como um cortejo que passa e, decorridos instantes, retorna pelo mesmo caminho.

— E por que você quer saber?

— Por uma questão pessoal. Não é uma pergunta sem sentido que me ocorreu sem mais nem menos.

Ela apanha sua grossa Mont Blanc e verifica a quantidade de tinta armazenada. Parece tomar consciência do peso e da textura da caneta na mão. Deposita-a outra vez sobre a mesa e, em seguida, ergue o rosto.

— Sinto muito, Kafka, mas não posso lhe dizer nem que sim, nem que não. Não neste momento, em que estou me sentindo muito cansada e em que o vento sopra com força.

Aceno em sinal de compreensão.

— Perdoe-me. Eu não devia ter perguntado.

— Não tem importância. A culpa não é sua — diz a Sra. Saeki gentilmente. — Obrigada pelo café. Você o faz muito bem.

Saio e desço a escada. E volto em seguida para o meu quarto. Sento--me na cama e abro o livro. Mas o texto não alcança o cérebro. Estou apenas seguindo com os olhos a forma das letras impressas. É como ver uma página repleta de números aleatórios. Ponho o livro de lado, vou à janela e olho para fora. Vejo diversos pássaros em galhos de árvores. Mas não há vento. Aos poucos, não consigo discernir se a pessoa que eu amo é a Sra. Saeki de 15 anos ou a de 50, atual. A linha divisória entre as duas balança e ondula, não me permite focalizar a imagem com clareza. E isso me confunde. Fecho os olhos e busco o eixo de meus sentimentos.

Mas é verdade. A Sra. Saeki está certa. Seu rosto e sua silhueta são coisas especiais, extremamente preciosas a cada dia e a cada momento.

Capítulo 28

O Coronel Sanders era ágil e andava com muita rapidez para alguém da idade dele. Lembrava um veterano praticante da modalidade marcha atlética. Além de tudo, parecia conhecer como a palma da mão cada canto e recanto da cidade. Galgava escadarias escuras e estreitas para cortar caminho, punha-se de lado para passar por apertados becos entre casas. Saltava valas, repreendia o cão que latia por trás da sebe. Como um espírito inquieto em busca de seu destino, o pequeno vulto em terno branco se movia por vielas e aleias com incrível velocidade. Hoshino mal conseguia acompanhá-lo e se esforçava para não perdê-lo de vista. Logo, o ar começou a lhe faltar e o suor, a lhe umedecer as axilas. Mas em nenhum momento o Coronel Sanders se voltou para saber se o jovem continuava a segui-lo.

— Ei, tio! Estamos longe ainda? — perguntou Hoshino, a custo suportando o cansaço.

— Que é isso, rapaz? Mal demos três passos e já está com a língua de fora? — replicou o Coronel sem olhar para trás.

— Escute aqui: sou seu cliente, não se esqueça! Aonde acha que vou encontrar energia para a transa se você me obriga a andar tudo isso e me esgota antes do tempo?

— Que vergonha, que vergonha! E ele ainda acha que é homem! Esqueça a transa se sua energia é tão pouca, rapaz!

— Cruzes! — resmungou Hoshino.

O Coronel Sanders transpôs outra viela e uma avenida larga ignorando o sinaleiro, e andou mais outro tanto. Depois, atravessou uma ponte e entrou num santuário razoavelmente grande mas deserto em virtude da hora tardia. O homem apontou um banco diante da administração do santuário e disse a Hoshino que se sentasse ali. Ao lado, erguia-se um poste alto e, no topo dele, havia uma lâmpada a mercúrio que deixava a área em torno clara como dia. O rapaz sentou-se conforme lhe fora indicado e o Coronel, por sua vez, se sentou ao lado.

— Ei, tio, você não está pensando em oferecer seus serviços no meio deste mato, está? — perguntou Hoshino, apreensivo.

— Não diga asneiras, homem! Afora cervos, quem mais faria isso nos jardins de um santuário? As coisas que este sujeito imagina... Que raios você pensa que eu sou, afinal? — vociferou o Coronel Sanders, tirando do bolso um celular prateado e teclando um curto número de apenas três dígitos.

— Sou eu — disse o Coronel. — No lugar de sempre. É, o santuário. Estou com um rapaz de nome Hoshino a meu lado. Isso... Isso mesmo. O de sempre. Sei disso. Não faz mal, venha para cá imediatamente.

Desligou o celular e o guardou no bolso do paletó.

— Você sempre convoca suas meninas para este santuário? — perguntou Hoshino.

— Que mal há nisso?

— Nenhum, nenhum. Mas que existem lugares mais convenientes, isso lá existem. Lugares mais... adequados, eu diria. Você podia, por exemplo, marcar o encontro num salão de chá ou num quarto de hotel, não podia?

— Santuários são mais tranquilos. E o ar aqui é mais puro.

— Quanto a isso, tem razão. Mas você há de convir que não é nada agradável esperar uma garota no meio da noite sentado num banco diante do escritório administrativo de um santuário deserto, isso me deixa um bocado tenso. Não tem perigo de a raposa da lenda aparecer para me enfeitiçar, tem?

— Quanta bobagem, haja paciência! Está pensando que Shikoku é uma ilha selvagem? Takamatsu é capital provincial, homem, uma metrópole! Como pode haver raposas por aqui?

— Está certo, falei de raposas brincando. Mas já que você trabalha no ramo do entretenimento, podia pensar um pouco nessa questão de atmosfera, não podia? No seu ramo de negócios, é importante criar um ambiente favorável, capaz de inspirar o cliente, entendeu? Você pode até achar que não é da minha conta, mas...

— E não é mesmo! — disse o Coronel em tom peremptório.

— Voltando à questão da pedra.

— Isso mesmo, quero saber mais coisas a respeito da pedra.

— Pensando bem, será melhor você *fazer o principal* primeiro. Só depois falamos nisso.

— Ah, *fazer o principal* é importante! Entendi.

O Coronel Sanders acenou diversas vezes a cabeça, gravemente. Em seguida, cofiou a barba significativamente.

— Exato. *Fazer o principal* é importante. É uma espécie de ritual. Primeiro, você *faz*. E depois falamos da pedra. Acho que vai gostar muito desta garota, Hoshino. Ela é a flor das minhas pequenas. Seios fartos, pele de seda, cintura de vespa e, mais importante, úmida e quente lá onde tem de ser, uma bem ajustada máquina de fazer sexo, tinindo. Se fosse carro, eu diria que é tração nas quatro rodas: pise fundo, o motor do desejo é turbinado, o câmbio preso entre os dedos ruge à mais leve pressão, aí vem uma curva, as marchas azeitadas deslizam como manteiga, lá vai Hoshino direto pela faixa de ultrapassagem, está quase lá, quase lá, e... atinge Hoshino a cobiçada linha de chegada!

— Você é um tipo e tanto, sabia? — disse Hoshino maravilhado.

— Como já disse antes, não estou neste ramo de negócios à toa.

Quinze minutos depois, a garota apareceu. Era linda, exatamente como o Coronel Sanders a descrevera. Usava um minivestido preto bem justo, sapato de salto alto preto e carregava bolsinha de verniz preta com alça. Ela não faria feio desfilando em passarelas. Seios fartos que se mostravam pela generosa abertura do decote.

— Está do seu gosto, Hoshino, meu chapa? — perguntou o Coronel.

Hoshino apenas acenou, boquiaberto e estupefato. Tinha perdido a fala.

— É uma máquina de fazer sexo da melhor qualidade. Oba, oba! Que beleza! — provocou o Coronel. E então, pela primeira vez desde o momento em que se encontraram, sorriu e beliscou a nádega do rapaz.

A rapariga guiou Hoshino para fora dos limites do santuário e entrou num motel das proximidades. Encheu a banheira, despiu-se primeiro num único movimento sinuoso e depois tirou as roupas do rapaz. Já na banheira, a rapariga lavou-o meticulosamente, passou a língua por todo o seu corpo e depois se dedicou à felação com apuro e arte. Muito antes de pensar em qualquer coisa, Hoshino já tinha ejaculado.

— Caramba! Nunca experimentei nada tão fantástico! — comentou o rapaz afundando lentamente na água quente.

— E isso é apenas o aperitivo — disse a rapariga. — O próximo passo é muito, mas muito mais fantástico.

— Mas gostei do aperitivo, realmente.

— A que ponto?

— A ponto de não conseguir pensar nem no passado, nem no futuro.

— "O presente puro é o inapreensível avanço do passado a roer o futuro. Para falar a verdade, toda percepção já é memória."

Hoshino ergueu a cabeça e, boquiaberto, fixou o olhar no rosto da rapariga.

— Que é isso? — perguntou.

— Henri Bergson — respondeu ela lambendo um resto de sêmen da ponta do pênis. — *Maéraememóra*.

— Não entendi.

— *Matéria e memória*. Nunca leu?

— Acho que não — disse o rapaz depois de pensar alguns instantes. Excetuando o Manual do Motorista de Caminhão das Forças de Autodefesa que fora obrigado a ler de cabo a rabo nos tempos em que servira o exército (e os livros de história e tradição de Shikoku que tivera de pesquisar nos últimos dois dias), ele só se lembrava de ter lido histórias em quadrinho e revistas.

— E você? Leu?

A rapariga assentiu com um aceno de cabeça.

— Fui obrigada. Estou me especializando em Filosofia na minha faculdade e os exames estão próximos.

— Entendi — disse o rapaz, admirado. — Isto aqui é apenas um bico para você!

— Isso. Tenho de pagar a faculdade, entendeu?

Depois, a rapariga levou Hoshino para a cama e com a ponta dos dedos e a língua acariciou-lhe carinhosamente o corpo, logo conseguindo nova ereção. Firme e rígida, levemente inclinada para a frente como Torre de Pisa em desfile carnavalesco.

— Viu? Você está pronto para outra sessão — disse ela. Em seguida, dedicou-se a mais uma série de movimentos. — Tem algum pedido especial a fazer? Um pedido do tipo "gostaria que você fizesse assim, ou assado"? O Coronel Sanders me disse para lhe dar tratamento especial.

— Bem, assim de repente não me ocorre nenhum pedido especial, mas que acha de citar mais alguma coisa do tipo filosófico? Não

334

entendo nada, mas talvez sirva para retardar a ejaculação. Do jeito que vai, não vou conseguir segurar por muito tempo...

— Vejamos então... É um tanto antigo, mas que acha de Hegel?

— Serve, serve. O que você quiser.

— Pois recomendo Hegel. Antiquado, mas... *Tá-rá*!, aqui vai um dos *oldies but goodies*!

— Ótimo.

— "O eu é o conteúdo da relação e a relação mesma."

— Ahn...!

— Hegel estabeleceu a chamada "consciência-de-si" e diz que o sujeito humano não só tem conhecimento de si mesmo e do objeto separadamente, como também melhor se compreende pela projeção de si sobre o objeto como mediador. Isto é consciência-de-si.

— Não entendi nada.

— Em outras palavras, é o que estou fazendo com você neste momento. Para mim, eu sou o "si" e você é o objeto. Para você, é naturalmente o contrário: você é o "si" e eu sou o objeto. Neste momento, estamos realizando uma permuta de "si" e do "objeto" e assim estabelecendo a "consciência-de-si". Ativamente.

— Continuo não compreendendo, mas me sinto consolado.

— É o que interessa — disse ela.

Ao fim e ao cabo, Hoshino se despediu e retornou sozinho ao santuário. Coronel Sanders o esperava sentado no mesmo banco.

— Puxa, tio! Você ficou aqui me esperando todo esse tempo? — perguntou Hoshino.

O coronel sacudiu a cabeça, irritado.

— Acorda, homem! Por que haveria eu de esperá-lo tanto tempo sentado num banco? Acaso tenho cara de inútil, de alguém que não encontra o que fazer? Enquanto você atingia as alturas na cama, eu, por algum desígnio cármico, trabalhava seriamente numa ruela da periferia. Há pouco, recebi um comunicado avisando que a missão tinha sido cumprida, de modo que retornei às carreiras até aqui. E então? A máquina de fazer sexo da minha empresa é ou não maravilhosa?

— É, realmente. Não tenho do que me queixar. Ela é espetacular. Compareci três vezes! *Ativamente*!

— Muito bom. E quanto à pedra de que falávamos há pouco...

— É verdade, isso é mais importante.

— Pois ela se encontra no bosque deste santuário.

— A "pedra da entrada"?

— Exato. A "pedra da entrada".

— Vem cá, tio: você não está falando por falar, está?

Ao ouvir isso, o coronel ergueu a cabeça num movimento abrupto:

— Repita o que disse, cretino! Quando foi que menti para você, diga? Quando foi que falei alguma coisa por falar, diga? Eu lhe prometi uma máquina de fazer sexo maravilhosa e máquina de fazer sexo maravilhosa você obteve, não foi? E pelo preço de 15 mil ienes, de liquidação bota-fora, da qual você, aliás malandramente, usou e abusou comparecendo três vezes, não foi? E tem coragem de duvidar de mim depois de tudo isso?

— Não, não estou duvidando. Vamos, não se enfureça. É que a história me pareceu boa demais para ser verdade. Veja bem: eu andava pela rua a esmo quando um homem de aspecto estranho me chamou, disse que ia me dar umas informações a respeito da pedra da entrada e, ao acompanhá-lo, me vi nos braços de uma garota maravilhosa que me fez chegar às alturas e...

— *Três vezes*, não se esqueça.

— ... três vezes, certo, e depois me vem falando que a tal pedra se encontra logo aí. Me diga agora: essa história parece ou não boa demais para ser verdade?

— Você é meio lento, não? Isso que você chama de *história* é uma revelação, não entendeu ainda? — disse o Coronel Sanders, estalando a língua de impaciência. — As revelações extrapolam os limites do cotidiano. A vida não tem sentido sem uma revelação. O mais importante é sair da razão que observa e ir para a razão que age. Entende o que estou dizendo, cabeça de bagre imprestável?

— Projeção, permuta de si mesmo e objeto... — experimentou dizer Hoshino vagarosamente, com muito receio.

— Exato! Ainda bem que sabe esse tanto! É esse o xis da questão. Acompanhe-me e logo estará prestando os devidos respeitos a essa importante pedra. Cortesia da casa, Hoshino, meu chapa!

Capítulo 29

Ligo para Sakura do telefone público da biblioteca. Desde aquela noite em seu apartamento, nunca mais falei com ela. Sinto-me em dívida pelo fato de ter saído de lá deixando apenas um curto bilhete de despedida. Depois, eu viera diretamente para esta biblioteca, de onde tinha sido levado de carro por Oshima para a cabana dele nas montanhas, onde permanecera alguns dias sozinho sem acesso ao serviço telefônico. Em seguida, retornara à biblioteca, onde passara a morar, a trabalhar e a ver noite após noite o espírito, *ikiryou* (ou algo que o valha) da Sra. Saeki. E acabei me apaixonando perdidamente por essa garota de 15 anos. Muita coisa me aconteceu num curto período. Sei, porém, que isso não é desculpa.

Faltava um pouco para as nove da noite quando liguei para ela. Ela atende no sexto toque.

— Onde é que andou todo esse tempo? — pergunta asperamente.

— Continuo em Takamatsu.

Há um silêncio momentâneo. Sakura não diz nada. Sons ao fundo indicam que sua televisão está sintonizada num programa musical.

— Ainda estou vivo — acrescento.

Segue-se outro curto silêncio e, então, ela parece se resignar e suspira:

— Que ideia foi essa de ir-se embora às pressas na minha ausência? Afinal, eu me preocupava com você e, naquele dia, voltei para casa mais cedo, sabia? E por falar nisso, tinha até comprado algumas coisas para abastecer a despensa.

— Sei que agi mal, desculpe. Sinceramente. Mas naquele momento, só me restava sair daí. Eu estava muito perturbado e precisava de um tempo só meu para pensar com calma de que maneira reassumir o controle da minha vida. E se eu continuasse com você, Sakura, eu... nem sei como explicar...

337

— Achou que teria excitação demais?

— Isso. Eu nunca tinha estado tão perto de uma garota, entende?

— Seei...

— Do aroma feminino, dessas coisas. E de outras coisas mais, também...

— É duro ser adolescente, não é?

— Acho que sim — digo. — E então, Sakura? Trabalhando muito?

— Demais. Mas como estou pensando em juntar dinheiro, não tenho do que me queixar.

Dou um tempo, e depois torno a dizer:

— Sabe, a polícia de Takamatsu está me procurando.

Sakura não diz nada de imediato. Depois, pergunta cautelosamente:

— Tem a ver com aquela história do sangue, por acaso?

Eu me apresso a mentir:

— Não exatamente. Não estão me procurando por causa do sangue, mas porque fugi de casa. Se me encontram, sou levado sob custódia de volta para Tóquio. Só isso. Pode ser que a polícia a procure. Na noite em que dormi em seu apartamento, eu liguei para você do meu celular, lembra-se? Pois a polícia verificou o registro de chamadas da companhia telefônica e descobriu que estou aqui, em Takamatsu. E também o número do seu celular, Sakura.

— Entendi — diz ela. — Quanto ao meu número, não se preocupe. É uma linha privada, de modo que nunca conseguirão traçá-lo. Não têm como relacioná-lo nem a mim, nem ao meu endereço. Fique tranquilo.

— Ainda bem — eu digo. — Não tenho intenção alguma de trazer-lhe mais incômodos do que aqueles que já lhe trouxe, entende?

— Tanta consideração enche meus olhos de lágrimas — replica ela, irônica.

— Mas eu realmente me sinto assim a seu respeito — eu digo.

— Já sei, já entendi — diz ela meio aborrecida. — E onde é que o garoto fugido de casa está morando agora?

— Na casa de uns amigos.

— Que eu saiba, você não tinha nenhum amigo nesta região.

338

Não sei como explicar a situação. De que jeito resumir a série de acontecimentos que me envolveram nos últimos poucos dias?

— É uma história comprida — digo.

— Quase todas as histórias relacionadas a você são compridas, pelo jeito — ela replica.

— É verdade. Não sei por quê, mas é o que acontece comigo quase sempre.

— É uma tendência?

— Provavelmente — respondo. — Eu lhe conto tudo qualquer hora dessas, quando tiver tempo. Não estou tentando esconder as coisas de você, acredite, mas é que fica difícil explicar ao telefone.

— Eu também não faço questão alguma que me explique. Mas diga: o lugar onde você está agora é seguro?

— Totalmente. Não se preocupe.

Ela suspira de novo.

— Eu sei que você é do tipo que preza a própria independência e liberdade, mas tente não entrar em conflito com a lei, ouviu? Essa briga você não tem muita chance de ganhar. Vai acabar morrendo antes de fazer 20 anos, como Billy the Kid.

— Billy the Kid morreu depois dos 20. Matou 21 pessoas e morreu com 21 anos.

— Ahn... — comenta Sakura. — Que seja. Mas o que você queria, afinal?

— Agradecer, só isso. Eu me sentia mal por ter saído daquele jeito, depois de lhe ter dado tanto trabalho.

— Isso eu já entendi. Não se preocupe mais com isso, está bem?

— E também queria ouvir sua voz — acrescento.

— Fico contente em saber, mas em quê minha voz poderia ajudá-lo?

— Sei lá... Não consigo explicar direito, mas você, Sakura, vive num mundo real, respira o ar real e fala coisas reais. Quando converso com você, sinto-me perfeitamente conectado com a realidade. E isso, para mim, é muito importante.

— As pessoas ao seu redor *não são como eu*?

— Talvez não sejam — eu digo.

— Se entendi bem você está querendo dizer que vive agora num lugar irreal, com pessoas que lhe parecem um tanto irreais?

Penso um pouco a respeito disso.

— Em certo aspecto, sim.

— Escute, Kafka — diz Sakura. — A vida é sua, e acho que não tenho de meter o bedelho nela. Mas pelo que me contou, sinto que você devia sair daí. Não sei nem que lugar é esse em que você vive agora, mas é o que sinto vagamente. Uma espécie de premonição, se quer saber. Venha para cá imediatamente. Pode ficar morando comigo o tempo que quiser.

— Por que é tão boa para mim, Sakura?

— Você é bobo ou o quê?

— Como assim?

— Não entendeu ainda que eu gosto de você? Reconheço que meu gosto é um tanto excêntrico, mas isso não significa que me comporto desta maneira com todos que conheço por aí. Se me ofereço para fazer tudo isso por você é porque gosto de você, do seu jeito de ser, entendeu? Sinto — sei lá — como se você fosse meu irmão de verdade.

Perco a palavra. Por instantes, não sei o que fazer. Uma leve tontura me invade. Desde o dia em que nasci até hoje, ninguém me falou desse jeito.

— Alô? — diz Sakura.

— Estou ouvindo — respondo.

— E por que não diz alguma coisa, então?

Eu me aprumo. Depois, respiro fundo e digo:

— Bem que eu queria fazer isso. Queria mesmo. Do fundo do meu coração. Mas agora não. Conforme já lhe disse, não posso me afastar daqui. Primeiro, porque estou amando.

— Amando uma pessoa um tanto irreal e enigmática, é isso?

— Acho que sim.

Sakura suspira de novo. Um suspiro fundo, basilar.

— Veja bem, Kafka: quando garotos da sua idade se apaixonam, as coisas tendem a se distanciar um tanto da realidade. E se além disso o objeto do seu amor é um indivíduo meio irreal, o problema se torna muito sério. Você entende esse tanto?

— Entendo.

— Kafka.

— Hum?

— Se você se vir em apuros, ligue outra vez para mim. Seja lá a que horas for, não faz mal. Ligue, ouviu?

— Obrigado.

Desligo o telefone. Depois, volto para o quarto, ponho o disco *Kafka à beira-mar* no prato giratório e desço a agulha sobre ele. E querendo ou não, sou de novo arrastado para *aquele lugar*. E para *aquele tempo*.

Acordo com a sensação de que há alguém no quarto. Está tudo escuro. Os ponteiros fosforescentes do relógio de cabeceira indicam que passa um pouco das três da madrugada. Eu tinha dormido sem querer. Eu a vejo na tênue claridade das luminárias do jardim que se infiltra pela janela. Ela está sentada à escrivaninha na pose costumeira e, como sempre, contempla o quadro na parede. Tem os cotovelos sobre a mesa e está totalmente imóvel. Eu também estou, como sempre, deitado em minha cama e, com a respiração presa, observo sua silhueta através das pálpebras semicerradas. A brisa que sopra lá fora agita de leve os galhos do corniso à beira da janela.

Passados instantes, percebo porém que há algo diferente no ar. *Algo* de natureza estranha perturba de leve, mas definitivamente, a harmonia deste pequeno mundo que tinha de ser perfeito. Apuro o olhar na penumbra. Que mudara? A brisa noturna espertou momentaneamente, e o sangue em minhas veias começa a pesar de maneira estranha, como se tivesse engrossado. Os galhos do corniso projetam um labirinto nervoso na vidraça da janela. E então, me dou conta. A silhueta ali sentada não é a da garota. Embora se pareça muito — é quase idêntica, aliás —, não é exatamente igual. Pequenos detalhes constituem linhas que não coincidem, lembram figuras sobrepostas de traços levemente discrepantes. O formato do cabelo, por exemplo, diverge. O vestido também. E a impressão geral, sobretudo, é diferente. Eu o sinto. Sacudo sem querer a cabeça. Tenho alguém que não é a garota dentro do meu quarto. Alguma coisa está acontecendo. Algo importante. Sem que tivesse me dado conta disso, eu havia juntado as duas mãos com firmeza dentro das cobertas. Logo, o coração parece não suportar a tensão e começa a pulsar daquela maneira seca e dura. E passa a marcar um tempo desconhecido.

E então, como se aguardasse esse sinal, a silhueta sobre a cadeira se move. Como um navio de grande porte que muda o curso, o ângulo do seu corpo se altera lentamente. Ela desiste de apoiar o rosto nas mãos e o volta na minha direção. Percebo então que quem está ali é a Sra. Saeki. Contenho a respiração, tenho receio de expelir o ar. Quem ali está é a Sra. Saeki *atual*. Ou melhor, a Sra. Saeki real. Ela me con-

341

templa por instantes. Serenamente, da mesma maneira que contempla o quadro *Kafka à beira-mar*, e concentra a atenção em mim. E eu penso no eixo do tempo. Nalgum lugar que desconheço, algo estranho ocorre com o tempo. Por causa disso, sonho e realidade se misturaram. Como água de um rio que se junta à do mar. Meu cérebro se agita em busca do sentido do fenômeno. Mas não o encontra.

Passados instantes, ela se levanta e vem para o meu lado. Como sempre, ela se move com a coluna ereta em pose elegante. Está descalça. O piso range de leve sob seus passos. Ela se senta na borda da minha cama e ali se deixa ficar imóvel por algum tempo. Seu corpo tem peso e consistência, não há dúvida quanto a isso. Veste blusa de seda branca e saia azul-marinho que lhe chega à altura dos joelhos. Ela estende a mão e toca meus cabelos. Seus dedos penetram neles e buscam as raízes. São mãos reais, sem dúvida alguma. E dedos reais. Depois, ela se ergue e começa a se despir com toda a naturalidade à tênue luz que vem da janela. Não demonstra pressa, mas também não hesita. Com gestos suaves e naturais, desabotoa um por um todos os botões da blusa, tira a saia e a roupa de baixo. As peças caem uma a uma sobre o piso. O tecido macio não produz nenhum ruído ao atingir o chão. Ela está dormindo, sou capaz de perceber isso. Está com os olhos abertos. Mas *está dormindo*. Todos os seus gestos estão sendo executados no sono. Num sonho.

Tenho de acordá-la. *Preciso acordá-la*. Ela está cometendo um equívoco. E eu tenho de alertá-la. Isto aqui não é um sonho. É o mundo real. Mas os acontecimentos progridem com incrível velocidade e eu não tenho forças para detê-los. Estou terrivelmente confuso e a dobra do tempo também me engole.

E a dobra do tempo também o engole.

O sonho dela engloba sua consciência num piscar de olhos. Cálido e suave, como líquido amniótico. A Sra. Saeki remove sua camiseta e sua cueca. Beija-o diversas vezes no pescoço, estende a mão e segura seu pênis que, ao contrário dos gestos dela, está rígido como porcelana. Com a mão, ela envolve seu escroto. E sem nada dizer, leva sua mão para os pelos púbicos dela. A genitália está quente e úmida. Ela beija seu tórax. Suga-lhe o mamilo. Seus dedos penetram dentro dela, lentamente, como que atraídos por força invisível.

Onde começa a sua responsabilidade? Removendo a névoa que encobre o campo da consciência, você luta por discernir sua verdadeira situação. Tenta descobrir para onde o leva a correnteza. Captar o correto eixo do tempo. Mas não consegue descobrir a linha divisória que separa o mundo dos sonhos do da realidade. Nem a que separa os fatos das possibilidades. A única coisa de que tem certeza é a de que se encontra em situação delicada. Delicada e perigosa. Sem conseguir detectar a fonte da profecia ou da lógica, você simplesmente está sendo levado de roldão. Como numa cidade à beira-rio que a inundação cobriu, todas as placas indicativas das estradas estão submersas, invisíveis. Você só enxerga telhados de casas submersas, inidentificáveis.

Passados alguns instantes, a Sra. Saeki monta em você, que jaz de costas. Abre as pernas e guia seu pênis rígido como pedra para dentro dela. Você não está em condições de fazer escolha alguma. É ela que escolhe. Ela se torce convulsivamente, como se desenhasse figuras no ar. Sobre seus ombros, os cabelos dela, lisos, balançam silenciosos como folhas de salgueiro. Aos poucos, você é atraído para o interior de um macio lamaçal. Tudo se torna morno e indistinto e, em meio a isso, apenas seu pênis é uma presença rígida e lustrosa. Você cerra os olhos e sonha o seu próprio sonho. A passagem do tempo se torna imprecisa. É tempo de maré-cheia, a lua assoma em seu curso. Logo, você ejacula. Você não tem forças para impedir que isso aconteça. Ejacula muitas vezes dentro dela. Ela se contrai e absorve suavemente seu sêmen. Mas ainda continua dormindo. De olhos abertos. Ela está num outro mundo. Seu sêmen vai sendo assimilado num outro mundo.

Um longo tempo se passa. Eu não consigo me mover. Estou totalmente paralisado. Contudo, me pergunto se a paralisia é real. Não sei se estou paralisado simplesmente porque não tenho vontade alguma de me mover. Momentos depois ela se afasta de mim e se deita alguns instantes a meu lado. Depois, ela se ergue, veste as peças íntimas, a saia, a blusa e enfim se abotoa. Estende a mão e toca de leve em meus cabelos. Tudo se passa no mais absoluto silêncio. Pensando bem, ela não disse uma única palavra desde o momento em que surgiu no meu quarto. Tudo que me chega aos ouvidos é o leve ranger do piso e o som do vento que sopra incessante lá fora. O suspiro do quarto e o leve estremecimento da vidraça. Este é o *khorós* que me acompanha ao fundo.

Ainda adormecida, ela cruza o assoalho e sai do quarto. A porta se abre minimamente e ela escorrega pela fresta, esguia como um peixe entrevisto num sonho. A porta se fecha silenciosamente. Acompanho sua retirada com o olhar. Continuo paralisado. Não consigo erguer nem um dedo sequer. Os lábios, fechados, me parecem selados. As palavras dormem no côncavo do tempo.

Sempre imóvel, apuro os ouvidos. Achei que o ruído do seu Volkswagen no estacionamento me chegaria aos ouvidos. Mas não ouço nada, por mais que espere. Nuvens vêm e se vão no bojo do vento noturno. Os galhos do corniso se agitam miudamente e lâminas diversas cintilam no escuro. Esta janela é a janela do meu espírito, e esta porta é a porta do meu espírito. Permaneço acordado até o dia romper. E contemplo incansavelmente a cadeira vazia.

Capítulo 30

Os dois homens transpuseram uma cerca viva baixa e penetraram no bosque existente no fundo do santuário. O Coronel Sanders retirou do bolso do paletó uma lanterna pequena e iluminou o caminho. Uma estreita senda cruzava o bosque que, embora não muito extenso, era composto de árvores antigas e robustas, cujos galhos se entremeavam no alto formando uma abóbada espessa e escura. Um forte cheiro de relva subia do chão.

O Coronel Sanders seguia na frente, mas ao contrário da primeira vez, andava devagar, examinando cada passo cuidadosamente à luz da lanterna. Hoshino foi atrás dele.

— Ei, tio, isto aqui está me parecendo um teste de coragem — disse o rapaz para as costas brancas do Coronel. — Sou um fantaaasma! — sussurrou em voz cavernosa.

— Onde encontra tanta besteira para falar, homem? Veja se fica quieto ao menos por um instante — repreendeu o Coronel sem se voltar.

— Tá, tá!

Que estaria Nakata fazendo àquela altura?, perguntou-se o moço de repente. Dormindo o sono dos justos, provavelmente. Pois ele era do tipo que, uma vez adormecido, não acordava nem que o mundo desabasse ao redor dele. Ninguém melhor que Nakata para exemplificar a expressão dormir como uma pedra. Mas que raio de sonho teria o velhinho durante seus longos períodos de sono? Era difícil até de imaginar.

— Estamos longe ainda, tio?

— Falta pouco — disse o Coronel Sanders.

— Explique uma coisa para mim — tornou o rapaz.

— Que quer saber?

— O tio é o Coronel Sanders real?

O Coronel pigarreou ruidosamente.

— Para falar a verdade, não. Estou momentaneamente me apresentando como o Coronel Sanders, só isso.

— Foi o que imaginei — disse o rapaz. — Mas então, o que é você na verdade, tio?

— Não tenho nome.

— E isso não o incomoda?

— Não, nem um pouco. Basicamente, não tenho nome nem forma.

— Caramba, você é como um peido?

— Pode-se até dizer que sim. Como não tenho forma definida, posso ser qualquer coisa.

— Ahn...!

— Neste momento, assumo a forma de um ícone do capitalismo mundialmente conhecido. Podia até ser o Mickey Mouse, mas Disney é exigente em matéria de cobrança de direitos autorais sobre suas imagens. Não quero saber de processos para cima de mim.

— Eu também não ia gostar de ter o Mickey Mouse trabalhando de cafetão e me apresentando mulheres.

— Não mesmo.

— E depois, acho que o tio ficou muito bem personalizado como Coronel Sanders.

— Pois eu não tenho isso que você chama de personalidade. Nem emoções. "Embora forma eu tenha agora e fale, Deus não sou, nem Buda, e constituindo originalmente um ente insensível, penso de maneira diferente dos humanos seres."

— Que é isso?

— Uma passagem da obra *Histórias do luar e da chuva*, de Akinari Ueda. Você nunca a leu, claro.

— Não me orgulho disso, mas não, não li.

— Quer dizer: Aqui estou neste momento em forma humana, mas não sou Deus nem Buda. Como desde o princípio sou uma coisa desprovida de sentimentos, meu jeito de pensar é diferente do dos homens.

— Ahn... — disse o rapaz. — Do pouco que entendi, o tio está me dizendo que não é Deus, nem Buda, nem homem. Certo?

— "Em princípio, não sou Deus nem Buda, mas apenas insensível. E como ente insensível, dos humanos seres julgar não preciso nem o bem nem o mal, nem a eles me submeter."

— Não entendi.

— Como não sou Deus nem Buda, não tenho de julgar se as ações dos seres humanos são boas ou más. E também não preciso agir de acordo com os padrões do bem ou do mal. É esse o sentido.

346

— Em outras palavras, o tio está além do bem e do mal.

— Você me superestima. Não estou além do bem ou do mal. Eu apenas não tenho nada a ver com essas coisas. Não me interessa saber o que é bom ou o que é mau. A única coisa que busco é executar com perfeição as funções que estão a meu cargo. Sou um ser extremamente pragmático. Ou seja, um objeto neutro.

— Que significa "executar as funções que estão a seu cargo?"

— Você não frequentou a escola?

— Fiz até o colegial, mas era escola técnica, entende, e eu gostava muito mais de andar de moto do que de comparecer às aulas.

— Significa que preciso cuidar para que as coisas cumpram o papel que lhes foi destinado desde o princípio. Minha função é controlar a relação entre os mundos. Pôr ordem nas coisas. Fazer com que os efeitos venham depois das causas. Que o futuro venha depois do presente. Não faz mal que haja ligeiras discrepâncias no ordenamento. Porque, Hoshino, meu chapa, não existe nada perfeito no mundo. Se ao fim e ao cabo a conta bate, não sou dos que ficam implicando com minúcias. Posso não parecer, mas não faço o tipo meticuloso, entende? Ou melhor, em terminologia especializada, sou pela "Simplificação do Processo Perceptivo da Informação Contínua", mas, se eu começar a falar disso, a conversa vai se alongar mais do que quero e você não vai entender nada mesmo, de modo que vou resumir: quero realmente dizer que não sou dos que se incomodam com minúcias em qualquer circunstância. Por outro lado, fico em situação delicada se, no final de tudo, as contas não batem, entende? Minha responsabilidade é questionada.

— Não entendi direito, mas se o tio é um cara tão importante, por que anda pelas vielas e ruelas de Takamatsu fazendo papel de cafetão?

— Acontece, meu chapa, que não sou um "cara". Quantas vezes tenho de repetir isso?

— Tá, tá.

— Eu me fiz de cafetão para trazê-lo até aqui, Hoshino. Quero que me dê uma mão num certo trabalho. Em troca, pensei em lhe proporcionar algum prazer, entendeu? Numa espécie de ritual.

— Dar uma mão?

— Preste atenção, Hoshino. Conforme já lhe disse, não tenho forma. Simplificando, sou um ser abstrato, metafísico. Posso assumir qualquer forma, mas não tenho substância. E, para realizar um trabalho real, preciso inquestionavelmente de substância.

— De modo que, na situação atual, *eu* sou a substância.

— Exato — disse o Coronel Sanders.

Seguindo cuidadosamente bosque adentro pela senda, os dois se depararam com um pequeno santuário sob um grosso carvalho. O santuário, antiquado, em ruínas e desprovido de oferendas ou enfeites, apenas estava ali exposto à intempérie, esquecido de todos. O Coronel Sanders iluminou-o com sua lanterna de bolso.

— A pedra está aí dentro. Abra a porta.

— Nunquinha — disse Hoshino sacudindo a cabeça. — Este tipo de santuário não deve ser aberto de maneira impensada. Você não vai querer que maldições caiam sobre sua cabeça, vai? Quer perder o nariz ou uma orelha, quer?

— Não vai acontecer nada disso, eu lhe asseguro. Abra a porta. Não existe maldição alguma e tampouco cairão narizes ou orelhas. Rapaz, você tem umas reações surpreendentemente antiquadas às vezes!

— Nesse caso, abra *você* a porta, ora essa! Eu não quero ter nada a ver com isso.

— Você realmente me saiu um completo tapado! Não me ouviu dizer há pouco que não tenho substância? Sou apenas um conceito, uma abstração, não entendeu ainda? Não sou capaz de *fazer* nada. Para que acha que eu o trouxe até aqui? Não foi em troca disso que o deixei gozar três vezes ao preço de uma?

— Ah, aquilo foi realmente bom, reconheço... Mas ainda assim não estou a fim. Não é por nada não, mas, desde bem pequeno, meu avô sempre me proibiu severamente de fazer traquinagens em santuários.

— Esquece o velho avô, esquece. Não me venha com esse moralismo provinciano de Gifu nesta emergência! Não temos muito tempo, ouviu bem?

Sempre resmungando, Hoshino acabou abrindo a porta do santuário com gestos temerosos. O Coronel Sanders iluminou o seu interior com a lanterna. Realmente, ali estava uma pedra arredondada de aspecto envelhecido. Tinha a exata forma de um bolo de arroz *mochi*, conforme descrevera Nakata. Era branca e lisa, e de diâmetro aproximado ao de um LP.

— É essa a pedra? — perguntou o rapaz.

— Exato — respondeu o Coronel. — Tire-a daí.

— Espere um pouco. Isso seria o mesmo que roubar, não seria?

— Não faz mal. Quem haveria de se incomodar ou de ao menos notar que uma pedra desapareceu do interior de um santuário abandonado?

— Mas veja bem: essa pedra pertence a Deus. Ele vai se zangar se você a levar sem permissão.

O Coronel Sanders cruzou os braços sobre o peito, encarou fixamente o rapaz e perguntou:

— Que é Deus?

O rapaz se calou e pensou a respeito.

— Que jeito tem Deus e que faz ele? — tornou a inquirir o Coronel.

— E você pergunta isso para mim? Deus é Deus, ora! Ele está em toda parte, observa todos os nossos atos e, depois, julga se eles são bons ou maus.

— Você acaba de descrever um árbitro em jogo de futebol.

— Pois acho que é mais ou menos isso.

— Está querendo me dizer que Deus usa calça curta, um apito na boca e calcula o tempo de bola parada?

— Você amola um bocado, não é mesmo? — reclamou Hoshino.

— Os deuses japoneses e os ocidentais são aparentados, ou são inimigos uns dos outros?

— Como vou saber?

— Preste atenção, Hoshino. Deus só existe na consciência dos homens. Principalmente neste nosso país, Deus é algo versátil, não sei se feliz ou infelizmente. Prova disso é o nosso imperador, que era Deus antes da guerra, mas que, quando o general Douglas McArthur das Forças de Ocupação ordenou "deixe de ser Deus", disse simplesmente "sim senhor, agora sou um homem comum" e deixou de sê-lo no ano da graça de 1946. Deuses japoneses são versáteis assim. Seu aspecto se altera por completo a um simples comando de um oficial do exército norte-americano que anda de óculos escuros e cachimbo barato na boca. Algo assim, super pós-moderno. Se você acha que tais deuses existem, eles existem. Se acha que não, simplesmente não existem. Por que haveríamos então de nos preocupar com algo tão ilusório?

—Ahn...

— Mas vamos deixar essa discussão de lado e tire essa pedra daí. Eu me responsabilizo por tudo. Não sou Deus nem Buda, mas sou muito bem relacionado. Vou providenciar direitinho para que maldição alguma recaia sobre sua cabeça, Hoshino.

— Você se responsabiliza mesmo?

— Não tenho duas palavras.

Hoshino estendeu o braço e ergueu a pedra cuidadosamente, como se estivesse lidando com uma mina.

— É pesada!

— Pedras costumam ser. Não estamos lidando com *tofu*, lembre-se.

— Não é isso. Estou dizendo que ela é pesada demais, mesmo para uma pedra — disse Hoshino. — E que fazemos com isso?

— Leve-a com você e deixe-a à sua cabeceira. Depois, as coisas tomarão seu próprio curso.

— Ei! Está querendo me dizer que eu tenho de voltar à hospedaria levando isto comigo?

— Se ela lhe parece pesada demais para ser carregada, tome um táxi — respondeu o Coronel.

— Tem certeza de que posso levar isto aqui para tão longe sem pedir permissão?

— Preste atenção, Hoshino. Tudo que existe está em pleno movimento. Terra, tempo, conceitos, amor, vida, crença, justiça, bem e mal. Tudo é fluido e transitório. Nada existe que se perpetue no mesmo lugar e na mesma forma. O universo inteiro é um pacote SEDEX em trânsito, entendeu?

— Ahn…

— A pedra é neste momento uma pedra por simples coincidência. Nada vai se alterar só porque você, meu chapa, mudou-a de lugar.

— Mas então por que esta pedra é tão importante? Afinal, nem me parece tão imponente assim.

— Falando claro, a pedra em si não significa nada. Esta pedra era por acaso alguma coisa de que se precisou em dada situação. O escritor russo Anton Chekhov disse uma coisa muito interessante. "Se um revólver surgir numa história, ele será necessariamente disparado." Entendeu?

— Claro que não.

— Previsível — disse o Coronel Sanders. — Achei que não entenderia, mas perguntei por educação.

350

— Obrigado.

— Tchekov quis dizer o seguinte: a necessidade é um conceito soberano. É estruturalmente diferente de lógica, moral ou sentido. Ela apenas concentra funções de personagens. As desnecessárias a personagens inexistem, mas as necessárias devem existir. Isso é dramaturgia. Lógica, moral ou sentido se evidenciam não por si mesmos mas em sua relevância. Tchekov entendia muito bem de dramaturgia.

— Continuo não entendendo nada. Você fala difícil demais.

— Isso que você tem no colo é o revólver de Tchekov. Ele tem de ser disparado. Nesse sentido, a pedra é muito importante. Especial. Mas nela inexiste qualquer traço de divino ou sagrado. É por isso que eu digo e repito: você não precisa se preocupar com maldições.

Hoshino franziu o cenho.

— Esta pedra é um revólver?

— No sentido metafórico, homem! Não há balas nela, sossegue.

O Coronel Sanders extraiu do bolso do paletó um pedaço de pano quadrado e o entregou a Hoshino.

— Embrulhe a pedra nisto. Para melhor evitar olhares curiosos.

— Está vendo? Eu lhe disse que estamos roubando, não disse?

— Mais besteiras, meu chapa? Já disse que não estamos. Estamos apenas pegando emprestado com o intuito de atingir um objetivo muito importante.

— Entendi, não está mais aqui quem falou. Apenas transportamos um objeto por necessidade e de acordo com a dramaturgia, certo?

— Certo — disse o Coronel. — Está vendo? Você entendeu muito bem.

Com a pedra embrulhada no pedaço de pano azul-marinho, Hoshino retornou pela vereda no meio do bosque. O Coronel Sanders iluminou-lhe os passos com a lanterna. A pedra era muito mais pesada do que imaginara o rapaz, que teve de parar diversas vezes para recobrar o fôlego. Vencido o bosque, os dois cruzaram rapidamente a área iluminada fugindo de eventuais olhares estranhos e saíram para a avenida. O Coronel ergueu a mão, parou um táxi e nele embarcou o rapaz e a pedra.

— É para deixar isto aqui na cabeceira, certo? — perguntou.

— Certo. É só isso que você precisa fazer. E não fique pensando abobrinhas. O importante é que a pedra fique ali.

— Acho que eu devia lhe agradecer por me ter levado ao encontro da pedra.

O Coronel sorriu alegremente.

— Não precisa. Estou apenas fazendo o que tenho de fazer. Cumprindo minha função. Mas vem cá: a garota era ou não sensacional?

— Sensacional! Pode crer, tio.

— Isso é o mais importante.

— Mas a garota era real, não era? Não tinha nada a ver com raposas ou não-sei-o-quê-abstrato, tinha?

— Não era raposa nem não-sei-o-quê-abstrato. Era realmente uma máquina sexual. Tração nas quatro rodas, especial para o amor. Penei um bocado para encontrá-la. Portanto, fique tranquilo.

— Que alívio! — disse Hoshino.

Já passava da uma da madrugada quando Hoshino depositou na cabeceira de Nakata a pedra envolta no pedaço de pano. Achou que o risco de ser amaldiçoado seria menor ali do que na própria cabeceira. Conforme imaginara, Nakata dormia a sono solto. O rapaz desfez o embrulho e expôs a pedra. Vestiu em seguida o pijama, mergulhou no leito ao lado e caiu em sono profundo num piscar de olhos. Teve um sonho curto em que Deus, de calças curtas, pernas peludas à mostra, apitava e corria por um campo de futebol.

Nakata despertou antes das cinco da manhã e viu a pedra depositada à sua cabeceira.

Capítulo 31

Pouco depois da uma da tarde, levo o café recém-coado para o escritório no andar superior. Encontro a porta aberta, como sempre. A Sra. Saeki está à janela contemplando a paisagem externa. Pousa uma das mãos no caixilho. Parece absorta em pensamentos. Com a outra mão, revira um botão da blusa em gesto provavelmente inconsciente. Não vejo caneta nem papel sobre a escrivaninha. Deposito a xícara de café sobre o tampo da mesa. Fina camada de nuvem cobre o firmamento e não há pássaros cantando nesta manhã.

Ao me ver, a Sra. Saeki desperta do devaneio repentinamente. Ela se afasta da janela, volta para a cadeira diante da escrivaninha e toma um gole do café. Em seguida, torna a indicar com um gesto a cadeira em que me sentei ontem. Eu me acomodo nela. Com a escrivaninha entre nós, observo-a enquanto toma o café. Pergunto-me se ela guarda alguma lembrança dos acontecimentos da noite passada. Não sei responder. Ela me parece ora consciente, ora alheia a tudo. Lembro-me dela nua. E da sensação das diversas áreas do seu corpo contra o meu. Neste momento, porém, já não tenho certeza de mais nada e nem sei se o corpo pertencia realmente a *esta* Sra. Saeki. E pensar que tudo me parecia tão claro naquela hora...

Está usando blusa de tecido brilhante verde-claro e saia justa bege. Uma delicada corrente de prata espia pela gola. Ela é muito elegante. Seus dedos esguios que pousam entrelaçados sobre a escrivaninha lembram um objeto de arte.

— E então? Gosta daqui?

— Quer saber se gosto de Takamatsu?

— Isso.

— Não sei ainda. Não vi quase nada da região. Conheço apenas alguns locais por ter passado por eles casualmente. Esta biblioteca, uma academia de ginástica, um hotel, a estação... Só isso.

— O lugar não lhe parece monótono?

Sacudo a cabeça.

— Não tenho certeza. Para ser franco, eu mesmo não tenho tido tempo de sentir monotonia e, além disso, de uma maneira geral todas as cidades me parecem iguais... Isto aqui é realmente monótono?

Ela franze de leve o cenho.

— Eu costumava achar que era, ao menos em minha juventude. Eu queria muito sair daqui. Tinha vontade de ir para um lugar onde houvesse coisas diferentes e pessoas mais interessantes.

— Pessoas interessantes?

A Sra. Saeki sacode brandamente a cabeça.

— Eu era muito nova, entende? — diz ela. — A gente costuma pensar assim quando é jovem. E você?

— Nunca pensei dessa maneira. Nunca achei que em outros lugares pudessem existir coisas novas e interessantes. Eu simplesmente queria ir para um outro lugar. Eu só não queria estar *lá*.

— Lá?

— Em Nogata, bairro de Nakano. Lá onde nasci e cresci.

Algo parece se mover no fundo do olhar dela quando menciono minha cidade natal. Mas não tenho certeza.

— A questão do local para onde ir depois de sair de lá não era relevante para você — diz ela.

— Exato. Isso não tinha importância. Eu apenas achei que arruinaria minha vida caso não saísse de lá. E por isso fugi.

Ela examina as próprias mãos pousadas sobre o tampo da escrivaninha. Seu olhar é objetivo. Depois, diz com serenidade:

— Eu também pensava assim na época em que saí daqui e tinha 20 anos de idade — diz ela. — Achava que precisava fazer isso ou não sobreviveria. Fui embora acreditando que nunca mais poria os pés nesta terra. E, realmente, jamais me passou pela cabeça voltar. Mas muita coisa aconteceu e, no final, vi-me forçada a isso. A um retorno ao ponto de partida, a um começar tudo de novo.

A Sra. Saeki se volta e olha pela janela aberta. As nuvens que velam o céu têm tonalidade uniforme. Não há vento. Tudo que meu olhar abarca parece estático, como se fizesse parte de um pano de fundo em tomada cinematográfica.

— Coisas inesperadas acontecem na vida das pessoas — diz ela.

— Está querendo me dizer que, sendo assim, eu também posso voltar ao meu ponto de partida algum dia?

— Disso não sei, claro. Porque a vida é sua e também porque isso provavelmente acontecerá num futuro distante. Mas acho que o local onde se nasce e se morre é realmente muito importante para uma pessoa. Você não pode escolher o lugar onde nasce, é óbvio. Já o lugar para morrer você pode, até certo ponto, escolher.

Com o rosto ainda voltado para a janela, ela continua a falar mansamente. Como se conversasse com alguém que imagina estar lá fora. E então algo parece lhe ocorrer de súbito e ela se volta para mim de chofre.

— Por que é que estou lhe fazendo tantas confidências?

— Porque nada tenho a ver com este lugar e porque uma grande diferença de idade nos separa — respondo.

— Pode ser — diz ela.

O silêncio se abate sobre a sala por um breve instante. Vinte ou trinta segundos apenas. Provavelmente pensamos coisas diferentes nesse ínterim. Ela toma a xícara nas mãos e bebe um gole de café.

Eu então me armo de coragem e rompo o silêncio:

— Acho que eu também tenho algumas coisas a lhe revelar, Sra. Saeki.

Ela me encara. E depois, sorri.

— Quer dizer que estamos confidenciando segredos mútuos?

— O que eu tenho a revelar não é exatamente um segredo. É, antes, uma hipótese.

— Hipótese? — pergunta a Sra. Saeki. — Vai me confiar uma hipótese?

— Sim, senhora.

— Pois conseguiu despertar meu interesse.

— Voltando ao que me dizia há pouco — continuo —, a senhora quis dizer que retornou a esta cidade para morrer?

Um ligeiro sorriso, suave como o luar que precede o amanhecer, brinca em seus lábios.

— Pode ser que sim. Mas de um jeito ou de outro, isso não afeta muito o cotidiano, entende? De um modo geral, você faz as mesmas coisas tanto para sobreviver como para morrer.

— A senhora está querendo morrer?

— Quem sabe? — diz ela. — Eu mesma não sei com certeza.

— Meu pai queria.

— E ele morreu?

— Pouco tempo atrás — esclareço. — *Bem pouco tempo atrás.*

355

— E por que razão seu pai queria morrer?

Respiro fundo e digo:

— Vim pensando nisso estes anos todos sem nunca entender. Mas agora sei. Cheguei a este lugar e finalmente compreendi.

— Como assim?

— Creio que meu pai amava a senhora. E apesar de ter feito tudo que lhe foi possível, não conseguiu que a senhora voltasse para ele. Ou melhor, acho que ele nunca a teve *de verdade*. Meu pai sabia disso. E por isso quis morrer. Acima de tudo desejou que eu, filho dele — aliás também seu, Sra. Saeki —, o matasse com minhas próprias mãos. Além disso, desejou que eu tivesse relações sexuais com a senhora e com a minha irmã. Isso é uma profecia e ao mesmo tempo uma maldição que meu pai me legou. Ele as programou em mim.

A Sra. Saeki devolve ao pires a xícara de café que tinha nas mãos. O pires produz um estalido seco, de natureza neutra. Ela me encara. Mas não está me vendo. Seu olhar se fixa no vazio de um local ignorado.

— Será que eu conheço seu pai? — pergunta.

Sacudo a cabeça.

— Conforme lhe disse há pouco, isto é apenas uma hipótese.

Ela descansa as mãos sobrepostas no tampo da escrivaninha. Há ainda um resto de sorriso brincando em seus lábios.

— E de acordo com essa hipótese, sou sua mãe?

— Sim. A senhora viveu com meu pai, me teve e depois foi-se embora, me abandonou. No verão do meu quarto ano de vida, poucos dias depois do meu aniversário.

— Essa é a sua hipótese.

Aceno a cabeça para dar a entender que sim.

— Foi por isso que me perguntou, ontem, se eu tinha filhos?

Aceno de novo.

— E eu lhe disse que não podia responder à sua pergunta. Que não podia dizer nem sim, nem não.

— Sim senhora.

— De modo que sua hipótese continua funcionando como simples hipótese.

Torno a acenar:

— Continua.

— Nesse caso, prossigamos. Então... como foi que seu pai morreu?

— Alguém o matou.

— Alguém que não você, certo?

— Eu não o matei. Não fui eu quem cometeu o crime. Para dizer a verdade, tenho um álibi para a hora do crime.

— Mas você não tem absoluta certeza de que não o matou, tem?

Sacudo a cabeça.

— Não, não tenho.

A Sra. Saeki apanha outra vez a xícara de café e toma um gole minúsculo. O café não tem gosto.

— E por que razão seu pai resolveu lançar essa maldição cruel sobre você?

— Talvez porque quisesse ter o desejo dele herdado por mim — respondo.

— O desejo de me ter?

— Sim senhora — eu digo.

A Sra. Saeki espia o interior da xícara em suas mãos. Depois, torna a erguer a cabeça.

— E você? Me deseja?

Eu aceno uma única vez, enfaticamente. Ela fecha os olhos. Fico observando suas pálpebras cerradas. Meu olhar as atravessa e vejo o negrume que ela contempla. Estranhos gráficos tremulam ali. Tremulam e desaparecem, uns após outros. Momentos depois, ela abre os olhos devagar.

— Ainda de acordo com a sua hipótese?

— Independentemente de qualquer hipótese. Eu a desejo, e meu desejo há muito extrapolou limites teóricos.

— Você quer fazer sexo comigo?

Torno a acenar a cabeça.

Ela me observa com olhos semicerrados, como se tivesse diante de si algo luminoso e cegante.

— Você já fez sexo com alguém?

Aceno outra vez. *Ontem, com a senhora*, eu penso. Mas não posso lhe dizer isso. Ela não se lembra de nada.

Ela solta um leve suspiro.

— Kafka. Tenho certeza de que sabe, mas ainda assim quero salientar: você tem apenas 15 anos e eu, mais de 50.

— A questão não é tão simples. Não estamos falando do tempo em horas. Eu conheço a senhora do tempo em que era uma garota de 15 anos. E eu me apaixonei pela *garota de 15 anos* que a senhora foi um dia. Irremediavelmente. E através dessa garota, amei a senhora. A garota de 15 anos ainda vive na senhora. Eu a vejo sempre, adormecida em seu interior. Mas quando a senhora dorme, ela se põe por sua vez em ação. E então, eu a vejo.

A Sra. Saeki torna a fechar os olhos. Observo suas pálpebras trêmulas.

— Eu a amo, e isso é muito importante. Tenho certeza de que a senhora é capaz de compreender esse tanto.

Ela inspira fundo uma única vez de maneira ávida, como se acabasse de emergir do fundo do mar. E depois, busca as palavras. Mas não as encontra.

— Me perdoe, Kafka, mas eu gostaria que você se retirasse. Preciso ficar sozinha por alguns minutos — diz-me ela. — E feche a porta ao sair.

Aceno a cabeça, levanto-me da cadeira e vou saindo da sala. Mas algo me retém. Paro na soleira da porta, me volto, cruzo o quarto outra vez e vou para perto dela. Depois, levo a mão aos seus cabelos. No meio deles, meus dedos encontram sua pequena orelha. Não consigo evitar este gesto. Ela ergue o rosto, atônita, e depois de breve hesitação, cobre minha mão com a dela.

— Seja como for, sua hipótese lança pedras contra alvos muito distantes. Sabe disso, não sabe?

Confirmo.

— Sei disso. Mas considerada de maneira metafórica, a distância diminui consideravelmente.

— Mas nem eu nem você somos metáforas.

— Com certeza — eu digo. — Mas metaforicamente conseguiremos simplificar um bocado tudo que existe entre nós.

Ela esboça um novo sorriso enquanto me encara.

— De todas as cantadas que ouvi até hoje, esta é sem dúvida a mais estranha.

— São muitas as coisas um tanto estranhas. Mas acredito que se aproximam bastante da verdade.

— Se aproximam da verdade metafórica, de maneira real? Ou da verdadeira realidade, de maneira metafórica? Ou tudo se aproxima de maneira mútua e complementar?

— Seja como for, não me parece que conseguirei suportar por mais tempo a tristeza que carrego comigo neste momento — digo.

— Eu também me sinto assim.

— E por isso a senhora retornou a esta cidade e deseja morrer.

Ela sacode a cabeça.

— Não estou exatamente querendo morrer. Para falar a verdade, aqui estou apenas à espera da morte. Da mesma maneira que me sentaria num banco da estação à espera de um trem.

— E a senhora sabe a que horas chega o trem?

Ela solta a minha mão e aperta de leve suas próprias pálpebras.

— Escute, Kafka. Vim desperdiçando minha vida de maneira exuberante até este dia. Vim desperdiçando a mim mesma. Não parei de viver quando devia. Eu sabia que viver não fazia mais sentido, mas ainda assim não consegui parar, não sei bem por quê. Por causa disso, e só para passar as intermináveis horas que tinha diante de mim, fiz coisas irracionais, comportei-me de maneira inadequada. Assim agindo, envenenei minha vida e, de modo indireto, também a dos outros. Agora, recebo a paga dos meus atos. Posso até dizer que estou sendo amaldiçoada. Em certa época da minha vida tive em minhas mãos algo excessivamente completo, perfeito. De modo que, depois disso, só me restou a degradação. Nisso se resume a minha maldição. E dela não poderei escapar enquanto viver. De modo que não temo a morte. E se for responder à sua pergunta, sim, *tenho uma ideia aproximada da hora em que o trem chegará*.

Tomo de novo suas mãos na minha. A balança se agita, pende ora de um lado, ora do outro. Qualquer força, por menor que seja, a levará a fixar-se num dos lados. Tenho de pensar. Tenho de decidir. Tenho de dar o primeiro passo.

— A senhora dormiria comigo? — pergunto.

— Mesmo que na hipótese engendrada por você eu seja a sua mãe?

— Sinto como se tudo estivesse em pleno movimento, como se tudo tivesse duplo sentido, entende?

Ela pensa a respeito.

— Não para mim, talvez. Pode ser que as coisas não tenham estágios intermediários e sejam ou zero ou 100%, apenas um dos dois.

— E a senhora sabe qual dos dois.

Ela acena.

— Posso fazer uma pergunta?

— Qual?

— Onde encontrou aqueles dois acordes?

— Que acordes?

— Os existentes na transição dos temas da canção "Kafka à beira-mar".

Ela me encara.

— Gosta deles?

Digo que sim com um aceno de cabeça.

— Eu os achei num quarto muito antigo que existe num lugar distante, bem distante. Nessa ocasião, a porta do quarto estava aberta — diz ela serenamente. — Num quarto distante, muito distante...

E então, a Sra. Saeki fecha os olhos e retorna ao universo de suas recordações.

— Ao sair, feche a porta para mim, Kafka — diz ela.

E eu sigo suas instruções.

Encerrado o expediente, Oshima me leva de carro para jantar num restaurante especializado em frutos do mar existente em área um pouco distante da biblioteca. A ampla janela do estabelecimento dá para o mar noturno. E eu penso nos seres que nele vivem.

— Você precisa sair e comer alimentos nutritivos de vez em quando. Faz bem para você — diz ele. — Sobretudo porque não vejo sinais de olheiros da polícia vigiando os arredores. Acho que não precisamos nos preocupar com isso por enquanto. Vamos mudar de ambiente e relaxar um pouco.

Servimo-nos generosamente de salada e dividimos uma paella.

— Quero ir para a Espanha qualquer dia — diz Oshima.

— Espanha? Por quê?

— Quero participar da guerra civil espanhola.

— Mas a guerra por lá terminou há muito tempo.

— Sei disso. Lorca morreu e Hemingway sobreviveu — diz Oshima. — Ainda assim, tenho o direito de ir à Espanha e de participar da guerra, não tenho?

— Metaforicamente?

— É óbvio! — diz ele franzindo o cenho. — De que outra maneira um indivíduo de sexo indeterminado portador de hemofilia e que raramente sai de Shikoku haveria de participar da guerra civil espanhola?

Devoramos uma quantidade imensa de paella acompanhada de Perrier.

— Sabe se houve algum desdobramento do caso do meu pai? — pergunto.

— Não aconteceu mais nada digno de nota. Pelo menos não tenho visto nos jornais nenhuma notícia sobre o caso. Isto é, excetuando um ou outro artigo pretensioso do tipo memorial, publicado na seção de artes. Acho que as investigações levaram a um beco sem saída. Por infelicidade, o número de prisões efetuadas pela polícia japonesa vem caindo drasticamente nos últimos tempos. Aliás, na mesma proporção em que cai o preço médio das ações. Basta ver que os investigadores não conseguem sequer descobrir o paradeiro do filho desaparecido!

— Um garoto de 15 anos.

— De 15 anos, obsessivo, com tendência à violência e fugido de casa — acrescenta Oshima.

— E quanto àquela história de coisas estapafúrdias que caem do céu, soube de mais alguma coisa?

Oshima balança a cabeça.

— Parece-me que também deram um tempo nisso. Nada mais estranho choveu depois daqueles incidentes, excetuando a trovoada de anteontem que foi digna de constar dos anais históricos do país.

— Acha que as coisas estão se acalmando?

— Parece. Pode também ser que estejamos simplesmente no olho do furacão.

Concordo com um aceno, pego um mexilhão, retiro a carne com o garfo e o como. Descarto a concha num recipiente à parte.

— Você continua amando? — pergunta Oshima.

Aceno a cabeça afirmativamente.

— E você, Oshima?

— Está me perguntando se eu também estou amando?

Confirmo com novo aceno.

— Em outras palavras, você está inquirindo a respeito dos amores antissociais que embelezariam a vida deste andrógino homossexualmente atraído por homens e dessa maneira invadindo minha privacidade de maneira deliberada?

Aceno a cabeça concordando. Ele também.

— Tenho um parceiro — diz Oshima. Depois, faz uma careta e come um mexilhão. — Mas isso não significa que eu esteja vivendo um amor tórrido digno de uma ópera de Puccini. Nossa relação é, como direi... descompromissada. Nós nos vemos de maneira ocasional. Basicamente, porém, acredito que nos compreendemos muito bem.

361

— Compreendem-se?

— Haydn costumava se arrumar e usar uma peruca imponente toda vez que ia compor. Ele até empoava a peruca.

Ligeiramente espantado, encaro Oshima:

— Haydn?

— Ele não conseguia compor direito caso não se arrumasse desse jeito.

— Por quê?

— Não sei. Essa questão é entre Haydn e a peruca, ninguém mais é capaz de compreendê-la. Nem de explicá-la, talvez.

Aceno a cabeça positivamente.

— Diga uma coisa para mim, Oshima: às vezes, quando você está sozinho, será que lhe acontece de pensar no seu parceiro e de ficar triste?

— Claro! — diz ele. — Isso me acontece às vezes. Especialmente no outono, quando a lua empalidece em pura prata. Especialmente quando vejo os pássaros migrando para o sul. Especialmente...

— *Claro* por quê? — intervenho.

— Porque enquanto amamos, estamos em busca de algo que nos falta. E por isso ficamos sempre tristes ao pensar na pessoa amada, alguns um pouco mais, outros, um pouco menos. Temos a mesma sensação de quando pomos os pés num quarto que perdemos num passado distante, repleto de lembranças saudosas. É mais que natural. E não foi você que inventou esse tipo de sensação. Não tente patenteá-la porque vai se dar mal, ouviu?

Deponho o garfo e ergo a cabeça.

— Um quarto repleto de lembranças saudosas que perdemos num passado distante?

— Exato — diz Oshima, espetando o garfo no ar. — É uma metáfora, claro.

Pouco depois das nove da noite, a Sra. Saeki surge em meu quarto. Sentado numa cadeira, eu lia um livro quando ouvi o ronco do seu Volkswagen no estacionamento, e segundos depois, o ruído de uma porta de carro batendo. Pés calçados em sapatos com solado de borracha cruzam a área e, logo, ouço batidas na porta. Abro a porta e vejo a Sra. Saeki em pé diante de mim. Hoje, ela está bem desperta. Veste blusa de algodão listrada e calça jeans azul de tecido fino. Docksiders brancos. Esta é a primeira vez que a vejo de calças compridas.

— Um quarto repleto de lembranças saudosas — diz ela. Depois, para diante do quadro na parede e o contempla. — E um quadro repleto de lembranças saudosas.

— Tenho a impressão de que a cena representada nesse quadro fica nestas redondezas — digo.

— Gosta desta pintura?

Digo que sim com um movimento da cabeça.

— Quem o pintou? — pergunto.

— Um jovem pintor que esteve hospedado com os Komura no verão daquele ano. O artista nem era muito famoso. Ao menos naquela época. De modo que até já esqueci como se chamava. Mas era um bom homem, e acho que este quadro está muito bem-feito. Sinto que existe nele uma energia poderosa. Eu o observei o tempo todo enquanto ele pintava. Fiquei ao lado dele e, brincando, fiz uma série de sugestões. Nós nos dávamos muito bem, eu e o pintor. Foi num verão distante. Eu tinha 12 anos na ocasião — diz ela. — E o garoto que aparece no quadro também tinha 12 anos.

— Me parece que esta praia fica nestas cercanias.

— Venha — diz ela. — Eu o levo até lá. Vamos passear um pouco.

Ando com ela até a praia. Atravessamos o pinheiral e fazemos um passeio noturno à beira-mar. As nuvens se partem e a metade da lua que espia pela abertura ilumina as ondas. Pequenas, elas se erguem e se quebram de maneira quase imperceptível. A Sra. Saeki se senta numa área arenosa. Eu me sento ao lado dela. A areia ainda guarda um resto de quentura. Do local onde se acomodou, ela calcula o ângulo e aponta um pedaço da praia.

— Foi ali — diz ela. — O quadro foi pintado a partir deste ângulo. O pintor ajeitou uma cadeira de praia ali e fez o garoto se sentar nela. E armou o cavalete mais ou menos por aqui. Eu me lembro bem. A posição da ilha coincide com a do quadro, não coincide?

Contemplo a direção que o dedo dela aponta. A posição realmente coincide. Mas não acho que o cenário se parece com o do quadro, por mais que o contemple. E eu lhe digo isso.

— Está tudo completamente mudado — diz a Sra. Saeki. — É natural, pois desde então já se passaram quarenta anos. A topografia se altera, é óbvio. Ondas, ventos, tufões, muitos fenômenos alteram a linha litorânea. Levam areia embora, trazem areia de volta. Mas não há possibilidade de estar errado. É este o lugar. Eu me lembro nitidamente

363

dos acontecimentos. E no verão daquele ano menstruei pela primeira vez.

Calados, contemplamos a paisagem. As nuvens se deformam e perturbam o luar. O vento percorre o pinheiral de vez em quando e produz um ruído que lembra o de muitas pessoas varrendo o chão. Apanho um punhado de areia e o deixo escorrer lentamente por entre os dedos. Como um tempo perdido, a areia cai e se mistura com a do solo. Repito o gesto incessantemente.

— Em que pensa? — pergunta a Sra. Saeki.

— Em ir para a Espanha — respondo.

— E o que faria lá?

— Comeria uma paella maravilhosa.

— Só isso?

— E tomaria parte da guerra civil espanhola.

— Mas ela terminou há mais de sessenta anos.

— Sei disso — eu digo. — Lorca morreu e Hemingway sobreviveu.

— Ainda assim você quer ser parte da guerra.

Confirmo.

— Vou explodir uma ponte.

— E, depois, se apaixonar por Ingrid Bergman...

— Mas na realidade, estou em Takamatsu e me apaixonei pela senhora.

— Dura realidade.

Passo o braço por seus ombros.

Você passa o braço pelos ombros dela.

Ela se apoia em você. E um longo tempo se passa.

— Sabe de uma coisa? Há muitos, muitos anos, fiz exatamente a mesma coisa que estou fazendo agora. Exatamente no mesmo lugar.

— Sei disso — você diz.

— Como assim? — ela pergunta. E espia o seu rosto.

— Porque nessa ocasião eu estava nesse lugar.

— Explodindo uma ponte?

— Explodindo uma ponte.

— Metaforicamente.

— Claro.

Você passa os dois braços em torno dela, a atrai a si e a beija. Sente que o corpo dela amolece de encontro ao seu peito.

— Estamos todos sonhando — diz a Sra. Saeki.

Estamos todos sonhando.

— Por que você teve de morrer?

— Não pude evitar — você responde.

Você e a Sra. Saeki andam pela praia e voltam à biblioteca. Depois, apagam a luz do quarto, fecham a cortina e se abraçam na cama silenciosamente. E repetem as mesmas coisas de ontem quase do mesmo jeito. Duas coisas porém diferem. Depois do sexo, ela chora. Esta é uma das coisas diferentes. Ela enterra o rosto no travesseiro e chora longamente, em silêncio. Você não sabe o que fazer. Você põe a mão sobre os ombros nus. Pensa que tem de dizer alguma coisa, mas nada lhe ocorre. As palavras estão mortas no côncavo das horas. Jazem no fundo do lago escuro da cratera do vulcão. E depois, no momento em que ela se vai, você ouve o ruído do motor do Volkswagen dela ecoando no estacionamento. Esta é a segunda coisa diferente. Ela aciona o motor, desliga, deixa um tempo passar como se estivesse perdida em pensamentos, aciona novamente o motor e então se vai. E os minutos que se passaram entre o momento em que ela desligou o motor e o religou deixam você bastante triste. A lacuna silenciosa penetra em seu coração como névoa marítima. E ali permanece por longo tempo. E depois, finalmente, se integra a você.

Depois que ela se foi, o que restou foi um travesseiro molhado de lágrimas. Com a mão posta sobre a área levemente úmida, você contempla pela janela o céu branqueando aos poucos. E ouve um corvo crocitando na distância. A Terra continua a girar de maneira lenta. Mas, independentemente disso, todos vivem num sonho.

Capítulo 32

Nakata despertou pouco antes das cinco da manhã e se deu conta de que havia uma grande pedra depositada à sua cabeceira. No leito ao lado, Hoshino dormia a sono solto. Boca entreaberta, cabelos desfeitos. O boné dos Dragões Chunichi caído ao lado do travesseiro. Seu rosto estampava uma certa expressão decidida que parecia declarar: "Não acordo nem que o mundo desabe." Nakata não pareceu espantado nem intrigado pelo fato de haver uma pedra dentro do quarto. Sua consciência se ajustou de imediato a essa realidade e jamais questionou "por que uma coisa tão estranha haveria de estar à minha cabeceira?" Desvendar o mistério de uma relação de causa e efeito quase sempre extrapolava a sua capacidade de compreensão.

Sentado formalmente à cabeceira do próprio leito, Nakata contemplou intensamente a pedra por algum tempo. Depois, estendeu a mão e alisou-a com gentileza, do mesmo modo como acariciaria um grande gato adormecido. A princípio, apenas tateou temerosamente com a ponta dos dedos, mas, ao se dar conta de que nada de mau lhe aconteceria, pôs-se a esfregar a palma da mão por toda a superfície da pedra de maneira ousada e meticulosa. E, enquanto esfregava a pedra, pensava incansavelmente. Ou talvez seja melhor dizer que uma expressão pensativa se estampava em suas feições. Como alguém que se dedica à leitura de um mapa, sua mão percorria a superfície da pedra memorizando a sensação áspera de todos os cantos e recantos e registrando uma a uma qualquer saliência ou reentrância. E então, como se uma ideia lhe ocorresse de maneira repentina, levou num gesto brusco a palma da mão à cabeça e passou a esfregar vigorosamente os cabelos curtos. Como se buscasse uma possível correlação entre a pedra e a própria cabeça.

Passados alguns instantes, Nakata soltou um curto suspiro, ergueu-se, foi para a janela, abriu-a e pôs a cabeça para fora. Dali só avistou a parede do fundo do prédio vizinho. Aliás, um prédio bastante decadente. Um prédio decadente, em cujo interior pessoas decadentes faziam trabalhos decadentes e assim passavam seus dias decadentes. Toda cidade tem em suas ruas prédios semelhantes, apartados de toda a graça. Charles Dickens seria capaz de se estender por dez páginas na descrição de imóveis com essas características. A nuvem que pairava sobre o edifício tinha o aspecto de um bolo de pó endurecido, removido do saco de um aspirador que há muito não esvaziavam. Parecia-se também com o conjunto das contradições geradas pela Terceira Revolução Industrial, condensadas em formas e postas a flutuar no céu. Qualquer que fosse a semelhança, a chuva ameaçava cair sem demora. Quando Nakata olhou para baixo, viu um gato, preto, magro e de rabo em riste, desfilando sobre um estreito muro entre os prédios.

— Hoje, vamos ter trovoada — disse Nakata para o gato. Mas tudo indicava que as palavras não alcançavam os ouvidos do felino. Sem se voltar nem parar, o gato desapareceu atrás do prédio em elegantes passadas.

Nakata apanhou o saco de plástico onde guardara seus produtos de toalete e se dirigiu para o banheiro comunitário existente no fundo do corredor. Lá chegando, lavou o rosto, escovou os dentes e fez a barba com um aparelho gilete de barbear. Cada processo lhe tomou considerável tempo. Gastou bom tempo lavando o rosto com capricho, gastou bom tempo escovando os dentes com capricho e gastou bom tempo barbeando-se com capricho. Aparou os pêlos das narinas com uma tesourinha, acertou as sobrancelhas e limpou as orelhas. Nakata era do tipo que fazia tudo com calma, mas naquela manhã gastou mais tempo que de costume no cumprimento das tarefas matinais. Ele podia se dar a esse luxo porque nenhum outro hóspede se aventuraria no banheiro tão cedo e porque ainda faltava muito para a refeição matinal. Além do mais, Hoshino não parecia disposto a acordar tão já. Com o banheiro inteiramente para si, Nakata se arrumou com calma diante do espelho enquanto evocava a imagem dos diversos felinos que vira no livro da biblioteca há dois dias. Não sabia de que raças eram porque, sendo analfabeto, não conseguiu ler as legendas. Mas lembrou-se das feições de cada gato estampadas naquelas páginas.

— São realmente muitas as espécies de gato existentes no mundo — pensava Nakata enquanto tirava o cerume com uma haste delgada. Ele tinha ido à biblioteca pela primeira vez na vida e isso lhe havia dado uma dolorosa noção da própria ignorância. Eram praticamente infinitas as coisas que ele não conhecia. Mas quando pensava no infinito, a cabeça começava a doer. Porque, era óbvio, o infinito não tinha fim. De modo que parou de pensar nisso e pôs-se a evocar uma vez mais as imagens dos felinos que ilustravam o livro *Gatos do mundo inteiro*. Como seria bom se pudesse conversar com cada um deles, pensou Nakata. As muitas espécies de gato espalhadas pelo mundo todo deviam pensar e falar de diversas maneiras. Momentos depois, perguntou-se: será que gatos de países estrangeiros falam línguas diferentes? Esta também era uma questão complexa que logo lhe deu dor de cabeça.

Quando terminou de se arrumar, Nakata fez, como sempre, suas necessidades matinais. Estas não lhe tomaram muito tempo. Depois, recolheu os artigos de toalete no saco plástico e retornou ao quarto. Hoshino dormia ainda a sono solto na mesmíssima posição em que havia sido deixado. Nakata recolheu a camisa de padrão havaiano e a calça jeans abandonadas no chão, dobrou-as cuidadosamente, empilhou-as à cabeceira do rapaz e sobre elas depositou o boné dos Dragões Chunichi como se este fosse o título de alguns conceitos acumulados no decorrer de uma vida. Depois, despiu o *yukata* e vestiu as costumeiras camisa e calças. Esfregou com força uma mão na outra e respirou profundamente.

Sentou-se então outra vez formalmente diante da pedra, contemplou-a por instantes e depois tocou-a cautelosamente.

— Hoje, vamos ter trovoada — anunciou ele para ninguém em particular. Podia ser que tivesse falado com a pedra. Depois, moveu algumas vezes a cabeça concordando gravemente consigo mesmo.

Nakata dedicava-se a uma seção de ginástica matinal à beira da janela quando Hoshino finalmente acordou. O bom homem cantarolava baixinho o acompanhamento musical dos exercícios e se movia de acordo com o ritmo. Hoshino entreabriu os olhos e espiou o relógio de pulso. Passava um pouco das oito da manhã. O rapaz torceu em seguida o pescoço e se certificou de que a pedra continuava à cabeceira do leito vizinho. Ela agora lhe parecia muito maior e mais áspera do que quando a vira no escuro.

— Quer dizer que não sonhei — murmurou o rapaz.

— Como disse? — perguntou Nakata.

— Estou falando da pedra — disse Hoshino. — Vi que ela está aí realmente, que não foi um sonho.

— A pedra está aí — declarou Nakata sinteticamente sem parar de fazer os exercícios. Suas palavras soaram como uma importante proposição filosófica alemã do século XIX.

369

— E se quer saber, tio, tem uma história muito comprida relacionada com a questão do *por-que-essa-pedra-está-aí*.

— Sim. Nakata achou que tinha.

— Mas deixe isso para lá — disse o rapaz sentando-se e suspirando alto —, não tem muita importância. O que vale é que a pedra está aí. Isto é, estou encurtando uma história muito longa.

— A pedra está aí — tornou a dizer Nakata. — Isso é muito importante.

Hoshino pensou em acrescentar um comentário, mas de súbito deu-se conta de que estava com uma fome leonina.

— Mas antes de qualquer coisa, tio, vamos comer, está bem?

— Vamos. Nakata está com fome também.

Terminada a refeição, o rapaz perguntou a Nakata enquanto sorvia seu chá:

— E agora, que pretende fazer com a pedra?

— Que acha que devemos fazer? — indagou Nakata por sua vez.

— Ei, não me venha com brincadeira, tio — disse o rapaz sacudindo a cabeça. — Durante a noite passada eu fiz de tudo para achar essa pedra porque *você* me disse que precisava dela, esqueceu-se disso? Não me venha portanto com essa história de "que-acha-que-devemos--fazer" a esta altura do campeonato!

— Sim senhor. Nakata está de pleno acordo com o que o senhor diz. Mas, francamente, Nakata também não conseguiu descobrir o que precisa ser feito.

— Isto agora é um problema.

— Realmente — disse Nakata, sem no entanto parecer tão preocupado quanto devia.

— Mas vem cá: esse é o tipo de dúvida que vai se esclarecendo aos poucos, conforme a gente vai pensando com calma?

— Sim senhor. Nakata acha que é isso que vai acontecer. Só que Nakata é mais lerdo que os outros para fazer as coisas.

— Veja bem, Nakata.

— Sim, senhor Hoshino.

— Uma vez que é chamada de "pedra da entrada", tenho a impressão de que muito tempo atrás ela era usada como entrada para algum lugar. Nesse caso, pode ser que exista uma lenda ou uma espécie de manual explicativo das virtudes da pedra, não acha?

— Sim, Nakata também acha.

— Acontece, porém, que você não sabe de que tipo de entrada se trata.

— Não, não sabe. Nakata costumava conversar muito com gatos, mas nunca tentou com pedras.

— Está me parecendo que é difícil falar com elas.

— Sim senhor. Elas são muito diferentes dos gatos.

— E será que quem tira uma pedra tão importante de um santuário não corre *realmente* o risco de ser amaldiçoado? Isso está começando a me preocupar de verdade. E mesmo que nada aconteça a quem a tira, que fim daremos a ela mais tarde? Já pensou? O Coronel Sanders me assegurou que não há maldição nenhuma, mas, se quer saber, algo naquele homenzinho não inspira confiança...

— Coronel Sanders?

— Tem um sujeito que se chama assim. Ele costuma estar em cartazes diante das lojas franqueadas da rede Kentucky Fried Chicken. De terno branco, barba e óculos discretos... Conhece?

— Nakata sente muito, mas acha que não conhece esse senhor.

— Ah, já entendi. Nunca comeu Kentucky Fried Chicken. Acho que você é uma raridade nos dias atuais. Mas deixe isso para lá. Porque se eu entendi direito, o próprio sujeito é um conceito abstrato. Não é gente, nem Deus, nem Buda. Como é um conceito, não tem forma também. Mas ele precisava ser visto, de modo que no presente caso assumiu o aspecto desse Coronel, entendeu?

Perplexo, Nakata esfregou a palma da mão no cabelo grisalho e curto.

— Nakata não entende bem o que o senhor está dizendo.

— Para falar a verdade, nem eu, que estou lhe contando tudo isso, entendi direito — admitiu o rapaz. — Seja como for, esse sujeitinho excêntrico me apareceu do nada e começou a falar um monte de coisas para mim. E para encurtar uma história comprida, vou lhe contar no que deu afinal: depois de uma série de acontecimentos e com a ajuda desse sujeitinho, descobri essa pedra em certo lugar e a carreguei até aqui. Deixe-me esclarecer que não estou dizendo isso porque quero comprar a sua simpatia, mas a verdade é que penei um bocado durante a noite passada, entendeu? De modo que, por mim, esperava poder apresentá-lo a esta pedra, e deixar o resto por sua conta. Estou lhe falando com toda a franqueza.

— Sim, senhor. O resto ficou por conta de Nakata.

— Certo — disse Hoshino. — Adoro quando as coisas se resolvem com rapidez.

— Senhor Hoshino — disse Nakata.

— Hum?

— Vai começar a trovejar muito forte daqui a pouco. Vamos esperar a trovoada.

— Como assim? Quer dizer que a trovoada vai ajudar a resolver essa questão da pedra?

— Nakata não conseguiu entender direito todos os pormenores, mas está começando a achar que vai.

— Ora vejam, uma trovoada... Está certo, parece interessante. Vamos esperar para ver o que acontece.

Retornando ao quarto, Hoshino se deitou de bruços sobre o tatame e ligou a televisão. Todos os canais exibiam apenas espetáculos de variedades destinados a um público composto essencialmente por donas de casa. Hoshino não tinha interesse algum por esse tipo de programação, mas à falta do que fazer e para matar o tempo, continuou assistindo, resmungando de vez em quando algumas críticas quanto ao teor dos espetáculos.

Enquanto isso, Nakata permaneceu sentado diante da pedra, ora observando-a, ora manuseando-a. Vez ou outra, murmurava alguma coisa para si mesmo, mas Hoshino não conseguiu distinguir o que ele dizia. Na certa conversava com a pedra.

Por volta do meio-dia, finalmente a trovoada começou.

Pouco antes de começar a chover, Hoshino foi até uma loja de conveniência e trouxe um saco cheio de pão doce e leite e os dois almoçaram. Enquanto comiam, a empregada da hospedaria apareceu para limpar o quarto, mas Hoshino a mandou embora dizendo que deixasse ficar como estava.

— Vocês não vão a lugar algum? — perguntou a mulher.

— Não, não vamos. Temos coisas a fazer aqui mesmo — respondeu o rapaz.

— Porque vai trovejar— acrescentou Nakata.

— Ah, vai trovejar... — disse a mulher em tom de dúvida, e se retirou. Aparentemente, considerava mais sábio não se envolver com os hóspedes daquele quarto.

Passados alguns instantes, o primeiro ribombo se fez ouvir a distância e, no mesmo instante, gotas de chuva começaram a cair como se tivessem estado apenas no aguardo desse comando. Uma trovoada desanimada que lembrava anões preguiçosos arrastando os pés sobre tambores. Mas as gotas logo aumentaram de tamanho, e a chuva se tornou torrencial. O cheiro acre da chuva envolveu toda a terra.

Quando os trovões começaram a se suceder, os dois se sentaram frente a frente com a pedra no meio em pose de índio fumando o cachimbo da paz. Sempre murmurando coisas ininteligíveis, Nakata ora acariciava a pedra, ora esfregava a mão na cabeça. Hoshino o observava enquanto tirava baforadas do seu Marlboro.

— Senhor Hoshino — disse Nakata.

— Hum?

— O senhor poderia ficar comigo algum tempo?

— Fico, claro que fico. E depois, com essa chuva eu não poderia ir a lugar algum, mesmo que você me pedisse.

— Talvez aconteça uma coisa estranha.

— Se quer saber minha opinião — disse o rapaz — muita coisa estranha já está acontecendo nos últimos tempos.

— Senhor Hoshino.

— Hum?

— Nakata de repente sentiu vontade de saber: o que é este homem chamado Nakata?

Hoshino ficou pensativo.

— Sabe que mais, tio? Essa pergunta é difícil de ser respondida. Assim de repente não consigo. Antes de mais nada, não sei muito bem quem é esse homem chamado Hoshino. Como é que um sujeito tão ignorante teria capacidade de saber alguma coisa a respeito de outras pessoas? Principalmente porque, sem querer me gabar disso nem nada, pensar não é o meu forte. Mas se quer saber o que eu sinto com toda a honestidade, acho que você, Nakata, é um bom homem. Talvez seja um tanto excêntrico, mas é perfeitamente confiável. Afinal, foi por isso que eu o acompanhei até os confins de Shikoku, não foi? Posso não ser muito inteligente, mas tenho olho para avaliar as pessoas, entendeu?

— Senhor Hoshino.

— Hum?

— Nakata não é só ruim da cabeça. Nakata é vazio por dentro. Foi o que ele percebeu neste momento. Ele é como uma biblioteca sem nenhum livro. Antigamente não era assim. Nakata tinha livros dentro dele. Ele não conseguia se lembrar do passado, mas agora se lembrou. Sim senhor. No passado, Nakata era uma pessoa normal, como qualquer outra. Mas então, aconteceu alguma coisa que deixou Nakata vazio por dentro.

— Mas se você começar a raciocinar desse jeito, Nakata, vai acabar concluindo que todos nós somos assim, um tanto vazios por dentro, compreende? A gente come, faz cocô, trabalha num servicinho chato em troca de um salário miserável, transa de vez em quando e é só, não é mesmo? Que tem para fazer além disso? E reclamando e lamentando, ainda assim vivemos e nos divertimos de algum modo, não é verdade? Não sei bem por quê... Meu avô costumava dizer sempre que a vida tem sua graça porque as coisas não saem do jeito que a gente quer. E ele tem certa razão. Se os Dragões Chunichi vencessem todas as partidas, quem é que se daria o trabalho de assistir aos jogos de beisebol?

— O senhor ama o seu avô, não é mesmo, senhor Hoshino?

— Amo sim senhor. Se não fosse por ele, sabe-se lá o que teria sido feito de mim. Eu só resolvi viver direito porque ele estava sempre ao meu lado. Não sei explicar direito, mas ele me fazia sentir seguro, preso a alguma coisa. E por isso abandonei o grupo de motoqueiros selvagens e me alistei nas Forças. Parei de fazer coisas erradas sem me dar conta disso.

— Mas Nakata não tem ninguém. Não possui nada. Não se sente seguro nem preso a coisa alguma. Não sabe ler. Até a sombra dele é a metade da dos outros.

— Mas ninguém é perfeito, Nakata.

— Senhor Hoshino.

— Hum?

— Se Nakata fosse um Nakata comum, estaria vivendo uma vida totalmente diferente. Teria se formado numa faculdade como os outros dois irmãos e estaria trabalhando numa firma qualquer, seria pai, andaria num carro grande e nos finais de semana jogaria golfe, não é mesmo? Mas como Nakata não foi um Nakata comum, ele viveu do jeito deste Nakata. Já é tarde para começar de novo. Ele sabe disso muito bem. Mas ele queria muito ser um Nakata comum, nem que fosse por um breve instante. Para ser franco, Nakata não sentia vontade de fazer coisa alguma até hoje. Ele apenas veio fazendo com muita dedicação tudo que os outros lhe diziam para fazer. Ou ainda, veio fazendo as coisas que precisavam ser feitas de acordo com o que os acontecimentos determinavam. Mas agora, não. Agora, Nakata quer claramente ser um Nakata comum. Quer ser um Nakata com vontade e significado próprios.

Hoshino suspirou.

— Se é isso que quer, volte a ser um homem comum. Mas, para ser franco, não tenho ideia de como seria um Nakata que voltou a ser um Nakata comum.

— Nem Nakata.

— Mas tomara que dê certo. Não sei quanto isso pode ajudar, mas vou rezar para que você volte a ser um Nakata normal.

— Mas antes de voltar ao normal, Nakata tem de acabar de fazer uma série de coisas.

— Que tipo de coisa?

— Por exemplo, a questão do Johnnie Walker.

— Johnnie Walker? — repetiu o rapaz. — Pensando bem, acho que você já falou dele tempos atrás, não falou? Acaso é o homem do uísque?

— Sim senhor. Nakata foi direto para o posto policial e contou tudo a respeito do senhor Johnnie Walker. Achou que tinha de relatar o que aconteceu ao senhor governador, entende? Mas o policial não deu a menor atenção. O jeito agora é o próprio Nakata dar uma solução para o caso. E, depois de resolver essas questões, Nakata quer voltar a ser o Nakata normal.

— Não entendi nada, mas você precisa da pedra para fazer tudo isso.

— Exato. Isso mesmo. E precisa recuperar a metade da sombra perdida.

Os trovões reboavam agora de maneira ensurdecedora. Relâmpagos riscavam o céu em zigue-zagues seguidos e, quase sem pausa, ribombos ecoavam. A atmosfera vibrava e vidraças mal ajustadas retiniam nervosamente nas janelas. Nuvens negras tapavam o céu e o interior do quarto escurecera a ponto de impedir a visualização mútua dos rostos. Mas os dois homens não acenderam as luzes: como antes, continuaram sentados um diante do outro com a pedra entre eles. Lá fora, a chuva caía com tamanha violência que a simples visão dela parecia sufocante. Vez ou outra, relâmpagos iluminavam rapidamente o interior do quarto. Por instantes, os dois homens não conseguiram continuar conversando.

— Me explique uma coisa: por que motivo essa pedra tem de ser manobrada por você, Nakata? Por que é que tem de ser você? — perguntou Hoshino quando a trovoada abrandou.

— Porque Nakata é o homem que *passou de um lado para o outro*.

— Passou de um lado para o outro?

— Sim senhor. Nakata saiu uma vez daqui e depois voltou. Foi na época em que o Japão estava envolvido numa grande guerra. Naquela ocasião, a tampa se abriu não sei por que motivo e Nakata saiu daqui. E depois, voltou para cá por algum outro motivo desconhecido. E por causa disso, Nakata deixou de ser o Nakata normal. Perdeu a metade da sombra. Em troca, conseguia falar com os gatos, mas agora não consegue mais. E acho que também conseguia fazer coisas choverem do céu.

— Como por exemplo as sanguessugas do outro dia?

— Isso mesmo.

— Coisa que nem todo mundo consegue, pode crer.

— Sim senhor, nem todo mundo consegue.

— E você consegue porque muito tempo atrás *passou de um lado para o outro*. Nesse sentido, você não é uma pessoa normal.

— Exatamente. Nakata deixou de ser normal. Em troca, não consegue mais ler. E nunca foi capaz de tocar numa única mulher.

— Que absurdo.

— Senhor Hoshino.

— Hum?

— Nakata está com medo. Como já lhe disse há pouco, Nakata é completamente vazio por dentro. O senhor sabe o que significa ser completamente vazio?

O rapaz sacudiu a cabeça:

— Não, acho que não.

— É o mesmo que uma casa vazia. Uma casa vazia de portas destrancadas. Qualquer um consegue entrar nela livremente, basta querer. E Nakata tem muito medo disso. Por exemplo, Nakata é capaz de fazer coisas choverem do céu. Mas na maioria das vezes, Nakata não é capaz de imaginar o que é que vai chover em seguida. Se a próxima coisa a cair do céu for uma chuva de facas, uma bomba enorme ou um gás letal, que é que Nakata poderá fazer? Pedir desculpas não vai resolver o problema.

— Realmente, pedir desculpas não vai resolver nada — concordou Hoshino. — Se as sanguessugas já provocaram aquela confusão toda, imagina se coisas perigosas como essas que você acaba de mencionar começarem a cair do céu! Haja confusão!

— O senhor Johnnie Walker entrou em Nakata. Obrigou Nakata a fazer coisas que ele não queria. O senhor Johnnie Walker se aproveitou de Nakata. Mas Nakata não conseguiu se opor a isso. Não tinha forças para enfrentar esse homem. Porque Nakata não tem nada dentro dele.

— E por isso quer voltar a ser o Nakata normal, uma pessoa que possui coisas dentro dela.

— Exatamente. Nakata não é bom da cabeça, mas como era capaz de fabricar móveis, passou dias após dias fabricando-os sem descanso. Nakata gostava de fazer mesas, cadeiras e armários. É muito gostoso produzir coisas que têm forma. Mas durante as muitas dezenas de anos que fabricou os móveis, nunca ocorreu a Nakata que queria voltar a ser normal. Pois nenhuma das pessoas com quem Nakata conviveu jamais mostrou vontade de entrar dentro dele. Ele nunca teve medo de nada. Mas desde que o senhor Johnnie Walker apareceu, Nakata morre de medo.

— Mas o que foi que esse tal de Johnnie Walker o obrigou a fazer depois que entrou em você?

Um ribombo violento cortou o ar nesse momento. O raio parecia ter caído nas proximidades e fez Hoshino sentir uma dorzinha aguda nos tímpanos. Nakata tombou de leve a cabeça, apurou os ouvidos para o som do trovão e continuou a alisar a superfície da pedra com as duas mãos.

— Fez Nakata derramar um bocado de sangue que não podia ter sido derramado.

— Derramar sangue?

— Sim senhor. Mas esse sangue não chegou a sujar as mãos de Nakata.

Hoshino pensou alguns instantes no que acabara de ouvir. Ainda assim, não conseguiu entender o sentido do que Nakata lhe dissera.

— Posso saber se, uma vez aberta essa tal pedra da entrada, as coisas se acomodarão por si mesmo nos seus respectivos lugares? Elas iriam de maneira natural para suas posições da mesma forma que a água cai do alto para baixo?

Nakata se calou por momentos, pensativo. Ou melhor, dava a impressão de estar pensando.

— Talvez não seja tão simples assim. Nakata tinha apenas de encontrar esta pedra e abrir a entrada. Mas, falando com franqueza, ele não sabe o que vai acontecer depois.

— Então me explique uma coisa: por que é que essa pedra estava em Shikoku?

— A pedra está em todo lugar. Não só em Shikoku. Além do mais, não tem de ser obrigatoriamente uma pedra.

— Não entendi. Se está em qualquer lugar, podíamos ter feito tudo isto no bairro de Nakano. Teria sido muito mais simples.

Nakata esfregou por instantes a cabeça com a palma da mão.

— Essa questão é difícil. Faz já algum tempo que Nakata vem ouvindo o que a pedra tem a dizer mas ainda não conseguiu entendê-la com clareza. Mas acha que tanto Nakata como o senhor Hoshino precisavam ter chegado até aqui. Tinham de atravessar uma ponte comprida. Acho que isto não teria funcionado muito bem em Nakano.

— Posso perguntar mais uma coisa?

— Sim senhor.

— Se você conseguir abrir essa pedra da entrada, acha possível que haja um estrondo e de repente algo se levante na nossa frente? Que surja alguma coisa parecida com o gênio não sei das quantas de *Aladim e a lâmpada mágica*, ou que um príncipe-sapo de repente pule diante da gente para nos dar um escandaloso beijo de língua, ou que a gente vire comida de marciano?

— Pode ser que algumas coisas aconteçam, pode ser que não. Nakata não sabe porque nunca fez nada parecido com isso que está fazendo agora. Precisa abrir para saber.

— Mas pode ser perigoso?

— Pode. Pode mesmo.

— Caramba! — exclamou Hoshino. Tirou o maço de Marlboro do bolso e acendeu um cigarro com o isqueiro. — Meu avô sempre me dizia: "Você tem o péssimo hábito de ir atrás de gente que nunca viu na vida sem pensar duas vezes." Acho que sempre fui assim, desde criança. "A criança é o pai do homem", não é isso o que dizem? Mas deixa para lá, o que não tem remédio, remediado está. E depois de chegar a esta lonjura, não posso ir embora sem assistir ao espetáculo, posso? Vamos lá, estou ciente do perigo mas quero escancarar essa pedra de uma vez por todas. E quero ver o que vai acontecer em seguida com esses olhos que a terra há de comer. Pode ser que tudo isso se transforme numa bela aventura que um dia contarei aos meus netos.

— Certo. E, nesse caso, Nakata quer lhe pedir um favor.

— Que favor?

— O de erguer esta pedra.

— Deixe comigo.

— Agora, ela está muito mais pesada do que quando a trouxe até aqui.

— Ora, posso não ser nenhum Arnold Schwarzenegger, mas tenho braços fortes. E fui vice-campeão numa disputa de queda de braço nos tempos em que servi às Forças de Autodefesa. Além de tudo, estou com a coluna em ordem graças a você, Nakata.

Hoshino se ergueu, agarrou a pedra com as duas mãos e tentou levantá-la. Mas não conseguiu deslocá-la um milímetro sequer.

— Tem razão, ela está bem mais pesada — disse o rapaz, suspirando. — E pensar que eu conseguia movê-la facilmente até poucos minutos atrás... É como se alguém a tivesse fixado no chão com prego e martelo.

— Sim senhor. A pedra fecha uma entrada muito importante, de modo que está programada para não ser movida com facilidade. Se isso acontecesse, seria um problema.

— Quanto a isso, você tem razão.

Naquele instante, uma série de coriscos brancos e brilhantes riscaram o céu de maneira desordenada. Uma cadeia de ribombos fez a Terra estremecer em seu eixo. Parece até que alguém abriu a tampa do inferno, pensou Hoshino. Por fim, um último raio caiu nas proximidades e, em seguida, o silêncio reinou de maneira súbita. De tão intenso, o silêncio chegava a ser asfixiante. O ar pesava, carregado de umidade, e trazia em si vaga sugestão de suspeita e conluio. Parecia até que milhares de orelhas de tamanhos e formas mais variados possíveis flutuavam no ar ao redor dos dois na tentativa de captar os sinais de suas presenças. Imersos na profunda escuridão reinante em pleno dia, os dois tinham-se imobilizado em silêncio, congelados. Instantes depois, uma rajada de vento percorreu os arredores atirando uma vez mais enormes gotas de chuva contra a vidraça e, logo depois, a trovoada recomeçou. Agora porém sem a violência de há pouco. A borrasca deixara a cidade para trás.

Hoshino ergueu a cabeça e passeou o olhar pelo aposento. De repente, percebeu que o quarto se tornava mais impessoal e as quatro paredes lhe pareceram ainda mais inexpressivas que antes. Dentro do cinzeiro, o cigarro meio fumado tinha se consumido e se transformado em cinzas, conservando sua forma original. O rapaz engoliu em seco e sacudiu das orelhas o pesado silêncio.

— Ei, Nakata.

— Que é, senhor Hoshino?

— Tenho a impressão de que estou tendo um pesadelo.

— Realmente. Mas, se isso for verdade, estamos ao menos tendo o mesmo pesadelo.

— Certo — disse Hoshino. — Depois, coçou o lóbulo da orelha e pareceu se resignar. — Certo, certo, não deixes o certo pelo duvidoso, a dúvida tudo envenena e nada mata. Você me consola, Nakata.

O rapaz se ergueu de novo para mover a pedra. Inspirou uma vez profundamente, reteve o ar e concentrou a força nos dois braços. Depois, soltou um leve grito e levantou a pedra. Desta vez, ela se moveu alguns centímetros.

— Ela se mexeu um pouco — disse Nakata.

— Agora sei que ela não está pregada no chão. Mas acho que não adianta nada mover só um pouquinho, adianta?

— Não senhor. Tem de virá-la completamente, de modo que a parte de baixo fique para cima.

— Do mesmo jeito que se vira uma panqueca?

— Exatamente — concordou Nakata. — Panquecas são um dos pratos preferidos de Nakata.

— Ótimo. Mulher e panqueca em qualquer lugar se acha, não é isso que dizem? Vou tentar mais uma vez. Vou tentar virá-la no ar como uma moeda, está bem?

Hoshino fechou os olhos e concentrou toda a sua atenção. Unificou toda a energia do corpo e a fez convergir para um único ponto. É agora!, pensou. Tenho de resolver a parada neste exato momento ou não conseguirei nunca mais.

Apoiou as mãos em pontos estratégicos da pedra, agarrou-a com firmeza e acertou a respiração. Por fim, inspirou uma vez profundamente e, com um grunhido que pareceu subir das entranhas, ergueu a pedra num único impulso. Ela subiu com uma inclinação de 45 graus. Hoshino estava no limite de suas forças, mas conseguiu manter a pedra nessa posição. Sempre amparando a pedra, soltou numa golfada o ar preso nos pulmões, sentindo o corpo inteiro estalar e doer. Parecia-lhe que todos os ossos, músculos e nervos gritavam desesperados. Mas ele não podia desistir agora. Inspirou fundo mais uma vez e soltou novo grito. Mas este grito já não lhe chegou aos ouvidos. Na verdade, Hoshino nem sabia o que estava berrando. Com os olhos fechados, invocou forças de além dos seus limites. Forças que não existiam nele originalmente. O oxigênio lhe faltou no cérebro e tudo branqueou diante dele. Alguns de seus nervos estouraram como fusíveis com carga excessiva. Não conseguia ver mais nada. Nem ouvir. Nem pensar. O ar lhe faltava. Mas ainda assim ergueu a pedra no ar pouco a pouco e, com um novo berro, virou-a completamente. Mas a partir de um certo ponto, a pedra perdeu o peso de maneira repentina e tombou para o lado contrário. Um baque surdo ecoou pelo quarto e o fez estremecer. Aliás, o prédio inteiro pareceu estremecer.

O rebote jogou Hoshino para trás e o derrubou no chão. Caído de costas sobre o tatame, o rapaz arfava violentamente. Algo escuro e viscoso como lama remoinhava em sua cabeça. Nunca mais vou erguer nada mais pesado que isso, pensou. (Ele não tinha meios de saber, naquele momento, mas, posteriormente, se tornará evidente que essa era uma previsão otimista demais.)

— Senhor Hoshino.

— Hum?

— Graças ao senhor, a entrada está aberta.

— Ei, tio! Nakata!

— Que é?

Sempre deitado de costas e com os olhos ainda fechados, Hoshino inspirou fundo mais uma vez e depois soltou o ar.

— Se depois de todo esse esforço ela não abrisse, eu teria me acabado a troco de nada.

Capítulo 33

Tomo as providências para a abertura da biblioteca antes da chegada de Oshima. Passo o aspirador de pó em todo o piso, limpo o vidro das janelas, lavo o banheiro, passo o pano em cada cadeira e mesa. Borrifo lustra-móveis em aerossol no corrimão da escada e esfrego para obter lustro. Passo com cuidado o espanador pelo vitral sobre o patamar da escada. Varro o jardim e ligo o ar-condicionado da sala de leitura, assim como o aparelho redutor de umidade na sala do acervo. Preparo o café e aponto todos os lápis. Nesta hora matinal, existe algo na atmosfera da biblioteca deserta que me toca o coração. Todos os pensamentos e ideias aqui repousam em sereno silêncio. Na medida do possível, vou me empenhar para manter o asseio, a tranquilidade e a beleza deste local. Vez ou outra, paro e contemplo os livros que se enfileiram em silêncio nas prateleiras. Passo a mão de leve pela lombada de alguns. Às dez e meia, ouço o habitual ronco do motor Mazda no estacionamento e, logo depois, Oshima surge com expressão levemente sonolenta. Conversamos sobre banalidades até a hora da abertura.

— Se você não se incomoda, eu gostaria de sair por algum tempo — digo para Oshima depois de abrir a biblioteca.

— Aonde vai?

— Quero ir à academia de ginástica e movimentar um pouco os músculos. Não tenho me exercitado de maneira adequada nos últimos tempos.

O que eu quero não é só isso, naturalmente. Gostaria também, se possível, de evitar um encontro com a Sra. Saeki, que costuma chegar pouco antes da hora do almoço. Prefiro dar um tempo e revê-la só depois de recuperar o equilíbrio emocional.

Oshima lança um olhar ao meu rosto e, depois de breve pausa, diz:

— Está bem, mas preste atenção nos lugares por onde anda. Não vou encher sua paciência com conselhos irritantes porque não sou do tipo galinha choca aflita atrás da ninhada, mas você sabe muito bem que está numa situação em que todo o cuidado é pouco.

— Não se preocupe, vou me cuidar — respondo.

Com a mochila às costas, pego o trem. Desço na estação de Takamatsu e vou de ônibus à academia que costumava frequentar. No vestiário, troco minha roupa e, em seguida, passo pelos aparelhos fazendo a habitual série de exercícios enquanto ouço Prince em meu walkman. Fazia algum tempo que eu não me exercitava e meu corpo protesta. Ainda assim, persisto e vou vencendo uma a uma as diversas etapas. Protestando e se recusando a aceitar a carga extra, meu corpo está apenas mostrando reações normais. Tenho apenas de acalmar estas reações e de suprimi-las. Inspiro, retenho o ar e expiro enquanto ouço *Little red corvette*. Inspiro, retenho o ar e expiro. Repito diversas vezes, metodicamente. Uns após outros, vou atormentando os músculos de maneira ordenada até quase atingirem o limite de resistência. O suor escorre e a camiseta, úmida, começa a pesar. Sou obrigado a ir diversas vezes ao bebedouro para repor a quantidade de líquido que perdi.

Enquanto circulo pelos aparelhos na ordem costumeira, penso na Sra. Saeki. Penso nos momentos de sexo com ela. Tento não pensar em nada. Mas isso não é tão fácil. Concentro a atenção nos músculos. Empenho-me de corpo e alma na reprodução contínua e regular dos movimentos. Mesmos aparelhos, mesma carga e mesmo número de repetições. Em meus ouvidos, Prince canta "Sexy motherfucker". Resta ainda uma leve sensação dolorosa na cabeça do meu pênis. A uretra arde quando esvazio a bexiga. A glande está avermelhada. Recém-liberto do prepúcio, meu pênis ainda é tenro e sensível. Assoberbada por densas fantasias, pela voz imprecisa de Prince e por citações provenientes de diversos livros, minha mente está prestes a explodir.

Tomo uma chuveirada para me livrar do suor, visto roupa limpa, tomo o ônibus outra vez e retorno à estação. Sinto fome, entro na primeira lanchonete que avisto diante da estação e peço uma refeição simples. E, enquanto como, dou-me conta de que este é o mesmo estabelecimento em que almocei no dia em que cheguei a Takamatsu. Por falar nisso, quantos dias já se teriam passado desde que cheguei a esta localidade? Faz aproximadamente uma semana que moro na biblioteca. Devo, portanto, estar em Shikoku há quase três semanas. Não consigo fazer um cálculo mental preciso dos dias transcorridos; sei porém que, para tanto, tenho apenas de abrir a mochila, retirar de lá o meu diário e relê-lo.

Acabo de almoçar e, enquanto tomo meu chá, observo o vaivém agitado das pessoas que cruzam a estação. Todas se encaminham para algum lugar. Posso também me tornar uma delas, caso queira. Posso tomar qualquer uma das composições e me dirigir imediatamente para um outro lugar. Posso abandonar ou, ainda, descartar tudo que tenho aqui e ir para uma cidade desconhecida a fim de recomeçar do zero. Seria o mesmo que virar uma página do caderno e começar uma folha em branco. Posso ir a Hiroshima, por exemplo. Ou a Fukuoka. Nada me prende. Sou 100% livre. A mochila que carrego contém todas as coisas básicas, necessárias à minha sobrevivência. Roupas limpas, artigos de toalete, saco de dormir. E o dinheiro que peguei do gabinete do meu pai continua quase intocado.

Mas sei perfeitamente que já não posso ir a lugar algum.

— Mas você sabe perfeitamente que já não pode ir a lugar algum — diz o menino chamado Corvo.

Você teve a Sra. Saeki em seus braços e ejaculou dentro dela. Muitas vezes. E de cada vez ela o aceitou. Seu pênis ainda arde. Ainda guarda a lembrança da vagina dela. Que aliás é um dos lugares reservados para você. E você pensa também na biblioteca. Pensa nos silenciosos livros que, na quietude matinal, se enfileiram nas prateleiras do acervo. Pensa em Oshima. No seu quarto, no quadro *Kafka à beira-mar* que pende de uma das paredes, na garota de 15 anos que ali surge para contemplá-lo. Você sacode a cabeça. Você já não é capaz de sair dali. Já não é livre. Mas você quer realmente ser livre?

Dentro da estação, cruzo diversas vezes com policiais que fazem a ronda. Mas eles nem olham para mim. São muitos os rapazes queimados de sol andando com uma mochila nas costas. Sou com certeza apenas mais um deles, estou integrado à paisagem local. Não há o que temer. Basta apenas me comportar com naturalidade. Ninguém vai prestar atenção em mim.

Tomo a pequena composição de apenas dois vagões e retorno à biblioteca.

— Ah, você chegou — diz Oshima. Depois, repara na minha mochila e diz em tom atônito: — Caramba, você tem de andar sempre com esse trambolho volumoso nas costas? Me faz lembrar o menininho que nunca larga o cobertor, aquele das tiras cômicas do Charlie Brown.

Ponho a água a ferver e tomo chá. Oshima está como sempre girando um lápis recém-apontado entre os dedos. (Que fim ele dá aos lápis que ficaram curtos?)

— Começo a achar que, para você, essa mochila simboliza a liberdade — comenta Oshima.

— Provavelmente — eu digo.

— Pode ser que carregar consigo o símbolo da liberdade lhe dê mais prazer do que ter nas mãos a liberdade propriamente dita.

— Algumas vezes... — eu digo.

— Algumas vezes... — repete ele. — Se existisse no mundo uma espécie de concurso para ver quem fornece as respostas mais lacônicas, tenho certeza de que você o venceria com um pé nas costas.

— Pode ser — eu digo.

— Pode ser? — repete Oshima, agastado. — Meu jovem, *pode ser* que a grande maioria das pessoas existentes no mundo não esteja em busca de liberdade. As pessoas apenas pensam que estão. Tudo é ilusório. Caso a liberdade lhes fosse realmente concedida, a maioria se veria num mato sem cachorro. Lembre-se sempre disso. Na verdade, as pessoas gostam de se sentir presas, entendeu?

— Você também, Oshima?

— Sim, eu também gosto de me sentir preso. Isto é, até um certo ponto — emenda Oshima. — Jean-Jacques Rousseau declarou: a civilização teve início no momento em que a humanidade aprendeu a construir muros. Um rasgo de genialidade. Exatamente, a civilização é o produto da falta de liberdade intramuros. A única exceção é o caso dos aborígines do continente australiano. Este povo preservou uma civilização sem muros até o século XVII. Eram totalmente livres. Podiam ir aonde queriam, quando bem entendiam para fazer o que lhes desse na veneta. A vida deles era andar, literalmente. Andar era metáfora de vida para eles. Os aborígines não conseguiram entender nada quando os ingleses chegaram e construíram cercas para prender o gado. E ainda sem nada entender, foram classificados como perigosos seres de comportamento antissocial e tangidos para a inóspita vastidão australiana. De modo que é bom você se cuidar, Kafka Tamura. Porque, no final das contas, os que constroem muros mais altos e mais resistentes são os que têm melhores condições de sobreviver. Negue, e será expulso para a vastidão deserta.

Volto ao meu quarto e descarrego minha mochila. Depois, faço café fresco e o levo como de hábito à sala da Sra. Saeki. Com a bandeja de aço inox nas mãos, subo cuidadosamente um a um os degraus da escada. A tábua da velha escada range de leve. O vitral acima do patamar projeta sobre o piso uma grande variedade de cores vivas. Eu ponho o pé na poça multicor.

A Sra. Saeki está à escrivaninha escrevendo qualquer coisa. Deposito a xícara de café sobre o tampo. Ela ergue o rosto e me convida a sentar na cadeira de sempre. Veste camiseta preta e, sobre ela, uma camisa café com leite. Usa presilhas para segurar a franja, e tem brincos pequenos de pérola nas orelhas.

Ela permanece em silêncio por alguns minutos. Imóvel, contempla o que ela própria acabou de escrever. A expressão do rosto é a mesma de sempre. Ela tampa a caneta e a depõe sobre o manuscrito. Espalma a mão e se certifica de que não há tinta em seus dedos. O sol desta tarde de domingo entra pela janela. Há alguém conversando no jardim.

— Oshima me disse que você foi à academia de ginástica — diz ela olhando para mim.

— Sim senhora — respondo.

— Que tipo de exercício você fez lá?

— Com aparelhos e peso — respondo.

— E que mais?

Sacudo a cabeça.

— Atividade solitária, a sua, não é?

Aceno concordando.

— Você está procurando se fortalecer.

— Eu *tenho* de me fortalecer porque, caso contrário, não sobreviverei. Isso é verdade, especialmente no meu caso.

— Pois você é sozinho no mundo.

— Não tenho ninguém a quem recorrer. Quero dizer, ninguém até hoje acorreu em meu auxílio. De modo que só me restou abrir caminho à custa de esforço próprio. Portanto, preciso me fortalecer. Sou como um corvo desgarrado do bando. Essa é a razão por que adotei o nome Kafka. Kafka significa corvo em tcheco.

— É mesmo? — diz ela, admirada. — Então, você é um corvo.

— Sim — respondo.

Isso mesmo, diz o menino chamado Corvo.

— Mas as pessoas não podem viver para sempre desse jeito, não acha? Há um limite para esse tipo de vida. Você não pode transfor-

387

mar sua força em quatro paredes e se enclausurar dentro delas. A força é sempre destruída por outra maior. É uma lei natural.

— Porque a própria força se transforma em moralidade.

A Sra. Saeki sorri.

— Você entende as coisas com muita rapidez.

Eu digo:

— O que eu busco, isto é, a força que eu busco, não se relaciona com vitórias ou derrotas. Tampouco procuro paredes capazes de rechaçar forças externas. O que eu busco é a força que me permita enfrentar a que vem de fora e resistir a ela. Um tipo de força que me permita suportar com serenidade a injustiça, a falta de sorte, a tristeza, o mal-entendido e a incompreensão.

— Esse deve ser o tipo de força mais difícil de se obter.

— Sei disso.

Seu sorriso se aprofunda um pouco mais.

— Tenho a impressão de que você sabe tudo.

Sacudo a cabeça.

— Longe disso. Só tenho 15 anos, e as coisas que desconheço são incontáveis. Coisas que eu devia saber mas não sei. Por exemplo, não sei nada sobre a senhora.

Ela apanha a xícara de café e toma um gole.

— Na verdade, não existe nada que você deva saber a meu respeito. Ou seja, não tenho nada que você precise saber.

— Lembra-se da minha hipótese?

— Com certeza — diz ela. — Mas a hipótese é sua, não fui eu que a formulei. E, por isso, não sou responsável por ela. Concorda?

— Plenamente. O ônus da prova cabe a quem formulou a hipótese — eu digo. — E isso me leva a fazer uma pergunta.

— Qual?

— A senhora me disse que, muito tempo atrás, escreveu e publicou um livro sobre pessoas que foram atingidas por raios, não disse?

— Disse.

— É possível achar esse livro nalgum lugar?

Ela sacode a cabeça.

— Antes de mais nada, a edição, pequena, se esgotou há muito. E caso algum exemplar tivesse restado, deve ter sido destruído. Eu mesma não tenho nenhum comigo. Conforme já lhe disse antes, ninguém tem muito interesse por livros de entrevistas com pessoas atingidas por raios e que ainda assim sobreviveram.

388

— E por que motivo a senhora se interessou?

— Por quê, realmente? Talvez porque tenha percebido algo simbólico no fato. Ou talvez eu estivesse apenas procurando uma justificativa para me ocupar, para me movimentar incessantemente. Neste momento, já não me lembro qual foi a motivação direta da pesquisa. Seja como for, a verdade é que, certo dia, a ideia me ocorreu de repente e eu comecei a pesquisar. Na época, eu era uma escritora sem problemas financeiros e com tempo de sobra, de modo que, até certo ponto, consegui fazer o que queria. Para mim, o trabalho foi fascinante. Tive a oportunidade de me encontrar com diversas pessoas e de ouvir diversas histórias. Se não fosse por essa pesquisa, acredito que teria me fechado em mim mesma e me afastado irremediavelmente da realidade.

— Meu pai também foi atingido por um raio em sua mocidade. Nessa época, ganhava alguns trocados trabalhando como *caddie* num campo de golfe. Ele se salvou por um triz. Mas o homem que estava com ele faleceu.

— Muito mais gente do que se imagina morre atingida por raios em campos de golfe. A área em que são construídos é vasta e plana, quase não existem abrigos e os tacos de golfe se transformam em alvos prediletos dos raios. Suponho que seu pai também se chamava Tamura.

— Sim senhora. E tinha mais ou menos a sua idade.

Ela sacode a cabeça.

— Não me lembro de ninguém com esse nome. Não havia nenhum Tamura entre os meus entrevistados.

Fico em silêncio.

— E pelo que vejo, isso é parte da sua hipótese. Ou seja, que conheci seu pai enquanto escrevia esse livro e que, em decorrência, tive você.

— Sim.

— Nesse caso, chegamos ao fim da nossa conversa. Porque esse fato não existiu. Portanto, sua hipótese não se mantém.

— Não é bem assim — digo.

— Por que não é?

— Porque não consigo acreditar no que a senhora diz.

— Como assim?

— Por exemplo, quando mencionei o nome Tamura, a senhora logo disse que não havia ninguém com esse nome. Nem pensou direito. Vinte anos atrás, a senhora entrevistou muita gente. Não creio que se lembrasse com tanta presteza se existia ou não alguém chamado Tamura entre os seus entrevistados.

A Sra. Saeki sacode a cabeça. Em seguida, toma outro gole de café. Um sorriso muito pálido surge em seus lábios.

— Ah, Kafka, eu... — começa ela a dizer e se cala. Busca as palavras.

Eu espero até que ela as encontre.

— Tenho a impressão de que muita coisa está mudando ao meu redor — diz a senhora Saeki.

— Como assim?

— Não consigo explicar direito. Mas percebo essa mudança. Na pressão atmosférica, na maneira como o som reverbera e a luz reflete, no modo como o corpo se move e as horas passam... Em tudo isso, gradualmente. Como se minúsculas gotas de mudança estivessem se juntando para produzir uma correnteza.

A Sra. Saeki pega a sua caneta Mont Blanc preta, observa-a e torna a depô-la no lugar onde estava. Depois, me encara.

— Acredito que o que aconteceu no seu quarto ontem à noite faz parte desses movimentos de que lhe falei. Eu mesma não sei se o que fizemos durante a noite passada foi correto ou não. Mas, naquele momento, eu tinha decidido que já não me forçaria a formular julgamentos. Se a correnteza está aí, pensei, vou me deixar levar por ela para onde quer que ela queira me levar.

— Posso dizer com franqueza o que penso a seu respeito?

— Pode, claro.

— Acho que a senhora está tentando preencher o tempo que perdeu.

Ela permanece alguns instantes em silêncio pensando no que acabo de lhe dizer.

— E como sabe disso?

— Porque talvez eu também esteja tentando fazer a mesma coisa.

— Quer dizer, tentando preencher o tempo que perdeu?

— Exato — eu digo. — Muita coisa me foi roubada da minha infância. Muita coisa *importante*. E eu tenho de recuperar parte delas agora, enquanto é tempo.

— Para poder continuar vivendo.

Aceno.

— Eu tenho de fazer isso. Pessoas precisam de uma espécie de lugar para onde possam retornar. Ainda há tempo. Ou melhor, talvez haja. Tanto para mim, quanto para a senhora.

Ela fecha os olhos, junta as mãos e entrelaça os dedos sobre a escrivaninha. Depois, abre outra vez os olhos parecendo resignada.

— Quem é você? — pergunta ela. — Como sabe tanta coisa a respeito de tantos assuntos?

A senhora deve saber muito bem quem eu sou, você diz. Sou "Kafka à beira-mar". Seu amante e seu filho. O menino chamado Corvo. E nós dois nunca seremos livres. Estamos presos num turbilhão. Às vezes fora do tempo. Nós dois fomos atingidos por um raio em algum lugar. Um raio desprovido de som e forma.

Nessa noite, vocês tornam a se abraçar. Seus ouvidos captam o som do vazio existente dentro dela sendo preenchido. É um som abafado, como o de uma areia fina desmoronando na praia à luz do luar. Você contém a respiração e apura os ouvidos. Você está dentro da hipótese. Fora da hipótese. Dentro dela. Fora dela. Inspira, retém o ar, expira. Inspira, retém o ar, expira. Em seu cérebro, Prince é um molusco que canta sem parar. A Lua sobe no firmamento, é maré-cheia. A água do mar corre para dentro do rio. Os galhos do corniso à beira da janela estremecem nervosamente. Ela enterra o rosto em seu peito. Você sente contra a pele nua a respiração dela. Ela segue com a ponta dos dedos o traçado de cada um dos seus músculos. Depois, lambe carinhosamente seu pênis avermelhado, tentando confortá-lo. Você goza. Ela deglute o sêmen como se este fosse algo muito precioso. Você beija a genitália dela. A ponta da sua língua toca todos os recantos dela. É então que você se transforma em outra pessoa e em outra coisa. Está em outro lugar.

— Não existe nada dentro de mim que você precise conhecer — ela diz. Vocês se abraçam até a chegada da segunda-feira, atentos ao som da passagem das horas.

Capítulo 34

O enorme bloco de nuvens negras, que cruzou a cidade com exasperante lentidão, lançou em sucessão vertiginosa contra a terra todos os raios que foi capaz de produzir, como se buscasse corrigir a distorcida moralidade humana oculta em cada recanto. Depois, foi se extinguindo até se transformar em distantes, raivosos ribombos a ecoar debilmente da direção oriental. Simultaneamente, o violento aguaceiro também cessou de maneira abrupta e um estranho silêncio desceu sobre a cidade. Hoshino se ergueu do leito e abriu a janela para permitir a entrada de ar fresco. Já não viu vestígios de nuvens escuras em lugar algum e as que cobriam o céu eram agora claras e finas. Encharcados, todos os prédios gotejavam, e as rachaduras visíveis em algumas paredes tinham o aspecto escurecido de veias em pele de idoso. Gotas também pingavam de fios elétricos e caíam sobre a terra formando novas poças de água em toda parte. Pássaros que se haviam abrigado durante a tempestade começavam a aparecer e piavam em busca dos insetos que esvoaçavam na calmaria pós-borrasca.

Hoshino moveu diversas vezes o pescoço para os lados e se certificou de que seus ossos estavam em ordem. Depois, alongou o corpo uma vez, com vontade. Sentado à beira da janela, passeou o olhar pela paisagem molhada, retirou o maço de Marlboro do bolso e acendeu um cigarro.

— E agora, Nakata? Depois de todo o sofrimento por que passei para virar essa pedra e abrir a "entrada", nada aconteceu digno de nota. Nada de sapos nem de demônios, nenhum ente estranho apareceu na nossa frente. Acho até que eu devia agradecer aos céus por isso, mas, falando com franqueza, depois do estupendo pano de fundo, com direito a raios e trovões, confesso que estou um tanto desapontado.

Não houve resposta. Hoshino se voltou e viu que Nakata continuava sentado formalmente diante da pedra e se inclinava para a frente, mãos apoiadas no chão e olhos cerrados. Lembrava um inseto alquebrado.

— Que foi? Tudo bem com você, Nakata? — perguntou o rapaz.

— Desculpe, mas Nakata se cansou um pouco. Não está se sentindo bem. Ele gostaria de se deitar e dormir um pouco, se possível.

Realmente, seu rosto estava branco, como se o sangue tivesse refluído por completo. Os olhos se mostravam encovados e as mãos, trêmulas. Nakata parecia ter envelhecido muito no decorrer das últimas poucas horas.

— Entendi. Vou arrumar a cama imediatamente e você poderá se deitar em seguida. Fique à vontade, durma o tempo que quiser — disse Hoshino. — Mas você não está se sentindo mal, está? Não tem dor de cabeça, ânsia de vômito, zumbido nos ouvidos, vontade de fazer cocô, nada dessas coisas, tem? Quer que eu chame um médico? Seu seguro-saúde está em ordem?

— Sim senhor. O senhor governador deu o seguro-saúde para Nakata. Ele o guardou com cuidado dentro da sacola.

— Ótimo. Mas veja bem, Nakata. Sei que isto não é hora para corrigir insignificâncias, mas não é o governador que concede o seguro-saúde para a gente, ouviu? Isto que você tem guardado na sacola é um seguro da Previdência Social, e quem o concede é o governo federal. Não tenho certeza absoluta, mas estou quase certo de que é isso que acontece. O governador não se interessa a esse ponto por seus cidadãos, sabe? Portanto, esqueça-se de que ele existe por algum tempo.

O rapaz retirou as cobertas do armário embutido e as estendeu sobre o tatame.

— Sim senhor. Nakata entendeu. O seguro-saúde não foi concedido pelo senhor governador. Nakata vai se esquecer de que o senhor governador existe por algum tempo. Mas, seja como for, Nakata não precisa de médico neste momento. Acha que basta apenas se deitar e dormir um pouco para se sentir melhor.

— Ei, você não pretende dormir um tempão enorme, como da outra vez, não é? Vai dormir 36 horas seguidas?

— Nakata sente muito, mas isso ele não sabe. É que ele não planeja quantas horas vai dormir antes de cair no sono.

— É verdade, é verdade. Você tem toda razão. Ninguém é capaz de estabelecer de antemão quantas horas vai dormir. Tudo bem, durma quanto quiser. Hoje, nós dois tivemos um dia muito duro. Trovejou forte e, além disso, você teve de falar com a pedra. E também abriu *a entrada de não sei o quê*. Essas coisas não costumam acontecer todos os dias. Você teve de pensar muito e por isso se cansou. Durma o tempo que quiser sem se preocupar com nada nem com ninguém. Deixe todo o resto por minha conta. Hoshino vai dar um jeito. Durma despreocupado.

— Muito obrigado. Nakata vive dando muito trabalho para o senhor Hoshino. Por mais que agradeça ao senhor Hoshino, Nakata sabe que nunca será suficiente. Nakata tem certeza de que, se não fosse pelo senhor, estaria totalmente perdido; ainda assim, Nakata está preocupado porque sabe que o senhor Hoshino tem seu próprio trabalho muito importante para fazer.

— Ah, é mesmo — disse Hoshino com voz levemente sombria. Tanta coisa acontecera com tão vertiginosa rapidez que ele acabara se esquecendo por completo do próprio trabalho. — Agora que você falou, me lembrei de que realmente tenho. É verdade, está na hora de voltar para o meu emprego. Meu patrão deve estar furioso, a esta altura. Depois daquele telefonema em que o avisei que por motivos particulares me afastaria por aproximadamente dois ou três dias, nunca mais falei com ele. Vou levar a maior bronca quando retornar ao serviço.

Hoshino acendeu um novo Marlboro. Expeliu a fumaça lentamente. Depois, fez caretas para o corvo pousado no topo de um poste.

— Mas não faz mal. Meu patrão pode bufar quanto quiser e dizer o que bem entender, não estou nem aí. Sabe por quê, Nakata? Porque nestes últimos anos, venho trabalhando por vinte, como uma formiga. "Ei, Hoshino, não tenho caminhoneiro disponível. Veja se consegue emendar o roteiro e ir direto daí até Hiroshima ainda esta noite." "Tudo bem, patrão, eu consigo." Era assim que as coisas aconteciam, entendeu? Eu topava todas, nunca reclamei. E por causa disso acabei prejudicando minha coluna, conforme você mesmo viu. Minha sorte foi você ter me curado há alguns dias, porque se isso não tivesse acontecido, não sei o que seria de mim. Afinal, tenho só vinte e poucos anos, não posso me estropiar inteiro trabalhando feito um louco num serviço que nem é grande coisa. Tenho direito a algum descanso, acho que ninguém vai me castigar por isso. Mas sabe, Nakata...

Nesse ponto, Hoshino descobriu que Nakata já dormia a sono solto. Olhos cerrados com firmeza, rosto voltado para o teto, boca fechada, ele respirava pelo nariz pausadamente. À sua cabeceira, a pedra continuava na posição em que a deixara, isto é, virada de cabeça para baixo.

— Isso é que é dormir depressa — murmurou Hoshino com admiração.

Sem ter o que fazer, o rapaz assistiu à televisão deitado sobre as cobertas, mas a programação vespertina era insuportavelmente tediosa. Hoshino resolveu então sair um instante. Estava na hora de comprar roupas de baixo, pois, àquela altura, as que usava já estavam ficando sujas. Lavar roupas era uma das tarefas que mais o desgostavam. Considerava muito mais prático comprar cuecas novas e baratas em substituição às que sujava, em vez de lavá-las. Desceu à recepção, pagou em dinheiro a diária do dia seguinte, avisou que o companheiro de quarto dormia porque estava muito cansado e pediu que não o despertassem.

— Se bem que ele não vai acordar, mesmo que vocês tentem — acrescentou.

Hoshino perambulou pela cidade aspirando o ar lavado pela chuva. Boné dos Dragões Chunichi na cabeça, óculos Ray-Ban verdes, camisa de padrão havaiano, como sempre. Foi até a estação e comprou um jornal na banca. Checou o escore dos Dragões Chunichi na página esportiva (eles tinham perdido no estádio de Hiroshima) e, depois, passou os olhos pela programação dos cinemas. Estreava um filme protagonizado por Jackie Chan, e Hoshino resolveu assisti-lo. A seção estava para começar. Perguntou a localização do cinema num posto policial e, ao ser informado que ficava perto da estação, foi até lá a pé. Comprou o bilhete, entrou no cinema e assistiu ao filme mastigando amendoim amanteigado.

Terminada a sessão, saiu à rua. A tarde já tinha caído. Não estava com muita fome, mas, à falta do que fazer, resolveu jantar. Entrou na primeira casa de sushi que lhe chamou a atenção e pediu uma porção de sushi e uma cerveja. Pelo jeito, estava mais cansado do que pensara, pois só conseguiu tomar meia garrafa.

"Isso não me surpreende. Afinal, tive de erguer nos braços uma pedra estupidamente pesada. Qualquer um ficaria estropiado", disse o rapaz para si mesmo. "Parece até que sou a casa malfeita do irmão mais velho dos três porquinhos. Um único sopro do Lobo Mau e saio voando até Okayama.

Saiu da lanchonete e entrou em seguida na primeira casa de jogos eletrônicos que descobriu. Ali perdeu 2 mil ienes num piscar de olhos. Aquele não era seu melhor dia. Desistindo de jogar, saiu do estabelecimento e andou mais um tempo ao léu. E, enquanto andava, deu-se conta de que ainda não tinha comprado as roupas de baixo.

Que é isso, que é isso! Afinal, tinha saído da hospedaria com a intenção de comprá-las, não tinha? Entrou numa das lojas de descontos da área comercial e comprou cuecas, camisetas brancas e meias. Agora, sim, podia jogar fora as roupas sujas. Sua camisa de padrão havaiano também estava no ponto de ser trocada, mas, depois de espiar diversas lojas, chegou à conclusão de que era impossível encontrar alguma do seu agrado na cidade de Takamatsu. Hoshino só usava aquele tipo de camisa, fosse verão ou inverno, mas nem todo padrão havaiano merecia sua aprovação.

Entrou então numa padaria também existente no centro comercial e comprou alguns pãezinhos para o caso de Nakata despertar com fome no meio da noite. Comprou também suco de laranja em embalagens pequenas. Foi em seguida para um caixa eletrônico, sacou 5 mil ienes de sua conta bancária e os guardou na carteira. Examinou o saldo e se certificou de que ainda lhe restava um bom dinheiro na poupança. Nos últimos tempos, andara tão ocupado trabalhando que não tivera tempo de gastar o salário.

Fora, a noite já caíra. Hoshino sentiu repentina vontade de tomar um bom café. Passeou o olhar ao redor e detectou uma tabuleta de cafeteria numa área ligeiramente afastada do centro comercial. O estabelecimento tinha sido montado nos moldes dos antigos salões de chá, raros nos dias atuais. Hoshino entrou, sentou-se numa poltrona ampla e macia e pediu café. Havia música ambiente saindo de um alto-falante de procedência britânica embutido em robusta caixa de nogueira. Ele era o único cliente da casa. O rapaz se acomodou melhor na cadeira e, pela primeira vez em muito tempo, sentiu-se relaxar. Todas as coisas ao seu redor lhe pareceram serenas, naturais, e se integravam agradavelmente a ele. O café, que lhe foi servido numa xícara elegante, era forte, delicioso. Hoshino fechou os olhos, respirou pausadamente e apurou os ouvidos para a histórica harmonia de cordas e piano. Nunca se interessara em ouvir música clássica, mas aquela tinha inexplicável poder de acalmá-lo. Podia até afirmar que o deixava introspectivo.

Enquanto ouvia a música, fechou os olhos e, levado pelo suave ritmo, pensou em diversas coisas. Principalmente em si mesmo como existência. E quanto mais pensava, mais lhe parecia que não havia nada dentro de si. Tinha a impressão de que o que existia era apenas mero acessório sem nenhum sentido.

Por exemplo, até hoje, vim torcendo fanaticamente pelos Dragões Chunichi. Mas o que são realmente os Dragões Chunichi para mim? Quando os Dragões Chunichi vencem os Giants, esse fato contribuiria de alguma maneira para o meu aprimoramento pessoal? Esquece!, isso jamais aconteceria, pensou o rapaz. Mas então, por que cargas d'água torço por eles com tanto fervor, como se o time fosse parte integrante da minha pessoa?

Nakata disse que ele era vazio por dentro. Pode até ser que seja. *Mas... se ele é vazio por dentro, eu sou o quê?* Nakata disse que ficou assim depois de sofrer um acidente na infância. Quanto a mim, nem acidente sofri na infância. Se ele é vazio, sou menos que vazio, na melhor das hipóteses. Nakata tem ao menos... Nakata tem ao menos *algo* capaz de fazer com que a gente fique com vontade de segui-lo até Shikoku. Algo especial. Se bem que eu mesmo não sei que raios é esse *algo*.

O rapaz pediu outra xícara da bebida.

— Gostou do nosso café? — perguntou o proprietário grisalho do estabelecimento. (Hoshino não tinha meios de saber, naturalmente, mas o homem era ex-funcionário do Ministério da Educação. Ele havia se aposentado e retornado à terra natal, Takamatsu, onde abrira aquele estabelecimento, cujas especialidades eram café e música clássica.)

— É ótimo. Tem um aroma maravilhoso.

— Eu mesmo torro os grãos. E os escolho um a um, manualmente.

— Está explicada a razão desta delícia.

— E a música? Não o incomoda?

— Música? — repetiu Hoshino. — É boa. Não, não me incomoda nem um pouco. Quem está tocando?

— O trio Rubinstein, Heifetz e Feuermann. À época, o grupo era chamado "Trio Milionário". Uma verdadeira obra de arte. Foi gravada em 1941, mas o som, apesar de antigo, não perdeu seu brilho.

— Isso mesmo. Coisas boas não envelhecem.

— Algumas pessoas preferem um "Trio Arquiduque" mais estruturado, tradicional e vigoroso. Como, por exemplo, o do Trio Oistrach.

— Pois eu acho este conjunto muito bom — disse Hoshino. — Tem um jeito de tocar, digamos assim, suave, não é?

— Muito obrigado — disse o dono do estabelecimento, agradecendo sinceramente em nome do Trio Milionário. Depois que o homem se retirou, Hoshino se dedicou novamente ao café e às suas reflexões.

Nestes últimos dias, estou sendo útil para Nakata. Li muita coisa para ele e também achei a pedra. Ser útil dá uma sensação agradável. Desde o dia em que nasci até hoje, acho que foram poucas as vezes que me senti assim. Mandei meu trabalho às favas, vim parar nesta lonjura e estou enredado numa série de acontecimentos cujo sentido não entendo direito, mas não me arrependo de nada do que fiz.

Algo me diz que estou no lugar certo. Porque quando estou com Nakata, *quem-sou-eu* é o tipo de pergunta que deixa de ter importância. Posso até estar exagerando, mas acredito que os discípulos de Buda e de Jesus Cristo também se sentiam mais ou menos como eu. Vai ver, eles também pensaram: "Ah, como me sinto bem na companhia de Buda!" E isto, muito mais que coisas complicadas como toda essa história de pregação e verdade, talvez tenha sido o grande segredo da atração que esses líderes espirituais exerceram sobre os fiéis.

Quando eu era pequeno, vovô costumava me contar histórias dos discípulos de Buda. Um deles se chamava Myoga. Era burro, lento como ninguém, incapaz de decorar um simples sutra. E, por causa disso, os demais discípulos o desprezavam. Mas um dia, Buda disse para ele: "Ei, Myoga, já que tu és burro mesmo, não precisas decorar nenhum sutra. Em vez disso, senta-te aí na entrada da casa e lustra o sapato de todo o mundo." Myoga era um sujeito obediente, de modo que não disse ao seu mestre: "Estais brincando, Buda? E vós, por que não ides lamber sabão?" E assim, Myoga engraxou diligentemente os sapatos de todo o mundo durante dez, vinte anos. E então, um belo dia ele alcançou de repente a iluminação e se tornou um dos discípulos mais ilustres de Buda. Essa era mais ou menos a história que Hoshino tinha na memória. Lembrava-se muito bem dela porque, ao ouvi-la, pensara: "Passar dez, vinte anos só engraxando sapatos? Que bosta de vida é essa? Vá se catar!" Agora, porém, a história adquiria novas nuanças. A vida é realmente uma bosta, não havia como escapar dessa verdade, pensou. Ele apenas não sabia disso quando era pequeno.

Hoshino ruminou essas ideias até ouvir os acordes finais do "Trio Arquiduque". A música o ajudara a pensar.

— Escute, tio — disse ele para o dono do estabelecimento no momento em que se preparava para sair. — Como é mesmo que se chama essa música? Você me disse há pouco, mas já esqueci.

— "Trio Arquiduque", de Beethoven.

— *Trio Arte do Duque?*

— Não senhor. "Trio Arquiduque". Esta obra foi composta por Beethoven em homenagem ao duque austríaco Rodolfo. Por causa disso, ela é conhecida como "Trio Arquiduque", mas esse não é o verdadeiro título da obra. O duque Rodolfo era filho do imperador austríaco Leopoldo II, ou seja, pertencia à realeza. Músico refinado, aos 16 anos de idade tornou-se discípulo de Beethoven e com ele aprendeu piano e teoria musical. Logo, passou a devotar profundo respeito por Beethoven. Rodolfo não se destacou muito como compositor ou como pianista, mas, vida afora, abrigou Beethoven sob suas asas protetoras, já que este era despreparado em matéria de abrir caminho na vida. Não fosse pelo arquiduque, a vida de Beethoven teria sido muito mais penosa, com toda certeza.

— Tipos como esse arquiduque são realmente necessários na vida das pessoas, não são?

— Sem dúvida alguma.

— Já pensou no que seria do mundo se nele só houvesse gênios ou pessoas famosas? Isto aqui viraria uma verdadeira confusão. Alguém precisa sempre ficar de olho nos problemas e encontrar uma solução prática para eles.

— Concordo com o senhor. Se todos fossem gênios ou famosos, o mundo seria uma verdadeira confusão.

— Esta é uma bela peça musical, realmente.

— Maravilhosa. A gente nunca se cansa de ouvi-la. De todos os trios para piano compostos por Beethoven, este é o mais famoso e o mais elegante. E foi também o último trio para piano criado por Beethoven, pois, depois de finalizá-lo, aos 40 anos de idade, ele nunca mais compôs nenhum. Talvez tenha achado que alcançara o ápice do gênero com esta composição.

— Acho até que eu o compreendo. Tenho para mim que tudo na vida precisa de um ápice — disse Hoshino.

— Apareça de novo.

— Claro.

Conforme previra, Hoshino encontrou Nakata dormindo a sono solto quando retornou ao quarto. Como já lhe havia acontecido algo parecido anteriormente, Hoshino não estranhou. Ele tinha apenas de dormir quanto queria. A pedra continuava à cabeceira do leito, abandonada na posição em que fora deixada. Hoshino depositou o saco com os pães ao lado dela. Em seguida, tomou um banho e trocou as roupas íntimas. Meteu as que usara até então num saco de papel e jogou-as no lixo. Mergulhou então debaixo das cobertas e logo adormeceu.

Pouco antes das nove da manhã seguinte, o rapaz despertou. No leito ao lado, Nakata continuava a dormir na mesmíssima posição da noite anterior. A respiração era fraca, mas regular. Dormia profundamente. Hoshino comeu a refeição matinal sozinho e pediu à empregada da hospedaria que não acordasse o companheiro adormecido.

— Não precisa guardar os cobertores, ouviu? — disse ele.

— Dormir tanto tempo não faz mal? — perguntou a empregada.

— Pode ficar tranquila, ele não vai morrer. Meu amigo está apenas recuperando a energia perdida. Sei perfeitamente tudo que acontece com ele.

Comprou um jornal na estação, sentou-se num banco e examinou a programação dos cinemas. Numa casa próxima à estação exibiam uma retrospectiva de François Truffaut. Hoshino não tinha ideia de quem era François Truffaut (nem ao menos se o indivíduo em questão era homem ou mulher), mas, como o espetáculo era duplo, achou que servia para preencher o tempo vago até o começo da tarde e resolveu assistir. Os filmes da programação eram *Os incompreendidos* e *Atire no pianista*. Na plateia, havia apenas meia dúzia de gatos-pingados. Hoshino estava longe de ser um amante da sétima arte. Ele ia vez ou outra ao cinema, mas sua escolha se limitava quase sempre a filmes de ação ou do tipo *kung-fu*. Assim, as obras da fase inicial de Truffaut apresentavam para ele diversos segmentos e facetas de difícil compreensão e, como a maioria dos filmes antigos, seu desenvolvimento se dava em ritmo lento. Ainda assim, Hoshino apreciou devidamente a ambientação peculiar, a tonalidade do filme e o sugestivo retrato psicológico dos personagens. Não houve tempo para se aborrecer. Terminada a sessão, achou até que poderia assistir a mais alguns filmes desse mesmo diretor.

Depois de sair do cinema, foi a pé até o centro comercial, e entrou na mesma cafeteria da noite anterior. O dono se lembrou dele. Hoshino se sentou na mesma cadeira que ocupara anteriormente e pediu café. Não havia nenhum outro freguês também nessa noite. Dos alto-falantes, vinha o som de um concerto de violoncelo.

— Concerto número um, de Haydn. Pierre Fournier ao violoncelo — explicou o dono quando trouxe o café.

— O som me parece extraordinariamente natural — comentou Hoshino.

— Isso mesmo — concordou o dono. — Pierre Fournier é um dos músicos que eu mais aprecio. Sua execução é comparável a um vinho de boa qualidade. Tem aroma, é encorpado, e capaz de aquecer o sangue e de estimular o coração gentilmente. Eu sempre o chamo de mestre Fournier. Não o conheci pessoalmente, é claro, mas é quase um mentor para mim.

Enquanto ouvia a execução fluida e elegante de Fournier ao violoncelo, Hoshino se lembrou da própria infância. Dos tempos em que ia diariamente pegar peixes num ribeirão próximo à sua casa. Bons tempos aqueles em que não tivera de pensar em nada. Só tivera de viver a vida como ela era. Vivendo, eu era *alguma coisa*. De maneira natural. Mas deixou de ser assim a partir de um certo tempo que não consigo definir com exatidão. Viver, apenas, passara a não significar que eu era *alguma coisa*. Que história mais maluca, não é mesmo? Afinal, as pessoas nascem para viver, certo? Em vez disso, parece até que quanto mais eu vivia, mais perdia o conteúdo, isto é, me transformava num homem vazio por dentro. E pode ser que, daqui para a frente, quanto mais eu viver mais vazio e insignificante eu me torne. Mas isso está errado. Não tem pé nem cabeça. Será que eu posso mudar o rumo dos acontecimentos?

— Ei, tio — disse o rapaz para o proprietário que estava no caixa.

— Pois não?

— Se você tem um tempo sobrando, e se não lhe for incômodo, gostaria que se sentasse ao meu lado para dois dedos de prosa. Quero saber um pouco mais sobre Haydn, o compositor desta obra.

O proprietário aquiesceu e falou com entusiasmo a respeito da vida e da obra de Haydn. O proprietário era do tipo introvertido, mas se tornava espantosamente eloquente quando discorria sobre música clássica. Falou dos longos anos de vida de Haydn, da sua primeira contratação como compositor, das incontáveis peças que criara sob encomenda, sempre atendendo à vontade de seus sucessivos patrões. Do seu jeito de ser realista e amável, de sua personalidade modesta e generosa. E também do complexo ser humano que, simultaneamente, guardava em si um mundo sombrio e silencioso.

— Em certo sentido, Haydn foi uma pessoa enigmática. Ninguém sabe ao certo quão violento era o *páthos* que lhe habitava a alma. Mas na época feudal em que Haydn viveu, o único recurso que lhe restou foi envolver habilmente seu ego numa capa de submissão e obediência, e viver por trás de uma fachada de elegante brejeirice. Se não o fizesse, ele provavelmente teria sido destruído. Muita gente considera

Haydn menos importante que Bach ou Mozart. Tanto no aspecto das obras como no modo de viver. Realmente, embora Haydn em certa medida tivesse se mostrado inovador no decorrer de toda a sua longa vida, nunca foi um vanguardista. Mas, se você se concentrar e ouvir sua obra cuidadosamente, com certeza detectará nela a ânsia por um ego moderno. Ela pulsa silenciosamente na música de Haydn como um eco distante carregado de contradições. Por exemplo, ouça este acorde. Embora calmo, está repleto de uma espécie de suave curiosidade infantil, de um espírito difuso e ao mesmo tempo persistente, está sentindo?

— Como um filme de François Truffaut.

— Exatamente! — exclamou o proprietário, dando um leve e entusiástico tapa no ombro do rapaz. — Isso mesmo, sem tirar nem pôr. Esse mesmo espírito repleto de suave curiosidade infantil, difuso e ao mesmo tempo persistente, é também característico das obras de François Truffaut.

Quando a música de Haydn chegou ao fim, Hoshino quis ouvir mais uma vez o "Trio Arquiduque" de Beethoven, executado por Rubinstein, Heifetz e Feuermann. E, enquanto o ouvia, tornou a se perder em longas e solitárias considerações.

— Vou acompanhar Nakata até onde me for possível. Meu emprego que se dane! — decidiu o rapaz.

Capítulo 35

Quando o telefone tocou às sete da manhã, eu dormia profundamente. Sonhava que estava acocorado no fundo de uma caverna e, lanterna na mão, procurava alguma coisa no escuro. Naquele momento, ouvi uma voz que provinha da entrada da caverna. A voz me chamava. De longe, debilmente. Volto-me nessa direção e grito uma resposta. Mas minha voz parece não chegar aos ouvidos da pessoa que me chama, pois os apelos persistem, incansáveis. Não vejo outra saída senão me erguer e me encaminhar para a entrada da caverna. Penso então: "Que pena, se eu procurasse mais um pouco teria achado!" Mas ao mesmo tempo, o fato de não ter achado provoca em mim uma grande sensação de alívio. Nesse momento, desperto. Olho ao redor e recolho lentamente os fragmentos dispersos da minha consciência. Dou-me conta de que, sobre o balcão da recepção, o telefone está tocando. Serena luz matinal atravessa as cortinas da janela e invade meu quarto. A Sra. Saeki já não se encontra ao meu lado. Estou sozinho em minha cama.

Saio da cama de camiseta e cueca e vou até o telefone. Levei um tempo considerável para chegar lá, mas o aparelho, persistente, continua a tocar.

— Pronto.

— Você estava dormindo? — pergunta Oshima.

— Sim, estava — respondo.

— Desculpe se o acordei tão cedo em dia de folga, mas é que estamos com um problema.

— Problema?

— Explico depois, quando nos encontrarmos. Acho melhor você se afastar por uns tempos da biblioteca. Estou indo para aí agora mesmo e você precisa juntar suas coisas rapidamente. Quando eu chegar, venha imediatamente ao estacionamento e embarque. Não perca tempo fazendo perguntas. Entendeu?

— Entendi — respondo.

Retorno ao quarto e junto minhas coisas, conforme Oshima me recomendou. Não preciso me apressar porque em cinco minutos terei todas as coisas arrumadas. Recolho as roupas que lavei e deixei secando no banheiro, e as meto na mochila com meus artigos de toalete, livros e o diário. Pronto, a mala está feita. Visto as roupas e arrumo a cama. Aliso os lençóis, bato os travesseiros para afofá-los e cubro tudo com a colcha. Apago todos os rastros da minha permanência. Depois, sento-me na cadeira e penso na Sra. Saeki, que estivera comigo até poucas horas atrás.

Vinte minutos depois, e antes ainda que o Mazda verde entre na área de estacionamento, como um desjejum ligeiro composto de leite e cereais. Lavo os pratos e talheres usados e os guardo. Escovo os dentes, lavo o rosto. Examino-me ao espelho. Nesse exato momento, ouço o ruído do motor no estacionamento.

O dia estava perfeito para andar de capota arriada, mas ela está hermeticamente fechada. Com a mochila nas costas, caminho em passos rápidos até o estacionamento e embarco. Com movimentos hábeis, Oshima amarra minha mochila no rack traseiro sobre o porta-malas. Está usando óculos estilo Armani de lentes bem escuras, camiseta branca de decote V e, jogada sobre esta, uma camisa de linho listrada. Jeans branco e tênis de lona azul-marinho. Traje esportivo para os dias de lazer. Ele me entrega um boné azul-marinho com o logotipo da North Face.

— Se bem me lembro, você disse que perdeu seu boné nalgum lugar. Use este. É útil para esconder o rosto.

— Obrigado — eu digo. Depois, ponho o boné na cabeça. Oshima me examina e acena em sinal de aprovação.

— Você tem um par de óculos escuros, não tem?

Aceno a cabeça e tiro meu Revos azul-claro do bolso e o ajeito sobre o nariz.

— Legal — diz Oshima olhando para mim. — Experimente usar o boné de trás para diante.

Obedeço e ajeito o boné com a pala voltada para trás.

Oshima acena a cabeça outra vez.

— Bacana. Você ficou com cara de rapper bem-nascido.

Oshima engata a primeira, pisa lentamente no acelerador e solta a embreagem.

— Aonde vamos? — pergunto.

— Para o mesmo lugar de antes.

— Montanha em Kochi?

Oshima confirma.

— Vai ser outra viagem longa — responde. Em seguida, liga o estéreo do carro. Mozart em ritmo alegre, arranjo para orquestra. Já ouvi isso antes. "Posthorn Serenade"?

— Você se cansou de montanhas?

— Gosto daquele lugar. É tranquilo, e consigo ler muitos livros.

— Ainda bem — diz Oshima.

— E então? Qual é o problema?

Oshima faz uma carranca para o espelho retrovisor. Depois, me olha de esguelha rapidamente e torna a se voltar para a frente.

— Antes de mais nada, a polícia entrou em contato comigo outra vez. Eles telefonaram para minha casa ontem à noite. Desta vez, tive a impressão de que estão seriamente empenhados em encontrar você. Pareciam totalmente diferentes.

— Mas eu tenho um álibi, não tenho?

— Claro. Aliás, um álibi muito bom. No dia do crime você esteve o tempo todo em Shikoku. Eles não estão duvidando disso. Mas podia ser que você tivesse executado o crime com a ajuda de alguém. Essa possibilidade sempre existiu.

— Com a ajuda de alguém? Como assim?

— Eles acham que você podia ter um cúmplice. Entendeu?

Cúmplice? Sacudo a cabeça.

— De onde foi que eles tiraram essa ideia?

— Como de hábito, não quiseram dar detalhes. Eles buscam informações com avidez, mas são muito reservados na hora de dá-las. De modo que passei a noite inteira na internet procurando notícias referentes ao caso. Já existem diversos sites especializados no episódio, sabia disso? Você é uma celebridade. O príncipe nômade que detém a chave do mistério.

Dou de ombros. *Príncipe nômade*?

— Mas como sempre acontece com informações desse tipo, nunca se sabe até onde vai a verdade e onde começam as especulações. Em todo caso, juntei as diversas notícias e apurei o seguinte: neste momento, a polícia está procurando o paradeiro de um homem. Ele deve ter cerca de 65 anos. No dia do crime, parece que este indivíduo se apresentou num posto policial do centro comercial de Nogata e confessou ter matado uma pessoa momentos antes naquelas proximidades.

Ele teria dito que usara uma faca. Mas, ao mesmo tempo, balbuciou uma série de coisas sem nexo. O jovem policial que se achava de plantão no posto concluiu então que se tratava de um velho caduco e o mandou embora sem lhe dar a mínima atenção. E, quando a notícia do crime explodiu, o policial obviamente se lembrou do velhinho. Percebeu então que tinha cometido um erro irreparável. Como ele não havia perguntado nem o nome, nem o endereço do idoso homem, deduziu que se veria em maus lençóis caso os superiores hierárquicos viessem a saber disso. De modo que guardou silêncio. Mas por algum motivo — não descobri qual — a verdade apareceu e, claro, o policial sofreu punição disciplinar. Coitado, ele nunca mais vai esquecer este incidente.

Oshima reduz a marcha, ultrapassa um Toyota Tercel que corria à nossa frente e volta rapidamente para a faixa de deslocamento.

— A polícia se empenhou a fundo e descobriu a identidade do velhinho. Parece que ele é deficiente mental, mas não sei direito a sua história. A deficiência não é grave, o homem foge só um pouco dos padrões da normalidade. Parece que se mantém com a ajuda de parentes e do seguro previdenciário. Vive sozinho. E, quando o procuraram no apartamento onde morava, já não o encontraram. A polícia seguiu os passos dele e descobriu que, de carona em carona, o homem veio parar em Shikoku. O motorista de um ônibus se lembrou de ter apanhado em Kobe um homem que correspondia a essa descrição. O motorista se lembrou do velho porque ele falava coisas estranhas de um jeito bem peculiar. Informou também que estava em companhia de um rapaz de vinte e poucos anos, e que os dois desceram na estação de Tokushima. A polícia então descobriu a hospedaria de Tokushima onde os dois tinham se hospedado. De acordo com uma funcionária desse estabelecimento, os dois foram de trem para Takamatsu. E aqui, as pistas dos dois homens e a sua localização atual, Kafka, se juntam de maneira inexorável. Tanto você como esse velhinho vieram direto de Nogata, bairro de Nakano, para Takamatsu. As coincidências são excessivas, não podem ser obra do acaso. Fizeram a polícia imaginar que existe algo por trás delas, é claro. Como, por exemplo, que vocês dois podem estar mancomunados na execução do crime. E, desta vez, o Departamento Central da polícia se engajou ativamente nas pesquisas. Estão vasculhando a cidade inteira. Como agora ficou difícil continuar escondendo o fato de que você vive na biblioteca, resolvi transferi-lo para a montanha.

— Um idoso com deficiência mental que morava em Nakano?

408

— Sabe alguma coisa a respeito dele?

Sacudo a cabeça.

— Absolutamente nada.

— Parece que ele morava bem perto da sua casa. A cerca de 15 minutos a pé.

— Oshima, são muitas, mas realmente muitas as pessoas que moram em Nakano. E eu nem sabia quem morava ao lado da minha casa, entende?

— Espere, a história ainda continua. — diz Oshima. Relanceia o olhar para mim. — Foi *ele* quem provocou a chuva de sardinhas e cavalinhas no centro comercial de Nogata. Ele ao menos profetizou para o jovem policial que no dia seguinte choveria uma grande quantidade de peixes.

— Extraordinário! — eu digo.

— Exatamente — concorda Oshima. — E, na mesma noite, uma quantidade incrível de sanguessugas choveu no posto de serviços Fujigawa, à beira da estrada Tomei. Lembra-se disso?

— Claro que me lembro.

— É óbvio que a polícia também percebeu que havia uma relação entre esses dois incidentes. E está tecendo conjecturas sobre uma possível relação entre tais incidentes e o idoso homem. Os rastros dele levam diretamente a esses locais.

A música de Mozart termina e começa outra, do mesmo compositor.

Oshima sacode a cabeça algumas vezes com a mão sobre o volante.

— O desenrolar dos acontecimentos é realmente estranho. A história era insólita desde o ponto de partida, mas vai se tornando cada vez mais estapafúrdia. Não dá para prever o que vai acontecer em seguida. Mas uma coisa se pode saber com certeza: o rumo começa a se definir e a se concentrar *nestas redondezas*. Kafka, sua linha de ação e a desse misterioso velhinho estão para se cruzar nalgum ponto desta região.

Fecho os olhos e apuro os ouvidos para o ruído do motor.

— Oshima, você não acha que eu devo ir agora mesmo para alguma outra localidade? — pergunto. — Porque, aconteça o que acontecer, não pretendo dar mais trabalho do que já dei nem a você nem à Sra. Saeki.

— Para onde você iria, por exemplo?

— Não sei. Qualquer lugar serve. Me leve até a estação que eu resolvo o resto.

Oshima suspira.

— Não acho que sua ideia seja das mais brilhantes. Quase certamente, enxames de policiais devem estar varrendo a estação em busca de um garoto com cerca de 15 anos, seguro de si e que carrega às costas uma mochila e uma obsessão.

— Nesse caso, me leve para uma estação não vigiada, longe daqui.

— Dá na mesma. Nalgum lugar a polícia há de encontrá-lo, de um jeito ou de outro.

Fico em silêncio.

— Preste atenção, Kafka. Não há um pedido de prisão expedido contra você, nem paira sobre sua cabeça a suspeita do assassinato. Não é verdade?

Concordo com um aceno.

— Isso significa que, por enquanto, você é uma pessoa livre. Eu posso levar você aonde bem entender, não tenho de dar satisfações a ninguém. Não estou fazendo nada ilegal. Para começar, nem sei seu nome verdadeiro. Estou certo, não estou, senhor Kafka Tamura? Portanto, não precisa se preocupar comigo. Posso não parecer, mas sou uma pessoa bastante cautelosa. Não vão me pegar no contrapé com tanta facilidade.

— Oshima — eu digo.

— Que é?

— Não estou mancomunado com ninguém. E mesmo que eu tivesse querido matar meu pai, eu jamais pediria a alguém que o fizesse.

— Sei disso muito bem, Kafka.

Oshima para o carro num sinaleiro e ajusta o espelho retrovisor. Joga um dropes de limão na boca e me oferece outro. Aceito e o ponho na boca.

— Que mais?

— Como assim, que mais? — pergunta Oshima.

— Há pouco, você disse: Em primeiro lugar... Se existe um primeiro lugar entre os motivos que o obrigaram a me esconder na montanha, tenho a impressão de que deve existir também um segundo lugar.

Oshima não tira os olhos do semáforo. Mas a luz demora a ficar verde.

— O segundo não é lá muito importante. Quando comparado ao primeiro, quero dizer.

— Mas quero saber, mesmo assim.

— Diz respeito à Sra. Saeki — diz Oshima. A luz afinal muda para verde e ele pisa no acelerador. — Você está dormindo com ela. Não está?

Não consigo responder de maneira adequada.

— Isso não tem importância. Não se preocupe. Descobri porque sou muito perceptivo, só isso. Ela é uma pessoa maravilhosa e, como mulher, muito atraente. Ela é... especial. Em diversos sentidos, entende? Realmente, ela é muito mais velha que você, mas isso não vem ao caso. Compreendo perfeitamente a razão da sua atração por ela. Você quer se relacionar sexualmente com ela. Pois faça isso. Ela tem vontade de se relacionar sexualmente com você. Pois ela que faça também. É tudo muito simples. Não tenho nenhum tipo de preconceito contra isso. Se está bem para vocês, estará bem para mim.

Ele revolve levemente o dropes de limão dentro da boca.

— Mas, neste momento, acho melhor você e a Sra. Saeki ficarem um pouco distantes um do outro. Isso nada tem a ver com o incidente sangrento que aconteceu em Nogata, bairro de Nakano, entendeu?

— Por quê?

— Porque ela se encontra num local muito estranho agora.

— Lugar estranho?

— A Sra. Saeki... — começa ele a dizer e para em busca de palavras — Vou simplificar a história e dizer de uma vez: ela está morrendo. Eu percebi isso. Venho sentindo os sinais nos últimos tempos.

Ergo meus óculos escuros e fixo o olhar no perfil de Oshima. Rosto voltado para a frente, ele continua dirigindo. Acabamos de entrar na rodovia que leva a Kochi. Contrariando seu hábito, Oshima corre dentro do limite de velocidade permitido e na faixa adequada. Um Toyota Supra ultrapassa zunindo o nosso Mazda.

— Como assim, está morrendo...? — pergunto. — Ela está com alguma doença incurável? Tipo câncer, leucemia?

Oshima sacode a cabeça.

— Pode ser que sim, pode ser que não. Infelizmente, não estou a par do estado de saúde dela. Talvez ela esteja realmente com uma doença semelhante a essa que você mencionou. A possibilidade existe, não vou negar. Mas eu mesmo imagino que a causa seja mais psicológica que física. Acho que tem algo a ver com essa questão da vontade de viver.

— Quer dizer que ela perdeu a vontade de viver?

— Exato. Perdeu a vontade de *continuar vivendo*.

— Acha que ela pode se suicidar?

— Acho que não — responde Oshima. — Ela está apenas caminhando cândida e diretamente para a morte. Ou talvez seja a morte que esteja caminhando para ela.

— Como um trem rumo à estação.

— Provavelmente — diz Oshima interrompendo-se por instantes e cerrando os lábios com firmeza. — E foi então que você, Kafka Tamura, apareceu diante dela. Totalmente controlado e misterioso, assim como o verdadeiro Kafka. E então, os dois se sentem atraídos um pelo outro e, se me permite usar uma expressão clássica, iniciam uma relação.

— E depois?

Oshima tira momentaneamente as duas mãos do volante.

— E depois, é isso.

Sacudo a cabeça lentamente.

— Pois eu acho que você, Oshima, deve estar pensando o seguinte: *eu, Kafka Tamura, sou o trem.*

Oshima se mantém em silêncio por um longo tempo. Em seguida, abre a boca e diz:

— Exato. Você disse exatamente o que estou pensando.

— Quer dizer que eu sou o agente causador da morte dela?

— Mas — ele diz — não o estou culpando por isso. Pelo contrário, acho que você está agindo de maneira certa, entende?

— Como assim?

Oshima não responde. *Esta é uma pergunta que cabe a você responder*, diz o seu silêncio. Ou ainda, *esta é uma pergunta que nem é preciso responder.*

Afundo no assento e fecho os olhos. Relaxo o corpo completamente.

— Escute, Oshima.

— Que é?

— Eu já não sei mais o que fazer. Não sei nem para onde estou indo. Nem o que é correto, nem o que é errado. Não sei se devo seguir adiante ou voltar atrás.

Oshima continua quieto. Não responde.

— Que é que eu faço, Oshima? — pergunto.

— Não faça nada — responde ele simplesmente.

— Absolutamente nada?

Oshima assente com um meneio de cabeça.

— É por isso que o estou levando para o meio da montanha.

— Mas o que é que eu faço no meio da montanha?

— Ouça o vento — diz ele. — Eu sempre faço isso.

Penso a respeito.

Oshima estende a mão e a depõe gentilmente sobre a minha.

— Você não tem culpa das coisas que aconteceram. Nem eu. Nem a profecia, nem a maldição. Tampouco o DNA ou a irracionalidade têm algo a ver com elas. Nem o estruturalismo, nem a Terceira Revolução Industrial, por falar nisso. Nós todos somos destruídos e desaparecemos porque o mundo se estrutura sobre destruição e perda. Nossa existência é apenas um teatro de sombras desse princípio. O vento sopra. Há vendavais de furioso poder destrutivo, há brisas reconfortantes. Mas todo vento um dia cessa e desaparece. O vento não é matéria sólida. É mero nome que se dá aos deslocamentos de ar. Você apura os ouvidos. E decifra o sentido dessa metáfora.

Eu aperto de volta a mão de Oshima. Mão macia e quente. Suave, assexuada, esbelta e fina.

— Oshima — eu digo. — Eu devo realmente ficar longe da Sra. Saeki neste momento?

— Deve sim, senhor Kafka Tamura. Acho melhor você se manter distante da Sra. Saeki por algum tempo. É o que penso. Deixe-a sozinha. Ela é inteligente e corajosa. Veio suportando a solidão por um longo tempo e vivendo sob o peso de opressivas lembranças. Ela é capaz de decidir muita coisa sozinha, serenamente.

— Ou seja, sou muito novo, sou um estorvo, certo?

— Nada disso — diz Oshima com voz suave. — Não quis dizer isso. Você fez tudo que devia, por sinal, coisas muito significativas. Para você e também para ela. Portanto, deixe o resto por conta dela. Corro o risco de você me julgar uma pessoa fria, mas deixe-me dizer assim mesmo: acho que, no momento, não há nada que você possa fazer para ajudar a Sra. Saeki. Dentro em pouco, você vai estar sozinho no meio da montanha e fará coisas para você mesmo. É chegado o momento para isso.

— *Coisas para mim mesmo?*

— Apure os ouvidos, Kafka Tamura — diz Oshima. — Apure os ouvidos. Preste atenção, como se fosse um molusco.

Capítulo 36

De volta à hospedaria, Hoshino encontrou Nakata ainda adormecido, conforme previra. Os pães e o suco de laranja deixados à cabeceira do seu leito ali continuavam, intactos. O velho homem dormia na mesma posição. Com certeza não acordara em nenhum momento. Hoshino calculou as horas. Nakata caíra no sono aproximadamente às duas da tarde anterior. Portanto, dormia há trinta horas ininterruptamente. Por falar nisso, que dia da semana é hoje?, perguntou-se o rapaz. Perdera por completo a noção dos dias nos últimos tempos. Tirou da maleta uma caderneta de anotações e examinou-a. Bom, depois de pegar o ônibus em Kobe, chegamos a Tokushima no sábado e, em seguida, Nakata dormiu direto até a segunda-feira seguinte. Na segunda, partimos de Tokushima e chegamos em Takamatsu, na quinta teve toda aquela balbúrdia envolvendo trovoada e pedra e, logo depois, Nakata caiu no sono. E no dia seguinte... — isto significa que hoje é sexta-feira. Agora que revi todos os acontecimentos, tenho a impressão de que este homem veio a Shikoku só para dormir...

Como na noite anterior, Hoshino tomou banho, assistiu à televisão por algum tempo e, em seguida, mergulhou debaixo das cobertas. Nakata continuava a dormir, respirando pausada e serenamente. Bem, deixe como está para ver como fica, pensou o rapaz com certa resignação. Que durma quanto quiser. Não adianta preocupar-me à toa, é perda de tempo. Em seguida, Hoshino caiu no sono. Eram dez e meia.

Às cinco da manhã seguinte, seu telefone celular começou a tocar dentro da maleta. Hoshino acordou imediatamente e apanhou o telefone. A seu lado, Nakata continuava profundamente adormecido.

— Alô?

— Hoshino, meu chapa! — disse uma voz masculina.

— Coronel Sanders? — perguntou o rapaz.

— Exatamente! Tudo bem com você?

— Acho que sim, mas... — titubeou o rapaz. — Vem cá, tio: como descobriu o número do meu celular? Não me lembro de tê-lo dado a você. E depois, o telefone andou desligado o tempo todo nos últimos dias porque eu não queria o pessoal do meu serviço me amolando. Me explique então como é que você conseguiu ligar para mim? Tem algo estranho nessa história. Não dá para entender.

— Mas eu já não lhe disse, Hoshino? Não sou Deus, nem Buda, nem gente. Sou especial. Sou um conceito. Portanto, faço o seu telefone tocar com um pé nas costas, isso é canja para mim. Esteja o aparelho ligado ou desligado. Não perca tempo se espantando com coisinhas à-toa, meu chapa. Eu até podia aparecer aí para conversarmos diretamente, mas achei que você tomaria um susto danado se me encontrasse sentado à sua cabeceira no momento em que abrisse os olhos.

— Põe susto nisso, homem!

— Espero que agora tenha entendido por que liguei para o seu celular. Sou bem educado, percebeu?

— Ótimo — disse o rapaz. — E o que pretende fazer com esta pedra, tio? Eu e o Nakata viramos a parte de baixo para cima e, depois de muito esforço, abrimos a entrada. Foi no meio de uma trovoada imensa e a pedra pesava como o diabo. Hum... acho que eu ainda não tinha lhe falado do meu amigo aqui, o Nakata. Ele é o meu companheiro de viagem e...

— Já estou a par da questão Nakata — disse o Coronel Sanders. — Não é preciso me explicar.

— Ora essa... — disse Hoshino. — Não entendi, mas deixe para lá. E então, como eu estava dizendo, depois que tudo isso aconteceu, o Nakata caiu num sono profundo e dorme até agora, como um animal em hibernação. E a pedra continua aqui. Estou achando que está na hora de devolvê-la ao santuário. Vai que levo um castigo dos deuses por tê-la tirado de lá e...

— Que bicho teimoso você me saiu, Hoshino! — disse o Coronel, admirado. — Quantas vezes tenho de lhe assegurar que não vai haver nenhum castigo divino? A pedra deverá ficar com você por mais algum tempo. Você e o seu amigo abriram a entrada. E o que foi aberto, terá de ser fechado. E só depois de fechado é que a pedra deverá ser reposta no local de origem. Este ainda não é o momento certo de fazer isso. Entendeu direito? Ok?

— Ok — disse o rapaz. — Fechar o que foi aberto. O que foi trazido deverá ser devolvido na posição em que foi encontrado. Entendi, entendi. Vamos tentar. Viu, tio, desisti de ficar remoendo esses problemas. Não compreendi nada, mas vou fazer tudo conforme você mandou. Acho que ontem à noite, finalmente, tive uma espécie de revelação: é pura perda de tempo fritar os miolos pensando seriamente em coisas malucas.

— Conclusão sagaz, meu chapa. Já não diz o ditado que quem pensa demais faz de menos?

— É verdade.

— É bem sugestivo, esse ditado.

— E tem aquele outro que diz: troquei o trigo por um tigre de três tripas.

— Que raios é isso?

— Um trava-língua. Fui eu que o inventei.

— Existe por acaso alguma secreta e imperiosa necessidade de mencioná-lo neste exato momento?

— Nenhuma. Citei por citar.

— Hoshino, meu chapa, vou lhe fazer um pedido muito sincero que vem do fundo do meu coração: pare de falar tanta bobagem. Você está me deixando louco. Não suporto muito bem esse tipo de insensatez, acho desnorteante.

— Ora essa! Desculpe então — disse o rapaz. — Mas vem cá, tio: você não queria alguma coisa comigo? Foi por isso que ligou a esta hora da madrugada, não foi?

— Foi, foi! Você me fez esquecer por completo — disse o Coronel Sanders. — Preciso lhe dizer uma coisa muito importante. Escute bem, Hoshino: saia imediatamente dessa hospedaria. Não dá tempo de esperar a refeição matinal. Acorde Nakata de uma vez, pegue a pedra, saia daí e apanhe um táxi, mas não o da hospedaria. Pegue qualquer um que esteja rodando na rua. Depois, dê este endereço ao motorista. Tem papel e lápis à mão?

— Tenho — disse o rapaz tirando da maleta a caderneta de anotações e a esferográfica. — Vassoura e pá prontas para o uso, senhor!

— Já se esqueceu o que eu lhe disse a respeito de parar com essas bobagens? — berrou o Coronel Sanders ao telefone. — Estou falando sério, Hoshino! Não temos nem um minuto a perder, entendeu?

— Está certo, está certo. Estou com papel e caneta na mão.

O Coronel Sanders deu um endereço e, enquanto anotava, o rapaz o repetia em voz alta para confirmar:

— Rua 3, 16-15, edifício Park Heights de Takamatsu, apartamento 308. Correto?

— Correto — respondeu o Coronel. — Ao lado da porta, há um suporte para guarda-chuvas e, debaixo dele, uma chave. Use-a para entrar. Vocês podem ficar lá o tempo que quiserem. Providenciei a maioria dos artigos de primeira necessidade, de modo que quase não precisarão sair à rua para fazer compras.

— Ah, o apartamento é seu.

— Isso mesmo. É meu. Meu, mas alugado. De qualquer modo, use-o à vontade. Preparei-o para vocês.

— Escute, tio — disse Hoshino.

— Hum?

— Você não é Deus, nem Buda, nem gente. Na verdade, não tem forma. Foi o que me falou, não foi?

— Exatamente.

— Não é deste mundo.

— Isso mesmo.

— E como é que uma *coisa* como você consegue alugar um apartamento? Afinal, se você não é gente, não deve possuir registro familiar, comprovante de residência, comprovante de renda, carimbo ou selo registrados. E, se você não tem nada disso, não consegue alugar nenhum imóvel, sacou? Você não andou fazendo coisas impróprias? Não andou enfeitiçando os outros e fazendo-os acreditar que folhas de árvore eram carimbo oficial ou coisa parecida? Veja bem, eu não estou com vontade alguma de me meter em mais confusões além daquelas em que já me meti, entendeu?

— Mas você é realmente duro de entender as coisas, não é, Hoshino? — disse o Coronel estalando a língua de impaciência. — É mais lerdo que tartaruga. Começo a achar que tem gelatina no lugar do cérebro. Que folha de árvore, paspalho, cabeça de vento? Acha por acaso que sou um desses texugos da lenda, dados a pregar peças? Sou um conceito! Texugos e conceitos têm estruturas diferentes! Tanta besteira junta me estonteia! Você não imagina que eu me encarregue pessoalmente de tarefas minuciosas e fúteis como ir a uma imobiliária e alugar um apartamento, imagina? Você me acha capaz de ficar pechinchando o aluguel com corretores? Bobalhão! Paspalho! Quem trata dessas minúcias mundanas para mim é a minha secretária. Toda a documentação é providenciada por ela. Não é óbvio?

— Ah, bom, agora entendi. O tio tem uma secretária!

— Claro! Está me achando com cara de quê? Não sou pouca porcaria não! Sou um indivíduo muito ocupado e preciso de secretária sim senhor. Que há de estranho nisso?

— Tá, entendi. Não é preciso se exaltar, Coronel. Foi só uma brincadeirinha. Me explique agora por que é que temos de sair desta hospedaria com tanta pressa. Acho que tenho o direito de comer a refeição matinal com calma. Estou com um bocado de fome, sabia? Além do mais, o Nakata continua dormindo a sono solto e, mesmo que eu o chame, não me parece provável que acorde...

— Preste atenção, Hoshino. Eu não estou brincando. A polícia está fazendo uma intensa busca por vocês dois. Esta manhã, a primeira providência dos investigadores será passar um pente-fino por todos os hotéis e pousadas da região. Há muito eles têm a descrição física de vocês dois. E uma vez começada a busca, vão descobri-los num piscar de olhos. Afinal, vocês dois fazem um par bem extravagante, reconheça. É por tudo isso que eu digo: saiam logo daí, não há tempo a perder.

— Polícia? — berrou o rapaz. — Calma aí, tio! Eu não fiz nada errado, quero que isso fique bem claro! Reconheço que nos meus tempos de colegial andei roubando algumas motos, mas só para dar umas voltinhas, nunca as revendi nem nada. Eu só rodava um pouco com elas e, depois, as devolvia. Desde então, nunca mais me meti em coisas ilícitas. O máximo que eu fiz foi trazer essa pedra do santuário. E isso porque você mandou...

— A pedra não tem nada a ver com o caso — replicou o Coronel Sanders de imediato. — Já não lhe disse para esquecer a pedra? A polícia não sabe nada a respeito da pedra e, mesmo que soubesse, não daria a mínima importância. Eles jamais fariam uma batida tão minuciosa desde cedo por tão pouco. Estão atrás de algo muito mais sério.

— Algo muito mais sério?

— Que envolve Nakata.

— Não pode ser. O Nakata aqui é a pessoa mais distante do mundo dos crimes que se possa imaginar. Que poderia ser esse *algo mais sério*? Que tipo de crime? Como é que Nakata se meteu nessa?

— Não há tempo para explicar os detalhes. O importante é você dar proteção ao Nakata e fugir daí. Essa responsabilidade repousa sobre os seus ombros, entendeu, Hoshino?

— Não, não entendi — disse o rapaz, sacudindo a cabeça para o telefone. — Nada disso faz sentido para mim. Porque se eu cumprir suas ordens, a polícia vai achar que sou cúmplice do crime.

— Cúmplice talvez não, mas pode ser que resolvam investigá-lo também. Mas deixe isso para lá que não temos tempo a perder. Por ora engula todas as perguntas e faça tudo que eu lhe disse sem reclamar.

— Espere aí, tio! Não é por nada não, mas eu mesmo não gosto de me envolver com a polícia. Detesto! Eles são ainda piores que um bando *yakuza* ou as Forças de Autodefesa. Agem de maneira suja, são arrogantes e, acima de tudo, gostam de atormentar os indefesos. Sofri um bocado nas mãos deles, tanto nos meus tempos de colegial como ultimamente, como motorista de caminhão. Não quero me desentender com a polícia porque não vejo nenhuma possibilidade de levar a melhor, sem falar que, depois, eles nunca mais largam do nosso pé. Sacou? Droga, como é que fui me meter nesta confusão? Para começo de conversa...

A ligação caiu.

— Caramba! — resmungou o rapaz. Suspirou fundo e guardou o celular na maleta. Em seguida, foi acordar Nakata.

— Tio! Ei, tio! Fogo! Incêndio! Inundação! Terremoto! Revolução! Godzila ataca! Acorde, vamos! Por favor! Por favor!

Um bom tempo se passou e, finalmente, Nakata abriu os olhos.

— Nakata já terminou de aparar as arestas. As aparas foram usadas para acender o fogo. Não, o gato não tomou banho. Quem tomou foi Nakata — disse o velho homem. Ele parecia estar num outro mundo e em outro tempo. Hoshino sacudiu-o pelos ombros, apertou-lhe o nariz e puxou-lhe a orelha. E então finalmente Nakata recuperou a consciência.

— Ora, mas é o senhor Hoshino! — exclamou Nakata.

— Isso mesmo, é o senhor Hoshino — disse o rapaz. — Eu tive de acordá-lo, desculpe.

— Não faz mal. Já estava na hora de Nakata acordar. Ele já acendeu o fogo. Não se preocupe.

— Ótimo. Mudando de assunto, aconteceram algumas coisas desagradáveis e nós dois temos de sair daqui o mais rápido possível.

— Será que essas coisas desagradáveis têm a ver com o senhor Johnnie Walker?

— Não sei os detalhes. Certa fonte me informou de maneira privilegiada. Disse que era para sairmos daqui. A polícia está à nossa procura.

— Verdade?

— Foi o que entendi. Mas o que aconteceu entre você e esse tal Johnnie Walker?

— Nakata não lhe contou ainda?

— Não, não contou.

— Pois tinha a impressão de que contou.

— Você deixou de me contar o principal.

— Para falar a verdade, Nakata matou o senhor Johnnie Walker.

— Está falando sério?

— Sim, está falando sério.

— Caramba! — exclamou o rapaz outra vez.

Hoshino guardou suas coisas na maleta e embrulhou a pedra, que tinha retomado seu peso original, no pedaço de pano. Não estava leve, mas agora se tornara perfeitamente transportável. Nakata juntou suas coisas na sacola de lona. O rapaz desceu à recepção e disse que tinham de sair imediatamente porque surgira uma emergência. Fechar a conta não tomou muito tempo porque o rapaz vinha pagando as diárias sempre adiantado. Nakata mancava um pouco, mas conseguiu andar com as próprias pernas.

— Quanto tempo Nakata dormiu? — perguntou.

— Bom... — disse o rapaz, fazendo algumas contas mentais — cerca de quarenta horas, eu acho.

— Nakata sente que dormiu bastante.

— Ah, não tenha dúvida. Se isso não for dormir bastante, então não sei mais o que possa ser. Está com fome, tio?

— Parece que ele está com muita fome.

— Você aguenta esperar mais um pouco? Porque nós dois temos de nos afastar daqui o mais rápido possível. Só depois é que a gente vai comer.

— Nakata entendeu. Ele aguenta esperar mais um pouco.

Hoshino amparou Nakata e o conduziu até a avenida, onde sinalizou para um táxi. Em seguida, deu o endereço que o Coronel Sanders lhe ditara. O motorista assentiu e os levou. A viagem durou cerca de 25 minutos. O carro cruzou a cidade, entrou numa rodovia federal e finalmente chegou a uma área residencial suburbana. Era um ambiente refinado, totalmente diferente daquele em torno da hospedaria.

O edifício, asseado e de cinco andares, era comum, do tipo que se encontra em toda parte. Apesar da tabuleta anunciando Takamatsu Park Heights, erguia-se num terreno plano e longe de parques. Os dois subiram de elevador até o terceiro andar e Hoshino retirou a chave de sob o suporte para guarda-chuvas. O apartamento era do tipo padrão, de dois dormitórios, sala, cozinha e banheiro com chuveiro e banheira. Tudo limpo e novo. Os móveis pareciam nunca ter sido usados. Havia uma televisão grande e um estéreo pequeno. Um jogo de sofás e poltronas. Cama em ambos os quartos. As camas estavam prontas para serem usadas. Na cozinha havia um jogo completo de utensílios, e nas prateleiras se enfileiravam os gêneros de primeira necessidade. Alguns quadros interessantes pendiam das paredes. Lembrava um desses apartamentos decorados por imobiliárias com o intuito de atrair prováveis clientes de alto padrão.

— Muito bom! — disse Hoshino. — Não posso dizer que tem personalidade, mas está limpo, ao menos.

— Está limpo — disse Nakata.

A geladeira, grande e de cor creme-claro, estava abarrotada de comida. Nakata examinava uma a uma as mercadorias, murmurando alguma coisa ininteligível, mas logo tirou de dentro ovos, pimentão e manteiga. Lavou o pimentão, cortou-o em tiras finas e refogou-as. Depois, quebrou os ovos e os mexeu com um par de *hashi*. Escolheu uma frigideira de tamanho adequado e com gestos hábeis preparou duas omeletes com recheio de pimentão. Tostou fatias de pão para a refeição matinal de duas pessoas e transportou tudo para a mesa. Ferveu a água e preparou chá preto.

— Você sabe se virar bem numa cozinha — disse Hoshino admirado. — Beleza.

— Nakata viveu muito tempo sozinho e está acostumado a fazer essas coisas.

— Eu também vivo sozinho, mas não entendo absolutamente nada de cozinha.

— É que sobra tempo para Nakata, ele não tem outras coisas para fazer.

Os dois comeram o pão e a omelete, mas, como continuavam com fome, Nakata preparou uma fritada de bacon com verduras. Tostou também mais duas fatias de pão para cada um. E, só depois de devorar tudo, os dois homens tornaram a se sentir humanos.

Sentados no sofá, tomaram a segunda xícara de chá preto.

— Quer dizer — disse Hoshino — que o tio matou um homem.

— Sim senhor. Nakata matou um homem — disse o velhinho, explicando em seguida as circunstâncias em que esfaqueara e matara Johnnie Walker.

— Cruzes! — exclamou o rapaz. — Que história incrível! Mas acho que a polícia não vai acreditar em você mesmo que conte essa história com toda a honestidade e sem esconder coisa alguma. Eu mesmo acredito *agora*, mas, se a tivesse ouvido dias atrás, provavelmente não teria acreditado.

— Nakata também não entendeu nada.

— Seja como for, um homem foi assassinado. E quando um homem é assassinado, dizer "Cruzes!" não resolve nada. A polícia inicia uma investigação minuciosa e vai perseguir você, Nakata. Já estão aqui, em Shikoku.

— Nakata sente muito por ter envolvido o senhor Hoshino nessa confusão.

— Já pensou em se entregar?

— Não senhor — disse Nakata com incomum firmeza. — Pensou nisso logo depois do incidente, mas hoje, não pensa mais. Nakata tem outras coisas a fazer. Se ele se entregar agora, não poderá cumprir sua missão. E então, a viagem a Shikoku perderá todo o sentido.

— Você precisa fechar a entrada que abriu.

— Isso mesmo, senhor Hoshino. O que foi aberto precisa ser fechado. E depois disso, Nakata voltará a ser um Nakata comum. Mas, antes disso, tem de fazer algumas coisas.

— O Coronel Sanders está nos ajudando — disse o rapaz. — Foi ele que me levou até a pedra e providenciou este apartamento para que pudéssemos nos esconder. Por que ele faria tudo isso? Será que existe algum tipo de ligação entre o Coronel Sanders e o Johnnie Walker?

Mas quanto mais pensava, mais Hoshino ficava confuso. Não adianta procurar o sentido de uma história sem pé nem cabeça, pensou.

— E "quem pensa demais faz de menos" — murmurou o rapaz, cruzando os braços sobre o peito.

— Senhor Hoshino — disse Nakata.

— Hum?

— Tem cheiro de maresia no ar.

O rapaz foi até a janela, abriu-a, saiu à estreita varanda e aspirou o ar pelo nariz. Mas não sentiu cheiro de mar. Avistou apenas um bosque de pinheiros verdejantes a distância. Sobre as árvores, flutuavam nuvens brancas, típicas de um começo de verão.

— Não estou sentindo nenhum cheiro de maresia — disse Hoshino.

Nakata se aproximou e farejou o ar, como um esquilo.

— Tem cheiro de maresia, sim senhor. O mar está bem ali — disse ele, apontando na direção do bosque de pinheiros.

— Ah, você tem o olfato apurado — comentou o rapaz. — Eu mesmo não posso me gabar disso porque sofro de sinusite, sabe?

— Que acha de caminharmos um pouco até o mar?

O rapaz pensou por alguns instantes. Um passeio até o mar parecia ser um programa inofensivo.

— Tudo bem, vamos — respondeu.

— Mas antes disso, Nakata quer fazer cocô. Pode?

— Não há nenhuma razão para se apressar. Tome o tempo que quiser e faça com toda a calma.

Enquanto Nakata ia para o banheiro, Hoshino passeou pelos quartos e fez uma inspeção geral em todas as coisas ali existentes. Conforme afirmara o Coronel Sanders, o apartamento estocava todos os artigos de primeira necessidade. No gabinete sobre a pia do banheiro encontrou a maioria das utilidades básicas, desde creme de barbear, escovas de dentes novas, cotonetes, Band-Aids, e até cortador de unhas. Achou também ferro e tábua de passar roupas.

— Na certa ele encarregou a secretária de juntar todas essas coisas, mas dá para perceber que prepararam tudo com muita atenção. Não vejo nenhuma falha nas providências tomadas — disse o rapaz para si mesmo.

Abriu o armário embutido e encontrou roupas, e até cuecas novas. Achou camisas comuns, em padrão xadrez, e camisetas polo. Tudo novo, marca Tommy Hilfiger. E nenhuma camisa de padrão havaiano.

— O Coronel não é tão ligado nas coisas quanto parece — reclamou o rapaz para ninguém em particular. — Bastava olhar para mim para ele saber que sou fã incondicional das camisas havaianas. Gosto tanto delas que chego a usá-las até no inverno! Você podia ter arrumado ao menos uma dessas para mim, não podia, Coronel?

Mas a camisa havaiana que ele usava já estava suada e começava a cheirar mal, de modo que Hoshino se conformou e a trocou por uma camiseta polo. Era do seu exato tamanho.

Os dois caminharam até o mar. Cruzaram o bosque de pinheiros, passaram sobre o quebra-mar e desceram à areia da praia. As ondas do Mar Interno eram suaves. Os dois se sentaram lado a lado na areia e permaneceram em silêncio por um longo tempo, apenas contemplando as ondas miúdas que se erguiam como beira de lençol e rebentavam logo em seguida com um suave marulhar. Havia também algumas ilhas visíveis em alto-mar. Os dois homens não se cansavam de contemplar a paisagem marítima, pois ela não fazia parte do cotidiano deles.

— Senhor Hoshino — disse Nakata.

— Hum?

— Que coisa linda é o mar, não?

— Realmente. Olhar para ele acalma o espírito.

— E por que será que olhar para o mar acalma o espírito?

— Talvez porque ele é grande e não tem nada sobre ele — disse o rapaz, apontando o mar alto. — Aposto que não teria um efeito tão calmante se houvesse uma loja de jogos eletrônicos naquele ponto e um enorme painel anunciando Casa de Penhores Yoshikawa. É simplesmente fantástico não ter nada até onde a vista alcança.

— É verdade, Nakata acha que é isso mesmo — disse o velho homem, calando-se em seguida por alguns instantes. — Senhor Hoshino.

— Hum?

— Posso fazer uma pergunta boba?

— Faça, ora.

— O que tem no fundo do mar?

— No fundo do mar tem um mundo marítimo, e nele vivem diversas coisas como peixes, moluscos e algas. Você nunca foi a um aquário?

— Nakata nunca esteve em nenhum lugar chamado *a-quá-ri-o*. Lá em Matsumoto, onde Nakata sempre morou, não tinha *a-quá-ri-o*.

— Acredito que não, mesmo. Matsumoto fica no meio das montanhas. Na melhor das hipóteses, teria um museu especializado em cogumelos — comentou o rapaz. — Seja como for, existe muita coisa no fundo do mar. A maioria respira o oxigênio que extrai da água. É por isso que esses seres conseguem viver mesmo num ambiente sem ar.

São seres diferentes de nós. Alguns são bonitos, outros parecem apetitosos e muitos são nojentos ou perigosos. É difícil descrever o fundo do mar para uma pessoa que nunca o viu porque é um mundo à parte, totalmente diferente do nosso. O sol quase não alcança as regiões mais profundas. E nelas vivem os seres mais esquisitos. Escute, Nakata, quando essa confusão toda terminar, vamos juntos visitar um aquário. Faz muito tempo que eu também não vou, e é um lugar muito divertido. Deve haver algum aqui em Takamatsu, já que é cidade litorânea.

— Sim senhor. Nakata gostaria muito de ir a um *a-quá-ri-o*.

— Mudando um pouco de assunto, Nakata...

— Sim, senhor Hoshino?

— A gente ergueu a pedra há dois dias, não ergueu?

— Sim senhor. Nakata e o senhor Hoshino ergueram a pedra e abriram a entrada. Exatamente. E logo depois, Nakata dormiu para valer.

— Pois o que eu quero saber é o seguinte: alguma coisa realmente aconteceu depois que a entrada se abriu?

Nakata acenou a cabeça com firmeza.

— Sim senhor. Acho que aconteceu.

— Mas você ainda não sabe o quê.

Nakata sacudiu a cabeça com firmeza:

— Não, não sei ainda.

— E essa alguma coisa provavelmente está acontecendo neste momento, não é?

— Sim senhor. Acho que é isso mesmo. Como o senhor Hoshino disse, acho que essa alguma coisa está no meio de acontecer agora. E Nakata está esperando essa alguma coisa *acabar de acontecer*.

— E então — isto é, quando isso acabar de acontecer — uma série de coisas vai se resolver de maneira satisfatória, certo?

Nakata sacudiu a cabeça com firmeza:

— Não, senhor Hoshino. Isso Nakata não sabe. Ele apenas *está fazendo o que precisa ser feito*. Ele não tem ideia do que vai acontecer depois que ele fizer o que precisa ser feito. Nakata não é bom da cabeça e não consegue descobrir essas coisas mais difíceis. Não sabe nada do futuro.

— Seja como for, isso significa que ainda vai se passar algum tempo até que as coisas acabem de acontecer e cheguem a algum tipo de resultado, não é?

— Sim senhor. É isso mesmo.

— E enquanto isso, não podemos ser presos pela polícia. Porque restam ainda coisas a fazer.

— Sim, senhor Hoshino. Exatamente. Nakata não se importa nem um pouco de se apresentar à polícia. Vai fazer tudo que o senhor governador mandar. Mas, agora, não.

— Escute, tio — disse o rapaz. — Se os homens da polícia ouvirem essa sua história sem pé nem cabeça, eles vão simplesmente fingir que nunca ninguém lhes falou disso e vão forjar uma confissão conveniente. Ou seja, conveniente para eles. Por exemplo, vão dizer que você entrou na casa para roubar e que, quando se viu frente a frente com um morador, pegou a faca e o matou. Vão mudar sua história para torná-la compreensível. Verdade, justiça... Eles estão pouco se importando com isso. Inventam qualquer história só para aumentar o índice de prisões efetuadas. E então você vai parar na cadeia ou numa instituição mental de vigilância máxima. Lugares horrorosos, tanto um como o outro. E provavelmente nunca mais poderá sair. E como você na certa não tem dinheiro para contratar um bom advogado, eles vão indicar um defensor público de meia-tigela, só para constar. Isso é mais que certo.

— Nakata não entende essas coisas difíceis.

— Seja como for, é assim que age a polícia. Eu sei disso muito bem — disse o rapaz. — E é por isso que não quero nada com ela, Nakata. Eu e a polícia não nos entendemos bem, compreende?

— Sim senhor. Nakata está lhe dando muitas preocupações.

Hoshino suspirou fundo.

— Por outro lado, existe um provérbio que diz: Já que o veneno comeste, come também o prato.

— Que sentido tem?

— Quer dizer que se você se envenenou comendo o que havia no prato, vá até o fim e coma o prato também.

— Mas, senhor Hoshino, se a gente come um prato é capaz de morrer! Faz mal para os dentes e machuca a garganta.

— Você tem toda a razão, Nakata — disse o rapaz pendendo a cabeça de leve para um lado. — Para que se haveria de comer até o prato, não é mesmo?

— Nakata não é bom da cabeça e não entende direito, mas... Veneno a gente até pode comer, mas o prato é duro demais.

— Estou de acordo com você. Eu também começo a não compreender. Não posso me gabar disso, mas na verdade, eu também não sou muito bom da cabeça. Seja como for, o que eu quero dizer é o seguinte: já que me envolvi até o pescoço nesta questão, vou continuar a seu lado até o fim, protegendo-o e fugindo com você. Não consigo pensar de maneira alguma que você cometeu um crime, Nakata. E também não posso abandoná-lo a esta altura. Porque, se eu fizer isso, estarei indo contra os princípios básicos da lealdade.

— Muito obrigado. Nakata não sabe como lhe agradecer — disse Nakata. — E, sem querer abusar de sua bondade, Nakata quer lhe pedir outro favor.

— Diga.

— Acho que vamos precisar de um carro.

— Carro? Um carro de aluguel?

— Nakata não entende de carros de aluguel, mas na verdade não importa o tipo de carro. Pode ser grande ou pequeno, basta que seja um carro.

— Mas isso pode ser arranjado facilmente. Carros são a minha especialidade. Mais tarde eu alugo um. E vamos a algum lugar nele?

— Sim senhor. Acho que vamos a algum lugar.

— Escute Nakata.

— Sim, senhor Hoshino?

— Quando estou a seu lado, nunca me aborreço. Isso eu posso dizer com segurança, embora aconteça muita coisa que não entendo.

— Muito obrigado. Nakata se sente aliviado. Mas, senhor Hoshino...

— Hum?

— Falando com franqueza, Nakata não sabe o que essa palavra *aborrecer* quer dizer.

— Ah! Você nunca se aborrece?

— Sim. Nakata nunca sentiu isso.

— Sabe, eu imaginava isso mesmo.

Capítulo 37

No caminho, paramos o carro numa cidade razoavelmente grande, comemos uma refeição ligeira e, depois, entramos num supermercado onde compramos mantimentos e água mineral do mesmo jeito que fizemos na vez anterior. Percorremos então a estrada de terra que seguia montanha adentro e chegamos à cabana. Dentro desta, todas as coisas estão do jeito que as deixei há uma semana. Abro a janela e renovo o ar. Depois, guardo os mantimentos recém-adquiridos.

— Quero dormir um pouco — diz Oshima. Ele cobre o rosto com as duas mãos e boceja. — Quase não preguei os olhos durante a noite passada.

Oshima devia estar realmente com sono, pois arruma a cama de qualquer maneira, mergulha debaixo das cobertas do jeito que estava e adormece em seguida com o rosto voltado para a parede. Fervo a água mineral, preparo o café para ele e encho sua garrafa térmica portátil. Depois, apanho os dois garrafões de polietileno vazios e vou buscar água no riacho. A paisagem da floresta continua idêntica à que encontrei anteriormente. Aroma de relva, canto de pássaros, riacho murmurante, vento que perpassa o arvoredo, sombras inquietas da folhagem. As nuvens que correm sobre a cabeça me parecem muito próximas. Sinto grande afeição por essas coisas todas, elas me parecem agora partes integrantes de mim.

Enquanto Oshima dorme, saio à varanda e, acomodado numa cadeira, bebo meu chá e leio um livro. É a história da invasão da Rússia empreendida por Napoleão em 1812. Por causa dessa guerra dispendiosa e insensata, 400 mil soldados franceses acabaram perdendo a vida em terras desconhecidas. Uma guerra cruel e violenta, como aliás todas elas costumam ser. A maioria dos soldados gravemente feridos morreu por escassez de médicos e de remédio. Um modo de morrer horroroso. Mas um número muito maior de soldados foi dizimado por fome e frio. Outro jeito de morrer igualmente horroroso e cruel. Refestelado numa varanda no meio de uma montanha e cercado pelo trinado dos pássaros, tomo chá de ervas quente e evoco o campo de batalha em terra russa varrida por sibilantes nevascas.

Depois de ler cerca de um terço do livro, sinto crescer em mim vaga inquietação e vou ver como Oshima está. Por mais profundo que seja seu sono, o silêncio no interior da cabana me parece pesado demais. Não percebo sinais de presença humana. Mas ele continua lá, enrolado no cobertor fino e respirando muito levemente. Eu me aproximo e vejo que seus ombros sobem e descem de maneira rítmica, quase imperceptível. Em pé ao lado dele, observo-o por algum tempo. E então, lembro-me de repente que Oshima é mulher. Esta verdade só me ocorre raramente. Na maior parte do tempo percebo Oshima como um indivíduo do sexo masculino. É o que ele quer, naturalmente. No entanto, e estranho como possa parecer, sinto que, no sono, Oshima *reassume* sua condição feminina.

Volto à varanda e à leitura do meu livro. E meu espírito retorna à estrada nos arredores de Smolensk coberta de cadáveres congelados.

Duas horas depois, Oshima desperta. Sai para a varanda e se certifica de que o carro continua estacionado no mesmo lugar. Depois de percorrer a estrada de terra seca, o Roadstar verde está quase branco de pó. Oshima se espreguiça longamente e se senta em seguida na cadeira ao meu lado.

— Não estamos tendo muita chuva neste começo de verão — diz Oshima, esfregando os olhos. — Mau sinal. Verões com estiagem longa sempre provocam falta de água em Takamatsu.

Eu pergunto:

— A Sra. Saeki sabe onde estou neste momento?

Oshima sacode a cabeça.

— Na verdade, não contei a ela os últimos acontecimentos. Aliás, ela não deve nem saber que possuo esta cabana na montanha. Achei melhor que ela soubesse o mínimo possível. Se não sabe, não tem nada para esconder e não se envolverá em complicações com a polícia.

Aceno a cabeça concordando. Era exatamente o que eu pensava.

— Já bastam as complicações em que se viu envolvida até hoje — diz Oshima.

— Contei a ela que meu pai faleceu há pouco tempo — explico. — E também que ele foi assassinado. Mas não lhe contei que a polícia estava no meu encalço.

— Pois eu acho que ela já tem ideia de tudo que está acontecendo, mesmo que nós dois não lhe digamos nada. Ela é muito inteligente. Imagino que se eu me encontrar com ela amanhã de manhã e lhe disser: "Kafka teve algumas coisas a resolver e se ausentará por algum tempo. Mandou um abraço para a senhora", ela não vai perguntar nada. Acredito que vai apenas acenar em silêncio e aceitar o que eu disser.

Concordo.

— Mas você tem vontade de vê-la, não é?

Fico quieto. A resposta está muito clara em minha mente, mas não sei como expressá-la.

— Sinto muito, mas, como já disse antes, é melhor vocês dois ficarem longe um do outro por algum tempo — diz Oshima.

— Mas pode ser que eu nunca mais volte a vê-la.

— Pode ser que isso realmente venha a acontecer — concorda Oshima depois de pensar alguns instantes. — No entanto, e isso é óbvio, a verdade é que só depois de acontecido se pode dizer que algo aconteceu. E muitas vezes as coisas não são o que parecem.

— Como se sente a Sra. Saeki, Oshima?

Oshima aperta de leve os olhos e me encara:

— A respeito de quê?

— Quero dizer... Se souber que nunca mais vai me ver, você acha que a Sra. Saeki vai sentir por mim o mesmo que estou sentindo por ela?

Oshima sorri.

— Por que está perguntando isso para mim?

— Porque eu mesmo não tenho a mínima ideia. Nunca passei pela experiência de amar ou de desejar alguém, entende? Além disso, até hoje nunca ninguém me havia desejado.

— E por isso está confuso, totalmente perdido.

Aceno a cabeça concordando.

— Estou confuso e totalmente perdido.

— Você não consegue avaliar se ela nutre por você o mesmo tipo de sentimento intenso e puro que você tem por ela — diz Oshima.

Aceno outra vez.

— Dói muito quando começo a pensar nessas coisas.

Por instantes, Oshima se mantém em silêncio, apenas contemplando a floresta com os olhos levemente apertados. Pássaros saltitam de galho em galho. Oshima tem as duas mãos entrelaçadas na nuca.

— Acho que sei o que você está sentindo — diz Oshima. — Apesar de tudo, esse é o tipo da coisa que você tem de pensar sozinho e tirar suas próprias conclusões. Ninguém pode pensar por você. Amar, em última análise, é isso. Entendeu, Kafka Tamura? Você passa sozinho por experiências sublimes, de perder o fôlego, mas em contrapartida se debate também sozinho em plena escuridão. E tem de suportar essa carga tanto física como emocional.

Às duas e meia, Oshima pega o carro e desce a montanha.

— O estoque de comida deve durar uma semana se você não desperdiçar. Antes disso, estarei de volta. Caso não possa por algum motivo, entrarei em contato com meu irmão e ele providenciará a reposição dos mantimentos. Ele mora a cerca de uma hora daqui e já sabe que você está aqui. Portanto, não se preocupe com nada. Entendeu?

— Entendi — respondo.

— E, como já disse antes, tome muito cuidado quando entrar na floresta. Se você perder o caminho, jamais encontrará a saída.

— Vou tomar todo cuidado.

— Pouco antes do começo da Segunda Guerra Mundial, um batalhão da Infantaria do Exército Imperial andou realizando manobras em grande escala nesta região. Os militares se preparavam para enfrentar o exército soviético nas selvas siberianas. Falei disso a você, não falei?

— Não — respondo.

— Pelo jeito, tenho o péssimo hábito de não mencionar coisas importantes — diz Oshima, tocando várias vezes a própria têmpora com a ponta do indicador.

— Mas esta floresta não se parece nada com as siberianas...

— Concordo. Esta floresta tem árvores de folhas largas e as siberianas são compostas por coníferas. Mas acho que o exército não estava se importando muito com detalhes. O objetivo dos militares era treinar situações de guerra e de deslocamento de tropas no interior de qualquer floresta densa.

Ele vira a garrafa térmica e despeja numa xícara um pouco do café que fiz para ele, acrescenta um nada de açúcar e toma com expressão deliciada.

— Meu bisavô atendeu à solicitação dos militares e cedeu-lhes a floresta. Estejam à vontade, ele disse. A montanha não estava sendo usada para nada mesmo, entende? As tropas chegaram a pé pelo caminho que viemos e penetraram na floresta. As manobras terminaram alguns dias depois mas, quando fizeram a chamada geral, deram por falta de dois soldados. Uniformizados e carregando toda a parafernália militar, eles tinham desaparecido no interior da floresta durante o treinamento. Eram ambos recrutas recém-alistados. O exército promoveu uma busca em grande escala, claro, mas os dois nunca mais foram vistos.

Oshima toma mais um gole do café.

— Até hoje não se sabe se os dois se perderam na floresta ou se desertaram. A floresta desta região é densa e dentro dela não há muita coisa comestível.

Aceno a cabeça para mostrar que entendi.

— Existe um mundo paralelo, contíguo a este em que vivemos. Você é capaz de entrar nele até um certo ponto. É também capaz de voltar de lá são e salvo. Contanto que esteja atento. Mas uma vez transposto certo ponto, nunca mais será capaz de voltar. Não vai mais achar o caminho. É um labirinto. Sabe de onde surgiu a ideia do labirinto?

Sacudo a cabeça negando.

— Por tudo que nos foi dado a conhecer, a ideia foi inicialmente concebida pelos habitantes da antiga Mesopotâmia. Eles costumavam extrair o intestino dos animais — pode ser que também de seres humanos, às vezes — e prever o futuro de acordo com sua forma. Além de tudo, louvavam a complexidade dessa forma. Pois o intestino é o modelo do labirinto. Ou seja, o arquétipo do labirinto está dentro do nosso próprio corpo. E interage com formas labirínticas externas.

— Uma metáfora — comento.

— Isso mesmo. Metáfora recíproca. O que existe externamente é uma projeção do que existe em você, e o que existe em você é a projeção do que existe externamente. Assim sendo, muitas vezes, ao pôr um pé no labirinto externo, você está pondo um pé no labirinto existente em você. E isso, na maioria das vezes, é muito perigoso.

— Como João e Maria entrando na floresta.

— Isso mesmo. Como João e Maria. A floresta prepara uma armadilha. Por mais que você se cuide e use de artifícios, pássaros de olhar aguçado encontram os farelos sinalizadores e os comem.

— Vou me cuidar — eu digo.

Oshima arria o capô do seu Mazda e se senta à direção. Põe os óculos de sol, descansa a mão na cabeça do câmbio. Depois, o conhecido ruído do motor ecoa pela floresta. Com a ponta dos dedos ele leva para trás o cabelo caído na testa, sacode a mão num pequeno gesto de despedida e se vai. A poeira permanece no ar por alguns instantes, mas o vento logo a dispersa.

Entro na cabine, deito-me na cama que Oshima ocupava até há pouco e fecho os olhos. Pensando bem, eu também não dormi direito a noite passada. Sinto a presença de Oshima no travesseiro e no cobertor. Ou melhor, o que resta não é exatamente a presença dele, mas o sono dele. Mergulho nisso fisicamente. Cerca de 30 minutos depois, ouço um baque reboando lá fora. Faz pensar num galho grosso desabando ao peso de alguma coisa. O barulho me desperta. Levanto, saio à varanda e percorro o olhar em torno, mas não vejo nada diferente em toda a extensão abrangida por meu olhar. Talvez seja um dos muitos sons misteriosos por vezes produzidos pela floresta. Ou talvez seja um produto do meu sono. Não consigo discernir os limites entre um e outro.

Sento-me na varanda e leio o livro até o sol se pôr a oeste.

Preparo uma refeição ligeira e a como em silêncio. Depois de arrumar a louça, sento-me no sofá velho e penso na Sra. Saeki.

— Conforme disse Oshima, a Sra. Saeki é inteligente. Tem um jeito de ser só dela — diz o menino chamado Corvo.

Ele está sentado no sofá, a meu lado. Do jeito que costumava fazer no escritório do meu pai.

— Ela é muito diferente de você — diz ele.

Ela é muito diferente de você. A Sra. Saeki passou por diversas situações, algumas insólitas. Ela sabe muita coisa que você não sabe e também experimentou uma série de emoções totalmente desconhecidas para você. É capaz de separar coisas valiosas para a sobrevivência, de outras, não muito valiosas. Até agora, ela vem tomando muitas decisões importantes e tem visto as consequências dessas decisões. Mas você, não. Concorda? Porque no fim das contas você não passa de uma criança que passou por um número reduzido de experiências num mundo limitado. Você tem se empenhado muito para se fortalecer e realmente tem se fortalecido em certo aspecto, reconheço. Mas conforme é de se esperar, acaba perdido neste mundo novo e nestas novas circunstâncias. Pois tudo isso é novidade para você, coisas que você está enfrentando pela primeira vez.

Você se sente perdido. Claro, pois você nem sabe se as mulheres têm desejo sexual. Pela lógica, elas também devem ter. Até esse ponto, mesmo você é capaz de entender. Mas quando se pergunta em que consistiria tal desejo, ou de que forma ele é sentido, dá-se conta de que não tem a menor ideia. Transposto para a sua própria situação, o desejo é facilmente compreendido. É tudo muito simples. Mas, transposto para o gênero feminino e para o caso específico da Sra. Saeki, você não sabe nem por onde começar a imaginar. Será que ela sentia o mesmo prazer físico que o assaltava quando se abraçavam? Ou sentia algo de natureza totalmente diversa?

Quanto mais você pensa, mais lhe parece desgostosa a sua condição de menino de 15 anos. Chega até a se desesperar. Se você tivesse hoje 20 anos — 18 anos já seriam suficientes — ou seja, se não tivesse os atuais 15 anos, você com certeza seria capaz de compreender melhor a Sra. Saeki, suas palavras e suas ações. E poderia reagir melhor. Você está em meio a algo maravilhoso. Pode ser que nunca mais experimente algo tão maravilhoso assim. Não obstante, você não está conseguindo compreender essa maravilha que lhe está acontecendo. E essa impaciência o leva ao desespero.

Você imagina o que ela está fazendo agora. Hoje é segunda, e a biblioteca está fechada. Que faz a Sra. Saeki em seus dias de folga? Você a imagina sozinha no quarto dela. Imagina-a lavando a roupa, cozinhando, limpando o quarto, fazendo compras, imagina cada uma das suas ações. E, quanto mais imagina, mais o fato de se encontrar agora sozinho nesta cabana o sufoca. Pensa como seria bom se pudesse transformar-se num intrépido corvo e sair voando desta cabana. Cruzaria o céu, venceria a montanha e pousaria na janela do quarto onde ela mora. E ficaria ali para sempre, observando-a.

Ou talvez a Sra. Saeki vá até a biblioteca e apareça em seu quarto. Ela bate à porta. Não há resposta. A porta não está trancada. Agora, ela descobre que você não está mais ali. Suas coisas desapareceram. A cama está corretamente arrumada. Aonde ele foi?, pensa ela. Talvez fique no quarto por algum tempo à espera do seu retorno. E enquanto espera, se senta na cadeira diante da escrivaninha, finca os cotovelos na mesa, apoia o rosto nas mãos e contempla o quadro *Kafka à beira-mar*. Pensa no tempo passado que a pintura contém. Mas você não retorna, por mais que ela espere. E então, finalmente, ela desiste e sai do quarto. Caminha na direção do estacionamento, embarca em seu Volkswagen, liga o motor. Mas você não quer que ela se vá dessa maneira. Você queria estar lá, tê-la abraçado quando surgiu em seu quarto, desvendado o sentido de cada movimento do corpo dela. Mas você não está. Encontra-se sozinho, apartado de tudo e de todos.

Você vai para a cama, apaga a luz e deseja que a Sra. Saeki lhe surja no interior da cabana. Não faz mal que não seja a Sra. Saeki de carne e osso. Você se contentaria com a garota de 15 anos. Seja ela o que for — uma ilusão, um *ikiryou* — você quer vê-la. Quer tê-la perto de você. Sua mente quase explode ao peso do próprio pensamento. Seu corpo parece se desarticular inteiramente. Ela porém não aparece, por mais que a deseje e espere. Só o vento sibila baixinho do lado de fora da janela. De vez em quando, um pássaro noturno pia baixinho. Você prende a respiração e perscruta o negrume noturno. Apura os ouvidos ao som do vento. Tenta abstrair dele algum sentido. Perceber uma sugestão. Mas ao seu redor há apenas diferentes graus de negrume. Você desiste afinal, fecha os olhos e adormece.

Capítulo 38

Hoshino procurou locadoras de automóveis num guia urbano que encontrou no apartamento, escolheu a que lhe pareceu mais interessante e ligou para lá.

— Quero alugar um carro de passeio durante dois ou três dias. Algo não muito grande e do tipo mais discreto possível.

— Veja bem, senhor — disse o atendente. — Esta locadora trabalha apenas com carros da marca Mazda. Me desculpe, mas não temos nenhum carro de passeio vistoso, fique tranquilo.

— Muito bem.

— Pode ser um Familia? É um carro confiável e posso garantir por Deus e por Buda que não chama a atenção.

— Perfeito. Fico com o Familia.

A agência se situava nas proximidades da estação. Hoshino prometeu pegar o carro em uma hora.

Na hora marcada, o rapaz foi sozinho de táxi até lá, apresentou cartão de crédito e carteira de habilitação e alugou o carro por dois dias. O Familia branco parado no estacionamento da locadora era realmente discreto, uma notável conquista no campo do anonimato. Bastava desviar o olhar por instantes para que suas formas desaparecessem quase por completo da memória.

No caminho de volta para o apartamento, Hoshino parou o Familia numa papelaria e comprou um mapa da cidade de Takamatsu e um guia rodoviário da região de Shikoku. Parou também numa loja de CDs que descobriu nas proximidades e procurou o "Trio Arquiduque" de Beethoven. Na área não muito extensa de CDs clássicos no fundo dessa loja à beira da estrada Hoshino encontrou um único exemplar do trio em edição barata e o comprou por mil ienes, já que, para sua infelicidade, não encontrou nenhuma gravação do Trio Milionário.

Ao retornar ao apartamento, encontrou Nakata preparando com gestos hábeis um cozido de nabo com tofu frito. O aroma deixou Hoshino nostálgico.

— Nakata preparou alguns pratos porque não tinha nada para fazer — explicou.

— Que beleza! Ultimamente, só temos comido em lanchonetes e eu começava a sentir falta da comida caseira — disse o rapaz. — Por falar nisso, aluguei o carro, tio. Deixei-o estacionado lá fora. Vai querer usá-lo imediatamente?

— Não senhor. Isso pode ficar para amanhã. Hoje, Nakata pretende conversar mais um pouco com a pedra.

— Acho bom. É sempre melhor conversar do que não conversar com um parceiro de trabalho, seja ele *quem* ou *o que* for. Eu também costumo conversar muito com o motor do caminhão enquanto estou dirigindo. Ele me diz muita coisa, basta apenas ouvi-lo com atenção.

— Sim, Nakata pensa da mesma maneira. Ele não é capaz de conversar com motores, mas é sempre melhor conversar com seu parceiro, seja ele quem for.

— E então? Está conseguindo se entender com a pedra?

— Nakata acha que começa a haver uma troca de ideias entre ele e a pedra.

— Isso é ótimo. Diga uma coisa, Nakata: a pedra não está irritada nem aborrecida por ter sido trazida para cá?

— Não senhor. Nakata não percebe nada disso. Por tudo que ele conseguiu entender, a pedra não se importa muito com os lugares em que se encontra.

— Puxa, que alívio — disse o rapaz. — Acho que seria um pouco demais se, depois de tudo por que passamos, a pedra resolvesse agora rogar uma praga contra nós.

O rapaz passou o resto da tarde ouvindo o "Trio Arquiduque" que acabara de comprar. Embora esta execução lhe parecesse mais contida e fixa, e não bonita e relaxante como a do Trio Milionário, achou que também tinha o seu encanto. Deitado no sofá, Hoshino apurou os ouvidos para o som das cordas e do piano. A melodia, bela e profunda, abriu caminho para o seu íntimo, e a fuga de intrincado movimento lhe agitou o espírito.

Não teria entendido nada caso ouvisse esse tipo de música há uma semana, pensou Hoshino. Nem ao menos teria se esforçado por compreendê-la. Mas uma combinação fortuita de circunstâncias o levara a entrar naquela pequena cafeteria, a se sentar na confortável poltrona e a pedir uma xícara de café, e tudo isso o levara a aceitar essa obra musical com naturalidade. Hoshino considerou o acontecimento profundamente significativo para ele.

Como a se certificar da capacidade recém-adquirida, o rapaz ouviu repetidas vezes o CD que acabara de comprar. Além do "Trio Arquiduque", fazia parte do CD uma obra para piano de nome "Trio Fantasma", do mesmo compositor. Esta também era uma peça muito boa. Mas Hoshino ainda preferia o "Trio Arquiduque". Era mais profundo, em sua opinião. Enquanto o rapaz meditava, Nakata se sentou a um canto do quarto e se pôs a murmurar de maneira ininteligível para a pedra. Vez ou outra, acenava a cabeça em muda concordância, ou esfregava a palma da mão no topo do crânio. Trancados num mesmo quarto, os dois homens se absorveram intensamente em suas respectivas atividades.

— A música não prejudica sua conversa com a pedra? — perguntou o rapaz para Nakata.

— Não, está tudo bem. A música não prejudica. A música é como o vento para Nakata.

— Seei... — disse Hoshino. — Como o vento...

Às seis horas, Nakata foi preparar o jantar. Grelhou filés de salmão e fez uma salada. Dos cozidos anteriormente preparados, separou porções pequenas em pratos individuais e os serviu à mesa. Hoshino ligou a televisão e assistiu ao noticiário. Talvez houvesse alguma novidade nas investigações sobre o crime ocorrido no bairro de Nakano em que Nakata figurava como suspeito, mas o caso não foi sequer mencionado. Sequestro de uma menina, ações de retaliação entre Israel e Palestina, um acidente de trânsito de gigantescas proporções numa estrada do Japão ocidental, gangue de ladrões de carros comandada por estrangeiros, declaração de teor preconceituoso de certo ministro e demissão em massa de funcionários de uma grande empresa relacionada à área da comunicação foram as manchetes do dia. Nenhuma capaz de elevar o espírito.

Os dois se sentaram em lados opostos da mesa e jantaram.

— Bom! Muito gostoso, realmente — disse Hoshino, admirado. — Você tem dom para a culinária, tio.

— Muito obrigado. Mas esta é a primeira vez que alguém come uma refeição que Nakata preparou.

— Ah, você não tinha amigos ou familiares com quem compartilhar a refeição, não é?

— Não tinha. Podia dividir com os gatos, mas as coisas que eles comem são muito diferentes das que Nakata come.

439

— Isso é verdade — concordou o rapaz. — Seja como for, está tudo muito gostoso, é verdade. Especialmente este cozido.

— Nakata está feliz por ter agradado. Como ele não sabe ler, comete erros incríveis às vezes. Nessas horas, prepara umas coisas intragáveis. Por tudo isso, Nakata tem de usar sempre as mesmas coisas e prepará-las do mesmo jeito. Se ele conseguisse ler, saberia fazer muito mais coisas.

— Mas eu acho estas coisas que você prepara perfeitamente satisfatórias.

— Senhor Hoshino — disse Nakata com seriedade, aprumando-se.

— Hum?

— É muito triste ser analfabeto.

— Acredito que seja, Nakata — disse o rapaz. — Mas de acordo com as explicações constantes neste CD, Beethoven era surdo. Ele era um compositor muito importante e, em sua juventude, foi considerado o maior pianista de toda a Europa. E era também um dos maiores concertistas da sua época. Certo dia, porém, perdeu a audição por causa de uma doença. Ele não conseguia ouvir quase nada. Para um compositor, a perda da audição representa uma tragédia muito grande. Você entende isso, não entende?

— Acha que entende vagamente.

— Um compositor perder a audição é quase o mesmo que um mestre-cuca perder o paladar. Ou como um sapo perder a capacidade de nadar. Ou um motorista de caminhão ter a habilitação suspensa. Qualquer um cairia no mais negro desespero. Concorda? Mas Beethoven não se deixou desanimar. Pode até ser que tivesse ficado um tanto abatido, mas não permitiu que a infelicidade o vencesse. Mandou-a às favas. E continuou a compor a todo o vapor, aliás obras de conteúdo e de grande valor, muito mais profundas que as anteriores. Um feito realmente admirável. O "Trio Arquiduque" que eu estava ouvindo há pouco também foi composto numa época em que ele já estava quase totalmente surdo. Portanto, tio, ser analfabeto pode até ser complicado e bastante triste para você, mas isso não é tudo, não é mesmo? Você pode não saber ler nem escrever, mas em contrapartida existem coisas que só você é capaz de fazer. E precisa aprender a valorizar mais esse aspecto da sua personalidade. Por exemplo, você é capaz de falar com pedras!

— Realmente, Nakata é capaz de falar um pouco com a pedra. Antes, era capaz de falar com gatos também.

440

— E dessas coisas, só você, Nakata, é capaz. Porque pessoas normais, que leem uma quantidade incrível de livros, não são capazes de falar com pedras ou gatos.

— Nakata tem sonhado muito nos últimos tempos, senhor Hoshino. E nos sonhos, Nakata é capaz de ler. Por alguma razão inexplicável, ele se torna capaz de ler. E Nakata não é mais tão fraco da cabeça. Ele fica feliz, vai à biblioteca e lê muitos livros. Não sabia que ler era tão bom, ele pensa. E continua lendo um livro após outro. E então, nesse instante, a luz do quarto se apaga e fica tudo muito escuro. Alguém apagou a luz. Nakata não vê nada. Não pode mais ler os livros. Nesse ponto, ele acorda. É maravilhoso poder ler, mesmo que seja em sonhos.

— Ora... — diz Hoshino. — Eu sei, e mesmo assim quase nunca leio livros. Nada no mundo é como a gente quer, não é mesmo?

— Senhor Hoshino — disse Nakata.

— Hum?

— Em que dia da semana estamos?

— Hoje é sábado.

— Amanhã é domingo?

— Costuma ser, normalmente.

— Será que amanhã o senhor passearia de carro com Nakata desde cedo?

— Posso, mas aonde iríamos?

— Isso nem ele sabe. Vai pensar nisso depois de entrar no carro.

— Você talvez não acredite — disse o rapaz — mas eu já sabia que você ia dizer isso.

Na manhã seguinte, o rapaz acordou pouco depois das sete. Nakata já estava de pé e preparava o desjejum na cozinha. Hoshino foi ao banheiro, lavou o rosto com fortes esfregões de água fria e fez a barba com o barbeador elétrico. A refeição matinal era composta de arroz quente recém-preparado, caldo de missô com berinjela, cavalinha grelhada e picles. O rapaz repetiu o arroz.

Enquanto Nakata arrumava a cozinha, Hoshino assistiu ao noticiário matinal da televisão. Desta vez, houve uma breve referência ao crime do bairro de Nakano. "Mais de dez dias são passados desde o incidente, mas até o momento a polícia não tem nenhuma pista relevante", dizia o locutor da rede NHK em tom desprovido de emoção.

Uma mansão com imponente entrada compunha a imagem de fundo. Um policial montava guarda diante do portão lacrado com fita.

— A busca pelo primogênito de 15 anos desaparecido pouco antes do crime ainda continua, mas até o momento a polícia não encontrou sua pista. Simultaneamente, está em curso outra investigação em torno de um homem de cerca de 60 anos que morava nas proximidades e que teria comparecido a um posto policial logo depois do incidente e fornecido algumas informações sobre o crime. Não está claro ainda se existe algum tipo de relação entre estas duas pessoas. A ausência de sinais de vandalismo no interior da casa leva a crer que a vingança tenha sido o motivo do crime. Em vista disso, a polícia investiga minuciosamente todas as pessoas relacionadas com a vítima, o escultor Tamura. Em homenagem ao seu trabalho, de grande valor artístico, o Museu de Arte Moderna de Tóquio está, por seu lado...

— Ei, tio — disse Hoshino para Nakata, que se encontrava na cozinha.

— Pois não?

— Você conhece o filho desse homem assassinado no bairro de Nakano? Parece que ele tem 15 anos...

— Nakata não sabe nada a respeito desse filho. Como já disse antes, Nakata só sabe do senhor Johnnie Walker e do cachorro.

— Entendi — disse o rapaz. — Parece que a polícia também anda à procura desse garoto. É filho único, não tem irmãos nem mãe. Dizem que fugiu de casa pouco antes do crime e não se sabe para onde foi.

— Realmente?

— Não dá para entender direito este caso — disse o rapaz. — Acho que a polícia sabe muito mais do que revela. Essa gente só divulga as informações a conta-gotas. De acordo com o Coronel Sanders, os policiais já sabem que o tio está aqui, em Takamatsu. Sabem também que você anda com um rapaz bonito, muito parecido com o Hoshino aqui. Mas isso eles não divulgam. Calculam que nós dois podemos fugir para outro lugar se essas informações se tornarem públicas. Essa é a razão por que eles dão a entender que não sabem onde estamos. Eles jogam sujo, sabe?

Às oito e meia, os dois embarcaram no Familia estacionado na rua diante do apartamento. Nakata tinha enchido sua garrafa térmica de chá quente. Com o inseparável chapéu de alpinista amarfanhado na cabeça e levando o guarda-chuva e a sacola de lona, sentou-se no banco do passageiro. Por seu lado, Hoshino se olhou no espelho que pendia no vestíbulo e, como de hábito, ia pondo na cabeça seu boné dos Dragões Chunichi quando, sobressaltado, percebeu: a polícia devia estar de posse da informação de que o "rapaz" que procuravam andava com um boné dos Dragões Chunichi, óculos Ray-Ban verdes e camisa de padrão havaiano. Ele devia ser o único em toda a província de Kagawa a usar boné dos Dragões Chunichi, o qual, acrescido de óculos Ray-Ban verdes e camisa havaiana, comporia um padrão único, impossível de ser ignorado. Eis por que o Coronel Sanders, prevendo tudo isso, pusera à sua disposição discretas camisas polo azul-marinho. Sujeito realmente cauteloso. Hoshino resolveu deixar os óculos e o boné no quarto.

— Bem, para onde vamos?

— Para qualquer lugar. Rode pela cidade, por favor.

— Qualquer lugar?

— Sim senhor. Qualquer lugar que lhe agrade. Nakata vai ficar o tempo todo olhando pela janela.

— Hum... — gemeu Hoshino. — Eu dirigia veículos tanto no exército quanto na transportadora e, como motorista, tenho plena confiança em minha habilidade. Mas uma vez sentado à direção, sempre havia um local bem estabelecido a chegar. E para lá eu seguia em linha reta. Esse comportamento se transformou em segunda natureza para mim, sabe? Nunca ninguém me disse: "Vá para qualquer lugar que lhe agrade." Esse tipo de pedido me deixa totalmente perdido.

— Nakata sente muito. Desculpe.

— Está bem, está bem. Não é preciso se desculpar. Vou fazer o possível — disse Hoshino introduzindo o CD do "Trio Arquiduque" no estéreo do carro. — Eu vou rodar a esmo pela cidade e o tio observa lá fora o tempo todo. É isso que quer?

— Sim senhor. Exatamente.

— E quando você achar o que procura, aí estacionamos. Desse ponto em diante, a história seguirá um novo rumo. Certo?

— Certo. Pode ser que as coisas aconteçam dessa maneira. — disse Nakata.

— Tomara que aconteçam, realmente — disse o rapaz abrindo o mapa da cidade sobre os joelhos.

Os dois homens rodaram pela cidade de Takamatsu. Primeiro, percorreram cuidadosamente cada viela e travessa de determinado quarteirão e, depois, passavam para o quarteirão seguinte. Paravam de vez em quando, e então Nakata tomava um pouco de chá e o rapaz fumava seu Marlboro. E ouviram o "Trio Arquiduque" repetidas vezes. Na hora do almoço, entraram numa lanchonete e pediram um prato de arroz com curry.

— Que tipo de coisa você procura, Nakata? — perguntou Hoshino terminada a refeição.

— Isso nem Nakata sabe. Isso...

— ...você só vai saber depois que vir; antes disso, não.

— Exatamente.

O rapaz sacudiu a cabeça desanimado.

— Eu já sabia a resposta. Só quis confirmar.

— Senhor Hoshino.

— Hum?

— Pode ser que a gente leve algum tempo para descobrir.

— Ora, não tem importância. Vamos fazer tudo que nos for possível. Não podemos abandonar o barco no meio da viagem.

— Vamos tomar um barco, agora? — perguntou Nakata.

— Não, ainda não — respondeu o rapaz.

Às três da tarde, os dois entraram numa cafeteria e Hoshino tomou seu café. Depois de muito hesitar, Nakata pediu um refresco de leite. Naquela altura, o rapaz estava exausto e não tinha vontade de conversar. Já se cansara do "Trio Arquiduque" também. Rodar diversas vezes pelo mesmo lugar não era o seu forte. Achava monótono, não podia desenvolver velocidade, e precisava se esforçar muito para manter a concentração. Cruzara algumas vezes com radiopatrulhas e se apressou em desviar o olhar. Fez o possível para não passar diante de postos policiais. Por mais discreto que fosse um Mazda Familia, passar seguidamente diante deles poderia chamar a atenção do oficial de plantão, que talvez resolvesse questioná-lo. O receio de provocar colisões o obrigou também a concentrar na direção mais atenção do que costumava.

Enquanto Hoshino guiava examinando o mapa, Nakata permanecia imóvel contemplando a paisagem, mãos pousadas na beira da janela como um obediente cão amestrado. Ele parecia realmente procurar algo com intensa concentração. Até o fim da tarde, cada qual se dedicou à sua atividade e quase não se falaram.

— *Que procura, meu amigo...* — começou o rapaz a cantar um refrão de Yosui Inoue, desesperado. O resto da canção não lhe vinha à memória, de modo que inventou versos que cabiam na melodia:

Ainda não achou?
O dia está acabando,
O Hoshino está com fome
E tonto de muito rodar no mesmo lugar!

Às seis, os dois retornaram ao apartamento.

— Vamos continuar a busca amanhã, senhor Hoshino — disse Nakata.

— Como hoje já rodamos boa parte da cidade, acho que amanhã daremos conta do que resta — disse o rapaz. — Aproveitando, eu queria lhe fazer uma pergunta.

— Sim, senhor Hoshino. O que quer saber?

— Se não encontrarmos o que procuramos na cidade de Takamatsu, que faremos em seguida?

Nakata esfregou a cabeça com a palma da mão.

— Se não encontrarmos o que procuramos na cidade de Takamatsu, acho que ampliaremos o campo de busca.

— Entendi — disse o rapaz. — E se nem assim acharmos?

— Se nem assim acharmos, acho que vamos ampliar ainda mais o campo de busca — respondeu Nakata.

— Ou seja, vamos ampliando cada vez mais até encontrar, certo? Porque já diz o velho ditado: Só andando é que o cão dá com a cabeça no pau.

— Certo. Deve ser isso mesmo — disse Nakata. — Mas, senhor Hoshino, Nakata não entendeu direito: por que é que o cão anda e acaba batendo a cabeça no pau? Nakata tem a impressão de que, se o cão vê um pau pela frente, ele se desvia.

A observação intrigou Hoshino.

— E não é que você tem razão? Nunca pensei muito a respeito disso, mas por que é que o cão tem de bater a cabeça no pau?

— Muito estranho, não é?

— Bom, vamos deixar isso de lado — disse Hoshino. — Nossa conversa tende a se tornar cada vez mais confusa quando começamos a analisar essas minúcias. Por ora, vamos esquecer a história do cão e do pau. O que eu quero saber agora é o seguinte: até onde você pretende ampliar o campo de buscas? Se a gente bobear, o campo vai ficar tão amplo que vai se estender pelas províncias de Aichi ou de Kochi. É capaz de acabar o verão, o outono começar e a gente ainda estar procurando.

— Pode ser que sim. Mas mesmo que o outono se vá e o inverno chegue, Nakata precisa encontrar o que procura. Claro que o senhor Hoshino não pode ajudar Nakata para sempre, de modo que, nessa altura, Nakata vai continuar a procurar a pé, sozinho.

— Não vamos pensar nisso por enquanto — disse o rapaz, hesitante. — Bem que essa pedra podia ser um pouco mais prestimosa e nos dar informações mais detalhadas. Por exemplo, podia nos indicar, nem que fosse de maneira *vaga*, a direção a seguir, não podia?

— Nakata sente muito, mas esta pedra é de pouco falar.

— Ahn, a pedra fala pouco. Seei... Só de vê-la já dá para perceber que ela é desse tipo — disse Hoshino. — Pelo pouco que sei, acho também que ela não sabe nadar. Ah, deixe isso para lá. Vamos dormir bem esta noite e continuar as buscas amanhã.

O dia seguinte foi a repetição do anterior. O rapaz vasculhou a metade ocidental da cidade, adotando os mesmos critérios do dia anterior. Com um marcador amarelo, Hoshino foi cobrindo no mapa cada rua percorrida. A única mudança notável foi no número de bocejos do rapaz, o qual aumentou consideravelmente. Com o rosto grudado na janela e olhar sério, Nakata continuava procurando lá fora. Os dois quase não se falavam. O rapaz apertava o aro da direção, atento à presença de policiais, e Nakata continuava a vasculhar os arredores sem nenhum indício de aborrecimento. Ainda assim, não achou o que procurava.

— Hoje é segunda-feira, não é? — disse Nakata.

— Isso. Como ontem foi domingo, hoje é segunda — respondeu o rapaz. Depois, se pôs a cantar de novo com voz desanimada uma canção improvisada:

Se hoje é segunda,
Amanhã com certeza é terça.
A formiga tem fama de trabalhadeira,
E a andorinha, de vaidosa.
Nunca vi chaminé mais alta nem sol poente mais vermelho.

— Senhor Hoshino — disse Nakata passados instantes.

— Hum?

— A gente nunca se cansa de olhar uma formiga trabalhando, não é?

— É verdade — disse Hoshino.

Na hora do almoço, os dois entraram numa casa especializada em enguias e comeram o prato promocional do almoço. Às três, Hoshino e Nakata entraram numa cafeteria e tomaram respectivamente café e chá de algas. Até as seis da tarde, o mapa estava totalmente pintado de amarelo, e as ruas da cidade tinham sido percorridas centímetro a centímetro pelos pneus do ultradiscreto Mazda Familia. Mas não encontraram o que procuravam.

— *Que procura, meu amigo?* — começou de novo a cantar o desanimado Hoshino sua canção sem pé nem cabeça.

Ainda não achou?
Já rodamos a cidade inteira
E minha bunda começa a doer.
Não podemos ir para casa?

— Se continuarmos nesse ritmo, vou me transformar em cantor e compositor — disse Hoshino.

— Que é isso? — perguntou Nakata.

— Nada, nada. Uma brincadeira inofensiva.

Os dois desistiram de rodar e, deixando a cidade para trás, retornaram ao apartamento pela rodovia federal. Absorto em pensamentos, Hoshino pegou uma saída errada à esquerda. Tentou então retornar à rodovia de alguma maneira, mas as ruas tinham um traçado estranhamente retorcido e, além disso, muitas eram de mão única, fato que contribuiu para deixá-lo desnorteado. Quando deu por si, estava rodando por uma área residencial desconhecida. Em torno deles, sucediam-se ruas de ar elegante em que se destacavam mansões cercadas por muros altos. Não havia ninguém andando na rua e um estranho silêncio reinava no local.

— Acho que não estamos muito longe do nosso apartamento, mas fiquei totalmente confuso — resmungou o rapaz. Estacionou o carro num terreno baldio próximo, desligou o motor, puxou o freio de mão e abriu o mapa. Examinou o nome da localidade assim como a numeração gravada num poste e procurou-os no mapa. A vista estava cansada e dificultava a tarefa de encontrá-los.

— Senhor Hoshino — disse Nakata.

— Hum?

— Desculpe interromper o que está fazendo, mas o que diz aquela tabuleta que pende do portão ali adiante?

Hoshino ergueu o olhar do mapa e o voltou para o lado apontado por Nakata. Na continuação de um muro longo e alto, havia um portão e, ao lado, pendia uma grande placa de madeira. As folhas negras do portão achavam-se hermeticamente fechadas.

— Biblioteca Memorial Komura... — leu o rapaz em voz alta. — Que lugar mais solitário para se construir uma biblioteca. Aliás, isto aqui nem se parece com uma biblioteca, se parece mais com uma mansão.

— Biblioteca *Me-mo-ri-al* Komura?

— Isso mesmo. Acho que foi construída em homenagem a alguém chamado Komura. Mas eu não tenho a menor ideia de quem seria esse tal Komura.

— Senhor Hoshino.

— Hum? — respondeu o rapaz ainda examinando o mapa.

— É aqui.

— O que é aqui?

— O lugar que Nakata vinha procurando esse tempo todo.

Hoshino ergueu a cabeça do mapa e olhou Nakata nos olhos. Em seguida, franziu o cenho e examinou o portão da biblioteca. Leu uma vez mais com cuidado os dizeres da placa. Tirou o maço de Marlboro do bolso, puxou um cigarro, colocou-o entre os lábios e o acendeu com um isqueiro de plástico. Aspirou lentamente a fumaça e a expeliu pela janela aberta.

— Tem certeza?

— Absoluta.

— O *acaso* não dá medo? — disse Hoshino.

— Dá, realmente — disse Nakata.

Capítulo 39

Meu segundo dia nas montanhas transcorre de maneira habitual, lenta e sem emendas. As alterações do tempo se constituem em únicos detalhes distintivos. Perco a noção dos dias com admirável presteza. Não consigo diferenciar o ontem do hoje, o hoje do amanhã. As horas rolam a esmo, como navio que perdeu a âncora em vasto oceano.

Calculo que hoje é terça-feira. A Sra. Saeki deverá conduzir o costumeiro *tour* pela biblioteca, caso haja interessados. Como no dia em que visitei pela primeira vez a Biblioteca Memorial Komura... Ela vai subindo a escada com sapatos de salto fino. O som dos saltos ecoa na biblioteca silenciosa. Meias lustrosas, blusa imaculadamente branca, discretos brincos de pérola, caneta Mont Blanc sobre a mesa. O sorriso sereno que projeta uma vasta sombra de resignação. Tudo isso me parece tão distante... Ou melhor, me parece quase irreal.

Acomodado no sofá da cabana em meio ao cheiro do tecido de cores esmaecidas, penso uma vez mais na relação sexual que mantive com a Sra. Saeki. Persigo mentalmente as lembranças e as invoco em ordem. Ela despe as roupas lentamente. E vem para a minha cama. Estou tendo nova ereção. Muito rija. Mas a dor que eu sentia até ontem no pênis não me incomoda mais. A vermelhidão da glande também desapareceu.

Quando me canso de me absorver em fantasias sexuais, vou para fora e me dedico ao costumeiro menu de exercícios. Uso o gradil da varanda para exercitar os músculos abdominais. Faço uma série de agachamentos em rápida sucessão, e outra de alongamentos. Depois de suar bastante, vou ao córrego da floresta, mergulho em suas águas uma toalha e com ela massageio o corpo. A água gelada acalma um pouco meus sentidos excitados. Depois, sento-me na varanda e ouço Radiohead em meu walkman. Desde que saí de casa, vivo ouvindo repetidas vezes as mesmas músicas. "Kid A", de Radiohead, e "Very Best of", de Prince. E, vez ou outra, "My Favorite Things", de Coltrane.

Às duas da tarde — é a hora do *tour* na biblioteca — vou outra vez para a floresta. Aprofundo-me um pouco pela mesma vereda percorrida anteriormente e chego, também como da outra vez, à clareira. Sento-me na relva. Recosto-me no tronco de uma árvore e ergo o olhar para o céu, visível por um espaço arredondado na copa do arvoredo. Vejo a beira de uma nuvem branca, típica de verão. Até aqui, estou dentro de uma área segura. Desde este ponto, sei que sou capaz de retornar facilmente à cabana. É um labirinto para principiantes, comparável à dificuldade "nível 1" de videogames e por ele passo com facilidade. Seguir adiante, porém, significará me aprofundar num labirinto mais desafiador. As sendas vão se tornar cada vez mais estreitas, e o mar de fetos engolirá meus passos hesitantes.

E eu decido ir adiante.

Quero testar até onde consigo chegar floresta adentro. Sei dos perigos que nela existem. Pretendo porém verificar com meus próprios olhos e sentir na própria pele quais e como são esses perigos. Não posso deixar de fazer isso. Algo me empurra para a frente.

Vou seguindo com muito cuidado aquilo que me parece ser a continuação da vereda. As árvores se tornam cada vez mais imponentes, e o ar de mistério ao meu redor se torna mais intenso e pesado.

Ramos de árvores se entrelaçam sobre a minha cabeça e quase não vejo mais o céu. O vago vestígio de verão que até há pouco eu pressentia no ar já se esvaiu. As estações parecem inexistir por aqui. Logo, não tenho certeza se isto que eu percorro é ainda a senda ou não. Ora me parece um caminho, ora algo semelhante, mas que na verdade não é um caminho. Em meio ao sufocante aroma do verde, todas as definições vão se tornando imprecisas. Evidência e dúvida se mesclam. Acima da minha cabeça, um corvo grasna alto. Seu grito é muito estridente. Talvez seja um aviso. Paro e examino ao redor com cuidado. É perigoso seguir adiante sem estar devidamente preparado. Preciso retornar.

Mas isso não é fácil. Acho ainda mais difícil que seguir adiante. Estou na mesma situação das tropas derrotadas de Napoleão. O caminho é enganador e, além disso, as árvores se entrelaçam e compõem uma parede escura que barra o meu avanço. Minha respiração soa estranhamente alta aos meus ouvidos. Lembra uma corrente de ar que veio sibilando desde os confins do mundo. Uma borboleta grande, do tamanho de minha mão, cruza meu campo visual em voo incerto. Sua forma me faz lembrar a mancha de sangue que sujava minha camisa. A borboleta surge das sombras das árvores, se locomove pelo espaço de maneira lenta e desaparece outra vez por trás das árvores.

Depois que ela se vai, a atmosfera se torna ainda mais pesada e o ar esfria sensivelmente. E então, o medo de ter perdido de vista o caminho me assalta. O corvo torna a grasnar de maneira aguda sobre a minha cabeça. Parece ser o mesmo corvo com a mesma mensagem de antes. Paro de novo e torno a olhar para o alto. Mas não consigo vislumbrar o vulto do pássaro nem desta vez. Vez ou outra, um pé de vento real parece despertar de súbito e agita as escuras folhas secas, fazendo-as farfalhar sinistramente a meus pés. Pressinto algumas sombras escuras movendo-se com agilidade às minhas costas. Volto-me rapidamente, apenas para descobrir que elas já se esconderam.

Com grande dificuldade consigo finalmente retornar à clareira arredondada e à área de segurança que ela representa. Sento-me sobre a relva e respiro fundo algumas vezes. Lanço um olhar para o recorte circular de céu e me asseguro repetidas vezes de que retornei ao meu mundo de origem. Aqui encontro o saudoso vestígio de verão. Raios solares me envolvem como um filme e me aquecem. Mas o pavor que senti no caminho de volta permanece ainda por muito tempo em meu corpo. É como neve que deixou de derreter no canto de um jardim. O coração palpita às vezes de maneira desordenada, e a pele continua levemente arrepiada.

Nessa noite, deito-me no escuro e contenho a respiração. Olhos arregalados, fico à espera de que alguém me apareça nas trevas do quarto. Desejo que um vulto se materialize. Não sei porém se meu desejo terá algum efeito. Por via das dúvidas, concentro o pensamento e *desejo intensamente* que certa coisa aconteça. E aguardo.

Mas meu desejo não se realiza. Ele é indeferido. Do mesmo jeito que ontem, a Sra. Saeki não aparece. Nem a Sra. Saeki verdadeira, nem a sua versão fantasmagórica, ou, ainda, a de 15 anos. O negrume continua inalterado. Pouco antes de cair no sono, uma ereção poderosa me atormenta. Meu pênis se torna ainda mais rijo que de costume. Mas não me masturbo. Intimamente, decido conservar impoluta a recordação do sexo com a Sra. Saeki. Com as mãos firmemente entrelaçadas, adormeço pouco a pouco. Desejando sonhar com a Sra. Saeki.

Mas sonho com Sakura.

Pode ser que não seja um sonho. Tudo me parece claro demais, definido demais. Não há traços de inconsistência. Se não é sonho, não sei como defini-lo. Contudo, esse tipo de fenômeno só pode ser um sonho. Estou no quarto do apartamento dela. Ela está na cama, dormindo. Eu estou deitado no meu saco de dormir. As circunstâncias são idênticas às daquela noite que passei com ela. As horas voltaram atrás e estou numa situação que me parece decisiva.

No meio da noite, acordo com uma sede violenta, saio do meu saco e vou beber água. Tomo diversos copos. Cinco ou seis. Uma fina camada de suor cobre a minha pele e, também agora, estou com uma forte ereção. A frente da minha cueca samba-canção se ergue, volumosa. Meu pênis parece um ser vivo distinto, que funciona de acordo com um sistema diferente do meu, provido de consciência diferente da minha. Quando bebo a água, parte dela vai automaticamente para o meu pênis. Eu o ouço deglutindo debilmente.

Ponho o copo sobre a pia e me recosto contra a parede por alguns momentos. Pretendo confirmar as horas, mas não vejo relógio em lugar algum. Talvez seja a hora mais densa da noite. Hora em que até os relógios desaparecem, todos perdidos. Vou para a beira da cama de Sakura. Filtrada pela cortina, a luz de um poste entra pela janela. Ela está com as costas voltadas para mim e dorme profundamente. Da borda do cobertor fino, espiam duas plantas de pé bem conformadas. Parece que alguém acaba de ligar alguma coisa às minhas costas de maneira furtiva. Ouço um estalido seco. Árvores entrelaçadas atrapalham a minha visão. Aqui, as estações do ano não existem. Eu me decido e vou para baixo das cobertas ao lado de Sakura. A estreita cama de solteiro range ao peso dos dois corpos. Aspiro o cheiro da sua nuca. Percebo leve aroma de suor. Passo as mãos por sua cintura e a envolvo furtivamente. Ela geme baixinho, mas continua adormecida. Um corvo grasna de maneira particularmente aguda. Olho para cima. Não vejo o pássaro. Nem o céu.

Ergo a camiseta que Sakura veste e toco seus seios macios. Prendo-lhe o bico dos seios entre os dedos. Como se manipulasse o botão de controle de um rádio. Meu rígido pênis toca com força a parte posterior de suas coxas. Mas Sakura não diz nada. Sua respiração continua regular. Profundamente adormecida, ela parece sonhar. O corvo torna a grasnar. O pássaro está outra vez enviando uma mensagem para mim. Mas não consigo entender seu sentido.

O corpo morno de Sakura está úmido de suor, como o meu. Decido então mudar a posição dela. Puxo-a para mim e a deito de costas. Ela solta o ar de maneira audível. Ainda assim, não dá mostra de que vai despertar. Encosto o meu ouvido em seu ventre liso como folha de papel e tento discernir ecos de sonho no labirinto logo abaixo.

Minha ereção continua. Parece que meu pênis permanecerá rijo para sempre. Tiro a calcinha de algodão que ela está usando. Com cuidado, e tomando muito tempo, removo-a pelos pés. Depois, repouso a palma da mão sobre os pelos púbicos expostos e introduzo os dedos em suas profundezas mornas e convidativamente úmidas. Movo os dedos bem devagar. Sakura continua adormecida. Ela apenas inspira uma vez com força no meio do sono.

Simultaneamente, de um espaço côncavo dentro de mim, algo tenta sair da sua casca. Não sei como, tenho agora um par de olhos voltado para dentro de mim. De modo que posso observar o fenômeno. Não sei ainda se esse *algo* é nocivo ou benévolo. Mas de uma coisa sei: não sou capaz de incentivar nem de inibir o movimento dessa coisa que, aliás, é escorregadia e ainda não possui um rosto. Em breve, ela sairá da casca, assumirá seu rosto e se livrará da cobertura gelatinosa que lhe envolve o corpo. E então saberei sua identidade. No momento, porém, ela não passa de uma espécie de *sinal* disforme. Estende a mão malformada e tenta romper a área mais macia da casca. E eu sou capaz de ver os movimentos fetais da coisa.

Decido.

Não, não é verdade. Na realidade, não decidi coisa alguma. Porque não tenho escolha. Tiro minha cueca samba-canção e exponho meu pênis. Tomo Sakura em meus braços, abro-lhe as pernas e a penetro. Não foi difícil. Ela é muito macia e eu, muito rijo. Meu pênis parou de arder. A glande endureceu bastante nos últimos dias. Sakura continua perdida no mundo dos seus sonhos. E nele eu mergulho.

Repentinamente, Sakura desperta. E descobre que estou dentro dela.

— Que está fazendo, Kafka?

— Parece-me que estou dentro de você — respondo.

— Por quê? — diz ela de um jeito extremamente seco. — Eu já tinha lhe dito muito claramente que você não pode fazer isso, não tinha?

— Não consegui evitar.

— Pois então pare já! Tire *isso* de mim.

— Não consigo — respondo, sacudindo a cabeça.

— Preste atenção, Kafka. Primeiro, tenho uma relação firme com meu namorado. Segundo, você entrou sem permissão no meu sonho. E isso não é correto.

— Sei disso.

— Há tempo, ainda. Você está realmente dentro de mim, mas não se moveu nem ejaculou. Seu pênis está aí, tranquilo. Como que perdido em pensamentos. Não é verdade?

Aceno a cabeça concordando.

— Saia já — diz ela em tom persuasivo. — E vamos esquecer tudo isso. Eu, pelo menos, vou esquecer, e você, deve. Sou sua irmã, Kafka, e você, meu irmão menor. Temos uma relação que, embora não seja de sangue, é sem dúvida alguma fraternal. Isso você sabe, não é mesmo? Nós dois estamos ligados por vínculos familiares. Portanto, você não deve fazer isso.

— Agora já é tarde.

— Por quê?

— Porque decidi que é — respondo.

— **Porque você decidiu que é** — diz o menino chamado Corvo.

Você não quer mais ser um joguete na mão dos outros. Não quer mais se sentir confuso. Você já matou seu pai. Já violentou sua mãe. E aqui está você, dentro da sua irmã. Se isso é consequência de uma maldição, você decidiu que vai assumi-la agora voluntariamente. Quer ver o programa embutido nele terminando de vez. Quer se livrar o mais rápido possível dessa carga e, em seguida, viver pura e simplesmente como você mesmo e não como um ser enredado em pensamentos alheios. É isso que você deseja.

Ela leva as mãos ao rosto e chora um pouco. Você tem pena dela. Mas, agora, você já não é capaz de sair dela. Seu pênis cresceu e enrijece cada vez mais dentro dela. Parece até que se enraizou ali.

— Entendi. Não vou dizer mais nada — replica ela. — Mas lembre-se apenas de uma coisa. Você está me violentando. Gosto de você, mas esta não é a forma de gostar que eu escolhi. Nós dois talvez nunca mais nos encontremos. Por mais que assim desejemos no futuro. É isso o que você realmente quer?

Você não lhe dá resposta. Você desliga os pensamentos. Atrai o corpo dela para si e começa a mover os quadris. A princípio com atenção e cuidado e, logo, com violência. Você pensa em reter na memória a forma das árvores pelas quais passa para não se perder na volta, mas todas elas têm o mesmo formato e num instante o mergulham num mar de anonimato. Com os olhos cerrados, Sakura se abandona ao movimento. Não diz nada. Não resiste. Mantém o rosto inexpressivo voltado para o lado. Mas você é capaz de sentir o prazer físico que ela experimenta, pois ela parece ser uma extensão do seu próprio corpo. Agora, você sabe disso. Árvores entrelaçadas se erguem à sua frente, compondo uma parede negra que veda seu campo visual. O pássaro já não lhe manda mensagens. E você ejacula.

Eu ejaculo.

E acordo. Estou em minha cama e não há ninguém perto de mim. É noite alta. O negrume é intenso, e os relógios se perderam, todos eles. Saio da cama, tiro minha cueca, vou à cozinha e lavo o sêmen com água. O sêmen, branco, denso e pegajoso, é o bastardo que a escuridão pôs no mundo. Tomo muitos copos seguidos de água. Mas por mais que beba, a sede em mim jamais será mitigada. A solidão é insuportável. No meio da mais negra escuridão noturna e cercado por uma imensa floresta, acho impossível que exista solidão mais intensa que esta. Aqui as estações não existem, tampouco a luz. Volto para a cama, sento-me nela e respiro fundo. O negrume me envolve.

Dentro de você, *algo* se mostra agora com clareza. No momento, descansa como uma sombra escura. Já não há vestígios da casca. Ela foi totalmente rompida e eliminada. Alguma coisa pegajosa adere às suas mãos. Parece sangue humano. Você leva as mãos à altura dos olhos. Mas a falta de claridade não o deixa distinguir coisa alguma. A escuridão é excessiva, tanto interna quanto externamente.

Capítulo 40

Ao lado da tabuleta onde se lia "Biblioteca Memorial Komura", uma outra dava as seguintes informações: Horário de funcionamento: das 11 às 17 horas; fecha às segundas; entrada franca, e visita com guia todas as terças a partir das 14 horas. Hoshino leu tudo para Nakata.

— E justo hoje está fechada porque é segunda-feira — explicou o rapaz. Depois, olhou o relógio. — E mesmo que fosse outro dia da semana, não ia adiantar nada porque o horário de funcionamento já se encerrou há muito.

— Senhor Hoshino.

— Hum?

— Esta biblioteca tem um aspecto muito diferente daquela que visitamos há alguns dias, não é mesmo? — disse Nakata.

— É verdade. Aquela era grande e pública, e esta é particular, entendeu? Têm estruturas muito diferentes.

— Nakata não entendeu direito. O que seria uma biblioteca *par-ti-cu-lar*?

— Em outras palavras, quer dizer que ela foi construída por um capitalista que gosta de livros. Ele os juntou, formou uma biblioteca e a abriu para consulta pública. Leiam à vontade, disse ele. É uma iniciativa louvável, não acha? Só de ver esta entrada já se percebe que há uma construção imponente lá dentro.

— O que seria um *ca-pi-ta-lis-ta*?

— Um homem rico.

— Qual a diferença entre um homem rico e um *ca-pi-ta-lis-ta*? Hoshino pendeu a cabeça para um lado, pensativo.

— Agora você me pegou. Também não sei ao certo. Tenho a vaga impressão de que o capitalista é mais culto que o sujeito que é apenas rico.

— Ahn, mais culto...

— O que eu quero dizer é que qualquer um com bastante dinheiro pode ser um homem rico. Tanto eu como você, Nakata, podemos ser ricos se tivermos muito dinheiro. Agora, ser capitalista não é tão fácil assim. É preciso mais tempo para a gente se transformar num capitalista.

— Que coisa complicada, não é mesmo?

— É, realmente. Mas, de um jeito ou de outro, não tem nada a ver com a gente.

— Senhor Hoshino.

— Hum?

— Se hoje a biblioteca está fechada porque é segunda-feira, dia de descanso deles, isto significa que, se a gente aparecer aqui amanhã às 11 horas, ela vai estar aberta? — perguntou Nakata.

— Exatamente. Porque amanhã é terça-feira.

— E então, Nakata poderá entrar na biblioteca?

— Para todos os efeitos, a placa aqui diz que qualquer um pode. De modo que você também pode, Nakata.

— Analfabetos também podem?

— Podem, claro. Ninguém vai barrar você na entrada e perguntar se sabe ler ou não — respondeu o rapaz.

— Nesse caso, Nakata quer entrar.

— Tudo bem. Seremos os primeiros da fila quando isto aqui abrir amanhã de manhã. E vamos entrar juntos — disse Hoshino. — Mas agora, deixe-me ter certeza de uma coisa: *este é realmente o lugar que você procura*? Dentro desta biblioteca existe essa coisa muito importante que você esteve procurando, não é?

Nakata tirou o chapéu e esfregou a palma da mão diversas vezes no topo da cabeça de cabelos curtos.

— Sim senhor, existe.

— Quer dizer que não precisamos procurar mais?

— Não senhor. Não há mais nada para procurar.

— Maravilha! — disse o rapaz, aliviado. — Eu estava começando a me preocupar com o que fazer, caso a busca se prolongasse até o outono.

De volta ao apartamento alugado pelo Coronel Sanders, os dois dormiram profundamente e, às 11 horas do dia seguinte, dirigiram-se à Biblioteca Komura. Ela distava cerca de vinte minutos a pé do apartamento, de modo que os dois resolveram andar. Hoshino tinha devolvido o carro logo cedo à locadora situada diante da estação.

Quando os dois chegaram à biblioteca, encontraram os portões escancarados. O dia prometia ser quente e abafado, mas alguém espargira água na entrada para refrescar o ambiente. Para além dos portões, avistava-se um jardim bem cuidado.

— Escute, tio — disse Hoshino, parando por instantes no portão de entrada.

— Sim, senhor Hoshino. Que é?

— Que vamos fazer assim que entrarmos na biblioteca? Achei melhor perguntar antes porque você pode fazer um pedido inesperado e me pegar de surpresa. Preciso de um tempo para me preparar emocionalmente, entende?

Nakata pensou por instantes.

— Nakata também não sabe o que tem de fazer lá dentro. Mas, já que estamos numa biblioteca, acho que vai começar vendo alguns livros. Vai escolher um livro de fotos ou gravuras, de modo que o senhor Hoshino também pode escolher algum livro para ler.

— Entendi. Já que estamos numa biblioteca, vamos começar lendo livros. Tem lógica.

— Quanto ao que é preciso fazer, Nakata vai pensar depois, com calma.

— Está bem. O que fazer em seguida vamos pensar depois, com calma. Isto também é sensato — comentou o rapaz.

Os dois cruzaram o jardim aprazível e muito bem cuidado e entraram por um hall de aspecto antigo. Logo depois, havia um balcão de atendimento, atrás do qual se sentava um rapaz esguio e bonito. Camisa branca de algodão abotoada de cima a baixo. Óculos pequenos. Uma mecha do cabelo comprido cobrindo parcialmente a testa. Tipo digno de figurar num filme de François Truffaut, pensou Hoshino. Ao vê-los, o rapaz bonito sorriu.

— Bom dia! — cumprimentou Hoshino com animação.

— Bom dia — respondeu o rapaz bonito. — Sejam bem-vindos.

— Queremos ler livros, sabe?

— Claro! — disse Oshima acenando a cabeça em sinal de concordância. — Estejam à vontade. Esta biblioteca está aberta ao público. As estantes também são abertas, retirem qualquer livro que lhes interessar. Pesquisas podem ser feitas pelo arquivo de fichas. E também por computador. Em caso de dúvida, me procurem. Eu os esclarecerei com prazer.

— Muito obrigado.

— Procuram algum livro ou assunto que lhes interesse particularmente?

Hoshino sacudiu a cabeça.

— Particularmente, não. Ou melhor, estamos mais interessados na própria biblioteca do que nos livros. Passamos aqui em frente por acaso, ela nos chamou a atenção e ficamos com vontade de conhecê-la. Esta construção é muito bonita, não há dúvida.

Oshima sorriu de maneira graciosa e apanhou um lápis caprichosamente apontado.

— Muita gente nos visita por essa mesma razão.

— Ainda bem — disse Hoshino.

— Há um tour simples com guia pela biblioteca a partir das duas da tarde, do qual os senhores poderiam participar se dispõem de tempo livre. O tour é feito todas as terças, desde que haja interessados. Nossa diretora explicará as origens da biblioteca. E, por sorte, hoje é terça-feira.

— Isso me parece muito interessante. E então, Nakata? Quer participar?

Enquanto Hoshino e Oshima conversavam no balcão, Nakata amarfanhava o chapéu de alpinista nas mãos e passeava o olhar em torno, mas, ao ouvir a pergunta de Hoshino, pareceu voltar a si com um sobressalto.

— Como? Que disse?

— Disse que às duas da tarde vai haver um tour pela biblioteca. E então, quer participar?

— Sim, senhor Hoshino. Muito obrigado. Nakata quer fazer parte do tour — respondeu Nakata.

Oshima ouviu com muito interesse o diálogo dos dois homens. Nakata e Hoshino: que tipo de relação teriam esses dois? Não pareciam ser parentes. Havia uma grande diferença de idade e de aspecto entre os dois, o que tornava a dupla intrigante. Oshima não conseguiu detectar características comuns. E o indivíduo chamado Nakata tinha um jeito de falar bastante peculiar. Oshima sentiu leve desconforto, mas a sensação não era alarmante.

— Os senhores vieram de longe? — perguntou Oshima.

— Viemos de Nagoya — respondeu Hoshino às pressas, antes que Nakata dissesse "viemos do bairro de Nakano", o que dificultaria bastante a conversa. A notícia de que um homem idoso com a descrição de Nakata estaria envolvido no crime do bairro de Nakano já fora veiculada pela televisão. Por sorte, e até onde Hoshino sabia, sua foto ainda não tinha sido divulgada.

— Que lonjura! — disse Oshima.

— Sim senhor. Foi preciso atravessar uma ponte. Uma ponte muito comprida e importante — disse Nakata.

— É verdade. Essa ponte é muito comprida. Mas até hoje eu ainda não a cruzei — observou Oshima.

— Nakata nunca tinha visto uma ponte tão comprida.

— Muito tempo e dinheiro foram gastos em sua construção — disse Oshima. — De acordo com os jornais, a estatal que administra tanto a rodovia como a ponte está tendo prejuízos anuais da ordem de 100 bilhões de ienes. Que estão sendo saldados com o dinheiro dos impostos que pagamos.

— Nakata não consegue entender o que é 100 bilhões de ienes.

— Nem eu, para dizer a verdade — disse Oshima. — Valores que ultrapassam certo limite se tornam irreais. Resumindo, é muito dinheiro.

— Muito obrigado pelas informações — interveio Hoshino. Temia que Nakata dissesse algo inconveniente, caso o deixasse falar à vontade. — Quer dizer que, para participar do tour, devemos nos apresentar aqui, no balcão?

— Sim senhor. Estejam aqui às duas horas. Nossa diretora os conduzirá — disse Oshima.

— Então, vou ficar lendo um livro naquela sala, à espera do horário — disse Hoshino.

Rodando o lápis na mão, Oshima observou por algum tempo os dois homens que se afastavam. Depois, retomou o serviço interrompido.

Os dois escolheram alguns livros das prateleiras. Hoshino retirou *Beethoven e sua época*. Nakata empilhou sobre a mesa algumas obras ilustradas sobre mobiliário. Em seguida, examinou minuciosamente o aposento à maneira de um cão cauteloso: tateou e cheirou aqui e ali, contemplou fixamente determinados lugares. Por sorte, até o meio-dia não surgiu nenhum outro visitante e o inusitado comportamento do velhinho não chamou a atenção de ninguém.

— Ei, tio — disse Hoshino em voz baixa.

— Sim? Que quer saber, senhor Hoshino?

— Veja bem, o pedido é meio repentino, mas eu gostaria que você fizesse o possível para não mencionar o fato de que veio do bairro de Nakano, entendeu?

461

— E por quê?

— Vou encurtar outra história comprida e lhe dizer: porque eu acho melhor assim. Se souberem que você é de Nakano, talvez venhamos a prejudicar outras pessoas, entendeu?

— Entendeu — disse Nakata, acenando gravemente. — Incomodar os outros é errado. Nakata vai fazer força para não falar que veio de Nakano, conforme deseja o senhor Hoshino.

— E eu ficarei muito agradecido — respondeu o rapaz. — Mudando de assunto, você já achou essa coisa importante que procurava?

— Não, senhor Hoshino. Ainda não achou nada.

— Mas o local é aqui mesmo. Disso você tem certeza, não é?

Nakata confirmou.

— Sim senhor. Ontem à noite, antes de dormir, Nakata conversou direito com a pedra. Tem quase certeza de que este é o local.

Hoshino assentiu e voltou a ler a biografia de Beethoven. O compositor, homem orgulhoso que tinha absoluta confiança na própria genialidade, nunca se dera o trabalho de adular a aristocracia. Ele acreditava que só a arte e a expressão correta das emoções eram dignas de respeito e constituíam o que havia de mais sublime no mundo, e que poder e dinheiro existiam apenas para servi-las. Haydn comia com a criadagem quando morava em mansões da nobreza (ele realmente morou nelas a maior parte de sua vida). Músicos da época de Haydn pertenciam à categoria dos serviçais. (Comer com a criadagem não representou porém grande sacrifício para Haydn porque, na verdade, o amável e bondoso artista preferia isso a compartilhar a mesa e a formalidade dos nobres.)

Beethoven, ao contrário, se enfurecia quando se sentia menosprezado e atirava objetos contra a parede, exigindo sentar-se à mesa com a nobreza. Beethoven era do tipo temperamental (colérico, na verdade) e, quando se enfurecia, tornava-se incontrolável. Além disso, tinha opiniões políticas radicais, que não fazia questão de esconder. E, conforme a surdez avançava, o temperamento foi se tornando cada vez mais difícil. Com o passar dos anos, sua música foi crescendo e, ao mesmo tempo, se tornando densa e introspectiva. O único capaz de realizar esse tipo de rebeldia musical era Beethoven. Contudo, esse trabalho, impossível para o comum dos mortais, foi aos poucos minando suas forças. Física e emocionalmente, os seres humanos são dotados de limites, não foram feitos para suportar pressões tão intensas. "A vida dos gênios não é fácil", pensou Hoshino com respeito, depondo o livro por instantes e suspirando profundamente. Na sala de música da escola havia um busto de Beethoven em bronze, e Hoshino se lembrava muito bem daquele rosto de expressão amarga. Contudo, nunca imaginara que a vida do homem tivesse sido tão atribulada. Muito natural que a expressão fosse tão amarga, pensou o rapaz.

"Sem ofensa, eu não quero essa vida de gênio para mim", pensou o rapaz. Em seguida, voltou-se para Nakata. Ele contemplava fixamente as fotografias de móveis artísticos e gesticulava, ora como se batesse com um martelo, ora como se passasse uma pequena plaina. Na certa os longos anos de trabalho fabricando móveis haviam condicionado seu corpo a se mover daquela maneira.

— Nakata podia ser um gênio — falou para si mesmo. — Porque um homem comum nunca conseguiria fazer o que ele faz. Ele é admirável!

Pouco depois do meio-dia, mais gente (duas mulheres de meia-idade) surgiu na biblioteca, de modo que os dois resolveram sair um pouco para espairecer. O rapaz trouxera pães para o almoço, e Nakata, a pequena garrafa térmica repleta de chá verde na sacola. Hoshino foi ao balcão e perguntou a Oshima se haveria algum lugar onde pudessem lanchar.

— Claro! — disse Oshima. — Ali adiante há uma varanda. Os senhores podem se sentar naquelas cadeiras e lanchar com calma, apreciando o jardim. Mais tarde, e caso queiram, podem também tomar o café desta garrafa térmica. Sirvam-se à vontade.

— Muito obrigado — disse Hoshino. — Esta biblioteca tem um ambiente bem caseiro.

Oshima sorriu e afastou a mecha de cabelos da testa.

— Realmente, ela é um tanto diferente dos estabelecimentos comuns. Nosso ambiente pode ser perfeitamente classificado como caseiro. Nosso objetivo é estabelecer um espaço cordial, onde as pessoas possam ler livros com tranquilidade.

Rapaz agradável, pensou Hoshino. Inteligente, íntegro e de boa família, ao que parece. Além de tudo, muito prestimoso. Pode ser que seja gay. Hoshino não tinha nada contra eles. Gosto não se discute... Se há quem fale com pedras, por que não haveria homem dormindo com homem?

Depois de terminar o lanche, Hoshino se espreguiçou o quanto pôde. Em seguida, foi sozinho ao balcão de atendimento e se serviu de café quente. Nakata, que não podia tomar café, continuou sentado na varanda, tomando o chá da garrafa térmica.

— E então? Encontrou algum livro do seu interesse? — perguntou Oshima para Hoshino.

— Pois é. Estive lendo a biografia de Beethoven — respondeu Hoshino. — Um livro muito interessante, aliás. Me fez pensar.

Oshima aquiesceu com um aceno de cabeça.

— A vida de Beethoven foi, no mínimo, muito dura.

— Vida realmente dura, concordo — disse o rapaz. — Mas quer saber? Acho que, em parte, a culpa disso foi dele mesmo. Pelo jeito, Beethoven era centrado em si mesmo, só pensava na música e nos interesses dele. Ele achava que tudo o mais era sacrificável. Eu teria tido dificuldade para conviver com um indivíduo assim. Teria ficado com vontade de dizer: "Ei, Ludwig, dá um tempo, tá!" Acho perfeitamente compreensível que o sobrinho tivesse ficado doido de tanto estresse. Mas suas composições são maravilhosas. Tocam nossa alma. Isso é muito interessante.

— Exatamente — concordou Oshima.

— Mas por que ele teve de levar a vida tão a ferro e fogo? Tenho a impressão de que ele podia muito bem contemporizar um pouco e viver de maneira normal.

Oshima girou agilmente o lápis entre os dedos.

— Talvez. Mas acredito que, na época de Beethoven, era muito importante que as pessoas manifestassem seu ego. Em épocas anteriores, ou seja, no tempo do absolutismo monárquico, esse procedimento era considerado impróprio, um desvio comportamental que precisava ser severamente reprimido. E, quando a burguesia assumiu o poder no século XIX, esse tipo de repressão foi totalmente extinto. E então, o ego aflorou em diversas áreas. Expressar o ego tornou-se sinônimo de liberdade. E as artes, especialmente a música, sofreram diretamente essa influência. Músicos que sucederam Beethoven, como Berlioz, Wagner, Liszt, Schumann, tiveram vida excêntrica, repleta de altos e baixos. Na época, essa excentricidade era considerada forma de vida ideal. Simples assim. Esse é o período conhecido como Romantismo. Acredito que a vida tenha sido bastante dura para eles — disse Oshima. — Gosta das composições de Beethoven?

— Não as conheço suficientemente para poder afirmar que gosto — disse Hoshino com honestidade. — Ou melhor, devo dizer que não conheço quase nada. Eu apenas gosto da obra chamada "Trio Arquiduque".

— Eu também gosto dela.

— E gosto mais ainda quando ela é executada pelo Trio Milionário.

— Pois eu prefiro o trio tcheco Suk — disse Oshima. — A execução apresenta uma simetria maravilhosa e sou até capaz de sentir algo assim como o aroma do vento percorrendo relvas verdejantes. Mas já o ouvi executado pelo Trio Milionário — Rubinstein, Heifetz e Feuermann. É marcante.

— Quer dizer, hum... Oshima — disse o rapaz lendo o nome na tabuleta sobre o balcão — que você é um bom conhecedor de música?

Oshima sorriu.

— Eu não diria que sou *bom* conhecedor. Eu apenas gosto de música e ouço muito quando estou sozinho.

— Então deixe-me perguntar uma coisa: você acha que a música tem o poder de mudar as pessoas? Acha possível que uma música que certa pessoa ouviu em determinada época da sua vida possa mudar muito, mas *muito* mesmo, algo dentro dessa pessoa?

Oshima aquiesceu com um aceno de cabeça.

— Com certeza. Essas coisas acontecem. Vivenciamos *algo* e, por intermédio dessa vivência, outro *algo* acontece em nossas vidas. É uma espécie de reação química. Posteriormente, quando fazemos autoanálise, descobrimos que todos os nossos parâmetros internos melhoraram consideravelmente. E que o nosso mundo se ampliou. Eu também tive experiências parecidas. Raras, mas algumas foram assim. É o que acontece quando amamos.

Hoshino nunca experimentara um amor tão grandioso mas, por via das dúvidas, acenou para dar a entender que compreendera.

— Deve ser algo muito importante, não é? — disse Hoshino. — Quero dizer, para as nossas vidas?

— Sim. É o que penso — respondeu Oshima. — Se jamais passarmos por tais experiências, nossa vida não terá sentido nem sabor. Berlioz já disse: morrer sem nunca ter lido *Hamlet* é o mesmo que viver toda a vida metido numa mina de carvão.

— Mina de carvão...

— Uma hipérbole típica do século XIX.

— Muito obrigado pelo café — disse Hoshino. — Gostei muito de conversar com você.

Em resposta, Oshima sorriu gentilmente.

Hoshino e Nakata leram livros até as duas da tarde. Nakata continuou a gesticular e a examinar as gravuras de móveis. Além das duas mulheres, surgiram mais três no começo da tarde. Contudo, os únicos a desejar o tour pela biblioteca foram Nakata e Hoshino.

— Somos os únicos interessados. Tem certeza de que não será muito trabalho para pouca gente? — indagou Hoshino.

— Não se preocupe. Nossa diretora faria o tour com prazer, mesmo que fosse apenas para uma pessoa — respondeu Oshima.

Às duas, uma mulher de meia-idade e feições bonitas veio descendo a escada. Mantinha as costas eretas e seus passos eram elegantes. Usava um conjunto azul-escuro de corte reto e sapatos pretos de salto alto. O cabelo tinha sido ajeitado em coque, e uma corrente fina de prata aparecia pelo amplo decote. A aparência era despojada e de muito bom-gosto.

— Boa tarde. Sou Saeki, diretora desta biblioteca — disse ela. Sorriu em seguida serenamente. — O título é pomposo, mas, na verdade, a casa tem apenas dois funcionários, eu e o Oshima, aqui presente.

— Sou Hoshino — apresentou-se o rapaz.

— E Nakata, que veio do bairro de Nakano — disse o velho, apertando nas mãos o chapéu de alpinista.

— Sejam bem-vindos — disse a Sra. Saeki. Hoshino sentiu um calafrio de apreensão percorrer-lhe o corpo, mas a Sra. Saeki pareceu não ter percebido coisa alguma. E Nakata, menos ainda, naturalmente.

— Nakata chegou até aqui atravessando uma ponte muito comprida.

— Lindo prédio, este aqui, não ? — interveio Hoshino. Temia que a conversa se alongasse outra vez por causa da ponte.

— Sim. Este prédio, que foi construído originalmente pela família Komura no início do período Meiji, abrigava o acervo e servia de alojamento para eventuais hóspedes. Um grande número de literatos e artistas visitaram este local e aqui se hospedaram. Foi considerado importante local histórico e tombado pela prefeitura.

— *Li-te-ra-tos*? — perguntou Nakata.

A Sra. Saeki sorriu.

— Pessoas que lidam com arte literária: escritores, poetas, romancistas. Antigamente, quem mantinha esses artistas eram os capitalistas locais. Pois diferentemente de hoje, as artes não podiam se constituir em ganha-pão de um artista, entendem? Chefes do clã Komura faziam parte de um seleto grupo de capitalistas que sustentou a atividade cultural por muitos anos. Esta biblioteca foi construída e vem sendo gerida com a intenção de legar essa história para a posteridade.

— Nakata também sabe a respeito de capitalistas — disse Nakata. — É preciso muito tempo para formar um capitalista.

A Sra. Saeki sorriu e acenou a cabeça em sinal de concordância.

— É verdade. É preciso muito tempo para formar um capitalista. E, por mais dinheiro que se tenha, tempo é algo que não é possível comprar. Bem, vamos então começar a visita pelo andar superior.

O grupo visitou em ordem os aposentos do andar superior. Como de hábito, a Sra. Saeki explicou a respeito dos literatos que se hospedaram ali e mostrou as obras deixadas por eles. Como de hábito, havia uma caneta sobre a mesa no aposento que ela transformara em escritório. No decorrer do tour, Nakata examinou com muito interesse cada uma das coisas expostas, mas as explicações da Sra. Saeki pareciam não alcançar seu cérebro. Hoshino se encarregou de demonstrar o devido interesse com acenos de cabeça e murmúrios. Enquanto aquiescia, observava com o rabo dos olhos o comportamento de Nakata, temeroso de que o companheiro fizesse alguma coisa inconveniente. Mas Nakata apenas observava as coisas ao redor com muito cuidado. Quanto à Sra. Saeki, não parecia nada preocupada com o que Nakata fizesse ou deixasse de fazer. Ela conduziu os dois homens com eficiência e amabilidade pela biblioteca. Hoshino admirou-lhe a postura calma.

A visita terminou em cerca de 20 minutos e os dois homens agradeceram. No decorrer de toda a visitação, a Sra. Saeki nunca deixara de sorrir. Mas, enquanto a observava, o rapaz começou a ter uma série de dúvidas. Ela olha para nós sempre sorridente mas não está vendo nada. Ou seja, ela nos observa, mas está vendo alguma coisa diferente. Enquanto explica, sua mente se ocupa com outros pensamentos. Ela é extremamente correta e atenciosa. Responde a qualquer pergunta com cortesia e de maneira facilmente compreensível. Mas o espírito dela não está aqui, pensou Hoshino. Ela não os guiava a contragosto. Pelo contrário, uma parte dela se comprazia em realizar com eficiência essa tarefa concreta. Só não tinha o espírito presente.

Os dois retornaram à sala de leitura e, sentados numa poltrona, voltaram às páginas dos respectivos livros. O rapaz porém continuava com o pensamento preso na Sra. Saeki. Havia algo misterioso nessa mulher bonita. Mas ele não era capaz de expressar em palavras em que consistia esse mistério. Hoshino desistiu de pensar e voltou à leitura.

Às três horas, Nakata se ergueu de maneira súbita e imprevista. Contrariando seu modo de ser habitual, o gesto era decidido e enérgico. Nas mãos, apertava fortemente o chapéu de alpinista.

— Ei, tio, aonde vai? — perguntou Hoshino em voz baixa.

Nakata porém não lhe respondeu. Apertava os lábios com firmeza e dirigiu-se para a entrada a passos rápidos. Sua sacola tinha sido abandonada ao pé da poltrona. Hoshino também fechou o livro e se ergueu. O comportamento do companheiro lhe causava estranheza.

— Ei, espere um pouco — disse. E quando se deu conta de que Nakata não o esperaria, correu em seu encalço. Os demais visitantes ergueram a cabeça e os observaram.

Nakata virou à esquerda no vestíbulo e, sem nenhuma hesitação, começou a subir a escada. No topo dela havia uma placa: "Proibida a entrada a pessoas estranhas à administração."

Nakata ignorou-a — ou melhor, não a leu porque era analfabeto. A sola dos tênis gastos rangeu sobre os degraus.

— Por favor — disse Oshima para as costas de Nakata, debruçando-se sobre o balcão. — O senhor não pode entrar aí agora.

Mas a voz parecia não alcançá-lo. Hoshino lhe foi atrás e subiu as escadas.

— Tio, você não pode ir para esse lado. Não pode, entendeu?

Oshima saiu de trás do balcão e seguiu Hoshino escada acima.

Nakata andou sem hesitar pelo corredor e entrou no escritório. A porta estava aberta, como de costume. Com as costas voltadas para a janela, a Sra. Saeki lia um livro sentada à escrivaninha. Ao ouvir os passos, ela ergueu a cabeça e olhou para Nakata. Ele caminhou até a escrivaninha, parou diante da Sra. Saeki e a encarou. Nakata não disse nada, nem a Sra. Saeki. E então, Hoshino surgiu em seu encalço. E também Oshima.

— Tio, ei tio! — disse Hoshino, pondo a mão sobre o ombro do idoso homem. — Você não pode entrar aqui. Esse é o regulamento da casa. Vamos, vamos voltar para a sala lá embaixo.

— Nakata precisa conversar com a senhora — disse o velho para a Sra. Saeki.

— Sobre o quê ? — perguntou ela.

— Sobre a pedra. Quero lhe falar a respeito da *pedra da entrada*.

Por instantes, a Sra. Saeki apenas o contemplou em silêncio. Havia intensa neutralidade em seu olhar. Em seguida, piscou diversas vezes e fechou calmamente o livro que lia. Depositou ambas as mãos sobre o tampo da mesa e tornou a olhar para Nakata. Ela parecia não saber direito o que fazer, mas acenou levemente a cabeça. Em seguida, voltou o olhar para Hoshino e Oshima.

— Gostaria de ficar algum tempo a sós com este senhor — disse ela para Oshima. — Vou conversar um pouco com ele. Feche a porta ao sair.

Oshima hesitou um breve momento, mas moveu a cabeça em muda concordância. Depois, segurou Hoshino pelo cotovelo, conduziu-o para fora do escritório e fechou a porta atrás de si.

— Tem certeza de que ela vai ficar bem? — perguntou Hoshino.

— A Sra. Saeki sabe o que faz — respondeu Oshima enquanto desciam a escada. — Se ela diz que está tudo certo, é porque está. Não precisa se preocupar com ela. Vamos descer e tomar uma xícara de café.

— E você também não precisa se preocupar com Nakata porque isso seria pura perda de tempo. É verdade! — assegurou o rapaz, sacudindo a cabeça.

Capítulo 41

Desta vez, preparei-me antes de entrar na mata. Bússola, faca, cantil, suprimentos de emergência, luva grossa, spray amarelo e machadinha que achei no depósito. Meto tudo numa mochila de náilon pequena (que também achei no depósito) e rumo para a floresta. Borrifo repelente de insetos em aerossol sobre a pele exposta. Visto camisa de manga comprida, enrolo uma toalha em torno do pescoço e ponho na cabeça o boné que ganhei de Oshima. O céu nublado deixa a atmosfera pesada, há ameaça de chuva no ar. Vou levar capa de chuva na mochila de náilon. Nuvens cinzentas e baixas são o pano de fundo para um bando de pássaros que cruza o espaço chamando-se mutuamente.

Como sempre, avanço com facilidade até a clareira arredondada. Depois de confirmar na bússola que estou indo mais ou menos na direção norte, avanço outro tanto floresta adentro. Desta vez, cuido de sinalizar com tinta amarela o tronco das árvores pelas quais vou passando. Na volta, espero acompanhar estas marcas e retornar à cabana. Diferentemente das migalhas de pão de João e Maria, a tinta amarela não corre o risco de ser devorada por pássaros.

Já não sinto o pavor que se apossou de mim durante a primeira incursão porque estou relativamente preparado para enfrentar eventuais surpresas; ainda assim, estou tenso, claro. Meu coração, porém, pulsa em ritmo sereno. A curiosidade me move. Quero saber o que há no fim da senda. Mesmo que não haja nada, quero saber. *Preciso saber.* Observo o cenário com cuidado, gravo-o na mente e avanço passo a passo, com segurança.

Sons inexplicáveis me chegam aos ouvidos de vez em quando. Baques surdos que lembram coisas caindo, rangidos semelhantes a passos sobre piso assoalhado. E também ruídos misteriosos, de difícil descrição. Não sei o que significam nem consigo imaginar o que os origina. Algumas vezes, parecem vir de longe, em outras, de muito perto. Aqui, a distância é um conceito que ora se expande, ora se contrai. Vez ou outra, ouço um ruflar de asas acima da cabeça. O som, estranho e alto, reverbera muito mais que num ambiente comum e me obriga a parar e a apurar os ouvidos. Prendo a respiração, à espera. Mas nada acontece. Recomeço a andar.

Exceto por esses ruídos repentinos, o silêncio reina em torno de mim. Não ouço o vento, nem o farfalhar de ramos sobre a minha cabeça. O que me chega aos ouvidos é apenas o som dos meus próprios passos caminhando sobre a relva. Um estalido ecoa alto toda vez que piso em galhos secos.

Na mão direita, levo a machadinha recém-afiada. Sinto a textura áspera do cabo na palma da mão. Até o momento, não me deparei com nenhuma situação em que tivesse de usar a machadinha. Contudo, seu peso e solidez me proporcionam a sensação de que estou protegido. Estou protegido... contra o quê? Florestas de Shikoku não devem abrigar ursos nem lobos, só algumas cobras venenosas, talvez. Pensando bem, tenho a impressão de que, dos seres vivos aqui existentes, o mais perigoso sou eu. Acho que estou é com medo de minha própria sombra.

Todavia, sinto que alguma coisa me ouve e me vê enquanto ando pela mata. De um ponto indefinível, alguma coisa me vigia. Prende a respiração, se camufla no cenário e observa meus movimentos. Nalgum lugar distante, algo apura os ouvidos aos sons que produzo. Procura calcular meus objetivos e a direção em que estou seguindo. Procuro afastar meus pensamentos *disso*. Na certa é imaginário, e quanto mais eu pensar *nisso,* maior e mais concreto *isso* se tornará. E pode ser que, depois de algum tempo, deixe de ser imaginário.

Assobio para quebrar o silêncio. Sax soprano de "My Favorite Things", de John Coltrane. Obviamente, meu assobio vacilante é incapaz de imitar esse complexo e ágil *impromptu* pululante de notas musicais. Estou apenas atribuindo alguns sons à movimentada sonoridade que a mente evoca. Antes isso do que nada. Olho o relógio. Dez e meia da manhã. A esta altura, Oshima deve estar tomando providências para a abertura da biblioteca. Hoje é... quarta-feira. Eu o imagino aspergindo água no jardim, passando pano nas mesas, fervendo a água e preparando o café. Tarefas que eu faria normalmente. Mas agora estou no meio de uma densa floresta. Caminhando para áreas ainda mais densas. Ninguém sabe que estou aqui. Os únicos a saber somos eu e *isso que me observa.*

Vou seguindo uma trilha. Não é um caminho traçado por seres humanos. Lembra muito mais uma marca impressa por correntezas ao longo dos anos. Toda vez que chuvas torrenciais caem sobre a floresta, correntes velozes e violentas que erodem a terra se formam, carregam a relva e expõem as raízes das árvores enquanto contornam rochas que encontram em seu caminho. Quando as chuvas cessam e as correntes desaparecem, restam sobre a superfície da terra seus leitos secos, ou seja, uma trilha pela qual se pode caminhar. Fetos e relva encobrem boa parte dela. Tomo muito cuidado para não perdê-la de vista. Em alguns trechos o terreno se transforma em acentuado aclive, e eu o escalo agarrando raízes.

Parei de assobiar — não sei quando — o sax soprano de John Coltrane. Neste momento, tenho o solo para piano de McCoy Tyner ecoando no fundo dos meus ouvidos. Mão esquerda executando um padrão rítmico monótono, mão direita sobrepondo acordes densos e sombrios, uns após outros. Como num cenário mítico, descrevem com impressionante clareza e minúcia o tenebroso passado de alguém (sem rosto e sem nome) sendo extraído das trevas como entranha de um ventre. Assim me parece, ao menos. O persistente refrão vai aos poucos minando o espaço real, reorganizando-o. Percebo um cheiro hipnótico, ameaçador. Que lembra... o da floresta.

Com o spray que mantenho na mão esquerda, vou fazendo pequenas marcas em troncos de árvore enquanto avanço. Vez ou outra, volto-me para me certificar de que as marcas amarelas estão visíveis. Tudo em ordem. Ali estão os sinalizadores do meu caminho de volta, desalinhados como bóias flutuando em mar revolto. Por uma questão de segurança, uso a machadinha e faço cortes em algumas árvores. Os cortes também servirão como sinais. Mas nem todo tronco os aceita. Alguns são duros e minha modesta machadinha nem consegue arranhá-los. Toda vez que encontro árvores de porte mediano e tronco de aspecto macio, golpeio e nelas deixo novas marcas. As árvores aceitam os golpes em silêncio.

Às vezes, grandes pernilongos pretos se aproximam como patrulheiros em missão de reconhecimento e tentam ferroar a carne desprotegida em torno dos meus olhos. Ouço o seu zumbido junto às orelhas. Espanto-os com a mão ou os liquido com uma palmada. Se o golpe é certeiro, sinto claramente o inseto se esmigalhando contra a palma da minha mão. Descubro então que alguns já haviam sugado um bocado do meu sangue. A sensação de coceira surge mais tarde. Limpo a mão suja de sangue na toalha que tenho em torno do pescoço.

Os pernilongos devem ter causado muito sofrimento aos soldados se o exército fez as manobras por aqui no verão daqueles velhos tempos. Quanto pesa o equipamento completo de um soldado da infantaria? Rifle antigo que mais parece um bloco de aço, munição, baioneta, capacete de aço, granadas, víveres e, claro, cantil com água, pá portátil para cavar trincheira, prato e talheres de alumínio... tudo somado deve pesar cerca de 20 quilos. É muito. Não se compara à mochila de náilon que carrego. De repente, sou assaltado pelo temor de que, ao contornar o arbusto logo adiante, vou topar com os dois soldados que desapareceram nesta região. Mas esse episódio ocorreu há mais de sessenta anos.

A história da invasão russa pelas tropas napoleônicas que eu li na varanda da cabana me vem à mente. Os soldados franceses que percorreram o longo caminho até Moscou no verão de 1812 também devem ter sido atormentados por pernilongos. Obviamente, seus sofrimentos não se resumiram a isso. Eles tiveram de travar luta feroz contra diversos outros inimigos. Sede e fome, estradas lamacentas, doenças infecciosas, calor intenso, ataques desfechados por brigadas de cossacos contra as extensas e precárias linhas de suprimento, escassez de medicamentos e, claro, o próprio exército russo. E quando o exército francês finalmente conseguiu alcançar a cidade de Moscou, deserta após a fuga dos seus moradores, do contingente inicial de 500 mil soldados restavam apenas 10 mil.

Paro, tomo a água do cantil e umedeço a garganta. O relógio marca exatas onze horas. Hora de abrir a biblioteca. Imagino Oshima escancarando o portão e, depois, se sentando atrás do balcão. Como sempre, deve haver alguns lápis longos e pontudos sobre sua mesa. Vez ou outra, Oshima apanha um deles e o gira entre os dedos. Aperta de leve a têmpora com a extremidade provida de borracha. Apesar de estar ocorrendo muito longe daqui, a cena me vem à mente com extremo realismo.

Nunca menstruei, me diz Oshima. *Tenho bico de seio insensível e clitóris sensível. Pratico sexo anal e não vaginal.*

Lembro-me de Oshima deitado na cabana com o rosto voltado para a parede. Lembro-me da sensação que restou na cama depois que ele(a) se foi. E de ter mergulhado na cama em seguida e dormido envolto nessa sensação. Mas vou parar de pensar nessas coisas.

Em vez disso, penso em guerras. Na que Napoleão empreendeu, e naquela em que soldados japoneses lutaram. Sinto a solidez da machadinha na mão. O brilho da lâmina branca e recém-amolada fere meus olhos e eu desvio o olhar involuntariamente. O que leva as pessoas a guerrearem? Por que centenas de milhares de indivíduos, ou até milhões deles, têm de constituir grupos de extermínio mútuo? O que há na origem das guerras — ódio ou medo? Ou será que ódio e medo são apenas faces distintas de um mesmo espírito?

Cravo a machadinha no tronco das árvores. Elas gritam de maneira inaudível, sangram de maneira invisível. Eu continuo andando. John Coltrane pega outra vez seu sax soprano na mão. O refrão torna a minar o espaço real e o reorganiza.

Sem que disso me desse conta, meu espírito vagueia pelo reino dos sonhos. E os sonhos retornam serenamente. Sakura está em meus braços e eu, dentro dela.

Não quero mais rolar de um lado para o outro como joguete dos acontecimentos. Não quero mais me sentir confuso. Já matei meu pai. Já violentei minha mãe. E cá estou eu, dentro de minha irmã. Se alguma maldição existe, assumo-a. Quero acabar com ela de uma vez por todas. Quero descarregá-la de meus ombros o mais rápido possível. E, depois, quero viver minha própria vida, e não a vida de alguém que se viu enredado em pensamentos alheios.

— Está certo, foi só um sonho, mas mesmo assim você não devia ter feito o que fez — diz o menino chamado Corvo.

Ele está logo atrás de mim, andando comigo pela floresta.

— Naquele momento, eu tentei impedi-lo de alguma maneira. Sabe disso, não sabe? Tenho certeza de que ouviu minha voz. Mas você não quis me obedecer. Seguiu em frente.

Eu continuo a caminhar, sem responder nem me voltar.

— No mínimo imaginou que, assim procedendo, superaria a maldição que lançaram contra você. Foi isso, não foi? Acaso superou? — pergunta o menino chamado Corvo.

Acaso superou? Você matou seu pai, violentou sua mãe e sua irmã. Em linhas gerais, você cumpriu cada item da profecia. De acordo com seus cálculos, aqui terminaria a maldição que seu pai lançou contra você. Mas nada terminou de verdade. Nada foi superado. Pelo contrário, as cores da maldição tornaram-se agora ainda mais sombrias e se impregnaram em seu espírito. Tenho certeza de que sabe disso. A maldição continua em seus genes. Transformada em hálito

que jorra de sua boca, ela se espalha no seio dos ventos que campeiam os quatro cantos do mundo. O caos, sombrio, continua intacto dentro de você. Não é verdade? E nem medo, nem raiva, nem insegurança não se dissiparam. Eles continuam em você e atormentam seu espírito.

— Veja bem, uma guerra capaz de acabar com todas as guerras é coisa que não existe — diz o menino chamado Corvo. — A guerra se alimenta da própria guerra e cresce. Sorve o sangue que a violência derrama, devora a carne que a violência fere, e assim se avoluma. A guerra é um ser vivo perfeito. Você precisa saber disso.

Sakura, minha irmã, murmuro.

Eu não devia tê-la violentado. *Nem em sonhos.*

— Que devo fazer? — pergunto, sempre olhando à frente.

— Vejamos. Antes de mais nada, tem de superar o medo e a raiva que existem em você — diz o menino chamado Corvo. — Deixe a luz entrar e dissolver as áreas congeladas e endurecidas do seu coração. Ser valente é isso. Só assim você será o rapaz de 15 anos mais valente do mundo. Entende o que estou dizendo? Ainda há tempo. Comece neste instante e será capaz de recuperar integralmente seu verdadeiro eu. Use a cabeça, pense. Pense a respeito do que tem de fazer. Você é inteligente. É capaz de pensar, tenho certeza.

— Eu realmente matei meu pai? — pergunto.

Não obtenho resposta. Olho para trás. O menino chamado Corvo já não está às minhas costas. O silêncio absorve minha pergunta.

Sozinho em meio à densa mata, sinto-me totalmente esvaziado. Sem que disso me tivesse dado conta, transformei-me no ser humano vazio de que me falou Oshima certa vez. Há um grande vácuo dentro de mim que se expande aos poucos, devorando tudo que existia em mim. Ouço o som das suas mordidas. Cada vez menos compreendo essa existência que sou eu. Estou realmente perdido. Não encontro norte, nem céu, nem terra. Penso na Sra. Saeki, em Sakura e em Oshima. Contudo, estou distante deles alguns anos-luz. Como alguém que espia pelo lado errado de um binóculo, não consigo tocá-los, por mais que estenda a mão. Estou sozinho num labirinto escuro. Ouça o vento, disse Oshima. Apuro os ouvidos. Mas aqui não há vento. E até o menino chamado Corvo foi-se embora.

Use a cabeça, pense! Pense no que tem de ser feito!

Mas já não consigo pensar em nada. Por mais que pense, só consigo alcançar uma parede no extremo do labirinto. Afinal, o que eu tenho dentro de mim? Algo que se oponha ao vazio?

Como seria bom se eu pudesse me livrar dessa existência chamada *eu*. Cercado por este espesso paredão de árvores, nesta trilha que não é um caminho, paro de respirar, enterro a consciência nas trevas, verto até a última gota deste sangue escuro conspurcado pela violência e dessa maneira permito que todos os meus genes apodreçam sob a relva. Só assim minha batalha terminaria. Caso contrário, eu talvez fique eternamente condenado a matar meu pai, a macular minha mãe e minha irmã e a desvirtuar o mundo. Fecho os olhos e contemplo o âmago do meu ser. O negrume que o envolve é irregular e áspero. A lua se infiltra por uma brecha nas nuvens escuras, folhas do corniso brilham em mil lâminas.

Neste momento, sinto que algo se reorganiza sob minha pele. Ouço um estalo metálico dentro da cabeça. Abro os olhos e respiro fundo. Jogo a lata de spray amarelo no chão. Jogo a machadinha, jogo a bússola. Elas caem ruidosamente sobre a terra. O som parece vir de longe. Sinto-me leve, muito leve. Removo a mochila de náilon das costas e a jogo no chão. O tato está muito mais apurado que antes. A transparência do ar em torno de mim aumentou. A mata é uma presença mais poderosa. Em meus ouvidos, John Coltrane continua seu solo labiríntico. Interminável.

Repenso a situação e tiro da mochila o canivete e o guardo no bolso. Aquela, de fio aguçado, que eu peguei na escrivaninha do meu pai. Caso queira, sempre posso usá-la para romper as artérias do pulso e para verter sobre o solo todo sangue que corre em mim. Assim destruirei o equipamento.

Estou indo para o coração da floresta. *Sou um homem vazio.* Sou um vácuo que se alimenta do concreto. Portanto, não existe nada que eu deva temer. Absolutamente nada.

E assim sigo floresta adentro rumo ao seu coração.

Capítulo 42

Quando se viram a sós, a Sra. Saeki indicou uma cadeira para Nakata. Depois de hesitar um pouco, ele se sentou. Separados pela mesa, os dois se observaram em silêncio por instantes. Nakata tinha posto o chapéu de alpinista sobre os joelhos e esfregava com a palma da mão o topo da cabeça de cabelos curtos, no gesto que lhe era habitual. A Sra. Saeki tinha as mãos pousadas sobre o tampo da escrivaninha e contemplava serenamente seu interlocutor.

— Pode ser que eu esteja enganada, mas acho que estive à sua espera — disse ela.

— Nakata também acha — respondeu o homem. — Ele perdeu muito tempo. A espera foi longa demais, não foi? Nakata fez o possível para se apressar, e o melhor que conseguiu foi chegar hoje.

A Sra. Saeki sacudiu a cabeça.

— Não, você veio na hora certa. Acho que me perturbaria muito mais se você chegasse mais cedo ou mais tarde. Este momento é perfeito para mim.

— Nakata contou com muita ajuda do senhor Hoshino. Não fosse por ele, Nakata teria levado muito mais tempo para chegar aqui. Porque Nakata não sabe ler.

— Hoshino é seu amigo?

— Sim — respondeu Nakata com um aceno. — Talvez ele seja meu amigo. Mas, para ser franco, Nakata não entende muito bem este tipo de relação. Excetuando os gatos, Nakata nunca teve nenhum amigo.

— Eu também não tive amigos durante muito tempo — disse a Sra. Saeki. — Excetuando, é claro, as lembranças.

— Sra. Saeki.

— Pois não?

— Para dizer a verdade, Nakata não tem nenhuma lembrança. Porque Nakata é fraco da cabeça. O que seria exatamente uma lembrança?

A Sra. Saeki voltou o olhar para as próprias mãos e, em seguida, para Nakata.

— Lembranças o aquecem por dentro. Mas, ao mesmo tempo, lembranças são capazes de estraçalhá-lo internamente.

Nakata sacudiu a cabeça.

— Que problema difícil. Nakata ainda não entendeu o que é uma lembrança. A única coisa que Nakata sabe é sobre o presente.

— Pois, pelo jeito, sou o seu oposto — disse a Sra. Saeki.

O silêncio reinou momentaneamente na sala. Quem o rompeu foi Nakata. Pigarreando de leve, ele disse:

— Sra. Saeki.

— Pois não?

— A senhora sabe a respeito da pedra da entrada, não sabe?

— Sei — respondeu ela. Suas mãos tocaram a caneta Mont Blanc sobre a escrivaninha. — Muito tempo atrás, eu a encontrei em certo lugar. Talvez tivesse sido melhor não tê-la encontrado. Mas não coube a mim escolher.

— Pois Nakata a abriu outra vez há alguns dias. Foi na tarde da trovoada, quando muitos raios caíram sobre a cidade. O senhor Hoshino me ajudou. Nakata não teria sido capaz de fazer isso sozinho. A senhora se lembra do dia da trovoada?

A Sra. Saeki aquiesceu com um aceno de cabeça.

— Lembro-me bem.

— Nakata abriu porque tinha de abrir.

— Sei disso. Para que muitas coisas voltem à *forma original*, não é?

Nakata aquiesceu.

— Exatamente.

— Pois você está apto a fazer isso.

— Nakata não entende de aptidão. Seja como for, uma coisa é certa: ele não teve escolha. Para falar a verdade, Nakata matou também uma pessoa no bairro de Nakano. Ele não queria matar ninguém. Mas, induzido pelo senhor Johnnie Walker, Nakata matou um homem em lugar de um rapaz de 15 anos que devia ter estado ali. Nakata não teve como recusar.

A Sra. Saeki cerrou os olhos, abriu-os de novo e encarou Nakata.

— E tudo isso teria acontecido porque abri a pedra de entrada em certo distante dia do passado? As consequências do meu ato estariam perdurando até hoje e provocando essa série de distorções?

Nakata sacudiu a cabeça.

— Sra. Saeki.

— Pois não?

— A compreensão de Nakata não chega a esse ponto. A missão dele é apenas uma: fazer com que as coisas que existem agora, neste exato momento, retomem a sua devida forma. Para tanto, Nakata saiu de Nakano, cruzou uma ponte comprida e veio até Shikoku. E talvez já saiba disso, mas a senhora não pode mais permanecer por aqui.

A Sra. Saeki sorriu.

— Está certo — respondeu. — Eis aí algo que vim desejando longamente. Eu o desejei no passado, eu o desejo agora, mas nunca o consegui, por mais que tentasse. A única alternativa que me restou foi esperar estoicamente a chegada do momento certo, isto é, a chegada *deste momento*. A espera foi insuportável em muitos sentidos. Mas o sofrimento deve ter sido imposto a mim como uma espécie de responsabilidade.

— Sra. Saeki — disse o velho homem. — Nakata só tem a metade da sombra. E a senhora também.

— Sei disso.

— Nakata perdeu a outra metade por ocasião da última guerra. Ele não entende direito por que isso teve de acontecer, e por que teve de ser com Nakata. De qualquer maneira, muito tempo se passou desde então. É chegada a hora de *nossa* partida.

— Sei disso.

— Nakata viveu muito. Mas, como já disse antes, Nakata não tem nenhuma lembrança. De modo que se torna difícil para ele entender o *sofrimento* que a senhora mencionou há pouco. Mas, Nakata pensa: por mais sofrido que tenha sido, a senhora não tinha vontade de abrir mão dessa lembrança, não é mesmo?

— Não tinha — respondeu a Sra. Saeki. — Exatamente. Por mais sofrida que seja a lembrança, a ideia de abandoná-la jamais me passará pela cabeça enquanto eu viver. Só ela dá sentido à minha vida, só ela é a prova de que um dia existi.

Nakata apenas acena, em silêncio.

— Ao viver mais que o necessário, vim arruinando muitas pessoas e coisas — continuou ela. — Mantive relações sexuais com o menino de 15 anos que você mencionou. Foi há poucos dias. Voltei a ser a garota de 15 anos e fiz sexo com ele *naquele quarto*. O ato pode ter sido apropriado ou não, mas não consegui evitar. Mas, ao agir dessa maneira, talvez eu tenha arruinado mais algumas coisas. E isso me atormenta.

— Nakata não entende de desejos sexuais — disse ele. — Do mesmo jeito que não tem lembranças, também não sente desejo sexual. Portanto, não entende a diferença entre desejo sexual apropriado e inapropriado. Mas se já aconteceu, são águas passadas. Certo ou errado, Nakata aceita tudo que acontece, pois o Nakata atual é uma decorrência desses acontecimentos. Essa é a posição de Nakata.

— Nakata.

— Sim?

— Tenho um pedido a lhe fazer.

A Sra. Saeki apanhou a bolsa que estava a seus pés, tirou de dentro uma pequena chave e com ela abriu uma gaveta da escrivaninha. De lá, retirou algumas pastas grossas e as pôs sobre a mesa.

— Desde que retornei a esta cidade, vim dedicando inteiramente o meu tempo a escrever isto. Aqui registrei a minha vida. Nasci nestas proximidades e amei profundamente um rapaz que morava nesta casa. Acho que amar mais do que o amei seria impossível. Ele retribuiu o meu amor na mesma medida e vivemos no interior de um círculo perfeito. Dentro dele, tudo era completo. Obviamente, essa situação não se perpetuaria. Crescemos, tornamo-nos adultos, e tempos de mudança se aproximaram. O círculo se rompeu em diversos pontos, coisas de fora invadiram nosso jardim encantado, coisas de dentro procuraram sair. Era natural. Mas, na época, não consegui achar natural. De modo que abri a pedra da entrada para evitar tanto a invasão como a deserção. A esta altura, porém, já não consigo me recordar como foi que consegui essa façanha. Eu apenas decidi intimamente que tinha de abri-la de qualquer modo, pois eu não queria nem perder a pessoa amada, nem permitir que invasores arruinassem o nosso mundo. Naqueles dias, eu ainda não tinha compreendido o que isso haveria de significar. Evidentemente, recebi meu castigo.

Nesse ponto, ela se calou, pegou a caneta e cerrou os olhos.

— Para mim, a vida acabou aos 20 anos. O resto dela nada mais foi que um longo epílogo. Uma espécie de corredor sombrio e tortuoso, que não levava a lugar algum. Ainda assim, tive de continuar vivendo. Aceitar cada um dos dias vazios e vê-los se esvaindo, sempre vazios. Naqueles dias, cometi muitos erros. Na verdade, tenho a impressão de que tudo que fiz foi uma sucessão interminável de erros. Em certos momentos, recolhi-me em mim mesma. Senti-me vivendo sozinha, no fundo de um poço. Amaldiçoei e odiei toda existência externa. Em outros, saí da reclusão autoimposta e vivi um arremedo de vida. Eu aceitava qualquer coisa, seguia vida afora em total insensibilidade. Dormi com muitos homens. Até passei pela experiência de um casamento por uns tempos. Mas nada fazia sentido. Tudo se acabava num piscar de olhos, nada restava em mim, exceto as cicatrizes das coisas que desprezava e arruinava.

Ela depositou as mãos sobre os três arquivos empilhados sobre a escrivaninha.

— Nestas pastas, registrei minuciosamente cada um desses acontecimentos com o intuito de me organizar, de verificar pela última vez o que sou e que tipo de vida levei até este momento. Embora não possa culpar ninguém por isso, executar esta tarefa me pareceu mais doloroso que ser estraçalhada viva. Mas finalmente terminei. Não preciso mais disto. Não quero também que ninguém o leia, pois caso isso aconteça, mais danos poderão ocorrer. Desejo portanto que tudo isto seja queimado e destruído de maneira a não deixar vestígios. E quero também, caso possível, que seja você, Nakata, a pessoa a cumprir este meu desejo. Não tenho mais ninguém a quem recorrer. Estou me impondo, sei disso, mas você me atenderia?

— Nakata compreendeu — disse o velho. Moveu a cabeça diversas vezes, enfaticamente. — Se esse é o seu desejo, Sra. Saeki, Nakata queimará tudo. Esteja tranquila.

— Muito obrigada — disse a Sra. Saeki.

— Foi importante escrever, não foi? — perguntou Nakata.

— Certamente. Escrever foi importante. Mas o produto da escrita, ou seja, sua forma final, não tem significância.

— Nakata é analfabeto, não consegue escrever nada — disse o velho homem. — Nakata é como um gato.

— Nakata...

— Pois não?

— Tenho a impressão de que o conheço há muito, muito tempo — disse a Sra. Saeki. — Você não estaria *nesse quadro*? Essa pessoa que está com a barra da calça branca arregaçada e pés na água no fundo da pintura não seria você?

Nakata se ergueu calmamente da cadeira e se aproximou da escrivaninha a que se sentava a Sra. Saeki. Em seguida, pôs as próprias mãos rijas e queimadas de sol sobre as dela, que descansavam sobre as pastas. E então, imobilizou-se num gesto que lembrava o de alguém que apura os ouvidos e permitiu que a calidez das mãos dela se transmitisse para as dele.

— Sra. Saeki.

— Sim?

— Nakata também entendeu um pouco.

— Entendeu o quê?

— As tais lembranças. Ele as percebe através das suas mãos.

A mulher sorriu e disse:

— Que bom!

Nakata deixou as mãos repousarem longamente sobre as dela. Então, a Sra. Saeki fechou os olhos e serenamente foi se deixando submergir em suas próprias lembranças. Nelas não há mais dor. Alguém a absorvera totalmente, para sempre. Uma vez mais, o círculo se completa. Ela abre a porta de um quarto distante e vê numa parede dois maravilhosos acordes em forma de lagartos adormecidos. Ela os toca gentilmente. Sente na ponta dos dedos o calmo sono a que se entregam. Sopra uma brisa muito leve. Ela sabe disso porque a velha cortina se agita mansamente. O movimento carrega um sentido profundo, como o de uma metáfora. Ela veste um vestido azul que usou nalgum lugar, muito, muito tempo atrás. Ela anda e o roçar do vestido lhe chega aos ouvidos. Além da janela, está o mar. Ela ouve o seu marulhar. Ouve uma voz. Sente o cheiro de maresia. É verão. É sempre verão. Umas poucas nuvens, pequenas, brancas e de contornos bem definidos flutuam no céu.

Com as três pastas debaixo do braço, Nakata desceu a escada. Oshima estava ao balcão e conversava com um consulente. Ao ver Nakata, sorriu gentilmente. Nakata respondeu com uma respeitosa reverência. Oshima retomou a conversa interrompida. Totalmente absorto, Hoshino se dedicava à leitura de um livro.

— Senhor Hoshino — chamou Nakata.

O rapaz depositou o livro sobre a mesa e se voltou para Nakata.

— Ei, que demora! E então, terminou o que tinha de fazer?

— Sim, o trabalho de Nakata neste lugar já terminou e ele está pensando em ir embora se o senhor Hoshino não se importar.

— Não me importo, não. Eu praticamente acabei de ler o livro. Beethoven morreu, sabe? Estou no ponto em que ele é enterrado. Um funeral muito bonito. Para você ter ideia, 2.500 vienenses acompanharam o féretro até o cemitério, e o governo decretou feriado escolar.

— Senhor Hoshino.

— Hum?

— Nakata tem só mais um pedido a lhe fazer.

— Fale.

— Preciso queimar tudo isto.

Hoshino transferiu o olhar para as pastas que Nakata carregava.

— O volume é grande e não vai ser possível queimar em qualquer lugar. Precisamos procurar um lugar aberto, um descampado.

— Senhor Hoshino.

— Hum?

— Vamos para a várzea, então.

— Desculpe a pergunta boba, mas esse material é realmente importante? Não podemos jogá-lo numa lixeira?

— Não, senhor Hoshino, não podemos. Este material é muito importante. Tem de ser queimado. Tem de virar fumaça e ir para o céu. E Nakata precisa ter certeza de que tudo isso acontecerá.

Hoshino se ergueu e se espreguiçou longamente.

— Entendi. Vamos para a várzea, então. Não sei onde poderemos encontrar um espaço aberto, mas não é possível que não exista nada semelhante em Shikoku.

A tarde foi excepcionalmente movimentada. Muitos consulentes surgiram, e alguns fizeram perguntas de teor especializado. Ocupado como esteve em respondê-las e em buscar os documentos solicitados, Oshima quase não teve um instante de folga. Precisou também fazer buscas no computador. Normalmente, ele pediria ajuda à Sra. Saeki, mas, justo naquele dia, ela também parecia estar ocupada. Em meio à azáfama em que se transformara o seu dia, Oshima tivera de se ausentar diversas vezes do seu posto atrás do balcão e não viu que Nakata se retirava. Quando enfim o movimento diminuiu e Oshima olhou ao redor, percebeu que os dois amigos tinham desaparecido. Subiu então a escada e foi ao escritório da Sra. Saeki. Encontrou a porta fechada, coisa que raramente acontecia. Bateu duas vezes de leve e aguardou alguns instantes. Não obteve resposta. Bateu uma vez mais. "Sra. Saeki", chamou. "Tudo bem com a senhora?"

Nem assim obteve resposta.

Oshima torceu de leve a maçaneta. A porta não estava trancada. Oshima abriu uma fresta e espiou por ela. E então, descobriu a Sra. Saeki debruçada sobre a escrivaninha. O cabelo lhe escondia o rosto.

Oshima hesitou. Talvez estivesse cansada e cochilasse. Mas ele nunca a vira cochilando. Ela não era do tipo que cabeceava de sono durante o expediente. Entrou no aposento e caminhou até a frente da escrivaninha. Curvou-se e a chamou pelo nome junto ao ouvido. Não houve reação. Oshima pôs a mão sobre um dos ombros e buscou o pulso. Não encontrou. Seu corpo guardava ainda um débil vestígio de calor, algo pouco comunicativo.

Oshima removeu uma mecha de cabelo do rosto da Sra. Saeki e espiou. Os olhos se achavam entreabertos: ela não dormia. Estava morta. Mas a fisionomia era serena, como a de alguém em tranquilo sonho. Nos lábios, restava ainda a sombra de um sorriso. Nem no instante da morte esta mulher perde a compostura, pensou Oshima. Deixou a mecha de cabelo recair na posição original e apanhou o telefone sobre a escrivaninha.

Ele sabia que esse dia chegaria e estava preparado. Mas, quando se viu sozinho com o cadáver da Sra. Saeki naquele aposento tranquilo, Oshima percebeu que não sabia o que fazer. Sentia o próprio espírito ressequido. *Eu precisava dela*, pensou. Eu precisava de sua presença para preencher a lacuna que existe em meu íntimo. Mas a lacuna que havia dentro dela, essa, ele não conseguira preencher. A lacuna da Sra. Saeki tinha sido dela, e só dela, até o último instante.

Alguém o chamava lá embaixo. Ao menos, foi essa a impressão que teve. Pela porta escancarada, lhe chegava aos ouvidos os passos apressados de pessoas indo e vindo no andar inferior. O telefone também começou a tocar. Oshima ignorou tudo. Sentado numa cadeira, continuou a observar o corpo da Sra. Saeki. Que me chamem ou telefonem quanto quiserem. O gemido de uma sirene que se fazia ouvir a distância logo pareceu se aproximar. Mais um pouco, e pessoas surgiriam para levá-la. Para sempre. Oshima ergueu o braço e olhou o relógio. 4h35. Terça-feira. Ele tinha de guardar na memória este horário. Ele tinha de se lembrar para sempre deste dia, desta tarde.

— Kafka Tamura — sussurrou ele voltando-se para a parede.

— Tenho de avisá-lo. Mas só se ele ainda não souber…

Capítulo 43

Livre da bagagem e sentindo-me leve, avanço mata adentro. Concentro-me apenas em seguir adiante. Já não preciso marcar os troncos. Nem guardar na memória o caminho de volta. Desisto até de observar o cenário em torno. A paisagem é sempre a mesma. Árvores gigantescas que se erguem sobrepostas, densos arbustos de fetos, cipós pendentes. Raízes nodosas, montes de folhas mortas e apodrecidas, casca ressequida de inseto desconhecido. Teias de aranha, viscosas e compactas. E galhos, muitos galhos, um universo só de galhos. Galhos que ameaçam, que disputam espaço, que se ocultam de maneira engenhosa, retorcidos, pensativos, secos ou quase mortos. Este cenário se repete de maneira infinita. A única diferença é que, a cada repetição, a floresta se torna um pouco mais densa.

Boca firmemente cerrada, eu continuo a andar pelo caminho — ou por algo que se parece com um caminho. Ele me leva sempre para cima, mas, neste momento, o aclive não é acentuado a ponto de fazer perder o fôlego. Vez ou outra, quase perco de vista a trilha num mar de fetos ou em meio a macegas espinhosas, mas sigo adiante recalculando a direção e logo torno a encontrá-la. Já não temo a floresta. Ela tem suas regras. Ou, talvez, um padrão. E agora que perdi o medo, começo aos poucos a divisar esse padrão. E então, faço com que ele me pertença, torno-o parte de mim.

Não tenho mais nada comigo. Nem o spray amarelo, nem a machadinha recém-afiada. Tampouco a mochila de náilon que levava às costas. Nem comida, nem cantil. Nem bússola. Um a um, larguei todos os meus pertences pelo caminho. Dessa maneira, tento mostrar concretamente para a floresta, ou talvez para mim mesmo, que perdi o medo e que escolhi me tornar indefeso. Abandonei a dura casca que me protegia e, autêntico, pele nova e frágil exposta, estou indo sozinho, para o centro do labirinto, procurando me entregar ao vazio ali existente.

A música que soava continuamente em meus ouvidos também cessou. Resta apenas um pouco de estática. Lembra um lençol branco sem nenhuma ruga esticado sobre cama gigantesca. Toco o lençol e confiro com a ponta dos dedos a brancura que se estende sem fim. Sinto o suor em minhas axilas. Uma camada uniforme e sem brechas de nuvens acinzentadas cobre o céu que avisto vez ou outra por entre os ramos altos. Mas, pelo jeito, a chuva não vai cair tão cedo. As nuvens estão imóveis, e a situação atual vai se mantendo. Pássaros pousados nos galhos mais altos soltam pios curtos, sinalizando-se mutuamente de maneira significativa. Grilos cricrilam profecias na relva.

Penso na minha casa em Nogata, agora desabitada. Ela continua fechada, provavelmente. Não faz mal. Que continue assim. Que o sangue impregnado ali permaneça. Não tenho nada a ver com isso. Pretendo nunca mais voltar para lá. Desde antes deste recente e sangrento episódio, a casa já era um lugar de muitas coisas mortas. Ou melhor, um lugar onde *muitas coisas tinham sido mortas.*

Ora por cima da cabeça, ora por baixo dos meus pés, a floresta tenta me incutir medo. Bafeja meu pescoço com seu hálito gelado, crava em minha pele mil olhares aguçados. Sou um objeto estranho que ela tenta expulsar. Mas, aos poucos, aprendo a ignorar as ameaças. Afinal, esta floresta é parte de mim — é o que começo a pensar a partir de determinada altura. Estou viajando por dentro de mim mesmo. Do mesmo modo que o sangue viaja por meus vasos sanguíneos. O que vejo é o meu lado interno, e a sensação de ameaça nada mais é que eco do medo em meu coração. As teias de aranha que aqui existem são produto de meu espírito, e os pássaros que gritam sobre a minha cabeça foram criados por mim mesmo. Esta imagem cresce dentro de mim e vai se enraizando.

Como que impelido por batidas de um imenso coração, avanço pela trilha. O caminho conduz ao meu local especial. À fonte de luz que tece a escuridão, ao lugar que origina o eco sem som. Para lá estou indo a fim de ver o que existe. Levo em mãos uma carta importante, hermeticamente fechada: sou o mensageiro secreto de mim para mim mesmo.

Uma pergunta.

Por que ela não me amou?

Será que não estou qualificado ao amor de minha mãe?

Durante longos anos, esta pergunta veio queimando meu coração e corroendo meu espírito. Minha mãe talvez não tenha me amado porque havia algo terrivelmente errado comigo. Pode ser que haja uma nódoa em mim desde a nascença. Posso ter vindo ao mundo só para que os outros desviem o olhar de mim.

Minha mãe nem sequer me abraçou com força antes de partir. Nem mesmo me deixou uma palavra de despedida. Ela apenas desviou o olhar de mim e se foi sem dizer palavra, levando consigo só a minha irmã. Desapareceu simplesmente, suave como a fumaça. E o rosto desviado de mim assim continua, distante, para sempre.

Acima da minha cabeça, um pássaro torna a piar agudamente. Olho para o céu. Vejo apenas nuvens cinzentas, monótonas. Não há vento. Continuo andando. Caminho na beira da consciência. Neste local, as ondas da consciência vêm e vão. Ao chegar, largam na praia letras que outras ondas logo apagam. No breve espaço de tempo que separa uma onda da outra, tento ler as palavras ali escritas. Não é fácil. Muito antes de chegar às últimas palavras, a onda seguinte já levou a frase inteira. Na consciência, restam apenas pedaços soltos de palavras misteriosas.

Meu espírito é arrastado de volta à minha casa em Nogata. Lembro-me muito bem do dia em que minha mãe se foi de lá levando minha irmã. Estou sozinho na varanda e olho o jardim. No fim de tarde daquele começo de verão, as árvores projetam sombras compridas sobre a relva. Dentro de casa, apenas eu. Não sei como, mas já entendi que fui abandonado e que estou sozinho em casa. Percebo também que, futuramente, este acontecimento exercerá sobre mim influência profunda e decisiva. Ninguém me disse isso. Eu *apenas sei*. Não há vivalma no interior da casa, vazia como um posto de fronteira abandonado. Conforme o sol descamba a oeste, observo as sombras envolvendo aos poucos a terra. Nada volta atrás num mundo regido por horas. Pedaço a pedaço, tentáculos de sombra vão devorando novos bocados da terra, e um reino escuro e frio deglute até o rosto de minha mãe que até há pouco se encontrava bem aí. O rosto rigidamente desviado de mim vai sendo abocanhado e automaticamente apagado de minha memória.

Enquanto ando pela floresta, penso na Sra. Saeki. Evoco seu rosto. Seu sorriso sereno e leve, o calor da sua mão. Imagino que ela é minha mãe e que está me abandonando aos 4 anos de idade. Sacudo a cabeça involuntariamente. A cena me parece forçada, incongruente. *Por que a Sra. Saeki teve de fazer isso?* Por que ela teve de me ferir e de arruinar a minha vida? Por trás dessa questão, deve ter existido um motivo sério, ainda obscuro.

Procuro sentir o que ela teria sentido naquela hora. Tento me ver na posição dela. Não é fácil, claro. Pois minha posição é a do abandonado, e a dela, a de quem abandona. Levo algum tempo, mas consigo me afastar de mim mesmo. O espírito escapa do rígido invólucro chamado "eu", transforma-se num corvo negro retinto, pousa no galho mais alto do pinheiro do jardim e de lá contempla o menino de 4 anos — eu mesmo — sentado sozinho na varanda.

Agora, sou um corvo que faz conjeturas.

— Não é que sua mãe não o amava — diz o menino chamado Corvo às minhas costas. — Na verdade, ela o amava profundamente. Você tem, antes de mais nada, de acreditar nisso. Esse vai ser seu ponto de partida.

— Mas ela me abandonou. Me deixou onde não devia e desapareceu. Isso me feriu profundamente e me desvirtuou. Neste momento, sou capaz de compreender tudo isso. Mas como poderia ela ter agido dessa maneira se, conforme você acha, ela realmente me amava?

— Efetivamente, as consequências foram essas — diz o menino chamado Corvo. — Você acabou muito ferido e desvirtuado. Essa chaga você terá provavelmente de carregar consigo vida afora. Lamento. Mas acho que, apesar disso, você devia pensar da seguinte maneira: *sou capaz de me recobrar de tudo isso.* Você ainda é jovem, e valente. E bastante flexível. É capaz de curar seus ferimentos, erguer a cabeça e seguir adiante com firmeza. Ela, porém, não pode mais. A única alternativa que lhe resta é continuar perdida, conforme está. Já não é mais uma questão de quem está certo e quem está errado. O único a ter uma vantagem real é você. E você devia pensar nisso.

Permaneço em silêncio.

— Veja bem, tudo isso é passado, já aconteceu — continua o menino chamado Corvo. — Impossível refazê-lo a esta altura. Ela não devia tê-lo abandonado àquela altura, nem você devia ter sido abandonado por ela. Mas o passado é como um prato que se partiu em mil pedaços. Por mais que tente, jamais voltará a ser o que era. Concorda?

Aceno, concordando. *Por mais que tente, jamais voltará a ser o que era.* É verdade, realmente.

O menino chamado Corvo continua:

— Veja bem, sua mãe também sentia raiva e medo intensos. Assim como você, neste momento. E por isso mesmo ela não teve, àquela altura, outro recurso senão abandonar você.

— Embora me amasse?

— Exato — diz o menino chamado Corvo. — Embora o amasse, ela não teve outro recurso senão abandoná-lo. A você, cabe apenas compreender o estado de espírito dela e aceitá-lo. Compreender a raiva e o medo opressivos que ela sentia e, em vez de apenas herdá--los e reproduzi-los, aceitar tais sentimentos como se fossem seus. Em outras palavras, você precisa perdoá-la, o que não é fácil, sei disso. Mas você precisa, pois essa é a sua única salvação. Além desta, não existe mais nenhuma.

Penso a respeito. E quanto mais penso, mais confuso fico. Minha mente se perturba e sinto dores como se a pele estivesse se rompendo em alguns pontos.

— Você realmente acha que a Sra. Saeki é minha mãe? — pergunto.

O menino chamado Corvo responde:

— Lembra-se do que ela lhe disse? A hipótese continua válida. Pois é. *A hipótese continua válida*. Isso é tudo que eu mesmo posso lhe dizer.

— Uma hipótese ainda irrefutada.

— Exatamente — diz o menino Corvo.

— E eu tenho de ir fundo e investigar essa hipótese até o fim.

— Isso mesmo — diz o menino Corvo, terminante. — Toda hipótese sem refutação efetiva vale a pena ser investigada. E depois, só lhe resta isso neste momento. Você não tem outra opção, entendeu? Tem de continuar a investigar, mesmo com sacrifício próprio.

— *Com sacrifício próprio?*

As palavras soam estranhas, mas não consigo entender por quê.

Não obtenho resposta. Inseguro, olho para trás. O menino chamado Corvo continua ali. Está rente às minhas costas e me acompanha passo a passo.

— A Sra. Saeki sentia medo e raiva de quê naquela época? De onde teriam surgido tais sentimentos? — pergunto, sempre voltado para a frente e ainda andando.

— Medo e raiva do quê sentia a Sra. Saeki naquela época? — pergunta de volta o menino chamado Corvo. — Pense seriamente nisso. Tem de usar a cabeça e pensar. Cabeças existem para isso.

Penso seriamente. Tenho de compreender e aceitar, antes que seja tarde demais. Mas ainda não consigo ler as letras miúdas que as ondas largam à beira da consciência. O intervalo entre as ondas é muito curto.

— Amo a Sra. Saeki — digo. As palavras me vêm com muita naturalidade.

— Sei disso — responde rispidamente o menino chamado Corvo.

— Nunca tinha experimentado sensação semelhante, e isso, no momento, é o que há de mais significativo para mim.

— Claro! — diz o menino Corvo. — É óbvio. Essa experiência é realmente significativa. É a razão da sua vinda até estas lonjuras.

— Mas continuo não entendendo. Estou confuso. Você diz que minha mãe me amava, aliás, profundamente, e eu quero acreditar em você. Mas mesmo que isso seja verdade, continuo não entendendo: por que amar muito uma pessoa tem de ser o mesmo que feri-la? Porque, se isso for verdade, que sentido tem amar alguém profundamente? Por que tem de ser assim?

Espero uma resposta. Boca fechada, aguardo longamente. Mas não ouço nada.

Olho para trás. E já não vejo o menino chamado Corvo. Ouço um seco ruflar de asas acima da minha cabeça.

Você está totalmente confuso.

Instantes depois, os dois soldados surgem diante de mim.

Usam uniforme de verão do antigo Exército Imperial. Mangas curtas, perneiras, mochila às costas. Na cabeça, em vez de capacete, chapéu simples com pala, e têm o rosto coberto com uma espécie de tinta preta. Os dois são jovens. Um é alto e magro, e usa óculos de armação dourada arredondada. O outro é baixo e robusto, e tem ombros largos. Lado a lado, estão sentados numa rocha plana. A atitude não é belicosa. Rifles *sanpachi*, característicos dos antigos soldados da infantaria, descansam aos pés deles. O soldado alto mastiga um talo de grama e parece entediado. A presença deles neste local parece natural, totalmente apropriada. Os dois observam minha aproximação com olhar sereno e seguro.

Ao redor deles, o terreno é aberto e plano. Lembra um patamar de escada.

— Olá! — diz o soldado alto alegremente.

— Boa tarde! — diz o robusto, franzindo levemente o cenho.

— Boa tarde — cumprimento de volta. Ao vê-los, eu devia ter-me assustado. Mas não, não me assustei. Nem estranhei. Achei perfeitamente possível a presença deles neste local.

— Estávamos à sua espera — diz o alto.

— À minha espera? — pergunto.

— Isso mesmo — torna o alto a dizer. — Que eu saiba, não há mais ninguém além de você em vias de aparecer por aqui.

— Você demorou — diz o robusto.

— Se bem que tempo não é uma questão muito importante — acrescenta o alto. — Ainda assim, você demorou mais do que prevíamos.

— Vocês são os soldados que desapareceram durante manobras militares realizadas muito tempo atrás nesta montanha, não são? — pergunto.

O robusto acena a cabeça, aquiescendo:

— Exatamente.

— Ouvi dizer que procuraram muito por vocês — digo.

— Sabemos disso — diz o soldado robusto. — Sabemos tudo que acontece nestas matas. Mas por mais que procurassem, nunca nos achariam.

— Porque, para dizer a verdade, não é que tivéssemos nos perdido — diz o soldado alto com toda a tranquilidade. — Nós dois meio que fugimos.

— Fugir não é exatamente o termo. Explico melhor se disser que encontramos casualmente este local e resolvemos ficar por aqui — retifica o robusto. — O que é também diferente de nos termos perdido pura e simplesmente.

— E depois, nem todo mundo é capaz de encontrar este local — diz o soldado mais alto. — Mas nós dois conseguimos encontrá-lo, assim como você. Eu e o meu companheiro, ao menos, achamos que isso foi uma sorte danada.

— Se tivéssemos continuado no exército, seríamos na certa levados para a frente de batalha no exterior — diz o robusto. — E teríamos de matar ou morrer. Nós não queríamos ir para esse tipo de lugar. Eu era agricultor, e meu companheiro aqui tinha acabado de se formar na faculdade. Nenhum de nós queria matar ou, muito menos, morrer. Obviamente, eu diria.

— E você? Gostaria de matar ou de ser morto? — pergunta o soldado alto.

Sacudo a cabeça e nego. Não quero matar ninguém. Não quero ser morto também.

— Ninguém quer — diz o alto. — Isto é, quase ninguém quer. Mas experimente dizer que não quer ir para a guerra. A pátria amada jamais lhe dirá: "Ah, não quer ir? Tá, entendi. Então não precisa!" Nem fugir você consegue. Em nosso país, não existe nenhum lugar para você se esconder. Onde quer que vá, logo o descobrem. Afinal, nossa terra é um pequeno arquipélago. Eis por que resolvemos ficar por aqui. Este era o único lugar onde podíamos nos esconder.

Ele sacode a cabeça e continua:

— E por aqui ainda continuamos. Desde *muito tempo atrás*, conforme você mesmo disse. Mas como já lhe disse há pouco, tempo não é uma questão muito importante neste lugar. Quase não há diferença entre agora e muito tempo atrás.

— Não há diferença alguma — diz o robusto. Em seguida, faz um gesto como se removesse algo com a mão.

— Vocês sabiam que eu viria? — pergunto.

— Com certeza — diz o soldado robusto.

— Estivemos guardando este local durante todos estes anos, de modo que sabemos perfeitamente quem virá. Somos parte da floresta — explica o outro.

— Ou seja, esta é a entrada — diz o soldado robusto. — E nós dois a vigiamos.

— Hoje, a entrada está eventualmente aberta — explica o soldado alto. — Mas não demora muito, vai se fechar de novo. Se você realmente quer entrar, este é o momento certo para fazer isso. A entrada não vive sempre aberta, entendeu?

— E, se você entrar, nós dois vamos guiá-lo daqui para a frente. O caminho é difícil e você precisará ser guiado — diz o robusto.

— Mas se você não quiser entrar, basta voltar pelo caminho por onde veio — diz o alto. — Daqui, o retorno não é tão difícil, não se preocupe. Você com certeza achará o caminho de volta. E então continuará a viver como sempre no seu mundo de origem. A escolha entre as duas alternativas compete exclusivamente a você. Ninguém o obrigará a entrar ou o impedirá disso. Mas uma vez dentro, voltar atrás se torna difícil.

— Levem-me — respondo sem hesitar.

— Quer mesmo?— pergunta o mais alto.

— Há alguém aí dentro com quem tenho de me encontrar. É o que eu acho, ao menos — respondo.

Sem nada dizer, os dois se erguem da rocha, apanham os rifles, entreolham-se e começam a caminhar à minha frente.

— Você pode estar se perguntando por que ainda carregamos estes blocos de puro aço — diz o alto, voltando-se na minha direção.

—Afinal, não servem para mais nada. Nem ao menos estão carregados.

— Ou seja, isto é apenas um símbolo — diz o robusto sem se voltar. — Um símbolo das coisas que deixamos para trás e das quais nos afastamos.

— Símbolos são importantes — diz o mais alto. — Só porque carregamos estes rifles e usamos uniformes do exército, fomos designados a cumprir o papel de sentinelas deste local. E papéis. Eles também são definidos por símbolos.

— E você? Tem alguma coisa semelhante, algo que o simbolize? — pergunta o robusto.

Sacudo a cabeça e nego:

— Não tenho. Não tenho nada. A única coisa que tenho são lembranças.

— Ah... Lembranças — diz o robusto.

— Claro, está certo — diz o alto. — Elas também se constituem em símbolos. O que eu não sei é quanto tempo dura uma lembrança, e qual a sua consistência.

— Uma coisa concreta e com forma definida seria mais adequada — diz o robusto. — Você a identifica mais facilmente.

— Como, por exemplo, um rifle — diz o alto. — Mudando de assunto, como é que você se chama?

— Kafka Tamura — respondo.

— Kafka Tamura — repetem os dois.

— É diferente — diz o alto.

— É verdade — concorda o soldado robusto.

Em seguida, fazemos silêncio e continuamos a andar.

Capítulo 44

Numa área descampada da várzea, à beira da rodovia federal, os dois homens queimaram os três arquivos que a Sra. Saeki lhes confiara. Hoshino encharcou os arquivos de fluido para isqueiro comprado numa loja de conveniências e lhes pôs fogo com o isqueiro. Em pé ao lado da fogueira, os dois contemplaram cada folha ser consumida pelas chamas. Quase não havia vento. A fumaça subia em linha reta para o céu e se integrava silenciosamente às nuvens que pendiam, baixas e cinzentas.

— Esses originais que estamos queimando agora não podem ser lidos de maneira alguma? — perguntou Hoshino.

— Não senhor. Não podem — respondeu Nakata. — Nakata prometeu à Sra. Saeki que queimaria tudo sem ler nenhuma letra. E o papel de Nakata é cumprir promessas.

— Isso mesmo. Cumprir promessas é muito importante — disse Hoshino, suando profusamente. — Em qualquer situação. Eu só acho que teria sido muito mais rápido e menos desgastante se tivéssemos passado esses papéis por uma retalhadora. Qualquer copiadora aluga modelos grandes desses aparelhos bem barato. Não me leve a mal, não estou reclamando, realmente. Mas a verdade é que fazer fogueira no meio do verão é insano. Veja bem, a história seria muito diferente se estivéssemos no meio do inverno.

— Nakata sente muito, mas ele prometeu à Sra. Saeki que *queimaria* tudo isto. Precisa queimar, não tem outro jeito.

— Está certo, então. Não tenho nada urgente a fazer mesmo. Posso muito bem suportar um pouco de calor. Eu só queria dar uma sugestão, entendeu?

Um gato que passou perto deles parou por instantes e observou com profundo interesse os dois homens entretidos em fazer fogueira numa várzea descampada em pleno verão. O gato, magro, tinha listras marrons e a ponta do rabo torta. Parecia ser um bom caráter, o que despertou em Nakata a vontade de conversar com ele. Lembrou-se porém que Hoshino estava a seu lado e desistiu. Os gatos só falavam quando Nakata estava sozinho. Além de tudo, não sabia se ainda seria capaz de conversar com a desenvoltura antiga. Não queria também falar besteira e espantar o gato. Instantes depois, o gato se aborreceu de ficar olhando a fogueira e, erguendo-se, desapareceu.

Quando enfim as três pastas foram consumidas pelo fogo, Hoshino pisou nas cinzas restantes e as desmanchou completamente. Agora, bastava um bom pé de vento para espalhá-las por completo sem deixar rastros. A tarde começava a cair, e corvos voavam rumo a seus ninhos.

— Pronto, tio. Agora, ninguém mais vai ler os originais — disse Hoshino. — Não sei o que estava escrito, mas o importante é que desapareceu por completo. Diminui a quantidade de objetos com forma no mundo e aumenta um pouco a quantidade de *nada*.

— Senhor Hoshino.

— Hum?

— Nakata quer fazer uma pergunta.

— Diga.

— *Nada* costuma aumentar?

Hoshino pensou alguns momentos.

— Essa é uma pergunta difícil de responder — disse afinal. — *Nada* aumentaria? Voltar a ser nada significa ser zero, e por mais zeros que se somem a zero, zero continua sendo zero.

— Nakata não compreende.

— Pois nem o senhor Hoshino aqui compreende. A cabeça começa a me doer quando penso nessas coisas.

— Nesse caso, vamos parar de pensar.

— Acho melhor — disse o rapaz. — O que importa é que queimamos todos os arquivos. Todas as palavras que existiam neles desapareceram. Devolvemos ao nada. Era isso o que eu queria dizer.

— Sim. Isso é um alívio para Nakata.

— Quer dizer então que terminamos o que tínhamos de fazer aqui?

— Sim. Em linhas gerais, terminamos. Resta apenas fechar a entrada.

— E isso é importante, não é?

— Sim, muito importante. O que foi aberto tem de ser fechado.

— Nesse caso, vamos fazer isso imediatamente. Não deixes para amanhã... etc.

— Senhor Hoshino.

— Hum?

— Acontece que não é bem assim.

— Por quê?

— Porque ainda não está na hora — disse Nakata. — Para se fechar a entrada, é preciso aguardar a hora certa. E, antes disso, Nakata tem de dormir de novo, profundamente. Nakata está com muito sono.

O rapaz olhou para o companheiro.

— Ei, escute aqui: quer dizer que você vai dormir durante dias seguidos, como já aconteceu antes?

— Sim senhor. Nakata não é capaz de afirmar categoricamente, mas acha que é isso mesmo que vai acontecer.

— Mas vem cá: você não seria capaz de aguentar mais um pouco e fechar a entrada antes de adormecer outra vez profundamente? Porque tudo entra em compasso de espera toda vez que você entra no "padrão sono", tio.

— Senhor Hoshino.

— Hum?

— Nakata sente muito. Seria tão bom se ele pudesse fazer isso! Se fosse possível, Nakata também preferia liquidar a tarefa de fechar a entrada antes de adormecer. Infelizmente, porém, antes de qualquer coisa, Nakata precisa dormir. Ele já não consegue continuar com os olhos abertos.

— Você se sente como uma bateria se descarregando?

— Acho que sim. Esta última parte da tarefa tomou mais tempo do que o esperado. Nakata está realmente no fim de suas forças. Será que o senhor pode levá-lo para algum lugar onde ele possa dormir?

— Claro que posso. Vamos pegar um táxi e correr de volta para o apartamento. Lá chegando, durma quanto quiser.

Ao se acomodar no táxi, Nakata logo começou a cabecear de sono.

— Tio, aguente um pouco mais, juro que o deixo dormir à vontade assim que chegarmos ao quarto.

— Senhor Hoshino.

— Hum?

— Nakata sente muito por lhe dar tanto trabalho — disse o velho homem de maneira um tanto vaga.

— Realmente, você está me dando um bocado de trabalho — reconheceu o rapaz. — Mas, rememorando tudo o que aconteceu, fica claro que eu o acompanhei porque quis. Em outras palavras, eu mesmo assumi todo o trabalho de que você fala por conta e risco próprios. Ninguém me pediu para fazer isso. Eu me ofereci voluntariamente, do mesmo jeito que as pessoas costumam se oferecer para limpar a neve no inverno. Pare portanto de se preocupar e relaxe.

— Se o senhor Hoshino não estivesse com Nakata, acho que ele estaria totalmente perdido. Pode ser que Nakata não tivesse cumprido nem a metade de tudo o que fez até agora.

— Sinto-me recompensado só de ouvir isso.

— Nakata é grato ao senhor.

— Sabe do que mais, Nakata?

— Sim?

— Acho que eu também tenho muitas coisas a lhe agradecer.

— Verdade?

— Já faz mais de dez dias que andamos juntos de um lado para o outro — disse Hoshino. — Nesse ínterim, não fui trabalhar. Pedi licença à empresa para os primeiros dias, mas, depois, eu simplesmente abandonei o emprego. Acho que já não posso voltar ao posto antigo. Por outro lado, pode ser que o patrão me perdoe se eu explicar tudo direitinho e pedir sinceras desculpas. Mas isso não tem importância. Emprego não há de me faltar porque, modéstia à parte, sou ótimo motorista e trabalhador por natureza. De modo que não estou preocupado com isso, nem você deve perder tempo pensando nessas coisas. O que eu quero dizer, Nakata, preste atenção, é que não me arrependo de nada do que fiz. Neste últimos dez dias, passei por muitas experiências fantásticas. Sanguessugas choveram do céu, o Coronel Sanders me apareceu e me proporcionou uma maravilhosa experiência sexual com uma mulher linda que estudava filosofia ou algo parecido numa faculdade, roubei uma pedra de um santuário e mais um monte de coisas estranhas aconteceram. Sinto até que experimentei nestes dez dias todo o estoque de coisas estranhas que deveriam me acontecer no decorrer de toda a minha vida. Senti como se fosse piloto de provas do carrinho de uma espetacular montanha-russa.

O rapaz parou de falar por instantes e pensou no que diria em seguida.

— Apesar de tudo, tio...

— Sim?

— ...cheguei à seguinte conclusão: dentre todas as coisas fantásticas que me aconteceram, você, tio, é a mais fantástica. Isso mesmo, você, Nakata. E sabe por quê? Porque mudou a minha pessoa. É verdade. Neste curto período de dez dias, sinto que mudei completamente. Acho que agora vejo a paisagem sob um prisma diferente. Agora, tudo que eu antes via sem dar a mínima bola me parece diferente. Músicas que nunca achei interessantes passaram de repente a, como direi, me emocionar de verdade. E me dá então vontade de conversar com alguém que entenda um pouco do assunto. Tudo isso nunca tinha acontecido comigo. E sabe por que acontece agora? Porque estive todo esse tempo ao seu lado, Nakata. E porque passei a ver as coisas por intermédio dos seus olhos. Claro que não vejo *tudo* por intermédio dos seus olhos. Mas de uma maneira muito natural, sem quase perceber, eu vinha vendo diversas coisas através dos seus olhos, entende? E qual a razão disso? A razão disso é que eu comecei a apreciar seu modo de ver o mundo. Esse pode ter sido o motivo por que eu, Hoshino, vim com você, Nakata, até este fim de mundo, sabe? E também o motivo por que não consegui sair do seu lado. Isto foi uma das experiências mais gratificantes de toda a minha vida. Nesse sentido, sou eu que lhe deve agradecer, e não você a mim. Ainda assim, não nego que me sinto feliz quando você se diz grato a mim, claro. Mas o que eu estou querendo dizer de verdade é que você, Nakata, me fez um bem danado. Entendeu, tio?

Nakata porém já não o ouvia. Olhos fechados, respirava de maneira calma e compassada.

— Nunca vi homem mais descontraído — murmurou Hoshino com um suspiro.

Ao retornar ao apartamento, sempre amparando Nakata, Hoshino tirou-lhe apenas os sapatos e o deitou na cama totalmente vestido, cobrindo-o em seguida com uma manta leve. Nakata se mexeu um pouco e se acomodou com o nariz apontado diretamente para o teto na posição costumeira e, em seguida, imobilizou-se por completo e começou a ressonar calmamente.

"Este vai dormir de novo durante dois ou três dias", pensou Hoshino.

Mas as coisas não correram conforme esperara o rapaz. No dia seguinte, antes ainda do meio-dia, Nakata estava morto. Ele havia expirado serenamente no meio de um profundo sono. Seu rosto apresentava a costumeira expressão serena, e, à primeira vista, parecia apenas dormir. Só que não respirava. O rapaz sacudiu o companheiro pelo ombro e experimentou chamá-lo diversas vezes. Mas Nakata estava morto, disso não havia mais dúvidas: ele não tinha pulso e o espelho de mão que Hoshino aproximou dos seus lábios não se embaçou. A respiração cessara por completo. Nakata nunca mais haveria de acordar.

Trancado num quarto com um cadáver, Hoshino deu-se conta de que os demais sons aos poucos desapareciam. Em torno dele, os sons reais perdiam a realidade. Sons significativos silenciaram. E o silêncio logo foi se espessando como lodo no fundo do mar. Primeiro, cobriu-lhe os pés; depois, os quadris; e, enfim, o peito. Ainda assim, Hoshino continuou partilhando o quarto com o companheiro morto, contemplando o acúmulo do silêncio e medindo sua profundidade. Sentado no sofá, observou o perfil do rosto de Nakata, aos poucos aceitando a sua morte como uma verdade. Levou tempo para aceitá-la totalmente. O ar passou a pesar de maneira diferente, e Hoshino perdeu a capacidade de discernir se realmente sentia o que imaginava estar sentindo. Em troca, foi capaz de compreender algumas coisas.

Por exemplo que, ao morrer, Nakata conseguira enfim reverter à normalidade original. Ele passara tempo demais sendo Nakata, de modo que só lhe restara morrer para voltar à normalidade.

— Ei, tio — disse Hoshino para o amigo. — Não me leve a mal, mas foi uma bela maneira de morrer, a sua.

Ele se fora calmamente, em pleno e profundo sono, sem pensar em nada. Sua expressão era serena, nada indicava sofrimento, arrependimento ou dúvida. Tão típico dele!, pensou Hoshino. Ele não sabia o que tinha sido a vida do amigo, tampouco o seu significado. Mas, para dizer a verdade, a vida não tem sentido claro para quase ninguém. O que realmente conta, o que realmente importa na vida das pessoas, talvez seja a maneira como elas morrem, pensou o rapaz. Comparada à maneira de morrer, a de viver talvez não represente muita coisa. Não obstante, o que determina a maneira de morrer deve ser a maneira como se vive. Tais eram os pensamentos que vagavam pela mente do rapaz.

Havia apenas uma questão importante restando: alguém tinha de fechar a pedra da entrada. Embora tivesse dado conta de quase toda a tarefa, Nakata deixara esta para trás. A pedra restara aos pés do sofá. E, quando a hora chegar, ia ter de virá-la ao contrário e fechar a entrada. Mas, conforme Nakata já dissera, a pedra podia se tornar perigosa, dependendo da maneira de manipulá-la. Isso significava que devia haver uma maneira correta de virá-la. Se ele a virasse de qualquer jeito aplicando força bruta, talvez desarrumasse o mundo inteiro.

— Você morreu, e sei que não posso reclamar disso, tio. Mas tinha de deixar uma tarefa tão importante para mim? — disse o rapaz para o homem morto. Não obteve resposta, naturalmente.

Havia também mais uma questão a resolver: o que fazer com o corpo. A providência correta seria telefonar imediatamente para um hospital ou para a polícia e pedir a remoção do cadáver. Noventa e nove por cento da população mundial optaria por isso. O rapaz também queria fazer isso, caso lhe fosse possível. Contudo, Nakata era, em princípio, procurado pela polícia como testemunha-chave de um assassinato. Assim sendo, o próprio Hoshino corria o risco de se meter em complicações caso se tornasse evidente que andara em companhia de tal elemento durante dez dias. Seria levado à delegacia e inquirido longamente. E isso o rapaz queria evitar. Desanimava-o só de pensar nas explicações minuciosas que teria de dar a respeito de todos os acontecimentos, sem falar que não gostava de policiais e inspetores. Ele queria manter distância dessa gente na medida do possível.

— E depois — pensou o rapaz —, como explicaria a eles a questão deste apartamento?

Um homem parecido com o Coronel Sanders nos emprestou o apartamento. Esse homem nos disse que tinha preparado o imóvel especialmente para nós, e que portanto podíamos usá-lo pelo tempo que quiséssemos. Se Hoshino dissesse isso, a polícia acreditaria nele candidamente? Claro que não! "Quem é Coronel Sanders? É relacionado com o exército norte-americano?" "Não, não senhor!, é o sujeito que aparece na propaganda do Kentucky Fried Chicken! O senhor também o conhece, inspetor. Exatamente! Aquele dos óculos e do bigodinho branco... Pois o sujeito estava alcovitando numa ruela da cidade de Takamatsu, e foi aí que o conheci. Ele me arrumou uma mulher." Já imaginou a reação deles? Vão gritar: Quer bancar o engraçadinho?, e cair de pau em cima de mim. Porque eles são uma espécie de *yakuza* pagos pelo governo.

Hoshino suspirou fundo.

Tenho de ir para bem longe daqui o mais rápido possível. Vou ligar da estação para a polícia, anonimamente. Vou dar o endereço deste apartamento e dizer que há uma pessoa morta aqui dentro. Em seguida, apanho o trem e volto para Nagoya. Dessa maneira, consigo me manter fora deste caso. Nakata morreu de causas naturais, isto é óbvio, de modo que a polícia não vai querer se aprofundar no caso. Familiares de Nakata deverão reclamar seu corpo e enterrá-lo condignamente. E eu retorno à empresa e me humilho diante do meu patrão: "Desculpe, senhor. Juro que vou trabalhar direitinho de hoje em diante." E, assim, tudo volta ao normal.

Hoshino juntou suas coisas. Encheu a maleta com as roupas. Pôs o boné dos Dragões Chunichi na cabeça, passou o rabo de cavalo pela abertura traseira, ajustou os óculos Ray-Ban verdes sobre o nariz. Estava com sede, de modo que tirou uma Pepsi diet da geladeira. E, enquanto a tomava recostado na porta da geladeira, seu olhar caiu sobre a pedra arredondada depositada aos pés do sofá. *Pedra da entrada* que ele tinha virado de baixo para cima. Em seguida, Hoshino retornou ao quarto e contemplou mais uma vez o velho amigo deitado sobre a cama. Ele não parecia morto. Dava a impressão de que ainda respirava calmamente e que se ergueria a qualquer momento para lhe dizer: "Senhor Hoshino, Nakata esteve morto por engano!" Mas isso era impossível. Ele tinha morrido de verdade. Milagres não acontecem. Ele havia cruzado a linha divisória entre vida e morte.

Com a lata do refrigerante ainda na mão, Hoshino sacudiu a cabeça. Não posso, pensou. Não consigo deixar a pedra do jeito como está e ir embora. Porque se eu fizer isso, Nakata não poderá descansar, mesmo depois de morto. Ele fora do tipo que assumia as próprias responsabilidades até as últimas consequências. Mas a bateria arriara antes. Só por isso não conseguira terminar a última e importante tarefa que lhe restava fazer. Hoshino esmagou a lata de alumínio na palma da mão e a lançou no lixo. Como ainda sentia sede, voltou à cozinha, tirou da geladeira uma segunda lata de Pepsi diet e arrancou a argola da tampa.

Nakata me disse que queria voltar a ler nem que fosse uma única vez antes de morrer. Disse também que, se isso acontecesse, poderia ir a uma biblioteca e ler tudo que quisesse. Mas morreu antes de satisfazer seu desejo. Depois de morto, ele pode ter ido para uma outra dimensão e voltado a ser o Nakata normal, capaz de ler e escrever, claro, mas essa capacidade lhe fora negada enquanto esteve neste mundo. Seu último ato nesta vida foi *queimar letras*. Ele remeteu ao nada todas as palavras que tinham existido naqueles arquivos. Irônico. Mas então, eu tenho de satisfazer de alguma maneira seu outro desejo final: *fechar a pedra da entrada*. Isto é muito importante. É o mínimo que posso fazer por ele, já que não consegui levá-lo nem ao cinema, nem ao aquário.

Ao terminar sua segunda lata de Pepsi diet, Hoshino foi até o sofá, curvou-se e experimentou erguer a pedra. Não pesava muito. Leve não estava, mas foi capaz de erguê-la só de aplicar um pouco de força.

O peso se assemelhava ao do momento em que a encontrara no santuário e, em companhia do Coronel Sanders, a erguera nos braços. Ideal para prensar picles. Isto significa que, neste momento, ela é apenas uma pedra, pensou o rapaz. Nas ocasiões em que ela exercia a função de entrada, ela se tornava tão pesada que exigia uma descomunal aplicação de força. Leve, não passava de uma pedra comum. Somente quando algo extraordinário acontece, a pedra adquire um peso assombroso e passa a funcionar como *pedra da entrada*. Algo tão extraordinário quanto raios caindo em todos os cantos da cidade...

Hoshino foi para a janela, puxou a cortina e, saindo à varanda, contemplou o céu, que continuava cinzento como no dia anterior. Não havia porém nenhum sinal de chuva. Nem de trovoada. Apurou os ouvidos e cheirou o ar. Nada diferente. O tema central do universo nesse dia parecia ser *manutenção da situação atual*.

— Ei, tio — disse Hoshino para o cadáver. — Quer dizer então que eu tenho de ficar neste quarto em sua companhia à espera desse *acontecimento extraordinário*? Mas que tipo de acontecimento seria esse? Não faço a menor ideia, e tampouco sei quando isso poderá ocorrer. O pior é que estamos em junho e, quente como está, já, já seu corpo vai começar a se decompor. Vai começar a feder também. Acredito que você não queira saber de nada disso, Nakata, mas, quanto mais tempo se passar e quanto mais eu tardar a comunicar a sua morte à polícia, mais delicada vai se tornar a minha situação. Prometo fazer tudo que me for possível, mas gostaria que você visse um pouco o meu lado da questão, sabe?

Não obteve resposta, claro.

O rapaz perambulou pelo quarto a esmo. Ah, pode ser que o Coronel Sanders entre em contato! Aquele homem saberia o que fazer com a pedra! Ele é até capaz de me aconselhar e de me reconfortar nesta crise. Mas o telefone não tocava, por mais que o rapaz o contemplasse. Mudo estava e mudo permaneceu. O aparelho silencioso tinha um aspecto mais introspectivo que o necessário. Ninguém bateu à porta. Nenhuma carta chegou pelo correio. Nenhum *acontecimento extraordinário* ocorreu. O tempo não mudou, nenhum passarinho surgiu para lhe contar o que quer que fosse. Somente as horas passavam, inexpressivas. O meio-dia chegou e passou, a tarde avançou serenamente. Como baratas-d'água na superfície do tempo, os mostradores rodaram calmamente pela face do relógio que pendia da parede e, sobre a cama, Nakata continuava morto. Hoshino não tinha nenhum apetite. Por uma questão de necessidade, tomou no fim do dia sua terceira lata de Pepsi e beliscou algumas bolachas salgadas.

Às seis da tarde, o rapaz se sentou no sofá e, controle remoto nas mãos, ligou a televisão. Assistiu ao noticiário da rede NHK, mas nenhuma notícia lhe chamou a atenção. Aquele tinha sido um dia como outro qualquer, nada diferente acontecera. Terminado o noticiário, Hoshino desligou o aparelho. A voz do locutor o incomodava. A escuridão aos poucos se adensou lá fora e, por fim, a noite caiu por completo, trazendo silêncio e imobilidade ainda maiores ao quarto.

— Ei, tio! — disse Hoshino. — Você bem podia acordar, nem que fosse só por um instantinho. O seu amigo Hoshino está se sentindo totalmente perdido. Eu queria tanto ouvir sua voz!

Nakata porém não lhe respondeu, naturalmente. Ele continuava do outro lado da linha que separava a vida da morte. Continuava morto e mudo. O silêncio era tão profundo que, caso apurasse os ouvidos, talvez lhe fosse possível ouvir o mundo girar.

Hoshino foi à sala de estar e ligou o "Trio Arquiduque". E, enquanto ouvia o tema introdutório, lágrimas escorreram de seus olhos. Muitas lágrimas. Caramba, quando foi a última vez que eu chorei?, perguntou-se Hoshino. Não conseguiu se lembrar.

Capítulo 45

Realmente, além da *entrada*, a trilha se torna bastante difícil de ser visualizada. Ou melhor, ela definitivamente deixa de ser uma trilha. A floresta se adensa e se agiganta cada vez mais. A inclinação do terreno se acentua muito mais, e arbustos e relva compacta cobrem o solo. O céu desaparece quase que por completo e uma densa escuridão de fim de dia envolve tudo. As teias de aranha se espessam e o cheiro do verde se torna pungente. O silêncio pesa cada vez mais e a floresta demonstra severo desagrado à presença humana. Mas, com os rifles a tiracolo, os soldados vão na frente atravessando sem esforço as brechas na floresta. Andam com incrível rapidez. Desvencilhando-se de ramos que pendem baixo, passam sob eles, galgam rochas, saltam depressões, erguem galhos espinhentos e varam o matagal.

Faço enorme esforço para não perdê-los de vista. Os soldados nem se voltam para ver se ainda estou atrás deles. Dão a impressão de que testam minha força. Estão medindo minha capacidade de resistência. Sinto até que estão com raiva de mim, mas não sei por quê. Não falam. Nem comigo, nem entre si. Absortos, só sabem caminhar, sempre voltados para a frente. No entanto, os dois vão revezando em silêncio suas posições de líder e liderado na marcha. Os rifles lhes pendem às costas e balançam ritmicamente à esquerda e à direita. Lembram um par de metrônomos em atividade. Caminho embalado por esse ritmo e começo aos poucos a sentir que entro numa espécie de transe hipnótico. A consciência desliza por uma superfície de gelo e se move para um outro local. Eu porém continuo a andar, suado e em silêncio, pensando apenas em não me atrasar.

— Estamos indo rápido demais? — indaga o soldado robusto, voltando-se finalmente para mim. Não percebo nem o mais leve traço de falta de ar em sua voz.

— Não — respondo. — Está tudo bem. Eu consigo acompanhá-los.

— Você é jovem e, ao que parece, bastante forte — diz o soldado alto, sempre olhando para a frente.

— Nós dois estamos tão acostumados a fazer este percurso que nossos passos se apressam automaticamente — justifica-se o robusto. — Se você acha que estamos indo rápido demais, não se constranja, diga com franqueza. Cuidaremos de andar mais devagar. Só não queremos andar mais devagar que o estritamente necessário. Você entende, não entende?

— Eu avisarei quando sentir que vou me atrasar — digo a eles. Tomo muito cuidado para que eles não percebam que me esforço por manter o ritmo e a respiração regular. — Falta muito ainda?

— Não muito — diz o alto.

— Falta pouco — diz o outro.

Tenho a impressão de que a opinião deles não é confiável. Como eles próprios já disseram, tempo é um elemento de pouca importância neste local.

Por instantes, caminhamos em silêncio. A velocidade agora não é febril como antes. Tudo indica que a fase de testes já passou.

— Não existem cobras venenosas por aqui? — pergunto, abordando uma questão que vem me incomodando.

— Cobras venenosas? — repete o soldado alto, o que usa óculos, sem se voltar para mim. Ele sempre fala olhando adiante. Parece estar à espera de que algo significativo lhe salte diante dos olhos a qualquer momento. — Sabe que nunca pensei nelas?

— Talvez existam — diz o robusto, voltando-se para mim. — Nunca vimos nenhuma, mas pode ser que elas estejam por aí. Mas, mesmo que existam, não têm nada a ver conosco.

— O que queremos dizer — diz o alto de um jeito que soa descontraído — é que a floresta não tem intenção alguma de ferir você.

— Não se preocupe portanto com cobras venenosas ou coisas parecidas — diz o robusto. — Aliviado, agora?

— Sim — respondo.

— Nem cobras, nem aranhas, nem cogumelos, nem insetos venenosos, nem ente algum irá feri-lo nesta floresta — diz o alto, sempre olhando para a frente.

— *Ente*? — pergunto. Devo estar cansado, pois as palavras não se juntam às respectivas imagens.

— *Ente*. Um ser — explica ele. — Nenhum outro ser haverá de feri-lo, foi isso o que eu disse. Afinal, estamos no âmago da floresta. Nada, nem ninguém, nem você mesmo, será capaz de ferir você.

Esforço-me por compreender o que ele acaba de me dizer. Mas o cansaço, o suor, o efeito hipnótico dos movimentos repetidos se sobrepõem e amortecem a capacidade de raciocinar. Não consigo pensar em nada de maneira consistente.

— Nos meus tempos de soldado, tive de treinar diversas vezes a técnica de perfurar barrigas com a baioneta — diz o soldado robusto. — Você sabe como se espeta com uma baioneta?

— Não — respondo.

— Antes de mais nada, você mete a baioneta bem fundo na barriga do inimigo e depois a torce para um dos lados. Desse modo, você estraçalha a tripa do seu adversário e deixa a ele, como única alternativa, morrer em meio à dor atroz. Esse tipo de morte é lento e muito sofrido. Mas se você espeta a baioneta e não a torce, seu inimigo pode se levantar em seguida e, em vez de morrer, estraçalhar a *sua* tripa. Viu em que tipo de mundo vivíamos?

Tripas, eu penso. São metáforas de labirinto, dissera Oshima. Fatos e coisas se embaralham e se confundem em minha mente. Não consigo separar as coisas que são das que não são.

— Você sabe por que o ser humano tem de ser tão cruel com seu semelhante? — pergunta o alto.

— Não — eu digo.

— Nem eu — replica o alto. — Chinês, russo ou americano, fosse lá quem fosse o outro soldado, eu não tinha vontade alguma de lhe rasgar as tripas. Mas esse era o tipo de mundo em que vivíamos. E por isso fugimos. Mas não nos entenda mal: nós dois não somos covardes. Pelo contrário, éramos até bons soldados. Só não queríamos fazer parte desse ânimo violento. Você também não é nenhum covarde, é?

— Não sei ao certo — respondo honestamente. — Mas de uma coisa sei: estou sempre tentando me fortalecer.

— Isso é muito importante — diz o soldado robusto voltando-se para mim. — Esse esforço voluntário para se tornar forte é realmente importante.

— Sei que você é forte, não precisa nem nos dizer — diz o soldado alto. — São poucos os que chegam a este lugar com a sua idade.

— Você é muito valente — diz o robusto, demonstrando certa admiração.

E, nesse ponto, finalmente os dois param. O soldado alto tira os óculos, esfrega o dedo com força nas laterais do nariz e torna a pôr os óculos. Os dois não estão nem ofegantes, nem suados.

— Está com sede? — pergunta o alto.

— Um pouco — respondo. Para falar a verdade, tinha a garganta totalmente seca, pois eu jogara fora a mochila de náilon com o cantil.

O soldado alto tira o cantil de alumínio da cintura e o passa para mim. Bebo alguns goles e a água morna umedece cada canto do meu corpo. Limpo o bocal do cantil e o devolvo. "Obrigado", eu digo. O soldado alto apenas aquiesce com um movimento de cabeça.

— Estamos no espigão da montanha — diz o robusto.

— Daqui para frente é uma descida só. Cuidado para não cair — diz o mais alto.

E começamos a descer cuidadosamente a encosta acidentada.

Depois de vencer a metade do longo e acentuado declive, dobrar para um lado e sair da floresta, um outro mundo se revela diante do nosso olhar.

Os dois soldados estacam nesse ponto e se voltam para mim. Não dizem nada. Seus olhos, porém, falam em silêncio. *Este é o lugar e você vai entrar nele agora.* Também paro e olho.

O local era uma depressão de terreno limpo, com hábil aproveitamento da topografia original. Não sei quantas pessoas vivem aqui. Mas, pelo aspecto, tenho certeza de que não são muitas. Existem algumas ruas e algumas casas à beira delas. Ruas e casas insignificantes. Não há vivalma à vista. As construções são inexpressivas e, basicamente, parecem ter sido feitas para proteger contra a intempérie e não para ser admiradas como obras arquitetônicas. O local é acanhado demais para ser considerado uma *cidade*. Não há lojas, nem grandes edifícios públicos. Nem placas, nem propaganda de espécie alguma. Apenas um aglomerado de casas simples, do mesmo tamanho e forma. Casas sem jardins e ruas sem árvores, como a declarar que de verde bastava a floresta em torno.

Uma leve brisa cruza a floresta e agita folhas em diversos pontos ao meu redor. Minha alma se encrespa e ondula ao farfalhar anônimo. Apoio a mão no tronco de uma árvore e cerro os olhos. Pode ser que as ondulações componham uma espécie de código. Mas não consigo decifrá-las. É língua estrangeira, totalmente incompreensível. Desisto, abro os olhos e torno a contemplar esse mundo novo. E, enquanto contemplo o cenário parado em companhia dos soldados à meia altura da encosta, sinto que as ondulações em meu íntimo se alteram.

E, acompanhando as alterações, o código se recompõe e a metáfora se converte. Vou me afastando de mim mesmo e me sinto vagar. Agora, sou uma borboleta esvoaçando pela borda do mundo. Além da borda, há um espaço vazio em que vácuo e substância se sobrepõem, formando um bloco compacto. Passado e futuro formam um laço contínuo e infinito, pelo qual vagam sinais jamais vistos e acordes jamais ouvidos.

Regularizo a respiração. Ainda não consegui unificar-me espiritualmente. Mas não sinto medo.

Os soldados recomeçam a andar em silêncio e eu os sigo, também em silêncio. Conforme descemos a encosta, o povoado se aproxima. Um riacho de margens delimitadas por muretas de pedra corre ao longo de uma rua. O burburinho reconfortante me chega aos ouvidos. A água é limpa e transparente. Tudo aqui é despojado e aconchegante. Postes se erguem aqui e ali, e entre eles correm fios elétricos. Isso significa que há eletricidade nesta região. Luz? Dúvidas se agitam em minha mente.

O local está inteiramente cercado por espigões altos. Uma camada de nuvens cinzentas ainda encobre o céu. Os soldados e eu estamos andando pela rua mas não cruzamos com ninguém. Um silêncio pesado cobre tudo, não ouço som de espécie alguma. Talvez os habitantes estejam trancados em suas respectivas casas e aguardem a nossa passagem contendo a respiração.

Os dois soldados me levam para uma das casas. Ela se parece tanto com a cabana de Oshima que chega a causar estranheza. Dá até a impressão de que uma delas serviu de modelo para a outra. Há uma varanda na entrada e uma cadeira. O telhado é plano e tem uma chaminé emergindo dele. As únicas diferenças estão no quarto, que é separado da sala, e no fato de existir luz e banheiro dentro da casa. Na cozinha, há uma geladeira antiquada de tamanho médio. Uma lâmpada pende do teto. E uma televisão. Televisão?

No quarto, encontro uma cama de solteiro simples arrumada para a noite.

— Por ora, você vai ficar aqui — diz o soldado robusto. — Não por muito tempo, apenas *por ora*.

— Conforme já lhe disse antes, o tempo aqui não é uma questão muito importante — diz o soldado alto.

— Aliás, não tem nenhuma importância — diz o seu companheiro.

— De onde vem a eletricidade?

Os dois se entreolham.

— Há uma usina eólica modesta no fundo da floresta. Ali, o vento nunca para de soprar — diz o alto. — A eletricidade faz falta, não faz?

— Sem luz não teríamos geladeira, e sem ela não teríamos como preservar os alimentos — explica o robusto.

— Não é que a luz seja indispensável — diz o alto — mas que é bom tê-la, lá isso é.

— Se está com fome, abra a geladeira e coma o que quiser. Só não posso prometer um banquete — diz o robusto.

— Não temos carne, peixes, café ou bebidas alcoólicas — diz o mais alto. — A princípio, você vai sentir falta de algumas coisas, mas logo se acostumará.

— Mas temos ovos, queijo e leite — diz o robusto. — Afinal, proteína de origem animal é indispensável.

O soldado alto diz:

— Como nada disso é produzido nesta área, procuramos em outras localidades. Ou seja, fazemos escambo.

Outras localidades?

O alto move a cabeça em concordância:

— Isso mesmo. Isto aqui não é um pedaço independente do mundo. Temos relação com *outras localidades*. Aos poucos, você vai conhecer todos esses detalhes.

— No fim do dia, alguém vai aparecer para preparar sua refeição — diz o robusto. — Se você se cansar de não fazer nada, assista à televisão.

— Há programas interessantes?

— Não faço ideia — diz o mais alto um tanto constrangido. Em seguida, volta-se para o robusto.

Este também pende a cabeça em dúvida e faz uma careta.

— Para dizer a verdade, não sabemos quase nada a respeito de televisão. Nunca assistimos.

— O aparelho está aí porque eventualmente poderia ser útil para algum recém-chegado — diz o mais alto.

— Mas deve haver *algum programa* interessante — diz o robusto.

— Descanse por enquanto — diz o mais alto. — Nós dois precisamos retornar ao nosso posto.

— Obrigado por me trazerem até aqui.

— Não tem de quê — diz o robusto. — Até que foi uma tarefa fácil porque você tem pernas mais fortes do que os demais. Teve muita gente que não conseguiu nos acompanhar. Esses, tivemos de carregar nos ombros. Em comparação, trazer você foi sopa.

— Você disse que havia alguém aqui com quem tinha de se encontrar — diz o alto.

— Exato.

— Acho que vai conseguir se encontrar com essa pessoa em breve — diz o alto. E move a cabeça algumas vezes, concordando consigo mesmo. — Afinal, este é um mundo pequeno.

— Espero que se acostume logo — diz o robusto.

— Uma vez acostumado, tudo se torna mais fácil.

— Muito obrigado mais uma vez.

Os dois soldados juntam os pés em posição de sentido e prestam continência. Tornam a pôr os rifles a tiracolo e saem. Atravessam a rua em passadas rápidas e se vão outra vez rumo ao posto deles. Tenho a impressão de que os dois guardam a entrada dia e noite.

Vou à cozinha e espio a geladeira. Encontro tomates e um pedaço de queijo. Ovos. Cenoura e nabo. Leite numa botija de porcelana. Manteiga. Parto a beirada do pão que achei dentro de um armário e experimento. Está levemente endurecido, mas o sabor é bom.

Na cozinha, tem uma pia e uma torneira. Abro a torneira e a água escorre. Limpa e gelada. Já que temos eletricidade, deve ter sido bombeada de um poço. Encho um copo e bebo a água.

Vou até a janela e olho para fora. O céu ainda está cinzento e nublado, mas não vejo sinais de chuva iminente. Fico por ali muito tempo mas continuo sem ver vivalma. Tenho a impressão de que isto aqui é uma cidade morta. Pode ser também que os moradores estejam querendo se esconder de mim por algum motivo.

Saio da janela e me sento numa cadeira dura, de espaldar reto. Ao todo, são três as cadeiras, e diante delas está a mesa. Quadrada, parece ter recebido diversas demãos de verniz. As paredes rebocadas do aposento estão nuas, sem quadros, fotos ou folhinha. Apenas brancas. Do teto, pende uma lâmpada solitária vedada por um simples quebra-luz de vidro, amarelado pelo calor.

O aposento está limpo. Passo o dedo pela superfície da mesa e pela esquadria da janela e me certifico de que não há traços de poeira. Nenhuma mancha na vidraça. Embora não sejam novos, panelas, pratos e utensílios de cozinha estão bem conservados e em perfeitas condições de higiene. Ao lado da pia, há dois fogareiros elétricos antiquados. Experimento ligá-los. A resistência logo se avermelha e aquece.

Além da mesa e das cadeiras, compõem o mobiliário do aposento uma velha televisão em cores, com moldura de madeira, um modelo bastante comum há 15 ou vinte anos. Sem controle remoto. Dá a impressão de ter sido achada na rua e recolhida. (Aliás, todos os eletrodomésticos que encontro no interior da casa têm o aspecto de coisa recolhida em depósitos de lixo. Estão limpos e funcionam, mas têm cores esmaecidas e são ultrapassados.) Ligo o aparelho e surge um filme antigo, *A noviça rebelde.* Eu o assisti na tela grande no dia em que minha professora do curso primário levou a classe inteira ao cinema. Este foi um dos poucos filmes a que assisti na infância. (Em torno de mim, não havia adultos dispostos a me levar.) Enquanto o capitão Von Trapp, severo e excessivamente apegado a regras, viajava para Viena, Maria, a professora particular das crianças, leva-as a excursionar pelas montanhas. Em seguida, acomoda as crianças num platô e canta algumas canções ingênuas, acompanhando-se ao violão. A cena é antológica. Sentado diante da televisão, sinto-me irresistivelmente atraído pelo filme. Se na minha infância eu tivesse ao meu lado alguém como Maria, na certa minha vida teria tomado outro rumo. (Foi o que pensei também quando assisti ao filme pela primeira vez.) Mas não houve ninguém semelhante em minha vida, é óbvio.

E então, volto subitamente à realidade. Por que estou justo agora assistindo à *A noviça rebelde* com tanto interesse? E por que este filme? O povo do vilarejo estaria conectado a alguma estação de TV, via satélite? Ou haveria um centro gerenciador de vídeos em algum lugar do povoado? Imagino que seja este o caso, já que não há nada nos demais canais além de chuviscos. O quadro áspero e branco e o ruído inorgânico que provêm da tela me fazem imaginar uma violenta tempestade de areia.

Desligo a televisão logo depois da cena em que a família Von Trapp canta "Edelweiss". O silêncio volta a reinar na sala. Estou com sede e vou à cozinha. Tiro da geladeira a botija de porcelana e tomo um pouco de leite. Espesso e fresco. Tem sabor bem diferente do leite que costumo comprar em lojas de conveniência. E, enquanto bebo diversos copos seguidos, lembro-me de repente do filme *Os incompreendidos,* de François Truffaut. No filme, havia uma cena matinal em que o garoto Antoine, fugido de casa e esfaimado, rouba o leite que acabara de ser entregue à porta de uma casa qualquer e o bebe enquanto se afasta, andando furtivamente. A garrafa de leite é grande e o menino leva um bom tempo para esvaziá-la. A cena é triste, penosa. Nunca imaginei que beber ou comer pudesse ser tão deprimente. Este é mais um filme a que assisti em minha infância. Eu ainda frequentava a quinta série quando, atraído pelo título, fui sozinho ao cinema. Tomei um bonde até Ikebukuro, assisti ao filme, peguei o bonde outra vez e voltei para casa. Assim que o filme terminou e saí do cinema, comprei uma garrafinha de leite e o bebi. O impulso foi irresistível.

Acabo de tomar o leite e dou-me conta de que tenho muito sono, tanto, que chego até a sentir ânsia de vômito. A atividade cerebral vai aos poucos perdendo velocidade como um trem prestes a entrar na estação e, logo, não consigo pensar em mais nada. Um rápido enrijecimento toma conta do meu corpo. Vou para o quarto, tiro calça e sapatos com gestos entorpecidos e me deito na cama. Enterro a cabeça no travesseiro que cheira a sol e fecho os olhos. O cheiro desperta nostalgia. Inspiro e expiro. O sono vem de golpe.

Acordo em densa escuridão. Abro os olhos num negrume desconhecido e penso no lugar em que me encontro agora. Guiado por dois soldados, eu havia atravessado a floresta e chegado a este povoado cortado por um riacho. Minha memória volta aos poucos. A cena se enquadra. Uma melodia conhecida me chega aos ouvidos: "Edelweiss". Da cozinha me vem o som amigo de panelas retinindo baixinho. Filtrada por uma fresta na porta, a luz traça um risco amarelado e reto no piso do quarto. A luz tem uma qualidade antiga e empoeirada.

Tento me erguer, mas o corpo está entorpecido. Uniformemente entorpecido. Inspiro fundo e olho para o teto. Ouço barulho de pratos batendo. Ouço também passos apressados na cozinha: alguém deve estar preparando o jantar para mim. À custa de muito esforço, saio da cama e me ponho em pé. Levo muito tempo para vestir a calça e repor meias e sapatos. Giro suavemente a maçaneta e abro a porta.

Uma garota prepara o jantar na cozinha. De costas para mim, ela se debruça sobre o fogareiro e, colher na mão, prova o cozido da panela. Ao me ouvir abrindo a porta, ergue a cabeça e se volta para mim. É a garota que vinha todas as noites ao meu quarto na biblioteca Komura e se deixava ficar contemplando o quadro na parede. Isso mesmo, a Sra. Saeki aos 15 anos de idade. Ela está com o mesmo vestido. Azul-claro, mangas compridas. A única diferença é que ela agora usa o cabelo preso com fivelas. Ao me ver, lança um pequeno sorriso cálido em minha direção. Sinto uma trepidação violenta, como se todas as coisas do mundo estivessem sendo substituídas por outras. Todas as formas se desintegram e se recompõem em seguida. Mas a garota não é nem uma ilusão, nem um fantasma. É uma garota palpável, de carne e osso, e está diante de mim. Preparando num fim de tarde um jantar real numa cozinha real. Os seios são pequenos, e o pescoço é branco como porcelana nova.

— Ah, você acordou! — diz ela.

Não encontro voz para responder. Estou ainda juntando meus cacos e me recompondo.

— Me pareceu que você dormia pesado — observa. Depois, volta as costas para mim outra vez e prova o cozido. — Eu pretendia deixar a comida pronta e ir embora, caso você não acordasse.

— Eu não tinha a intenção de dormir tanto — digo, encontrando enfim a voz.

— Claro que dormiria. Afinal, você cruzou a floresta, não cruzou? — diz ela. — Está com fome?

— Não sei ao certo. Mas acho que sim.

Tenho vontade de tocá-la. Só para saber se ela é realmente palpável. Mas não devo. Continuo portanto no mesmo lugar e apenas a observo fixamente. Apuro o ouvido para apreender os sons que seu corpo em movimento produz. Ela despeja o ensopado que preparou num prato branco e o traz para a mesa. Tem salada de verduras e tomate numa tigela funda. E um pão grande. Batata e cenoura no ensopado com cheiro de nostalgia. Quando o aroma alcança meus pulmões, dou-me conta de que estou faminto. Antes de mais nada, tenho de matar esta fome. Enquanto como com o garfo e a colher desgastados, ela se senta numa cadeira um pouco distante e me observa. Intensamente. Como se isso também fosse parte importante do seu serviço. Vez ou outra, leva a mão aos cabelos.

— Ouvi dizer que você tem 15 anos — diz ela.

— Isso mesmo — respondo enquanto passo manteiga no pão. — Acabei de fazer 15 há poucos dias.

— Eu também tenho 15 — diz ela.

Aceno a cabeça para dizer que entendi. Sei disso, quase lhe digo. Mas ainda é cedo para dizer essas coisas. Portanto, continuo a comer em silêncio.

— Virei aqui preparar suas refeições durante algum tempo — diz ela. — Vou também limpar a casa e lavar sua roupa. Tem roupa limpa na gaveta da cômoda em seu quarto. Use-as à vontade. Deixe a roupa suja no cesto, eu cuido dela.

— Alguém a encarregou de realizar essas tarefas?

Ela me olha fixamente. Não responde. Pelo jeito, minha pergunta percorreu um circuito errado e se perdeu, absorvida por um vácuo anônimo.

— Como é que você se chama? —pergunto outra vez.

Ela sacode a cabeça de maneira quase imperceptível e diz:

— Não tenho nome. Por aqui, ninguém tem.

— Mas então, como faço para chamar você?

— Você não tem que me chamar — diz ela. — Toda vez que você precisar de mim, aí estarei.

— Acho que eu também não preciso de nome, nesse caso.

Ela acena concordando.

— Claro. Você é você e mais ninguém. Você é você, não é?

— Acredito que sim — respondo. Mas não tenho muita certeza. Eu sou eu mesmo?

Ela continua a me encarar fixamente.

— Lembra-se da biblioteca? — pergunto, armando-me de coragem.

— Biblioteca? — diz ela, sacudindo a cabeça em dúvida. — Não, não me lembro. A biblioteca fica muito longe, num lugar distante. Não aqui.

— Mas ela existe?

— Existe. Mas não tem livros nela.

— Se não tem livros, tem o quê?

Ela não responde. Apenas pende de leve a cabeça para o lado. Outra pergunta que percorre um circuito errado e se perde.

— Você já esteve lá?

— Muito tempo atrás — responde ela.

— Mas não para ler um livro.

Ela sacode a cabeça negando e diz:

— Porque não havia livros lá.

Por instantes, como em silêncio. O ensopado, o pão e a salada. Quieta, ela continua a me observar com olhar sério.

— Que achou do jantar? — pergunta quando acabo de comer.

— Muito gostoso.

— Mesmo sem carne ou peixe?

Aponto o prato vazio:

— Está vendo? Não sobrou nada!

— Fui eu que o preparei.

— Estava tudo muito bom — repito. E era verdade.

Tê-la diante de mim é como ter uma adaga de gelo fincada no peito. A dor é lancinante, mas sou grato por ela. Pois sou capaz de justapor minha existência a essa dor que enregela. É uma âncora que me retém *neste lugar*. A garota se ergue, põe a água a ferver e me prepara chá quente. E, enquanto o bebo, ainda à mesa, ela leva a louça para a cozinha e a lava na pia. Contemplo suas costas fixamente. Quero dizer alguma coisa. Contudo, dou-me conta de que, na presença dela, todas as palavras perdem a função original. Pode ser também que o sentido que unia uma palavra a outra tenha desaparecido. Observo minhas duas mãos. Depois, penso nas folhas de corniso brilhando ao luar além da janela. Aí está a adaga de gelo que perfura meu peito.

— Será que a vejo de novo? — pergunto.

— Naturalmente — ela responde. — Como lhe disse há pouco, toda vez que você precisar de mim, aí estarei.

— Você não vai desaparecer de repente, vai?

Ela não diz nada, apenas me olha com estranheza. Como se pensasse: *aonde eu iria?*

— Já me encontrei com você, antes — resolvo dizer. — Em outro lugar, em outra biblioteca.

— Se você assim diz... — murmura ela, levando a mão ao cabelo para verificar se a fivela está no lugar. Sua voz é quase inexpressiva. Dá a entender que o assunto não lhe interessa.

— E eu vim até aqui para vê-la mais uma vez. A você, e também à outra mulher.

Ela ergue a cabeça e acena, séria:

— Atravessando uma densa floresta...

— Isso mesmo. Porque eu tinha de me encontrar com você e com essa outra mulher.

— E você me encontrou aqui.

Aceno a cabeça.

— Eu não disse? — comenta a garota. — Toda vez que você precisar de mim, aí estarei.

Ela acaba de lavar os pratos, mete as vasilhas que continham o alimento numa sacola de lona e a ajeita no ombro.

— Amanhá de manhá eu o vejo de novo — diz ela. — Espero que se acostume logo com este lugar.

Em pé na soleira da porta, eu a acompanho com o olhar até vê-la desaparecer na escuridáo. Estou de novo sozinho na cabana. Dentro de um círculo fechado. O tempo não é uma questáo importante neste lugar. Ninguém tem nome. Toda vez que eu precisar dela, ela estará aqui. Neste lugar, ela tem 15 anos. Eternamente, ao que parece. E *eu*? Que acontecerá comigo? Será que vou ficar aqui para sempre com 15 anos? Ou a idade é também um elemento pouco importante neste lugar?

Mesmo depois que a jovem desaparece, continuo sozinho à soleira da porta, contemplando a paisagem externa sem pensar em nada. Náo há Lua nem estrelas no céu. Vejo luzes em algumas das casas. O mesmo tipo de luz antiquado e amarelado que ilumina este aposento. Mas continuo náo vendo ninguém. Apenas luzes. Para além delas, se espraia um vasto reino escuro. E, no fundo dele, circundando o povoado como um imenso paredáo, sei que se erguem os majestosos espigóes e a densa floresta, mais negros ainda que a escuridáo aqui reinante.

Capítulo 46

Ao se dar conta de que Nakata tinha morrido, Hoshino não conseguiu mais se afastar do apartamento que ocupavam. A *pedra da entrada* estava ali e ele próprio tinha de estar perto da pedra para agir prontamente caso *alguma coisa* acontecesse inesperadamente. Era uma espécie de responsabilidade que lhe tinha sido atribuída. Ou seja, assumira integralmente as atribuições de Nakata. Hoshino ajustou o ar-condicionado do quarto em que jazia o corpo do amigo à temperatura mais baixa possível, elevou ao máximo a ventilação e se certificou de que as janelas estavam hermeticamente fechadas.

— Espero que não esteja frio demais para você, tio — disse ele, voltando-se para o amigo morto. Nakata não opinou, naturalmente. O estranho peso do ar acumulado no aposento vinha sem dúvida alguma emanando lentamente do cadáver.

Acomodado no sofá da sala, Hoshino deixou-se ficar à toa, vendo o tempo passar. Não tinha vontade de ouvir música, nem de ler livros. A tarde caiu e a escuridão aos poucos invadiu os cantos da sala, mas nem assim se ergueu para acender as luzes. Sentiu-se exaurido, incapaz de se erguer do lugar em que se sentava. As horas chegavam e se iam muito lentamente. Às vezes, tinha até a impressão de que voltavam atrás sorrateiramente.

Nunca me senti tão mal, nem mesmo quando meu próprio avô morreu, pensou Hoshino. Depois de um longo período de sofrimento, todos sabiam que o avô estava por morrer. Sua morte encontrou a todos psicologicamente preparados. Estar ou não preparado para a morte de alguém fazia muita diferença. Mas esse não era o único ponto, pensou Hoshino. Algo na morte de Nakata o fazia pensar fundo e em linha reta.

Sentiu um pouco de fome e foi para a cozinha. Da geladeira, tirou um risoto congelado, aqueceu-o no micro-ondas e comeu a metade. Depois, bebeu uma lata de cerveja. Quando acabou, foi de novo ao quarto anexo para ver Nakata. Ele podia ter revivido, quem sabe?

Mas Nakata continuava morto. O quarto parecia uma geladeira. Àquela temperatura, nem sorvete derretia.

Era a primeira vez que Hoshino passava a noite com um cadáver. Essa talvez fosse a causa de se sentir espiritualmente desintegrado. Não estou com medo, pensou. Nem me sinto mal. Só não sei como lidar com uma pessoa morta. Até o passar das horas é diferente quando se está em companhia de um morto. O som ecoa de maneira diferente. Aí está o motivo do desassossego. Paciência. Afinal, agora Nakata está no mundo dos mortos, e eu, no dos vivos. Tem de haver discrepâncias. Hoshino saiu do sofá, sentou-se ao lado da pedra arredondada e passou a mão por ela como se acarinhasse um gato.

— Que raios eu devo fazer? — disse à pedra. — Eu quero entregar Nakata para quem de direito, mas isso não será possível enquanto eu não der um jeito em você. Estou numa enrascada, percebeu? Que devo fazer? Se sabe, me dê uma dica.

Mas a pedra não lhe deu resposta. Por enquanto, ela era uma simples pedra. Esse tanto Hoshino entendeu. Podia perguntar o que quisesse mas jamais obteria resposta. Sempre sentado ao lado dela, o rapaz continuou a acariciá-la. Fez-lhe mais algumas perguntas, enumerou argumentos e tentou convencê-la. Apelou para a generosidade dela. Mas sabia que era tudo inútil. Apenas não lhe ocorria nada mais adequado a fazer. E depois, Nakata também costumava falar continuamente com ela, não costumava?

— Mas apelar para os sentimentos de uma pedra já é demais — pensou o rapaz. — Afinal, existe até a expressão *insensível como uma pedra*.

Ergueu-se pensando em assistir ao noticiário da TV, mas mudou de ideia e tornou a se sentar ao lado da pedra. Sentiu que um pouco de silêncio era importante naquele momento. Tenho de apurar os ouvidos e ficar à espera de alguma coisa. Mas, veja bem, esperar não é meu forte, tornou ele a dizer mentalmente para a pedra. Sou estabanado e, por falar nisso, vim me prejudicando a vida inteira por causa disso. Não penso direito, ajo por impulso e sempre me dou mal. Você é irrequieto como gato na primavera, costumava dizer meu avô. Neste momento, porém, não tenho outro recurso senão respirar fundo e esperar. Aguente, Hoshino, disse o rapaz para si mesmo.

Tudo que lhe chegava aos ouvidos era o rugido do ar-condicionado no quarto anexo. O relógio marcou nove horas, marcou dez. Nada acontecia. Só as horas passavam e a noite se aprofundava. Hoshino foi buscar um cobertor em seu quarto, enrolou-se nele e deitou no sofá. Sentia que era melhor continuar perto da pedra, mesmo na hora de dormir. Apagou a luz e fechou os olhos.

— Ei, vou dormir! Você ouviu, pedra? — disse o rapaz, voltando-se para ela. — Amanhã continuaremos a conversar. Hoshino teve um dia muito longo e quer dormir.

Foi longo mesmo, pensou com seus botões. E tanta coisa aconteceu no decorrer dele...

— Ei, tio! — disse Hoshino, voltando-se agora na direção da porta do quarto contíguo. — Está me ouvindo, Nakata?

Não obteve resposta. O rapaz suspirou, fechou os olhos, ajeitou o travesseiro e dormiu. Foi um sono ininterrupto e sem sonhos até a manhã seguinte. No quarto ao lado, e duro como pedra, Nakata também dormia um sono sem sonhos.

Quando acordou pouco depois das sete, Hoshino foi imediatamente verificar o estado de Nakata no quarto anexo. O aparelho continuava a rugir e a inundar o quarto de ar gelado. E, nesse meio, Nakata também continuava morto. Em comparação à noite anterior, a presença da morte tinha se adensado e fortalecido. Nakata parecia ainda mais pálido, e os olhos cerrados tinham aspecto impessoal. Agora, ficava claro que ele nunca mais recuperaria a respiração e se ergueria de súbito para lhe dizer: "Nakata dormiu demais! Ele sente muito, senhor Hoshino, mas pode ficar tranquilo que de agora em diante ele se encarregará de tudo. Pode deixar tudo por conta de Nakata, senhor Hoshino!" A verdade nua e crua era que o bom homem estava irremediavelmente morto.

Tremendo de frio, Hoshino saiu do quarto e fechou a porta. Depois, foi para a cozinha e tomou duas xícaras de café feito na cafeteira elétrica. Assou fatias de pão de forma, passou manteiga e geleia e os comeu. Terminada a refeição matinal, sentou-se numa cadeira da cozinha e ficou olhando pela janela enquanto fumava alguns cigarros. As nuvens tinham desaparecido durante a noite e, além da janela, o céu de verão se estendia, azul e plano. A pedra continuava aos pés do sofá. Aparentemente, ela ali permanecera enrodilhada e imóvel desde a noite anterior, sem dormir nem acordar. Hoshino experimentou erguê-la e viu que conseguia fazê-lo com facilidade.

— Ei! — disse ele para a pedra alegremente — Sou eu, Hoshino, o sujeito que você já conhece. Lembra-se de mim, não se lembra?

Acho que nós dois passaremos mais um dia juntos, um ao lado do outro.

A pedra continuava muda.

— Se você não se lembra, não tem importância. Vamos com calma que há tempo de sobra.

Sentou-se no chão e, enquanto passava lentamente a mão direita pela pedra, ficou pensando: que tipo de conversa se mantém com pedras? Nenhum assunto lhe vinha à mente porque nunca falara com elas. Puxar um assunto sério logo de manhã lhe pareceu inconveniente. Melhor falar de amenidades. Afinal, tinha um longo dia pela frente.

Depois de pensar algum tempo, resolveu falar das mulheres com quem transara até aquele dia. Não eram muitas, caso se ativesse apenas àquelas cujos nomes ainda se lembrava. Contou-as nos dedos. Seis. Seriam muito mais se incluísse aquelas cujos nomes não sabia, mas dessas trataria numa outra ocasião.

— Tenho a impressão de que não vale a pena falar de mulheres com uma pedra — disse o rapaz. — E talvez nem você, pedra, esteja interessada em ouvir falar delas nesta hora matinal. Mas é que não me ocorre nenhum outro assunto, você tem de entender. Além do mais, acho que não lhe fará mal algum ouvir alguma coisa menos *rígida*. Pode vir a ser útil mais tarde, quem sabe?

Hoshino vasculhou a memória e falou de maneira mais minuciosa e objetiva possível dos seus diversos casos envolvendo mulheres. O primeiro, ainda no período em que cursava o colegial. Na época, ele andava de moto e vivia se metendo em confusões. A garota era três anos mais velha que ele e trabalhava numa lanchonete na cidade de Gifu. O caso durou pouco, mas os dois chegaram a morar juntos. O problema foi que ela quis um compromisso sério, ameaçou se matar e ligou para os pais dele, os quais, por sua vez, passaram a maior descompostura no filho. Hoshino se encheu, mandou tudo às favas e se alistou nas Forças de Autodefesa, aproveitando-se do fato de que estava terminando o colegial. Logo em seguida, foi designado para a base de Yamanashi. Assim terminara seu primeiro caso. Ele nunca mais vira a garota.

— Meu problema é que as coisas logo me enchem e fico com vontade de mandar tudo às favas, entende? — explicou ele para a pedra. — Basta a situação se complicar um pouco que logo fico com vontade de desaparecer. E nisso sou rápido, modéstia à parte. Até hoje, nunca me aconteceu de perseguir um objetivo até o fim e com afinco. Esse é o meu problema.

O segundo caso envolveu uma menina que conhecera nas proximidades da base de Yamanashi. Era seu dia de folga e ele ajudara uma garota a trocar o pneu do carro dela, um Suzuki Alto parado à beira da estrada. Ela era um ano mais velha que ele, e era aluna de um curso de enfermagem.

— Garota legal, aquela — contou Hoshino para a pedra. — Tinha coração e seios grandes. Era boa de cama, também. Na época eu tinha 19 anos e imagine se não passávamos o dia inteiro em atividade debaixo das cobertas quando nos encontrávamos. Mas o diabo é que ela era ciumenta como quê. Se eu deixava de vê-la num único dia de folga, ela aporrinhava minha paciência: aonde eu fora, o que andara fazendo, com quem me encontrara etc. etc. Me bombardeava de perguntas. O pior de tudo é que ela não acreditava em mim, mesmo quando eu lhe dizia a mais pura verdade. Acabamos terminando por causa disso. Acho que fiquei com ela quase um ano... Não sei de você, pedra, mas eu mesmo não suporto ser questionado desse jeito. Não consigo respirar e fico deprimido. De modo que me enchi e dei no pé. O bom de pertencer às Forças de Autodefesa é que você pode se refugiar dentro do quartel. É só não sair até que as coisas se arrefeçam. Nada que vem de fora é capaz de alcançá-lo lá dentro. Se você quer se livrar de uma mulher, aliste-se. Lembre-se disso. Mas, por outro lado, não foi nada divertido passar os dias cavando buracos e empilhando sacos de areia.

Enquanto falava o que lhe vinha à telha, o rapaz teve uma clara visão da vida inútil que levara até então. Das seis meninas com quem mantivera relações, quatro, no mínimo, tinham sido boazinhas. (As duas restantes, objetivamente falando, se revelaram problemáticas.) De um modo geral, tinha sido muito bem tratado por elas. Nenhuma fazia o tipo beldade estonteante, mas todas tinham sido bonitinhas, cada qual a seu modo. Nunca se recusaram a fazer sexo com ele e nunca reclamaram, mesmo quando ele passava por cima das preliminares, de pura preguiça. Cozinharam para ele nos feriados, compraram presente no dia do aniversário dele, emprestaram dinheiro (não se lembrava de ter devolvido) quando ele se via em apuros nos dias que antecediam o pagamento do soldo e nunca pediram nada em troca. Mas ele jamais lhes agradecera. Esse estilo de vida sempre lhe parecera muito natural.

Uma vez iniciada a relação com uma mulher, ele só dormia com ela. Nunca traíra. Nesse ponto, ele se portara com certa decência. Mas bastava que elas começassem a reclamar um pouco, a querer discutir pontos de vista, a demonstrar ciúmes, a aconselhá-lo a abrir uma poupança, a ter crises histéricas de vez em quando, ou a demonstrar inquietação pelo futuro, para que ele se mandasse imediatamente. O mais importante, achava Hoshino, era terminar de maneira definitiva, não deixar nenhuma ponta a que elas pudessem se agarrar para atormentá-lo. Se começavam a enchê-lo, ele se mandava. Depois, procurava outra mulher e com ela começava tudo de novo. Era assim que viviam os homens, achava Hoshino.

— Se eu fosse uma garota — disse ele para a pedra — e andasse com um rapaz que só pensa em si mesmo, como eu, na certa perderia a paciência num instante. Hoje, sou capaz de ver isso. Só não entendo por que elas me aturaram tanto tempo. Um ponto a se esclarecer, sem dúvida alguma.

Hoshino acendeu um Marlboro e expeliu a fumaça lentamente enquanto alisava a pedra com uma das mãos.

— Isso é estranho, não é? Afinal, não sou bonito, nem sou muito bom de cama. Não sou rico, ou especialmente bonzinho, ou de gênio agradável. Não sou muito inteligente. Pior que tudo, sou um tipo bastante problemático. Filho de lavradores pobres da região de Gifu, motorista de jamanta sem futuro algum, saído dos quadros das FAD. Apesar de tudo, percebo que fui abençoado na minha relação com mulheres. Não fui super-requisitado, nada disso. Mas, no quesito mulheres, não me lembro de ter ficado à míngua. Elas me davam o que eu queria, cozinhavam para mim, até me emprestavam dinheiro. Mas pode ser que a bonança não perdure. É o que começo a achar nos últimos tempos. Uma voz parece me dizer: *"Ei, Hoshino, o dia do acerto de contas virá."*

Acariciando ininterruptamente a pedra, o rapaz continuou a falar das mulheres do seu passado. E, conforme se familiarizava com o gesto, não conseguia mais parar. Ao meio-dia, ouviu o sino de uma escola próxima repicar. Hoshino foi à cozinha e preparou um prato de macarrão. Cortou cebolinha verde, acrescentou um ovo e se serviu.

Quando acabou, foi ouvir o "Trio Arquiduque" outra vez.

— Ei! — disse ele para a pedra assim que terminou o primeiro movimento. — Música maravilhosa, não acha? Você não sente sua alma se expandir enquanto a ouve?

A pedra não respondeu. Hoshino ficou sem saber se ela ouvira ou não a música. Sem se deixar abater, o rapaz continuou:

— Conforme já lhe contei, vim fazendo coisas abomináveis. Fui egoísta. A esta altura, porém, não posso passar uma borracha sobre essas coisas e fingir que não as fiz. Não é? Mas, quando ouço esta música, sinto que Beethoven está me dizendo: "Que se há de fazer, Hoshino, meu chapa? O que passou, passou. A vida é assim. Eu mesmo andei aprontando poucas e boas durante a minha. Paciência! Você não pode nadar contra a correnteza, entendeu? Aprenda a lição e toque para a frente!" Mas Beethoven, tendo sido o que foi, jamais me diria isso. Estou apenas comentando que *sinto* esse tipo de coisa se irradiar dessa música e me alcançar. Você também sente?

A pedra nada disse.

— Ah, tudo bem — disse o rapaz. — É a minha opinião, só isso. Vamos calar a boca e ouvir.

Pouco depois das duas, Hoshino olhou pela janela e viu um gordo gato preto sentado no parapeito da varanda e espiando dentro do quarto. O rapaz abriu a janela e, de puro tédio, disse:

— Ei, gatinho, que dia lindo, não?

— Hoshino, meu chapa, concordo com você — respondeu o gato.

— Ah, essa não! — disse o rapaz. E sacudiu a cabeça.

O Menino Chamado Corvo

Lentamente, o menino chamado Corvo sobrevoava a floresta descrevendo amplos círculos. Ao finalizar um, voava para um ponto ligeiramente afastado e traçava outro de maneira conscienciosa. Dessa maneira, desenhou no céu diversos círculos que se esvaíam uns após outros. À semelhança de um piloto de aeronave em voo de reconhecimento, sua atenção se fixava no plano inferior em tempo integral. Aparentemente, buscava na mata algo de difícil detecção. Sob seu olhar, a floresta se estendia em ondulante oceano sem praia. Ramos entrelaçados e sobrepostos compunham um manto verde de espesso anonimato. Nuvens cinzentas cobriam o céu e não havia vento, nem luz alguma prometendo salvação. Naquela altura, o menino chamado Corvo era, talvez, o pássaro mais solitário do mundo. Mas não lhe sobrava tempo para se preocupar com isso.

O menino Corvo encontrou afinal a brecha no mar de árvores e mergulhou rumo a ela em voo quase perpendicular. A brecha era uma pequena clareira arredondada. O sol iluminava um naco de terra e a relva que crescia só ali parecia sinalizar alguma coisa. A um canto, havia uma pedra arredondada e, sobre ela, sentava-se um homem. Usava abrigo de malha vermelho vibrante e cartola de seda preta na cabeça. Seus sapatos eram de solado grosso, do tipo usado por alpinistas, e a seus pés jazia uma sacola de lona cáqui. No todo, vestia-se de maneira bastante estranha, mas isso não tinha a menor importância para o menino chamado Corvo. Afinal, o objeto de sua busca era o homem, qualquer que fosse seu gosto na escolha das roupas.

Ao ouvir o súbito ruflar de asas, o homem ergueu o olhar e viu o menino Corvo pousado num robusto galho próximo.

— Olá! — disse o homem alegremente.

O menino chamado Corvo não lhe respondeu. Do seu galho, observava o homem com olhos inexpressivos que não pestanejavam. Vez ou outra, pendia a cabeça de leve para um lado.

— Sei quem você é — disse o homem. Levou a mão à cartola, ergueu-a ligeiramente e tornou a colocá-la na cabeça. — Achei que já era hora de você aparecer.

O homem pigarreou, fez uma careta e cuspiu no chão. Depois, esfregou a sola do sapato no catarro.

— Eu estava descansando um pouco, por assim dizer, e bastante aborrecido por não ter com quem bater um papo. Que acha de descer até aqui? Vamos ficar lado a lado e conversar um pouco. É a primeira vez que o vejo, mas isso não significa que somos totalmente estranhos um para o outro — disse o homem.

O menino chamado Corvo manteve o bico firmemente cerrado. Suas asas recolhidas permaneciam rente ao corpo. O homem da cartola sacudiu a cabeça de leve:

— Já sei, você não fala. Mas não faz mal, eu me encarrego de falar sozinho. Para mim, isso não faz diferença alguma. Você pode não dizer nada, mas eu sei muito bem o que pretende. Ou seja, você quer me impedir de seguir floresta adentro, acertei? Sei disso. É óbvio. Você não quer que eu prossiga, mas eu, ao contrário de você, quero. Por quê? Porque esta é uma oportunidade única, daquelas que precisam ser agarradas pelo cabelo. Não posso deixá-la passar.

Bateu a palma da mão no tornozelo da botina de alpinista.

— Conclusão: você não será capaz de deter meu avanço. Você não está qualificado para isso. Por exemplo, posso tocar minha flauta agora. No mesmo instante, você se verá impossibilitado de se aproximar de mim. Tal é o efeito da minha flauta. Não sei se você se deu conta, mas ela é especial. Muito diferente das que existem por aí. E tenho um grande sortimento delas nesta sacola.

O homem estendeu o braço e deu palmadas cuidadosas no saco de lona a seus pés. Em seguida, ergueu mais uma vez o olhar para o grosso galho em que pousava o menino chamado Corvo.

— Juntei almas de gatos e fabriquei estas flautas. São almas especiais, tiradas de gatos que tiveram os corpos retalhados em vida. Senti até um pouco de pena dos bichanos, mas não havia outro jeito. Estas flautas estão além dos critérios mundanos de bem e mal, amor e ódio. E produzi-las foi minha missão por um longo tempo, aliás uma missão da qual, à minha maneira, me desincumbi a contento. Meu dever foi cumprido. Vivi uma vida impoluta e dela não me envergonho. Eu me casei, tive um filho e produzi uma quantidade suficiente de flautas. De modo que parei. Cá entre nós, estou pensando em juntar estas flautas e produzir outra, ainda maior. Maior e mais poderosa, capaz de, sozinha, se constituir num sistema. Neste momento, estou a caminho do lugar onde poderei produzi-la. Mas quem vai decidir se essa flauta será do bem ou do mal não sou eu. Tampouco você. Tudo depende da hora e do local onde eu estiver. Nesse sentido, sou como a história ou o clima: sem preconceitos. E, não tendo preconceitos, sou capaz de me transformar em sistema.

Tirou a cartola e tornou a colocá-la na cabeça depois de passar a palma da mão no topo do crânio onde os cabelos começavam a rarear. Alisou a pala e a endireitou.

— Se tocar esta flauta, consigo enxotá-lo daqui num piscar de olhos. Mas, se posso evitar, não quero fazer isso agora para não consumir energia à toa. Preciso poupá-la para uso futuro. Sobretudo porque, independentemente de eu tocar ou não a flauta, você nunca conseguiria me deter. Aconteça o que acontecer, essa é a verdade nua e crua.

O homem tornou a pigarrear. Em seguida, alisou a barriga, que começava a se evidenciar.

— Você conhece o termo *limbo*? Designa certa área intermediária entre vida e morte. Um lugar impreciso e triste. Pois estou nele, neste momento. Por enquanto, o limbo é esta floresta. Eu morri. Por livre e espontânea vontade. Mas ainda não cheguei ao outro mundo. Em outras palavras, sou um espírito em trânsito, e espíritos em trânsito não têm forma. Peguei uma forma emprestada e a assumi. Eis por que, na situação atual, você não é capaz de me ferir. Entendeu? Mesmo que o sangue escorra do meu corpo aos borbotões, esse sangue não é real. Mesmo que eu sofra de maneira atroz, o sofrimento não é real. Neste momento, só alguém devidamente qualificado será capaz de me liquidar de maneira definitiva. E esse não é o seu caso, infelizmente. Porque você não passa de uma ilusão imatura e imperfeita. Incapaz de me eliminar, mesmo com toda a convicção do seu preconceito.

O homem sorriu para o menino chamado Corvo.

— E então? Quer tentar?

Como se tais palavras fossem o sinal esperado, o menino Corvo expandiu as asas e, tomando impulso, projetou-se do galho na direção do homem. Um ataque relâmpago em linha reta. O menino Corvo desceu sobre o homem, cravou as garras de ambos os pés em seu peito, recuou a cabeça com violência e, num movimento que lembrou o de uma picareta, cravou o bico pontiagudo em seu olho direito. E, durante todo o tempo, batia no ar ruidosamente as asas negras, brilhantes como laca. O homem não ofereceu nenhuma resistência. Deixou-se ficar no mesmo lugar sem mover dedo ou braço. Não gritou. Em vez disso, riu alto. O chapéu foi ao chão, o globo ocular se rompeu, extravasou da órbita e deslizou pela face. O menino chamado Corvo atacou os dois olhos de maneira persistente, deixando em seu lugar duas cavidades vazias. Depois, usou o bico para furar seguidamente diversos pontos do rosto. A face do homem se transformou num instante em massa ferida. A pele se partiu, nacos de carne espirraram, e em seu lugar só restou uma polpa vermelha e disforme vertendo sangue. Sem dó nem piedade, o menino Corvo também cravou o bico na área onde a calva começava a se instalar. Ainda assim, o homem continuou a rir alto. Como se a situação fosse irresistivelmente divertida. Quanto mais o menino Corvo atacava, mais alto ria o homem.

Sem nunca desviar do menino as órbitas vazias, o homem disse quase se afogando na própria gargalhada:

— Não me faça rir tanto! Não escutou o que eu disse? Você pode empregar qualquer tipo de força, mas jamais será capaz de me ferir. Porque você não está qualificado para isso. Você não passa de uma ilusão rarefeita. Um eco barato. Nada do que fizer adiantará. Ainda não entendeu?

O menino chamado Corvo introduziu então o bico naquela boca gargalhante. Bateu as asas com violência, e lustrosas penas negras que lembravam fragmentos de alma dançaram no ar. Atacou em seguida a língua do homem: abrindo um buraco nela, ali introduziu o bico e puxou-a para fora com toda a força. A língua era muito grossa e comprida. Mesmo depois de extraída do fundo da garganta, ela continuou como um grande molusco a se arrastar no chão, formando palavras sombrias. Perdida a língua, o homem já não conseguia rir nem respirar. Ainda assim seu corpo continuou a se sacudir num riso silencioso. O menino chamado Corvo ouviu a risada silenciosa e incessante, vaga e lúgubre como o vento que cruza um deserto distante. Som que talvez lembrasse o de uma flauta do outro mundo.

Capítulo 47

Acordo pouco depois do amanhecer. Fervo água no aquecedor elétrico, faço chá e o tomo. Sento à beira da janela e observo a paisagem externa. A rua continua deserta e não ouço som de espécie alguma. Nem os pássaros, tão madrugadores, dão sinal de vida. Montanhas altas circundam o povoado, retardando o amanhecer e apressando o crepúsculo. Neste momento, há apenas uma leve claridade a leste, tingindo a crista das montanhas. Retorno ao quarto e pego o relógio de pulso na cabeceira da minha cama para ver as horas. O mostrador digital está apagado. Experimento apertar alguns botões a esmo mas não vejo reação. A bateria deve estar boa, mas por alguma razão o relógio deixou de funcionar enquanto eu dormia. Deponho o relógio sobre a escrivaninha e, com a mão direita, massageio algumas vezes o pulso esquerdo, local em que costumo manter o relógio. *O tempo não é uma questão importante neste lugar.*

Enquanto contemplo a paisagem externa, de onde os pássaros continuam ausentes, penso em como seria bom se tivesse um livro para ler. Não importa o tipo. Bastaria que tivesse forma de livro e letras impressas. Quero apenas tê-lo nas mãos, virar as páginas e ver as linhas impressas. Mas aqui não existe nenhum livro, tampouco letras impressas. Passeio mais uma vez o olhar por todo o quarto e continuo não achando nenhum material escrito.

Abro a cômoda existente no quarto e examino as roupas ali guardadas. Bem dobradas, elas se empilham dentro das gavetas. Nenhuma é nova. Estão descoradas e macias de tanto ser lavadas. Mas parecem limpas. Camisetas de gola careca e cuecas. Meias. Camisas de algodão. Calças, também de algodão. Todas do meu tamanho — embora não exatamente — e lisas. Como se tecidos estampados nunca tivessem existido no mundo. À primeira vista, todas as roupas estavam sem etiqueta. Nelas não existem letras de espécie alguma. Tiro a camiseta suada que usava até então e visto outra, cinza, que encontro dentro da gaveta. Tem cheiro de sabão e sol.

Algum tempo depois — quanto tempo, realmente? — a garota aparece. Ela bate de leve na porta e a abre sem esperar resposta. Chave é algo que parece não existir neste lugar. Ela traz outra vez uma sacola de lona ao ombro. O céu que vislumbro às costas dela já clareou por completo.

Como na noite anterior, ela vai para a cozinha e me prepara uma omelete na frigideira preta pequena. Ela despeja os ovos na frigideira untada de óleo e aquecida e, no mesmo instante, um agradável chiado me chega aos ouvidos. O aroma de ovos frescos invade o quarto. Ela assa pães numa torradeira bojuda, do tipo que se vê em filmes antigos. Assim como ontem à noite, está usando o vestido azul-claro e os cabelos puxados para trás e presos com fivelas. A pele da garota é suave, maravilhosa. Seus braços esguios que lembram porcelana brilham ao sol matinal. E, para trazer o mundo mais perto ainda da perfeição, uma pequena abelha entra no aposento pela janela escancarada. A garota leva a comida para a mesa, senta-se numa cadeira próxima e me observa enquanto como. Devoro a omelete recheada de verduras e o pão com manteiga fresca. Tomo chá de ervas. Ela não come nem bebe nada. É tudo uma repetição de ontem.

— Você tem preparado minha comida. Mas os moradores locais preparam suas próprias refeições, não é?— pergunto.

— Há os que preparam e há os que esperam alguém preparar para eles — responde a garota. — Mas de um modo geral as pessoas aqui *não comem muito*.

— Não comem muito? Como assim?

Ela acena.

— Elas só comem *às vezes*, quando sentem vontade.

— Isto significa que elas não comem tanto quanto eu neste momento?

— Você é capaz de passar um dia inteiro sem comer?

Sacudo a cabeça e nego.

— Pois aqui as pessoas conseguem ficar um dia inteiro sem comer e não se sentem mal. Na verdade, elas acabam se esquecendo de comer. Por dias, às vezes.

— Mas como eu ainda não me acostumei com este lugar, tenho de comer...

— Acho que sim — diz ela. — E por isso fui designada para preparar as refeições para você.

Olho-a de frente.

— De quanto tempo preciso para me acostumar com este lugar?

— Quanto tempo? — repete ela. Depois sacode lentamente a cabeça. — Não sei. Não é uma questão de tempo. Independe disso, e *no momento apropriado*, você perceberá que já se acostumou.

Estamos conversando à mesa. Ela tem as duas mãos pousadas sobre o tampo. As costas das mãos estão juntas e voltadas para cima. Dez dedos resolutos, reais. Diretamente à sua frente, eu observo o sutil movimento das pestanas, conto quantas vezes ela pisca. Vejo o cabelo da testa oscilar de maneira quase imperceptível. Não consigo tirar meus olhos dela.

— *No momento oportuno?*

Ela diz:

— Você não corta nem joga fora nada. Em vez de jogar fora, nós aqui absorvemos.

— Eu devo absorver.

— Isso mesmo.

— E então? — pergunto. — Quando eu absorver, o que vai acontecer?

Ela pende de leve a cabeça e pensa. Um gesto muito natural, que leva seus cabelos lisos a penderem também.

— Você se tornará você mesmo de maneira integral.

— Em outras palavras, neste momento eu ainda não sou eu mesmo de maneira integral?

— Neste momento você já é você mesmo o bastante — diz ela e, depois, pensa um pouco. — O sentido do que eu disse é um tanto diferente. Mas não consigo explicar direito.

— Eu mesmo só vou entender direito quando acontecer. É isso?

Ela move a cabeça em sinal de concordância.

Quando se torna penoso demais olhar para ela, fecho os olhos. Mas os abro logo em seguida para me certificar de que ela continua ali.

— Vocês vivem de maneira comunitária neste lugar?

Ela torna a pensar um pouco.

— Realmente, aqui todos vivem juntos e usam algumas coisas comunitariamente. Por exemplo, o chuveiro, a usina elétrica, o centro comercial... Acho que o uso destas coisas obedece a algumas regras simples. Regras cuja existência qualquer um percebe só de pensar um pouco e que não precisam de palavras para ser transmitidas. Portanto, não existe nada que eu precise lhe ensinar verbalmente a respeito de como proceder neste lugar. O mais importante é que cada um de nós esteja integrado a este local. E, enquanto assim for, não haverá nenhum problema.

— Integrado?

— Ou seja, enquanto estiver na floresta, integrar-se a ela numa coesão sem brechas. Debaixo da chuva, integrar-se à chuva em coesão sem brechas. E, diante de mim, tornar-se parte de mim. É isso. Tudo muito simples.

— E quando *você* está diante de mim, se torna parte de mim mesmo numa coesão sem brechas.

— Isso.

— E que tipo de sensação isso provoca? Isto é, o que você sente sendo completamente você mesma e ao mesmo tempo parte de mim numa coesão sem brechas?

Ela está me encarando. E leva a mão à fivela.

— Eu ser eu mesma, e ainda assim me tornar parte de você numa coesão sem brechas, é algo muito natural. Quando a gente se acostuma, é tudo muito simples. Do mesmo jeito que voar.

— Você voa?

— É apenas um exemplo — explica ela e sorri. Sorriso simples, sem significado especial ou subentendidos. Sorri por sorrir. — Você só consegue saber como é voar quando voar realmente, concorda? Pois é disso que estou falando.

— Seja como for, é algo muito natural que não precisa ser pensado, certo?

Ela acena.

— Isso mesmo. Algo totalmente natural, sereno, calmo, que não precisa ser pensado. Algo sem brechas.

— Acha que pergunto demais?

— De jeito nenhum — diz ela. — Só lamento não saber explicar melhor.

— Você tem lembranças?

Ela torna a sacudir a cabeça. E deposita outra vez as duas mãos sobre a mesa. Desta vez, as palmas estão voltadas para cima. Lança um rápido olhar na direção delas. Mas o olhar é inexpressivo.

— Não tenho lembranças. Num lugar onde o tempo não tem importância, lembranças também não têm. Naturalmente, eu me lembro da noite passada. Vim aqui e preparei um cozido com legumes para você. E você comeu tudo. Não foi? Lembro-me também um pouco de anteontem. Mas não sei direito das coisas anteriores a anteontem. As horas se integram em mim, de modo que não consigo distinguir determinada coisa de uma outra, ao lado dela.

— Lembrança não é uma questão importante neste lugar.

Ela sorri.

— Isso mesmo, lembranças não são importantes. Bibliotecas lidam com lembranças de maneira independente.

Depois que a garota se retira, vou para a janela e exponho as mãos aos raios matinais. As sombras se projetam na esquadria. O contorno dos cinco dedos é nítido. A abelha parou de voar e pousa tranquilamente na vidraça. Assim como eu, ela parece meditar seriamente.

Quando o sol se move um pouco além do pino, *ela* aparece na cabana. A Sra. Saeki adulta. Bate de leve na porta e a abre. Por instantes, não consigo distinguir direito se o que tenho diante de mim é ela ou a garota. Leves mudanças na maneira como incide a luz, ou talvez no modo como sopra o vento, parecem provocar alterações. Num momento, ela se transforma na Sra. Saeki e, no seguinte, na garota. Mas isso é impossível. Quem está diante de mim é a Sra. Saeki.

— Boa tarde — diz ela. A voz soa natural, como nos tempos em que nos cruzávamos no corredor da biblioteca. Ela veste blusa azul-marinho de manga comprida e saia da mesma cor e comprimento na altura dos joelhos. Tem uma corrente fina de prata ao pescoço e brincos de pérola nas orelhas. É o seu jeito habitual de se vestir. Os saltos batem no assoalho e produzem sons secos, sincopados, cuja característica parece não se coadunar com o ambiente.

Em pé na soleira, ela me contempla a distância. Como se tentasse avaliar se sou eu, realmente. Claro que sou. Assim como ela é ela mesma.

— Não quer entrar e tomar chá comigo?

— Obrigada — diz a Sra. Saeki. Decide-se afinal e entra no aposento.

Vou à cozinha, ligo o aquecedor elétrico e ponho a água para ferver. Enquanto isso, aproveito para normalizar a respiração. A Sra. Saeki senta-se à mesa, na mesma cadeira até há pouco ocupada pela garota.

— Parece até que estamos outra vez na biblioteca.

— Realmente — concordo. — Faltam apenas Oshima e o café.

— E livros, também — diz a Sra. Saeki.

Preparo dois chás de ervas e levo as xícaras à mesa. Sentamo-nos à mesa, um de frente para o outro. Pela janela aberta me vem o pio dos pássaros. A abelha continua dormindo sobre o vidro da janela.

A Sra. Saeki rompe o silêncio:

— Para falar com franqueza, não foi nada fácil chegar até aqui. Mas eu queria ver e falar com você de qualquer maneira.

Aceno a cabeça.

— Obrigado por ter vindo me ver.

Ela deixa o sorriso de sempre transparecer nos lábios.

— Quem deve lhe dizer isso sou eu.

O sorriso é quase idêntico ao da jovem. Tem apenas um pouco mais de profundidade. E essa diferença, mínima, agita meu coração.

Ela envolve a xícara com as duas mãos. Fixo meu olhar no brinco de pérola na orelha dela. Ela pensa em silêncio. Pensar lhe toma mais tempo que o habitual.

— Queimei todas as minhas lembranças — diz ela lentamente, escolhendo as palavras. — Elas se transformaram em fumaça e desapareceram no ar. De modo que não serei capaz de me lembrar das coisas por muito tempo. De várias coisas, de tudo. Coisas que incluem você. Aí está por que eu queria encontrá-lo o mais rápido possível e lhe falar. Enquanto ainda me lembro.

Torço o pescoço para ver a abelha. Sua sombra é um solitário ponto preto sobre a esquadria da janela.

— Antes de mais nada, deixe-me falar do que é mais importante — diz ela com voz serena. — Saia daqui antes que seja tarde. Você tem de sair daqui, cruzar a floresta e retomar sua vida anterior. No devido tempo, a entrada vai se fechar outra vez. Prometa que vai me obedecer.

Sacudo a cabeça.

— A senhora não me entendeu direito, Sra. Saeki. Não há nenhum lugar para onde eu possa retornar. Desde que nasci, não me lembro nunca de ter sido amado ou querido. Além de mim mesmo, não tenho mais ninguém com quem contar. Essa *vida anterior* de que a senhora fala não significa nada para mim.

— Ainda assim, você tem de retornar a ela.

— Mesmo que não haja nada ali para mim? Mesmo que ninguém me queira lá?

— Você está errado — diz ela. — *Eu* o quero lá.

— Mas a *senhora* não está mais lá.

Ela olha para a xícara em suas mãos.

— É verdade. Infelizmente, não estou mais lá.

— Nesse caso, para que a senhora me quer por lá?

— Há apenas uma coisa que quero de você — diz a Sra. Saeki. Depois, ergue a cabeça e mergulha o olhar no meu. — Quero que você se lembre de mim. Se você, apenas você, se lembrar de mim, não me importo que o resto do mundo me esqueça.

O silêncio cai sobre nós. Um silêncio profundo. Uma pergunta cresce em meu peito. Cresce tanto que obstrui a garganta e dificulta a respiração. Mas consigo tragá-la de algum modo e faço outra pergunta:

— Lembranças são assim tão importantes?

— Por vezes, sim — diz ela. Em seguida, fecha os olhos levemente. — Dependendo da situação, tornam-se a coisa mais importante do mundo.

— Ainda assim, a senhora queimou as suas.

— Porque perderam utilidade para mim — diz ela, juntando as mãos sobre a mesa com o dorso voltado para cima. Da mesma maneira que a garota. — Kafka, tenho um pedido a lhe fazer. *Leve o quadro com você.*

— Refere-se ao quadro da praia que pendia na parede do meu quarto, lá na biblioteca?

Ela confirma.

— Exatamente. O quadro *Kafka à beira-mar*. Quero que você o leve embora. Para qualquer lugar que você vá, não importa onde.

— Mas ele pertence a alguém, não pertence?

Ela sacode a cabeça.

— O quadro é meu. Ele me deu de presente quando foi estudar em Tóquio. Desde então, levei-o sempre comigo a todos os lugares onde fui e o fixei na parede dos meus quartos. E desde que voltei a trabalhar na biblioteca Komura, eu o devolvi àquele quarto em caráter provisório. Ao lugar de origem, entende? Na gaveta da minha escrivaninha, na biblioteca, deixei uma carta endereçada a Oshima. Nela, eu disse que legava o quadro a você, Kafka. Sobretudo porque aquele quadro era originalmente seu.

— Meu?

Ela assente.

— Pois você estava lá. E eu, a seu lado, o observava. Na praia, muitos, muitos anos atrás... A brisa soprava do mar, nuvens brancas flutuavam no céu e era sempre verão.

Fecho os olhos. Estou à beira-mar em pleno verão, recostado numa espreguiçadeira. Sou capaz de sentir a lona áspera contra a pele. Inspiro e encho os pulmões de ar marinho. Mesmo com as pálpebras cerradas, a luminosidade é cegante. Ouço o rugido das ondas. O som ora se afasta, ora se aproxima, à mercê do embate das horas. Nalgum lugar não muito distante há alguém me retratando. A seu lado e voltada para mim, senta-se uma garota usando vestido azul-claro de mangas curtas. Tem na cabeça um chapéu de palha ornado de fita branca e brinca com a areia, deixando-a escorrer por entre os dedos. Cabelos lisos, dedos longos e vigorosos. Dedos de pianista. Os braços, lustrosos como porcelana, brilham ao sol. Um sorriso natural brinca nos cantos dos lábios distendidos horizontalmente. E eu a amo. Ela também me ama.

Esta é a lembrança.

— Quero que você guarde o quadro para sempre — diz a Sra. Saeki.

Ela se ergue e vai para a janela. E olha para fora. O sol acaba de cruzar o zênite. A abelha continua adormecida. A Sra. Saeki leva a mão direita em pala aos olhos e contempla a distância. Depois, volta-se para mim.

— Está na hora de partir — diz ela.

Levanto-me e vou para perto dela. Sua orelha roça meu pescoço. Sinto a dureza do brinco. Ponho as duas mãos espalmadas contra as costas dela. E nelas tento decifrar qualquer sinal. Seu cabelo roça meu rosto. Ela me abraça com força. A ponta dos dedos dela se encravam em minhas costas. Dedos que se agarram à parede das horas. Sinto cheiro de maresia. Ouço as ondas se quebrando. Alguém me chama. Longe, muito longe.

— A senhora é minha mãe? — pergunto enfim com muito custo.

— Tenho a impressão de que você já sabe a resposta a essa pergunta — diz a Sra. Saeki.

Isso mesmo, eu já sei a resposta. Mas nenhum de nós dois consegue vocalizá-la. Transformada em palavras, a resposta perderia sentido.

— Muitos anos atrás, abandonei algo que nunca devia ter sido abandonado — diz a Sra. Saeki. — Algo que eu amava mais que tudo. Pois eu temia perdê-lo um dia. E, por isso, não tive outro recurso senão abrir mão dele voluntariamente. Melhor abandoná-lo antes que desaparecesse ou que alguém o roubasse de mim. A indignação que tomou conta de mim naquele momento nunca se aplacou. Mas foi um erro. Pois abandonei o que nunca devia ter sido abandonado.

Não digo nada.

— E você foi abandonado por quem jamais deveria tê-lo abandonado — diz a Sra. Saeki. — Kafka Tamura, você me perdoa?

— Estou acaso qualificado a perdoá-la?

Ela confirma diversas vezes de encontro ao meu ombro.

— Desde que raiva e medo não o impeçam...

— Se estou qualificado, eu a perdoo — digo.

Mãe, você diz, eu a perdoo. E então, algo que estava congelado em seu íntimo emite um pequeno ruído.

Em silêncio, a Sra. Saeki desfaz o abraço. Depois, tira o grampo que lhe prendia o cabelo e, sem hesitar, introduz a ponta aguçada no lado interno do próprio braço esquerdo. Logo, o sangue começa a escorrer do ferimento. A primeira gota atinge o chão e produz um barulho surpreendentemente alto. Em seguida, e sem nada dizer, ela estende o braço para mim. Cai mais uma gota. Eu me curvo e levo os lábios ao pequeno corte. Minha língua lambe o sangue. Fecho os olhos e aprecio o seu sabor. Encho a boca e degluto lentamente. O sangue chega ao fundo da minha garganta e é silenciosamente absorvido pela parede do meu coração ressequido. Só então dou-me conta do quanto eu ansiava por ele. Meu coração é parte de um mundo muito distante. Mas, ao mesmo tempo, meu corpo está *aqui*. Como um *ikiryou*, alma errante de um ser vivo. Tenho vontade de sugar o sangue dela, esgotá-lo por completo. Mas isso não se faz. Afasto meus lábios do seu braço e olho para ela.

— Adeus, Kafka Tamura — diz a Sra. Saeki. — Retorne ao local de onde veio e continue a viver.

— Sra. Saeki — eu digo.

— Que é?

— Não sei o que significa viver.

Ela afasta as mãos de mim. Depois, ergue o olhar e me encara. Estende a mão e seus dedos tocam meus lábios.

— Veja o quadro — diz ela com voz serena. — Veja sempre o quadro, assim como eu o fiz.

Ela se vai. Abre a porta e sai, não se volta nenhuma vez. Depois, fecha a porta atrás de si. Vou para a janela e a vejo se afastar. Ela caminha a passos rápidos e desaparece por trás de uma casa. Com a mão na esquadria da janela, continuo a olhar longamente para o ponto onde ela desapareceu. Pode ser que ela tenha se esquecido de me dizer qualquer coisa e volte atrás. Mas a Sra. Saeki não retorna. Em seu lugar, resta apenas uma reentrância — a marca da sua ausência.

A abelha acorda e, por instantes, esvoaça em torno de mim. Logo, parece lembrar-se de algo e sai pela janela. O sol continua a brilhar. Volto para a mesa e me sento numa cadeira. Na xícara dela sobre a mesa resta ainda um pouco de chá de ervas. Não toco nela, deixo-a como está. A xícara me parece uma metáfora das lembranças que logo se perderão.

Tiro a camisa que vestia e volto a usar a camiseta suada. Depois, apanho o relógio que continua parado e o afivelo no pulso esquerdo. Ponho na cabeça o boné que ganhei de Oshima com a pala voltada para trás, assim como meus óculos de sol azul-marinho. Visto a camisa de manga comprida. Vou à cozinha, encho um copo de água da torneira e o bebo de uma vez. Devolvo o copo à pia e me volto para passar o olhar por todo o aposento. Ali estão a mesa, as cadeiras. A cadeira em que a garota e a Sra. Saeki se sentaram. Uma xícara meio vazia continua sobre a mesa. Fecho os olhos e inspiro profundamente. *Você já sabe a resposta a essa pergunta*, diz a Sra. Saeki.

Abro a porta e saio. Fecho a porta. Desço os degraus da varanda. Minha sombra se projeta no chão com nitidez. Ela parece firmemente agarrada aos meus pés. O sol ainda vai alto.

Na borda da floresta, os dois soldados me aguardam recostados no tronco de uma árvore. Nada me perguntam. Ao contrário, parecem saber muito bem o que me vai na mente. Como antes, estão com as espingardas a tiracolo. O soldado alto tem um talo de grama na boca.

— A entrada continua aberta — diz ele sem tirar o talo da boca. — Ao menos estava quando fui olhar, há pouco.

— Podemos seguir na mesma velocidade de quando viemos? — pergunta o soldado robusto. — Você consegue nos acompanhar, não é?

— Consigo. Fiquem tranquilos.

— Afinal, não seria nada bom para você chegar lá e encontrar a entrada fechada — diz o mais alto.

— Porque, nesse caso, de nada lhe adiantaria ter voltado — diz o outro.

— Com certeza — digo.

— Está certo de que quer ir-se embora daqui? — pergunta o mais alto.

— Estou.

— Então vamos em frente.

— E é bom não olhar para trás — diz o soldado robusto.

— É bom mesmo — diz o alto.

E assim cruzamos outra vez a floresta.

Mas enquanto galgávamos a encosta, acabo me voltando rapidamente uma única vez. Embora os soldados tivessem me aconselhado a não fazê-lo, não pude evitar. Estávamos passando pelo último ponto do qual se podia descortinar o povoado. Uma vez ultrapassado esse ponto, a muralha de árvores formaria um obstáculo e aquele mundo desapareceria para sempre de minha vista.

As ruas continuam desertas. O rio de águas límpidas cruza o vale, as pequenas construções se erguem à beira do caminho e postes lançam sombras negras sobre o pavimento. Imobilizo-me momentaneamente. Sinto que tenho de voltar para lá a qualquer custo. Vou ficar por ali ao menos até o fim da tarde. Quando a tarde cair, a garota virá de novo ao meu quarto trazendo consigo o saco de lona. *Toda vez que eu precisar, ela sempre estará ali.* Um bolo quente se avoluma em meu peito e uma força poderosa me puxa para trás. Os pés pesam como se houvesse chumbo neles, não consigo movê-los. Se eu for além deste ponto, nunca mais vou vê-la. Eu paro. Perco de vista o passo das horas. Tento chamar os soldados que vão à minha frente. Quero dizer-lhes que não vou mais embora, que vou ficar aqui. Mas perdi a voz. As palavras estão mortas.

Neste momento, estou preso entre dois vácuos. Não consigo discernir o certo do errado. Não sei sequer o que eu quero. Sozinho, estou em pé no meio de uma violenta tempestade de areia. Não consigo ver as extremidades dos meus braços estendidos. Não sou capaz de ir para lado algum. Fina como osso moído, a areia me envolve da cabeça aos pés. Mas vinda não sei de onde, a voz da Sra. Saeki me alcança. "Mesmo assim, você tem de voltar ao seu mundo", diz ela de maneira categórica. "Porque *eu quero que você esteja lá.*"

O encanto se quebra. Estou inteiro outra vez. Quente, o sangue volta a fluir em mim. É o sangue que ela me doou, o último dela. No momento seguinte dou-me conta de que estou outra vez voltado para a frente e andando no encalço dos soldados. Dobro um ângulo e o pequeno mundo perdido no meio da montanha desaparece, engolfado por dobras de sonho. Depois disso, concentro-me unicamente na tarefa de cruzar a floresta. De não perder o caminho de vista. De não me desgarrar da senda. Isso é o que importa.

A entrada continua aberta. Resta ainda um tempo até o cair da noite. Agradeço aos dois soldados. Eles arriam o rifle dos ombros e se acomodam sobre a pedra plana, na posição em que os encontrei inicialmente. O soldado alto introduz um talo de grama na boca. Nenhum dos dois está ofegante.

— Não se esqueça do que eu lhe ensinei a respeito do uso da baioneta — diz o mais alto. — Quando trespassar com ela o ventre do adversário, tem de torcê-la para o lado e romper as tripas dele. Se não fizer isso, *ele* o fará em *você.* Assim é o mundo aí fora.

— Mas isso não é tudo — diz o soldado robusto.

— Claro — diz o alto. Depois, pigarreia. — Só estou falando da face sombria do mundo.

— Além do mais, é muito difícil discernir o certo do errado — diz o robusto.

— Mas isso tem de ser feito — diz o outro.

— Provavelmente — diz o robusto.

— Mais uma coisa — diz o alto. — Depois que passar deste ponto, você não deve olhar para trás nenhuma vez até chegar ao seu destino.

— Isso é muito importante, ouviu? — diz o soldado robusto.

— Há pouco, você se safou por um triz. Mas a próxima vez será definitiva. Você não deve olhar para trás até chegar ao seu destino.

— De maneira alguma — completa o robusto.

— Entendi — eu digo.

Agradeço mais uma vez e me despeço dos dois:

— Adeus!

Os dois se erguem, batem os calcanhares e prestam continência. Nunca mais os verei. Sei disso. Eles também. E assim nos despedimos.

Não me lembro direito de que maneira encontrei o caminho de volta à cabana de Oshima depois que me separei dos soldados. Tenho a impressão de que pensava em outras coisas enquanto atravessava a densa floresta. Mas não me perdi. Lembro-me vagamente de ter visto a mochila de náilon que abandonei na ida e de tê-la apanhado quase automaticamente. Fiz o mesmo com a bússola, a machadinha, o spray. Lembro-me também do momento em que surgiram as primeiras manchas amarelas nos troncos das árvores marcadas na ida. Pareciam pó saído das asas de gigantescas mariposas.

Em pé na clareira da cabana, ergo o olhar para o céu. De repente, dou-me conta de que sons translúcidos da natureza preenchem o espaço em torno de mim. Gorjeio de pássaros, murmúrio do regato, farfalhar do vento nas árvores — sons singelos, todos eles. Sinto como se alguém tivesse removido rolhas de meus ouvidos, pois os sons me chegam de maneira tão vívida e íntima que quase perco a respiração. Estão mesclados uns nos outros, mas, ainda assim, posso discernir perfeitamente cada um deles. Olho para o relógio no pulso esquerdo. Ele voltou a funcionar. Números digitais emergem na superfície esverdeada e se alteram de tempos em tempos metodicamente. Hora atual: 16h16.

Entro na cabana e me jogo na cama completamente vestido. Depois de cruzar a floresta, o corpo demanda repouso de maneira desesperada. Deitado de costas, fecho os olhos. Uma abelha repousa no vidro da janela. Os dois braços da garota brilham como porcelana à luz matinal. *"Por exemplo"*, diz ela.

— Veja o quadro — diz a Sra. Saeki. — Da mesma maneira que eu o fiz.

A areia branca do tempo escorre entre os dedos da garota. Pequenas ondas se quebram na areia da praia. Elas se erguem, quebram e desabam. Erguem, quebram e desabam. E um corredor sombrio traga minha consciência.

Capítulo 48

— Essa não! — repetiu o rapaz.

— Essa não por quê, Hoshino, meu chapa? — disse o gato pachorrento, arrastando a voz. Tinha cabeça grande e parecia muito velho. — Afinal você estava morrendo de tédio, não estava? Chegou ao cúmulo de conversar o dia inteiro com uma pedra!

— Como é que você consegue falar a língua dos humanos?

— E quem disse que falo?

— Não estou entendendo nada. Explique-me então como é que nós, um gato e um ser humano, estamos nos comunicando.

— É que estamos na beira do mundo usando uma língua comum. Só isso.

O rapaz pensou seriamente no assunto.

— Beira do mundo? Língua comum?

— Se não entendeu, paciência. Não vou explicar porque essa história vai ficar comprida demais — disse o gato, dando algumas rápidas rabadas em aparente tentativa de espantar a preguiça.

— Você não é o Coronel Sanders, é? — perguntou o rapaz.

— Coronel Sanders? — perguntou o gato mau-humorado. — Não conheço esse sujeito. Eu sou eu e mais ninguém. Um gato comum de cidade.

— Tem nome?

— Nome eu tenho.

— Diga-me então como se chama.

— Toro.

— Toro? Que nem o atum especial de sushis?

— Exato — disse o gato. — Para dizer a verdade, pertenço a uma casa de sushis das proximidades. Eles lá têm um cachorro também, que por sinal se chama Tekka.

— E você, Toro, sabe o meu nome por quê?

— Hoshino, meu chapa, você é muito famoso — disse o gato preto Toro. Depois, exibiu um rápido sorriso malandro. Era a primeira

547

vez que o rapaz via um gato rir. Mas o sorriso logo desapareceu e a cara tornou a ficar séria.

Ele disse:

— Gatos sabem tudo. Que Nakata morreu ontem, e que você tem aí uma pedra muito importante. Das coisas que acontecem nestas redondezas não há nada que eu não saiba. Já vivi muito, sabe?

— Seei... — disse o rapaz com uma ponta de admiração na voz. — Mas por que não entra? Lá dentro é mais confortável que a varanda.

Deitado no parapeito, o gato sacudiu a cabeça:

— Eu estou muito bem. Fico inquieto quando me vejo fechado num quarto. E, depois, a tarde está gostosa. Vamos continuar por aqui mesmo.

— Pois para mim tanto faz — disse o rapaz. — Como é: está com fome? Acho que tenho alguma coisa para você.

O gato sacudiu a cabeça.

— Não estou fazendo pouco do que você tem, mas é que não sou um gato morto de fome, entendeu? Comida é o que não me falta. Pelo contrário, estou tendo dificuldade em diminuir a quantidade do que como. Ser criado numa casa de sushis traz uma desvantagem: você acaba ficando com o colesterol alto. Além disso, peso demais dificulta o acesso a lugares altos.

— Mas vem cá, Toro: você veio até aqui por alguma razão especial?

— Pois é — disse o gato. — Achei que você estava em apuros porque o Nakata se foi e o deixou aí sozinho, e também porque tem de lidar com essa pedra estrambótica.

— Põe apuros nisso, homem! Estou num mato sem cachorro.

— De modo que pensei em lhe dar uma mãozinha.

— Se você puder, eu lhe ficarei muito, mas realmente *muito* grato — disse o rapaz. — Estou me agarrando a qualquer palha.

— O xis da questão é a pedra — disse Toro. Sacudiu rapidamente a cabeça para espantar uma mosca importuna. — Se você devolver a pedra à condição original, sua missão estará cumprida. Pode ir-se embora para onde bem entender. É assim, não é?

— Assim mesmo. Uma vez fechada a pedra de entrada, a história chega ao fim. Como dizia Nakata, o que foi aberto tem de ser fechado. É a regra.

— Nesse caso, deixe-me dizer-lhe o que deve fazer.

— E você sabe o que eu devo fazer? — perguntou o rapaz.

— Claro que sei! — respondeu o gato. — Não acabei de dizer que gatos sabem tudo? Somos muito diferentes dos cães.

— E então? Que devo fazer?

— Mate! — disse o gato seriamente.

— Matar?

— Isso mesmo, Hoshino. Mate!

— Matar quem?

— Você saberá assim que vir — disse o gato preto. — Antes de ver não terá sequer ideia do que possa ser, já que a coisa não tem forma certa. Muda de acordo com a ocasião, entendeu?

— É uma pessoa?

— Pessoa não é. Disso ao menos tenho certeza.

— Que jeito tem, então?

— Como vou saber? — disse Toro. — Não acabei de dizer há pouco que precisa ver para saber e que, sem ver, nem ideia poderá ter do que possa ser? Fui bastante claro!

Hoshino suspirou.

— E qual é a real identidade dessa coisa?

— Você não precisa saber — disse o gato. — É difícil explicar, ou melhor, é preferível que você não saiba. Seja como for, essa coisa está quieta agora. Está num lugar escuro e respira furtivamente, apenas observando a situação em torno. Mas a coisa não pode ficar assim indefinidamente. Quando a noite cair, ela vai aparecer. Ainda hoje, se não me engano. E vai com toda certeza cruzar a sua frente. Esse será o momento azado.

— Momento *azado*?

— O momento oportuno, a chance de ouro — explicou o gato preto. — Você vai estar à espera da coisa e vai matá-la. Será o fim da história. Depois, você poderá ir para onde bem entender.

— Matar essa coisa não vai me criar problemas com a lei, vai?

— Não entendo muito de leis — disse o gato. — Afinal, sou um gato, sacou? Mas uma vez que a coisa não é um ser humano, acho que a lei não tem nada a ver com isso. Seja como for, essa coisa tem de ser eliminada. Até um gato comum de cidade como eu sabe disso.

— Mas de que jeito vou matá-la? Afinal, não sei nem o aspecto nem o tamanho dessa coisa! De que jeito vou planejar sua morte, diz para mim?

— Você pode usar qualquer tipo de instrumento. Pode bater nela com um martelo, espetar com uma faca. Enforcar. Queimar. Morder. Use o método que mais lhe agradar. O essencial é liquidar a coisa de maneira definitiva, com firme preconceito. Você esteve nas Forças de Autodefesa, não esteve? Não usou o dinheiro do povo para aprender a atirar? Não aprendeu a afiar baionetas? Com os diabos, você é um soldado! Pense sozinho num meio de matar, ora.

— Eu aprendi táticas de guerra comuns nas FAD — argumentou o rapaz um tanto desanimado. — Não fui treinado para tocaiar e matar a marteladas uma coisa que nem é humana, cujo tamanho e forma desconheço, além de tudo.

— A coisa vai tentar passar pela *entrada* — disse Toro ignorando por completo os argumentos do rapaz. — E seja lá de que jeito for, você tem de impedi-la. Isso é o mais importante. Entendeu direito? Não deixe escapar esta chance porque não haverá outra.

— Esta é a chance de ouro.

— Exatamente — disse o gato. — Dizer que é *de ouro* é apenas força de expressão, mas por aí você tem ideia de quão valiosa ela é.

— Mas vem cá, Toro: essa coisa por acaso não é perigosa? — perguntou Hoshino temerosamente. — Vai que eu tento matá-la e ela me mata em vez disso...

— Tenho a impressão de que a coisa não é tão perigosa enquanto estiver em trânsito — respondeu o gato. — Ela vai se tornar perigosa quando parar de transitar. Extremamente perigosa. É por isso que você tem de pegá-la enquanto está se locomovendo e lhe dar o golpe de misericórdia.

— Você *tem a impressão*? — reclamou Hoshino.

O gato preto não se dignou a responder. Apertou os olhos, espreguiçou-se em cima do parapeito e se ergueu lentamente.

— Hoshino, meu chapa, até a vista, então. Não deixe a coisa escapar, ouviu? Se não a matar, seu amigo Nakata não descansará em paz. Você gostava dele, não gostava?

— Claro. Ele era um bom homem.

— Então trate de liquidar essa coisa. De maneira definitiva e com firme preconceito. Era isso que seu amigo queria. Faça-o por Nakata. Tem de assumir a função dele. Você veio levando a vida na flauta até este dia, evitando assumir responsabilidades, não é mesmo? Pois a hora do acerto de contas chegou. Não faça asneiras. Estarei torcendo por você.

— Saber disso me dá coragem. Obrigado — disse o rapaz. — Ei, espere um pouco, Acabo de pensar numa coisa.

— Que é?

— Será que a pedra da entrada continua aberta só para atrair essa coisa?

— Pode ser que sim — disse o gato com aparente desinteresse. — Opa, esqueci de lhe dar uma última informação. A coisa só se move à noite. Tenho a impressão de que ela vai começar a se locomover no meio da noite. De modo que é melhor você dormir bem durante o dia. Caso contrário, pode cair no sono no meio da vigília e deixar a coisa escapar, o que seria um enorme desastre.

Do parapeito, Toro saltou para o telhado vizinho com surpreendente agilidade, empinou o rabo e se foi. O rapaz o observou da varanda até vê-lo desaparecer. O gato não se voltou nenhuma vez.

— Caramba... — murmurou o rapaz. — Em que bela enrascada fui me meter!

Quando o gato sumiu de vista, o rapaz foi para a cozinha e procurou objetos que pudessem servir de arma. Achou uma faca fina e pontiaguda de sashimi e outra mais pesada, cujo formato lembrava uma machadinha. Os apetrechos de cozinha eram poucos e adequados ao preparo de pratos leves, mas, estranhamente, a quantidade de facas era grande e variada. Além delas, Hoshino achou também um martelo pesado e grande, uma corda de náilon comprida e um picador de gelo.

— Nesta hora, um rifle automático vinha a calhar — pensou Hoshino ainda vasculhando a cozinha. Ele aprendera a manejar a arma nos tempos em que servira nas FAD e sempre se saíra bem no tiro ao alvo. Mas — claro — não encontrou nenhum rifle automático na cozinha. Além do mais, um tiro de rifle naquele bairro silencioso causaria uma confusão infernal.

Hoshino depôs sobre a mesa da sala de estar as duas facas, o picador de gelo, o martelo e a corda de náilon, assim como uma lanterna elétrica. Depois, sentou-se ao lado da pedra e se pôs a acariciá-la.

— Ora essa! — disse Hoshino para a pedra. — É totalmente maluca a história de usar martelo e facas para lutar contra uma *coisa que não se sabe o que é*... E vou fazer tudo isso assessorado por um gato qualquer da vizinhança! Ponha-se no meu lugar e pense!

Mas a pedra não se manifestou.

— *Tenho a impressão de que essa coisa não é perigosa*, disse o gato Toro. Mas, veja bem, ele disse "tenho a impressão". De uma maneira irresponsável e otimista, ele *espera* que assim seja. E que faço se ele se enganou completamente e me salta um monstro do tipo *Jurassic Park* diante de mim? Será o fim do coitado do Hoshino!

Silêncio.

Hoshino apanhou o martelo e o sacudiu no ar algumas vezes.

— Pensando bem, todos os acontecimentos estão interligados. Acho que este final estava previsto desde o instante em que dei carona para o Nakata no estacionamento do posto Fujigawa. O único que nada sabia era o coitadinho do Hoshino. Que coisa estranha é o destino — murmurou o rapaz. — Você concorda comigo, não concorda?

Silêncio total.

— Mas que se há de fazer? Eu mesmo escolhi esse caminho e tenho de segui-lo até o seu amargo fim. Não sei que raios de bicho asqueroso vou ter de enfrentar, mas o fato é que preciso dar tudo de mim. Minha vida foi curta, mas de vez em quando tive alguns momentos de prazer. E de pura diversão também. De acordo com Toro, o gato preto, esta é uma chance de ouro. Este pode ser um bom momento para o Hoshino partir gloriosamente desta para outra melhor. Por Nakata.

A pedra continuava em silêncio.

Hoshino obedeceu à risca a instrução do gato: tirou uma soneca no sofá da sala e se preparou para a longa vigília que se seguiria. Achou um tanto ridículo fazer a sesta só porque um gato mandara, mas se deitou assim mesmo e conseguiu dormir profundamente durante uma hora inteira. Quando a tarde caiu, foi para a cozinha, descongelou uma porção de camarão ao curry, despejou o cozido sobre arroz quente e jantou. E, quando a noite chegou, sentou-se ao lado da pedra e posicionou as facas e o martelo ao alcance da mão.

Hoshino manteve um pequeno abajur aceso sobre a mesa e apagou as demais luzes. Achou que seria melhor assim. Se a coisa só se movia à noite, era conveniente deixar o ambiente escuro na medida do possível. Quero acabar com isso o mais rápido possível, pensou o rapaz. Venha, apareça, vamos pôr fim a esta história de uma vez por todas. Depois disso, quero ir embora para o meu apartamento em Nagoya e ligar para uma menina.

Ele tinha parado de falar com a pedra e, vez por outra, olhava para o relógio. Quando se sentia entediado, apanhava o martelo e as facas e os sacudia no ar. Se alguma coisa fosse realmente acontecer, seria no meio da noite, calculou o rapaz. Mas, caso acontecesse antes, ele tinha de estar preparado. Chance de ouro. Não podia tratá-la com displicência. Quando a impaciência crescia, mastigava bolachas salgadas e tomava goles de água mineral.

— Pedra! — chamou Hoshino num sussurro a certa altura. — É meia-noite, finalmente. Hora das assombrações. A hora da verdade. Daqui para a frente, nós dois vamos observar firmemente tudo o que acontecer.

Hoshino tocou a pedra com uma das mãos. Ela lhe pareceu um pouco mais quente. Talvez fosse apenas impressão. O rapaz acariciou diversas vezes a superfície da pedra para ganhar ânimo.

— Você está comigo, não está? Neste momento, preciso do seu apoio moral, entendeu?

Passava um pouco das três da madrugada quando o rapaz ouviu um leve farfalhar partindo do quarto em que jazia o companheiro morto. Alguma coisa parecia rastejar sobre o tatame. Mas naquele quarto não havia tatames. O piso era acarpetado. O rapaz ergueu a cabeça e apurou os ouvidos. Não estava enganado: algo indefinível acontecia naquele aposento. Hoshino sentiu o coração bater forte. Prendeu o martelo no cinto da calça, empunhou a faca de sashimi na mão direita, a lanterna elétrica na esquerda, e se levantou.

— Chegou a hora — disse para ninguém em particular.

Pé ante pé, o rapaz foi até a porta do quarto e a abriu devagar. Acendeu então a lanterna e num rápido movimento lançou o facho de luz sobre o cadáver do amigo. O som partia dali, não havia dúvida. A luz destacou alguma coisa branca e comprida que, contorcendo-se, saía da boca de Nakata. Lembrava um pepino, mas era tão grosso quanto o braço de um homem robusto. Hoshino não conseguia calcular o comprimento total da coisa naquele momento, mas lhe pareceu que ela já estava com a metade do corpo para fora. Branca e brilhante, gelatinosa e visguenta. A boca de Nakata se escancarava como a de uma cobra para dar passagem ao estranho ser. Era quase certo que a coisa deslocara a mandíbula do cadáver para poder sair.

Hoshino deglutiu ruidosamente. A mão que empunhava a lanterna tremia de leve e agitava o foco de luz. Caramba, como é que eu mato essa coisa?, pensou o rapaz. Ela não tinha pernas nem braços, tampouco nariz ou olhos. Agarrar essa coisa escorregadia ia ser complicado. Como acabar com ela? E, antes de mais nada, que espécie de criatura era aquela?

Será que ela vivera o tempo todo no organismo de Nakata à maneira de um verme? Talvez fosse algo assim como a alma de Nakata... Não, isso era impossível! O rapaz teve certeza disso de maneira instintiva. Não havia possibilidade alguma de que algo tão nojento tivesse vivido dentro de Nakata. Esta coisa viera de algum lugar, passara por dentro de Nakata e tentava agora cruzar a entrada. Viera quando bem entendera e apenas usara Nakata como um corredor de acesso. Mas meu amigo não pode ser usado dessa maneira! Aqui está mais um motivo para eu liquidar essa coisa. *De maneira definitiva, e com firme preconceito.*

Juntando coragem, Hoshino se aproximou de Nakata e espetou a faca de sashimi no lugar onde julgou estar a cabeça da coisa branca. Tirou a faca e tornou a espetar. Repetiu o gesto diversas vezes, mas quase não sentiu resistência. A faca parecia trespassar um legume macio. Aparentemente, não havia carne nem ossos sob a superfície branca e gosmenta. Nem órgãos nem cérebro. Toda vez que extraía a faca, a gosma se juntava no ferimento e se encarregava de fechá-lo. Dali não escorria nem sangue nem líquido. Esta coisa é insensível, pensou o rapaz. Por mais que a cortasse, ela continuaria imperturbável sua tarefa de rastejar para fora da boca do cadáver.

Hoshino jogou no chão a faca de sashimi, foi à sala de estar e, apanhando de sobre a mesa a faca grande que parecia uma machadinha, retornou ao quarto e com ela golpeou a coisa branca com toda a força. O golpe serviu para abrir uma nítida brecha na altura da cabeça. Conforme imaginara, não havia nada por dentro, apenas gosma esbranquiçada semelhante à cobertura externa. Hoshino tornou a golpear seguidas vezes e conseguiu separar a cabeça do resto do corpo. O pedaço decepado continuou a se contorcer sobre o piso como uma lesma, mas logo parou de se mexer, dando a perceber que morrera. Mas nem assim, o rapaz conseguiu deter o progresso do restante da coisa. A matéria gosmenta logo fechou o corte e completou o pedaço que faltava. Em seguida, a estranha criatura continuou sua progressão como se nada tivesse acontecido.

Logo, a coisa branca emergiu da boca de Nakata por inteiro. Media quase um metro de comprimento e possuía um rabo na extremidade. Agora, era possível saber com certeza onde ficava a cabeça. O rabo era curto e grosso, como o de uma salamandra. A ponta afinava repentinamente. Não tinha patas, olhos, boca ou nariz. Contudo, o rapaz teve logo uma certeza: a coisa possuía vontade própria. *Ela é pura vontade*, deduziu Hoshino. Não precisou recorrer à lógica para saber disso. Por algum motivo que desconhecia, ela assumira essa forma só para poder se locomover. Hoshino sentiu um calafrio percorrer-lhe a espinha. Tinha de abatê-la a qualquer custo.

Experimentou então usar o martelo, mas não obteve sucesso. As áreas atingidas pela cabeça do martelo formavam depressões, as quais no entanto eram logo preenchidas pelo material viscoso e mole e voltavam à forma original. Hoshino pegou a mesinha da sala e, segurando-a por duas pernas, golpeou a coisa com as outras duas. Por mais força que empregasse, contudo, não conseguiu deter a coisa que, retorcendo-se como uma cobra desajeitada, avançava de maneira lenta mas firme rumo à pedra da entrada na sala contígua.

Esta coisa não se parece com nenhum outro ser vivo, pensou o rapaz. Nenhuma arma parece capaz de acabar com ela. Não possui coração que eu possa trespassar, nem pescoço que me permita estrangulá-la. Como vou exterminar esta coisa, então? Seja lá como for, não posso permitir que ela passe pela entrada. Ela é nociva. O gato preto Toro já dissera: "Basta ver e você saberá." Exatamente. Bastou ver para saber. Esta coisa não pode continuar viva.

Hoshino foi à sala e procurou alguma coisa que pudesse servir de arma, mas nada encontrou. Foi então que se deu conta da pedra a seus pés. A pedra da entrada. Talvez ele pudesse usá-la para amassar a coisa. Na penumbra reinante, a pedra lhe pareceu mais rosada que sempre. O rapaz se curvou e experimentou erguê-la. Ela agora pesava muito, não se moveu um milímetro sequer.

— Olá! Você agora se transformou na "pedra da entrada" — disse o rapaz. — Isto significa que, se eu fechar você antes que aquela coisa chegue aqui, ela jamais poderá entrar.

O rapaz juntou toda a força de que dispunha e tentou erguê-la. Mas a pedra não cedeu.

— Não dá — disse o rapaz para a pedra, arfando ruidosamente. — Você parece ainda mais pesada do que da outra vez. Desse jeito, vou acabar perdendo minhas bolas — reclamou.

Às suas costas, Hoshino ouviu o som rascante se aproximando com firmeza. Não restava muito tempo.

— Vou tentar mais uma vez — disse o rapaz. Pôs as mãos sobre a pedra. Inspirou profundamente, encheu os pulmões de ar e reteve a respiração. Concentrou toda a sua atenção e juntou as duas mãos num dos lados da pedra. Se eu não conseguir agora, não vou ter outra oportunidade! É agora ou nunca, disse ele para si mesmo em voz alta. O movimento tem de ser decisivo. *Vai, Hoshino*, vai com tudo, nem que tenha de morrer! Soltou um rugido e tentou erguer a pedra. Ela cedeu um pouco. O rapaz aplicou o resto da força que lhe restava e procurou desgrudá-la do chão.

Sentiu um clarão branco encher-lhe a cabeça e os músculos dos seus dois braços se esfrangalhando. Àquela altura, suas preciosas bolas deviam estar rolando pelo chão. Mas nem assim soltou a pedra. Pensou em Nakata, que dera a vida para abrir e fechar a pedra. Tinha de fazê--lo por Nakata. Assumir essa responsabilidade, dissera o gato Toro. Os músculos do corpo inteiro exigiam mais sangue e os pulmões demandavam um novo suprimento de oxigênio para produzir esse sangue. Mas ele não conseguia inspirar. Percebeu que a morte se avizinhava, inexorável. Diante dele, o abismo do nada abria a enorme boca. Hoshino juntou mais uma vez toda a força que foi capaz de produzir e puxou a pedra para si. Ela se ergueu mal e mal, virou do avesso e tombou em seguida com um enorme estrondo. O piso vibrou com o impacto. A porta de vidro retiniu. O peso era indescritível. O rapaz caiu sentado e respirou ruidosamente.

— Belo trabalho, Hoshino — parabenizou-se ele momentos depois.

Uma vez fechada a entrada, a tarefa de dar cabo da criatura esbranquiçada se tornou mais fácil do que imaginara. Ela já não tinha para onde ir. A coisa também sabia disso e, deixando de avançar, começou a andar a esmo pela sala em busca de um lugar para se esconder. Talvez estivesse tentando retornar para dentro de Nakata, mas já não lhe restavam forças para tanto. O rapaz a perseguiu agilmente e, golpeando com o facão que lembrava uma machadinha, retalhou-a em diversos pedaços. Depois, cortou cada um deles em pedaços ainda menores. Os diversos nacos brancos se retorceram no chão por algum tempo, mas logo perderam a força e se imobilizaram. Depois, transformaram-se em bolotas duras e morreram. O carpete brilhava, coberto de gosma branca. Hoshino juntou os nacos mortos com uma pá, jogou-os num saco de lixo, fechou-o firmemente com um barbante e meteu tudo em outro saco. Amarrou com firmeza a boca do novo saco e, por fim, pôs tudo dentro de um saco de pano grosso que encontrou no armário.

Quando acabou de fazer tudo isso, o rapaz sentiu que as forças o abandonavam e, arfando violentamente, se acocorou no chão. Suas mãos tremiam. Quis dizer alguma coisa em voz alta, mas a voz lhe falhou.

— Muito bem, Hoshino, fez um excelente trabalho — disse para si mesmo passados instantes.

Com todo o barulho que fizera enquanto golpeava a criatura branca e virava a pedra, os moradores do prédio podiam ter acordado e chamado a polícia, afligiu-se o rapaz. Felizmente, porém, nada aconteceu. Não ouviu sirenes se aproximando, nem ninguém lhe bateu à porta. Não queria pensar no que poderia acontecer caso a polícia entrasse pela porta no meio daquela confusão.

Hoshino sabia que as partes da coisa branca metidas no saco de lixo não reviveriam. A coisa não tinha mais para onde ir. Mas todo cuidado era pouco: quando amanhecesse, iria para qualquer praia nas proximidades e tocaria fogo em tudo. Transformaria os pedaços em cinzas. Feito isso, voltaria a Nagoya.

Já eram quase quatro da madrugada. Logo amanheceria. Hora de ir embora. O rapaz guardou suas roupas na maleta de mão. Guardou também o boné dos Dragões Chunichi e os óculos verdes na maleta. Não tinha intenção alguma de ser pego pela polícia no último momento. Apanhou também uma lata de óleo de cozinha para usar como combustível. Lembrou-se de guardar na maleta o CD do "Trio Arquiduque". Por último, foi ao quarto em que jazia Nakata. O ar-condicionado continuava a trabalhar na graduação máxima e o quarto estava um gelo.

— Ei, Nakata, vou-me embora, ouviu? — disse o rapaz. — Infelizmente, não posso ficar para sempre nesta casa. Quando chegar à estação, ligo para a polícia e peço providências para a remoção do seu corpo. Os bondosos policiais se encarregarão do resto. Sei que nunca mais vou vê-lo, mas jamais o esquecerei. Aliás, mesmo que tente, não vou conseguir.

O ar-condicionado emitiu um ruído seco e parou de funcionar.

— Sabe de uma coisa, tio? — continuou o rapaz. — Acho que daqui para a frente, toda vez que me acontecer alguma coisa, vou me perguntar: O que é que o Nakata diria nesta situação? O que é que ele faria? E isso é importante porque, em outras palavras, significa que uma parte sua vai continuar a viver em mim, entendeu? Bem... pode ser que o vasilhame não seja lá essas coisas, mas melhor que não haver nenhum, concorda?

Mas ele falava para uma casca. A parte mais importante de Nakata tinha-se ido há muito para um outro lugar. O rapaz sabia disso muito bem.

— E quanto a você, pedra — disse ele, alisando a superfície daquilo que se tinha transformado numa pedra comum. Gelada e áspera.

— Já me vou, ouviu? Volto a Nagoya. Tenho de deixar você, assim como o meu querido amigo Nakata, aos cuidados da polícia. Eu preferia levá-la de volta ao santuário em que a achei, mas não sei mais onde ele fica porque minha memória não é das melhores. Sei que isso não está certo, mas terá de me perdoar. Não me amaldiçoe. Tudo que fiz foi a pedido do Coronel Sanders. De modo que, se você tem de lançar uma praga, lance-a sobre ele, ouviu? Foi bom conhecer você. E nunca a esquecerei também.

Depois disso, o rapaz calçou seu tênis Nike de solado grosso e saiu do apartamento. Não trancou a porta com chave. Na mão direita levava a maleta e, na esquerda, o saco contendo os restos mortais da *coisa branca*.

— É hora de acender uma fogueira — disse Hoshino, erguendo o olhar para o céu a leste, por onde o dia já começava a raiar.

Capítulo 49

Pouco depois das nove da manhã seguinte, ouço o ruído de um carro se aproximando e vou para fora. Logo, surge uma picape de rodas enormes e chassi alto. É um Datsun 4x4 que parece não ter sido lavado há pelo menos meio ano. Empilhadas na caçamba, duas pranchas de surfe longas e bastante usadas. O veículo estaciona diante da cabana. Uma vez desligado o motor e restaurado o silêncio ao redor, a porta se abre e um homem alto desce da boleia. Usa camiseta folgada, bermuda cáqui, tênis de calcanhar pisado. A camiseta manchada de óleo estampa as palavras: NO FEAR. Tem cerca de 30 anos. Ombros largos, corpo uniformemente queimado de sol e barba de três dias. Cabelo cobrindo as orelhas. Deduzo que ele é o irmão mais velho de Oshima, aquele que possui uma loja para surfistas em Kochi.

— Oi! — diz ele.

— Bom dia! — respondo.

Na varanda, ele me estende a mão e eu a aperto. A mão dele é grande, poderosa. Minha dedução se revela correta. Ele é realmente o irmão mais velho de Oshima e diz que todos o chamam de Sada. Fala de maneira pausada, escolhendo as palavras. Nada o faz se apressar. Parece que dispõe de todo o tempo do mundo.

— Recebi um telefonema lá de Takamatsu dizendo que era para eu vir aqui pegar você e levá-lo de volta — diz ele. — Tenho a impressão de que surgiu um problema urgente por lá.

— Urgente?

— Isso. Mas não sei do que se trata.

— Com tudo isso, acabei lhe dando trabalho. Desculpe.

— Ora, não se desculpe — diz ele. — E então? Pronto para partir?

— Dê-me cinco minutos.

Enquanto junto minhas coisas e as guardo na mochila, Sada assobia e me ajuda a fechar a cabana. Tranca a janela, puxa a cortina, checa o registro do gás, junta a comida que restou e lava rapidamente a pia. Cada um de seus gestos dá a entender que ele considera a cabana uma extensão do próprio corpo.

— Parece que meu irmão gosta muito de você — diz Sada. — Ele não é do tipo que se simpatiza com qualquer um. Tem gênio difícil.

— Ele tem sido muito bondoso comigo.

Sada acena e dá sua opinião de maneira sucinta:

— Ele sabe ser bondoso quando quer.

Sento-me no banco do passageiro e ponho a mochila a meus pés. Sada liga o motor, engata a primeira, põe a cabeça para fora da janela, torna a examinar a cabana cuidadosamente com um último olhar vagaroso e, só então, pisa no acelerador.

— Esta cabana é um dos poucos interesses que meu irmão e eu partilhamos — diz Sada, manipulando a direção com habilidade na descida da serra. — Quando nos dá na veneta, costumamos vir para cá sozinhos passar alguns dias.

Por instantes, ele parece considerar o que acaba de dizer, mas logo continua:

— Este lugar sempre foi muito importante para nós dois. Aliás, continua sendo. Isto aqui nos transmite uma espécie de energia serena. Entende o que eu digo?

— Acho que sim.

— Meu irmão também achou que você entenderia — diz Sada. — E aqueles que não entendem jamais o farão.

O pano descorado que recobre o assento está cheio de pelo de cão branco. Há em tudo um cheiro de cachorro misturado ao de maresia e de parafina para pranchas. E de cigarro. A lingueta do ar-condicionado está quebrada. O cinzeiro está lotado de pontas de cigarro. Fitas cassete atulham o compartimento lateral da porta.

— Entrei algumas vezes na floresta.

— Bem fundo?

— Sim — respondo. — Oshima tinha me dito para não fazer isso, mas...

— Mas você foi.

— Sim — torno a dizer.

— Certa vez, eu também me enchi de coragem e me meti lá dentro. Acho que foi há cerca de dez anos.

Ele se cala por instantes concentrando a atenção nas mãos pousadas na direção do veículo. Uma curva se estende, interminável. Os pneus grossos jogam pedregulhos para o fundo do precipício. Vez ou outra, vemos corvos pousados na beira da estrada. Em vez de fugirem, eles nos observam fixamente enquanto passamos, como se fôssemos um objeto curioso.

— Viu os soldados? — diz Sada de modo tão casual como se perguntasse as horas.

— Você se refere àquela dupla?

— Exato — diz Sada. Depois, lança um olhar de esguelha para mim. — Quer dizer que você foi até lá realmente.

— Fui — eu digo.

Ele controla a direção com a mão direita e permanece calado por um bom tempo. Não comenta coisa alguma. E mantém a fisionomia impassível.

— Sada...

— Hum?

— Que foi que você fez há dez anos, quando encontrou os soldados? — pergunto.

— Que foi que eu fiz quando encontrei os soldados? — repete ele.

Aceno a cabeça positivamente e espero a resposta em silêncio. Ele examina no espelho retrovisor um ponto qualquer que ficou para trás e, então, volta o olhar para frente.

— Nunca contei essa história para ninguém — diz ele. — Nem mesmo para o meu irmão. Irmão, ou irmã, sei lá... e tanto faz. Irmão, digamos. Ele não sabe nada a respeito dos soldados.

Torno a assentir em silêncio.

— E acho que nunca mais falarei disso com mais ninguém. Nem mesmo com você. E acho também que nem você vai falar disso com mais ninguém. Nem mesmo comigo. Entende o que estou tentando dizer?

— Acredito que sim — respondo.

— Então explique.

— É que palavras não descrevem corretamente os fatos. Porque a verdadeira resposta não pode ser dada em palavras.

— Isso mesmo — diz Sada. — Exatamente. Se palavras não conseguem descrever corretamente os fatos, o melhor mesmo será não tentar explicá-los de maneira alguma.

— Nem para si mesmo?

— Isso. Nem para si mesmo — diz Sada. — Acho que não devem ser explicadas nem mesmo para si.

Sada me oferece chicletes de hortelã. Aceito um e o ponho na boca.

— Já surfou alguma vez? — pergunta ele.

— Nunca.

— Pois então eu lhe ensino numa próxima oportunidade — diz ele. — Isto é, se você quiser. A onda é maneira na costa de Kochi, que aliás não é muito frequentada. O surfe é um esporte mais complexo do que parece. Ele nos ensina a não contrariar as forças da natureza. Por mais selvagens que elas se tornem.

Tira um cigarro do bolso da camiseta, põe na boca e o acende com o isqueiro do painel.

— Esta é outra coisa impossível de ser explicada verbalmente. O tipo da coisa cuja resposta não é nem sim nem não — diz ele.

Aperta os olhos e expele a fumaça lentamente pela janela.

Depois, diz:

— Existe um ponto chamado *toilet bowl* no Havaí, onde a corrente vazante se choca com a enchente e produz um enorme redemoinho. Seu movimento se assemelha ao da descarga de uma latrina. E, se você cai da prancha e é arrastado até o fundo desse redemoinho, fica muito difícil aflorar outra vez. Dependendo das condições do mar, pode até ser que você nunca mais consiga. Apesar de tudo, você tem que ficar quieto lá no fundo e deixar que as ondas o massacrem. Não adianta você se assustar e se debater, vai apenas esgotar suas forças antes do tempo. Acho difícil passar por experiência mais apavorante. Mas, se você não domina esse tipo de pavor, nunca será um bom surfista. Você tem de se ver frente a frente com a morte, conhecê-la e vencê-la. No fundo do redemoinho, você pensa em muitas coisas e, num certo sentido, faz amizade com a morte, conversa com ela de maneira franca.

Ele desce na porteira, fecha-a e passa o cadeado. Sacode o portão algumas vezes para se certificar de que está bem trancado.

Depois, prosseguimos em silêncio. Ele guia com o rádio sintonizado num programa musical de uma estação FM. Mas o rádio só está ligado simbolicamente, pois sou capaz de perceber que ele não presta a mínima atenção à programação. Não dá a menor importância quando, ao entrarmos num túnel, o som desaparece e só fica o ruído da estática. O ar-condicionado está quebrado, de modo que viajamos com as janelas abertas mesmo depois de entrar na via expressa.

— Se você realmente quer aprender a surfar, procure-me — diz Sada na altura em que avistamos o Mar Interno. — Tenho um quarto vago lá em casa onde poderá ficar tantos dias quantos quiser.

— Muito obrigado — eu digo. — Vou lá qualquer dia, só não sei dizer quando.

— Você tem muita coisa para fazer?

— Tenho diversos assuntos pendentes que precisam ser resolvidos.

— Isso eu também tenho — diz Sada. — Não estou me gabando, veja bem.

Depois disso, ficamos em silêncio por mais um bom tempo. Ele pensa nos problemas dele e eu, nos meus. Com os olhos fixos na estrada e a mão esquerda sobre o volante, ele fuma às vezes. Não é de correr muito, no que difere de Oshima. Apoia o cotovelo direito na janela aberta e corre de maneira descontraída, observando o limite de velocidade. Só vai para a faixa de ultrapassagem se o carro que corre à frente estiver em velocidade muito baixa, quando então pisa no acelerador com certa relutância e retorna logo que pode à faixa anterior.

— Você pratica o surfe há muito tempo? — pergunto.

— Acho que sim — replica ele. Depois, o silêncio se estende. A resposta completa só vem quando eu já começava a esquecer o que tinha perguntado.

— Eu praticava o surfe desde os meus tempos de colégio, mas apenas como passatempo. Foi só há cerca de seis anos que comecei a levar o esporte a sério. Eu trabalhava numa grande agência publicitária em Tóquio. O trabalho não me agradava, de modo que voltei para esta região e comecei a surfar. Juntei minhas economias, peguei um dinheiro emprestado dos meus pais e abri uma loja de material para surfistas. Sou sozinho, de modo que consigo fazer quase tudo que me dá na veneta.

— Você queria voltar para Shikoku?

— Em parte — ele diz. — Tenho de estar perto do mar e das montanhas para me sentir bem. Muitas vezes, o ser humano é determinado pelo ambiente em que nasce e cresce. A topografia, a temperatura e os ventos da região onde um homem nasce podem influir no seu modo de pensar e sentir. E você, de onde é?

— Nasci em Tóquio, na região de Nogata, no bairro de Nakano.

— Tem vontade de retornar a Nakano?

Sacudo a cabeça negando.

— Nenhuma.

— Por quê?

— Porque não tenho nenhum motivo para retornar.

— Entendi — diz ele.

— Não acho também que eu tenha sofrido a influência da topografia ou dos ventos da região.

— Sei — diz ele.

Depois, tornamos a ficar quietos. Mas o fato de o silêncio se prolongar não parece afetar Sada. Aliás, nem a mim. Sem pensar em nada, ouço vagamente a música que vem do rádio. Sada mantém os olhos sempre fixos na estrada. Quando a rodovia termina, pegamos a saída para o norte e entramos em Takamatsu.

Chegamos à Biblioteca Komura pouco antes da uma da tarde. Sada me larga na frente da biblioteca e, sem descer nem desligar o motor, retorna para Kochi.

— Obrigado — eu digo.

— Até qualquer dia — ele diz.

Põe o braço para fora da janela, acena de leve uma única vez e se vai, fazendo ranger os pneus de aro grande. Volta para suas ondas gigantescas, seu mundo e seus problemas.

Com a mochila às costas, passo pelo portão da biblioteca. Aspiro o aroma dos arbustos e árvores do jardim, como sempre muito bem conservados. Tenho a impressão de que já se passaram alguns meses desde a última vez que vi esta biblioteca, mas, pensando bem, faz apenas quatro dias que saí daqui.

Encontro Oshima atrás do balcão. Está de gravata, coisa rara. Camisa impecavelmente branca abotoada de cima a baixo e gravata de listras mostarda e verde. Não está usando o paletó e as mangas da camisa estão dobradas até a altura dos cotovelos. Como sempre, há uma xícara de café diante dele e, lado a lado sobre a escrivaninha, dois lápis bem apontados.

— Oi! — diz Oshima. E me sorri como sempre.

— Boa tarde! — cumprimento.

— Meu irmão o trouxe até aqui?

— Trouxe.

— Ele não é de muita conversa, é?

— Até que é — contradigo.

— Sorte sua. Dependendo do interlocutor, ele pode ficar mudo como uma ostra.

— O que aconteceu por aqui? — pergunto. — Seu irmão me disse que você teve um problema urgente a resolver.

Oshima acena.

— Preciso lhe contar algumas coisas. Antes de mais nada, a Sra. Saeki faleceu. Ataque cardíaco. Na tarde de terça-feira, encontrei-a caída de bruços sobre a escrivaninha do escritório, no andar superior. Foi tudo muito rápido. Aparentemente, ela não sofreu.

Tiro a mochila do meu ombro e a ponho no chão. Em seguida, sento-me numa cadeira próxima.

— Na tarde de terça-feira? — pergunto. — Hoje é sexta, não é?

— Isso mesmo, hoje é sexta. A Sra. Saeki faleceu depois de conduzir o tour costumeiro das terças-feiras. Talvez eu devesse ter-lhe comunicado antes, mas eu mesmo não estava em condição de raciocinar direito.

Afundado na cadeira, sinto-me incapaz de me mexer. Oshima e eu ficamos um longo tempo em silêncio. Do lugar em que estou, enxergo a escada que leva ao andar superior. O corrimão preto e lustroso, o vitral sobre o patamar. Aquela escada sempre se revestiu de um profundo significado para mim. Ela me conduzia à Sra. Saeki. Agora, porém, é uma escada comum, nada significa. A Sra. Saeki não está mais lá.

— Conforme lhe expliquei antes, a morte dela já era esperada — diz Oshima. — Eu já sabia e ela também. Ainda assim, e nem é preciso dizer, foi um choque para mim.

Oshima se cala nesse ponto. Tenho de dizer alguma coisa. Mas não encontro palavras.

— Atendendo a um pedido dela, não houve cerimônia fúnebre — continua Oshima. — Ela foi discretamente cremada. O testamento estava dentro da gaveta da escrivaninha dela. Todos os seus bens foram doados para a fundação que mantém esta biblioteca. Para mim, ela me deixou a caneta Mont Blanc como lembrança. Para você, um quadro a óleo. Aquele, do menino à beira-mar. Você o aceita?

Aceno a cabeça concordando.

— Eu o embalei e está pronto para ser levado.

— Obrigado — digo, finalmente encontrando a voz.

— Escute, Kafka — diz Oshima. Como sempre, tem um lápis na mão e o gira entre os dedos. — Quero lhe fazer uma pergunta. Você me permite?

565

Aceno a cabeça positivamente.

— Muito antes de eu lhe informar, você já sabia que a Sra. Saeki havia falecido, não sabia?

Aceno outra vez e digo:

— Acho que sabia.

— Realmente, tive essa impressão — diz Oshima. Depois, respira fundo. — Quer tomar uma água, ou outra coisa qualquer? Francamente, você me lembra um deserto.

— Por favor — eu digo. Ele tem razão, minha garganta está terrivelmente seca. Mas só percebo isso depois de ouvir a observação de Oshima.

Tomo de uma vez toda a água com gelo que Oshima me trouxe. Sinto uma leve dor de cabeça. Deponho o copo vazio sobre a mesa.

— Quer mais um pouco?

Sacudo a cabeça.

— E agora, que pretende fazer? — pergunta Oshima.

— Estou pensando em voltar a Tóquio — respondo.

— E depois de chegar lá, que vai fazer?

— Antes de mais nada, vou à polícia e explico tudo o que aconteceu. Se eu não fizer isso, serei um fugitivo para o resto da minha vida. Depois, acho que volto à escola. Não tenho vontade alguma, mas o colegial faz parte do ensino básico obrigatório, não é? Creio que não tenho como escapar disso. Tenho de suportar só mais alguns meses de aula e, depois, me formo. Uma vez formado, posso fazer o que eu quiser.

— Entendi — diz Oshima. Aperta os olhos e me encara. — Eu também acho que essa deve ser a melhor solução para você.

— Aos poucos, comecei a sentir que é a conduta certa a tomar.

— E que fugir não leva a lugar algum.

— Provavelmente — digo.

— Parece que você amadureceu — diz ele.

Sacudo a cabeça. Não consigo dizer nada.

Oshima aperta de leve a têmpora com a ponta emborrachada do lápis. O telefone começa a tocar, mas ele o ignora.

— Todos nós perdemos coisas preciosas ao longo da vida — diz ele quando enfim o telefone para de tocar. — Oportunidades ou possibilidades importantes, emoções que nunca mais experimentaremos. Esse é um dos significados da vida. Mas dentro de nossas mentes — eu ao menos acho que é dentro das mentes — existe um pequeno aposento destinado a guardar tais preciosidades na forma de lembranças. Deve ser um aposento semelhante àquele em que guardamos o acervo desta biblioteca. E para sabermos a exata situação de nossa alma, temos de fabricar continuamente novos cartões de referência. Temos de varrer o aposento, de arejá-lo, de trocar a água dos vasos de flores. Em outras palavras, você vai viver para sempre dentro de sua própria biblioteca.

Estou com o olhar preso no lápis que Oshima tem nas mãos. Isso me causa intensa dor. Mas, por mais alguns minutos, eu tenho de continuar sendo o garoto de 15 anos mais valente do mundo, ou ao menos fingir que sou. Inspiro uma vez, profundamente, encho os pulmões de ar e consigo de algum modo empurrar para dentro de mim o bolo de emoção que assomava.

— Posso voltar para cá qualquer dia desses? — pergunto.

— Claro! — responde Oshima, depondo o lápis outra vez sobre o balcão. Cruza as mãos na nuca e me olha de frente. — Segundo depreendi, vou administrar esta biblioteca sozinho por algum tempo. E acho que vou precisar de um assistente. Portanto, quando você se livrar das questões pendentes com a polícia e a escola, e caso queira, volte para cá. Tanto eu como esta cidade estaremos aqui por muito tempo. Todo o mundo precisa de um lugar a que possa pertencer.

— Muito obrigado — eu digo.

— Não há de quê — responde ele.

— Seu irmão também se ofereceu para me ensinar o surfe.

— Que beleza! Ele não é do tipo que se dá bem com qualquer um — explica Oshima. — Você viu como ele é difícil, não viu?

Aceno a cabeça concordando. Depois, sorrio. Dois irmãos muito parecidos.

— Kafka — diz Oshima aproximando o rosto do meu. — Posso até estar enganado, mas acho que esta é a primeira vez que o vejo sorrir.

— Pode ser — respondo. Estou realmente sorrindo. Sinto o rosto avermelhar.

— Quando vai para Tóquio?

— Estou pensando em ir agora mesmo.

— Não quer esperar o fim do expediente? Fecho a biblioteca e o levo de carro até a estação.

Penso um instante e depois recuso:

— Muito obrigado. Acho melhor partir logo.

Oshima assente com um movimento de cabeça, vai para dentro e me traz o quadro cuidadosamente embalado. Depois, põe num envelope o disco *Kafka à beira-mar* e me entrega.

— Isto é um presente meu para você.

— Obrigado — eu digo. — Por último, eu gostaria de rever o escritório da Sra. Saeki. Posso?

— Claro! Esteja à vontade.

— Você subiria comigo, Oshima?

— Naturalmente.

Subimos ao andar superior e entramos no escritório da Sra. Saeki. Fico em pé diante da escrivaninha dela e passo levemente a mão por sua superfície. Penso então nas coisas que ali se entranharam no decorrer do tempo. Evoco mentalmente sua derradeira imagem — ela, caída de bruços sobre a escrivaninha. Depois, lembro-me dela de costas para a janela, absorta, escrevendo. Eu sempre levava café para ela. Ao entrar pela porta, que sempre encontrei aberta, ela erguia a cabeça, me via e sorria.

— O que a Sra. Saeki tanto escrevia sentada a esta escrivaninha? — pergunto.

— Não tenho ideia — responde Oshima. — Sei apenas que ela se foi deste mundo levando consigo diversos segredos.

E também diversas hipóteses — acrescento intimamente.

Pela janela aberta, o vento de junho entra e agita de leve a barra da cortina de renda branca. Sinto um leve cheiro de maresia. A areia parece escorrer de minhas mãos. Saio da frente da escrivaninha, me aproximo de Oshima e o aperto com força em meus braços. Seu corpo esguio desperta em mim uma sensação de aguda nostalgia. Ele passa a mão gentilmente por meu cabelo.

— O mundo é uma metáfora, Kafka — diz Oshima junto ao meu ouvido. — Esta biblioteca, porém, não é metáfora de coisa alguma tanto para você como para mim. Ela é e sempre será apenas uma biblioteca. Quero que isto fique bem claro entre nós.

— Naturalmente — digo.

— Uma biblioteca bem sólida, única e especial. Insubstituível. Concordo.

— Até logo, Kafka Tamura — diz Oshima.

— Até logo, Oshima — replico. — Você está muito elegante com essa gravata.

Ele se afasta um pouco, me olha de frente e sorri:

— Estava esperando você me dizer isso.

Com a mochila às costas, ando até a estação, tomo o trem e vou até Takamatsu. No guichê da estação, compro um bilhete para Tóquio. Vou chegar lá tarde. Passarei o restante da noite num hotel e, depois, vou para a minha casa em Nogata, vazia e grande, onde estarei outra vez sozinho. Lá não tenho ninguém à minha espera, mas não há outro lugar aonde eu possa retornar.

Do telefone público da estação, ligo para o celular de Sakura. Ela está ocupada, mas diz que pode falar comigo contanto que a conversa não se alongue. Não vai se alongar, prometo.

— Estou indo embora para Tóquio — digo. — Estou na estação de Takamatsu. Queria só lhe dizer isso.

— Desistiu de fugir?

— Acho que sim.

— Realmente, aos 15 anos é cedo demais para um garoto fugir de casa — diz ela. — Mas o que vai fazer em Tóquio?

— Vou voltar para a escola.

— A longo prazo, acho que é uma boa ideia — diz ela.

— Você também vai voltar para Tóquio, não vai, Sakura?

— Lá pela altura de setembro, provavelmente. Acho que vou viajar um pouco durante o verão.

— Podemos nos ver em Tóquio?

— Claro que podemos — diz ela. — Dê-me o número do seu telefone.

Eu lhe dou o número da minha casa. Ela o anota.

— Sonhei com você um dia desses — diz ela.

— E eu também, com você.

— Aposto que o seu foi um sonho erótico.

— Acho que foi — admito. — Mas foi apenas um sonho, nada mais. E o seu?

— O meu não tinha nada de erótico. Sonhei que você andava sozinho dentro de uma casa grande que parecia um labirinto. Você estava à procura de um quarto especial, mas não conseguia encontrá-lo. E, dentro dessa casa, tinha também alguém à sua procura. Eu queria avisá-lo a respeito dessa presença e gritava, mas minha voz não o alcançava. E tanto gritei que acordei exausta. Foi aterrorizante. Desde então, andei muito preocupada com você.

— Obrigado por se preocupar comigo — digo. — Mas isso também foi apenas um sonho.

— Quer dizer que nada de mal lhe aconteceu?

— Nada de mal me aconteceu.

Nada de mal me aconteceu, digo para mim mesmo.

— Até logo, Kafka — ela me diz. — Vou retomar meu trabalho, mas ligue para este telefone sempre que quiser conversar comigo.

— Até logo... — eu digo e acrescento — minha irmã.

Cruzo a ponte e o mar, e tomo o trem-bala na estação de Okayama. Recostado no banco, fecho os olhos e vou me adaptando ao embalo do trem. No piso, tenho o quadro *Kafka à beira-mar* muito bem embalado. Sinto-o contra os meus pés.

— Quero que você se lembre de mim — diz a Sra. Saeki. Depois, mergulha o olhar no meu. — Se você, apenas você, se lembrar de mim, não me importo que o resto do mundo me esqueça.

Como num velho sonho de sentido ambíguo, o tempo recai pesado sobre você, que continua a se mover, procurando passar por ele. Mas dele provavelmente não será capaz de fugir mesmo que vá até a borda do mundo. Ainda assim, você tem de ir até lá. Pois há coisas que só podem ser feitas na borda do mundo.

A chuva começa a cair pouco depois de passarmos por Nagoya. Contemplo as gotas que riscam o vidro escuro da janela. Pensando bem, chovia quando saí de Tóquio. Penso na chuva caindo sobre diversos lugares. Sobre a floresta, o mar, a rodovia, a biblioteca, a borda do mundo.

Fecho os olhos, relaxo e permito que os músculos tensos se distendam. Apuro os ouvidos para os ruídos básicos da locomotiva. E então, sem aviso algum, uma lágrima escorre. Sinto sua tepidez em meu rosto. Transbordou do meu olho, escorreu pela face, parou no canto da boca e ali vai secando muito lentamente. Não faz mal, digo para mim mesmo. É uma única lágrima. É apenas uma das muitas gotas que batem na janela.

Será que fiz tudo certo?

— Você fez tudo certo — diz o menino chamado Corvo. — Fez tudo da maneira mais correta possível. Ninguém teria sido capaz de fazer tão bem quanto você. Pois você é *genuinamente* o menino de 15 anos mais valente do mundo.

— Mas ainda não sei o que significa viver — digo.

— Olhe o quadro — diz ele. — Ouça o vento.

Aceno a cabeça positivamente.

— Durma um pouco — diz o menino chamado Corvo. — E, quando acordar, será parte de um novo mundo.

E então, você adormece. E, quando acorda, é parte de um novo mundo.

1ª EDIÇÃO [2008] 19 reimpressões

ESTA OBRA FOI COMPOSTA PELA ABREU'S SYSTEM EM AGARAMOND E IMPRESSA EM OFSETE PELA LIS GRÁFICA SOBRE PAPEL PÓLEN DA SUZANO S.A. PARA A EDITORA SCHWARCZ EM JULHO DE 2024

A marca FSC® é a garantia de que a madeira utilizada na fabricação do papel deste livro provém de florestas que foram gerenciadas de maneira ambientalmente correta, socialmente justa e economicamente viável, além de outras fontes de origem controlada.